LOS NUEVOS ESCENARIOS LABORALES DE LA INNOVACIÓN TECNOLÓGICA

LOS NUEVOS ESCENARIOS LABORALES DE LA INNOVACIÓN TECNOLÓGICA

MORENO GENÉ, JOSEP
ROMERO BURILLO, ANA MARÍA
Coordinadores

ASSENS-SERRA, J.
BASTIDA VIALCANET, R.
BOADA-GRAU, J.
BOADA-CUERVA, M.
CARDELLA, G.M.
CARRERAS ROIG, L.
FERNÁNDEZ GARCÍA, A.
GUERRERO VIZUETE, E.
HERNÁNDEZ-SÁNCHEZ, B.R.
MORENO GENÉ, J.
PAYÁ CASTIBLANQUE, R.
PIZZI, A.
ROMERO BURILLO, A.M.
SÁNCHEZ-GARCÍA, J.C.
SERRANO-FERNÁNDEZ, M.J.
VALLE MUÑOZ, F.A.

tirant lo blanch
Valencia, 2023

Este trabajo se ha elaborado en el marco del proyecto de investigación RTI 2018-097947-B-I00 titulado "Nuevas tecnologías, cambios organizativos y trabajo: una visión multidisciplinar" financiado por el Ministerio de Economía y Competitividad, cuyos investigadores principales son Ana Romero Burillo y Josep Moreno Gené.

© VV.AA.

© TIRANT LO BLANCH
EDITA: TIRANT LO BLANCH
C/ Artes Gráficas, 14 - 46010 - Valencia
TELFS.: 96/361 00 48 - 50
FAX: 96/369 41 51
Email: tlb@tirant.com
www.tirant.com
Librería virtual: www.tirant.es
DEPÓSITO LEGAL: V-1610-2023
ISBN: 978-84-1169-324-0
MAQUETA: Innovatext

Índice

Capítulo III
Los algoritmos y la inteligencia artificial en la Ley 12/2021, de 28 de septiembre
Antonio Fernández García

Capítulo IV
La normatividad del tiempo en el trabajo a distancia
Esther Guerrero Vizuete

Capítulo V
El impacto de las tecnologías digitales sobre los riesgos laborales de los trabajadores en Europa
ALEJANDRO PIZZI
RAÚL PAYÁ CASTIBLANQUE

Capítulo VI
Teletrabajo ¿solución o problema? Las dos caras de la misma moneda. Salud laboral y riesgos psicosociales
MARÍA JOSÉ SERRANO-FERNÁNDEZ
JORDI ASSENS-SERRA
MARIA BOADA-CUERVA
JOAN BOADA-GRAU

Capítulo VII
La regulación del teletrabajo en la negociación colectiva
ANA MARÍA ROMERO BURILLO

Capítulo VIII
**El uso sindical de los sistemas de comunicación electrónica
para transmitir información de interés laboral en la empresa**
FRANCISCO ANDRÉS VALLE MUÑOZ

Capítulo IX
**Estado del arte sobre el teletrabajo: futuras líneas de investigación
para un constructo multidimensional**
GIUSEPPINA MARIA CARDELLA
BRIZEIDA HERNÁNDEZ-SÁNCHEZ
JOSÉ CARLOS SÁNCHEZ-GARCÍA

Prólogo

Las múltiples posibilidades prácticas que ofrecen las diferentes innovaciones tecnológicas y los cambios en la organización de la empresa que las mismas comportan, permiten poner de manifiesto la incidencia generalizada de este proceso en todos los sectores económicos y en todas las tareas que en los mismos se desarrollan y, por tanto, en la disciplina que hasta el momento de un modo predominante ha regulado este trabajo, es decir, el Derecho del Trabajo y de la Seguridad Social. A tal efecto, resulta indiscutible que en las últimas décadas el desarrollo tecnológico ha producido y va a seguir produciendo múltiples cambios en el mundo del trabajo, las condiciones laborales, las estructuras de representación y en las formas de diálogo social tradicional. Si bien el entorno socioeconómico que constituye el sustrato sobre el que se aplica el Derecho del Trabajo y de la Seguridad Social siempre ha tenido un carácter cambiante, en los últimos años, de la mano de las constantes innovaciones tecnológicas, estos cambios se están mostrando, aún más radicales y vertiginosos, llegando a hacer temblar los propios cimientos sobre los que tradicionalmente se ha sustentado esta disciplina jurídica.

En este contexto, el ordenamiento jurídico laboral ha dejado de lado la tradicional anomia legislativa que acompaña a estas nuevas realidades y ya son numerosas las intervenciones del legislador nacional y, también, de la negociación colectiva, que las pretenden abordar y regular, a las que cabe sumar la también incipiente normativa internacional que, especialmente, mediante Convenios de la OIT y Directivas y propuestas de directivas comunitarias también pretenden acotar los múltiples impactos de todas estas innovaciones tecnológicas en el trabajo.

Baste destacar, por citar algún ejemplo, la Ley 12/2021, de 28 de septiembre, por la que se modifica el texto refundido de la Ley del Estatuto de los Trabajadores, aprobado por el Real Decreto Legislativo 2/2015, de 23 de octubre, para garantizar los derechos laborales de las personas dedicadas al reparto en el ámbito de plataformas digitales. En dicha norma se modifica el artículo 64, relativo a los derechos de información y consulta de la representación legal de las personas trabajadoras añadiendo un nuevo párrafo d) a su apartado 4, en el que se reconoce el derecho del comité de empresa a ser informado por la empresa de los parámetros, reglas e instrucciones en los que se basan los algoritmos o sistemas de inteligencia artificial que afectan a la toma de decisiones que pueden incidir en las condiciones de trabajo, el acceso y mantenimiento del empleo, incluida la elaboración de perfiles. Asimismo, se introduce una nueva disposición adicional vigesimotercera sobre la presunción de laboralidad en el ámbito de las plataformas digitales de reparto en la que, por aplicación de los establecido en el artículo 8.1, se presume incluida en el ámbito de esta ley la actividad de las personas que presten servicios retribuidos consistentes en el reparto o distribución de cualquier tipo de producto de consumo o mercancía, por parte de empleadoras que ejercen las facultades empresariales de organización, dirección y control de forma directa, indirecta o implícita, mediante la gestión algorítmica del servicio o de las condiciones de trabajo, a través de una plataforma digital.

Asimismo, resulta especialmente destacable la aprobación de la Ley 10/2021, de 9 de julio, de trabajo a distancia, con la que se ha pretendido crear, ya veremos si se consigue, una regulación suficiente, transversal e integrada en una norma sustantiva que dé respuesta a las diversas necesidades, equilibrando el uso de esta nueva forma de trabajar, y las ventajas que supone para empresas y personas trabajadoras, de un lado, y un marco de derecho adecuado a dicha prestación, por otro, llenando de esta forma el vacío normativo existente hasta ese momento.

En el ámbito internacional, cabe destacar la propuesta para una directiva del Parlamento Europeo y del Consejo sobre la mejora de las condiciones de trabajo en las plataformas de trabajo, que tiene por objeto mejorar las condiciones de trabajo de las personas que realizan trabajos a través de plataformas digitales, asegurando la correcta determinación del tipo de trabajo de que se trata, promocionando la transparencia, la equidad y la rendición de cuentas de los algoritmos, al tiempo que se pretende apoyar las condiciones para el crecimiento de dichas plataformas digitales en la Unión Europea.

En este contexto, la presente monografía tiene por objeto contribuir al rico debate ya existente sobre esta materia, mediante la identificación y cuantificación de este fenómeno y la identificación de las principales controversias económicas, jurídicas y psicosociales que el mismo suscita, así como también mediante el análisis de todas aquellas medidas que desde diferentes ámbitos de actuación, pero especialmente, desde el ámbito jurídico-laboral y de seguridad social, están contribuyendo en los últimos años al loable propósito de alcanzar el necesario equilibrio entre las indudables ventajas que comporta para las empresas la introducción de las nuevas tecnologías en su organización y el mantenimiento de los derechos individuales y colectivos que corresponden a los trabajadores afectados por las mismas.

Este ambicioso objetivo se pretende alcanzar, a su vez, desde una vertiente multidisciplinar, combinando un enfoque económico, psicológico, sociológico y jurídico-laboral del fenómeno, no en vano, únicamente desde esta perspectiva se puede llegar a comprender el verdadero impacto que está suponiendo para los trabajadores la introducción de las nuevas tecnologías en las organizaciones empresariales. Asimismo, únicamente desde esta vertiente multidisciplinar se pueden analizar las posibles consecuencias de índole personal, económica, social y jurídica que supone la regulación del impacto de las nuevas tecnologías en el ámbito laboral y, muy especialmente, para los trabajadores que ineludiblemente se ven afectados por las mismas.

El enfoque multidisciplinar que se ofrece en esta obra ha sido posible en la medida que el trabajo que ahora se presenta constituye el resultado de la investigación desarrollada en el marco del proyecto I+D titulado "Nuevas Teconologías, Cambios Organizativos y Trabajo: Una Visión Multidisciplinar" financiado por el Ministerio de Ciencia, Innovación y Universidades (RTI2018-097947-B-I00) y en el que han participado investigadores de las Universidades de Lleida, Rovira i Virgili, Pompeu Fabra, Oberta de Cataluña, Internacional de Cataluña, UPF-Barcelona School of Management, Valencia, Salamanca, Kozminski University (Poland) y University of Tartu (Estonia), procedentes, a su vez, del ámbito de la economía, la sociología, la psicología y el derecho del trabajo y de la seguridad social.

Con el ánimo de dar cumplimiento a los propósitos expuestos, esta monografía se estructura en diferentes capítulos donde se abordan desde la referida vertiente multidisciplinar los aspectos más novedosos que plantea la irrupción de las nuevas tecnologías en el ámbito del trabajo y su incipiente regulación por parte del ordenamiento jurídico laboral. A tal efecto, en el Capítulo primero, elaborado por los profesores Lluís Carreras Roig y Ramón Bastida Vialcanet, bajo el título de "El impacto del teletrabajo y la digitalización" se analiza el impacto económico de la digitalización de la economía y, especialmente, de la irrupción del teletrabajo, analizándose los efectos de su implementación desde una perspectiva económica, empresarial y de las personas trabajadoras.

En el capítulo segundo, titulado "plataformas digitales de reparto: pasado, presente y futuro de su calificación jurídica", el profesor Josep Moreno Gené analiza una de las nuevas formas de trabajar surgidas al hilo de la digitalización de la economía, que no es otra que la del trabajo en plataformas digitales. A tal efecto, se procede a un estudio detallado de las soluciones jurisprudenciales y legales dispensadas a la ya tradicional controversia en torno a la naturaleza jurídica que cabe atribuir a la actividad de reparto efectuada a través de plataformas digitales, así como a indagar en las nuevas controversias jurídico-laborales que, sin lugar a dudas, van a suscitar y, de hecho, ya están suscitando, las nuevas e ingeniosas estrategias adoptadas por las plataformas digitales con el fin de "eludir" la presunción de laboralidad de esta actividad impuesta ahora de forma expresa por la Ley 12/2021, de 28 de septiembre, por la que se modifica el texto refundido de la Ley del Estatuto de los Trabajadores, aprobado por el Real Decreto Legislativo 2/2015, de 23 de octubre, para garantizar los derechos laborales de las personas dedicadas al reparto en el ámbito de plataformas digitales, que no pueden más que calificarse como verdaderas obras de ingeniería laboral. Con este mismo propósito, se analiza el papel que puede jugar en la resolución de esta controversia la futura directiva sobre las plataformas digitales, que actualmente se encuentra pendiente de aprobación.

Profundizándose en las novedades introducidas por la Ley 12/2021, en el capítulo tercero, elaborado por el profesor Antonio Fernández García y que se titula "Los algoritmos y la inteligencia artificial en la ley 12/2021, de 28 de septiembre", se analiza también desde una perspectiva jurídico-laboral, la obligación que introduce esta norma de informar a los representantes de los trabajadores de los «parámetros, reglas e instrucciones en los que se basan los algoritmos o sistemas de inteligencia artificial que afectan a la toma de decisiones

que pueden incidir en las condiciones de trabajo, el acceso y mantenimiento del empleo, incluida la elaboración de perfiles». Análisis que
se complementa con el estudio de las futuras normas comunitarias
que regularán el trabajo en plataformas digitales y la inteligencia artificial (IA). Por lo demás, a modo instrumental, en este capítulo se
definen diversos conceptos como el de la propia IA, los algoritmos y
otros relacionados como el análisis de macrodatos (*big data*), la *human resource analytics*, la elaboración de perfiles, etcétera.

En relación con el teletrabajo, en el capítulo cuarto, elaborado por
la profesora Esther Guerrero Vizuete y que lleva por título "La normatividad del tiempo en el trabajo a distancia", se aborda, también,
desde una perspectiva jurídico-laboral, una de las principales cuestiones que caracterizan a dicha forma de trabajar, no en vano, en
estos supuestos la determinación cuantitativa del tiempo de trabajo
es una cuestión más que compleja. A tal efecto, el trabajo a distancia contiene, como ninguna otra forma de organización del trabajo,
altas dosis de flexibilidad que inciden directamente sobre el tiempo
de prestación, pero también sobre la vida privada del trabajador y la
necesaria tutela de su seguridad y salud. Bajo este prisma se analizan
aspectos tan relevantes como la delimitación del horario de trabajo y
de las reglas de disponibilidad como contenido mínimo del acuerdo
de trabajo a distancia, la fijación del porcentaje y la distribución entre
el trabajo a distancia y el trabajo presencial, la distribución irregular
de la jornada y su incidencia en el trabajo a distancia, el derecho al
horario flexible de la persona trabajadora a distancia, la conciliación
y corresponsabilidad en la prestación de servicios a distancia, el control del tiempo de trabajo mediante la obligatoriedad del registro de
la jornada laboral, el derecho a la desconexión digital y la limitación
del tiempo de descanso a través de los pactos de disponibilidad.

Por lo que respecta al impacto de las nuevas tecnologías sobre la
salud de los trabajadores, los profesores Alejandro Pizzi y Raúl Payá
Castiblanque, analizan, en el capítulo quinto, bajo la denominación de
"El impacto de las tecnologías digitales sobre los riesgos laborales de
los trabajadores en Europa" y desde una perspectiva sociológica, las
condiciones de trabajo y los riesgos laborales a los que se encuentran
sometidos los trabajadores que utilizan tecnologías digitales, analizándose a fondo las posturas tan confrontadas entre quienes defienden que la digitalización puede favorecer una mayor flexibilidad y au-

tonomía en la organización del tiempo de trabajo, el enriquecimiento de los puestos y la eliminación de riesgos tradicionales de seguridad e higiene industrial y quienes apuntan a una mayor precarización de las condiciones de trabajo, en la medida que la digitalización puede favorecer la intensificación y aceleración de los ritmos de producción, la pérdida de autonomía y privacidad como consecuencia de nuevos sistemas de vigilancia y control o la dislocación del tiempo de trabajo en términos de plena disponibilidad de los y las trabajadores/as a los requerimientos empresariales.

Específicamente, en relación con el impacto en la salud laboral de los teletrabajadores, los profesores María José Serrano-Fernández, Jordi Assens-Serra, Maria Boada-Cuerva y Joan Boada-Grau, en el capítulo sexto, bajo el título de "Teletrabajo ¿solución o problema? las dos caras de la misma moneda. Salud laboral y riesgos psicosociales", llevan a cabo un riguroso análisis de los principales riesgos psicosociales tradicionalmente vinculados al teletrabajo, para lo cual se analiza, el efecto del teletrabajo en la aparición de problemas musculoesqueléticos y oculares, de trastornos emocionales y psicológicos, de tensión y estrés, de agotamiento y burnout, de workaholism, de sedentarismo y de obesidad, etcétera. A partir de este análisis se proponen algunas medidas de prevención de riesgos laborales en el teletrabajo, especialmente, en relación con la prevención de los problemas oculares y con la necesidad de facilitar las relaciones sociales y el fomento de la desconexión digital.

Profundizándose en la regulación de las condiciones laborales en el trabajo a distancia, la profesora Ana María Romero Burillo, tras constatar el papel que la Ley de trabajo a distancia reserva a la negociación colectiva, procede a analizar en el capítulo séptimo, bajo el título de "La regulación del teletrabajo en la negociación colectiva", la forma en que en la práctica se está concretando la regulación del teletrabajo por medio de la norma convencional. Para ello, sin embargo, con carácter previo se analiza el tratamiento que hasta la aprobación de la Ley del trabajo a distancia se realizaba del teletrabajo en los convenios colectivos, lo cual permite valorar en su justa medida el impacto que la negociación colectiva tiene ahora en la regulación del teletrabajo y, en consecuencia, la transcendencia que en esta materia está teniendo la aprobación de la referida ley.

Por lo que respecta al ámbito de las relaciones colectivas de trabajo, el profesor Francisco Andrés Valle Muñoz analiza en el capítulo octavo, "El uso sindical de los sistemas de comunicación electrónica para transmitir información de interés laboral en la empresa". A tal efecto, tras constatarse que tanto el ET como la LOLS están pensando en un tipo de empresa que carece de las innovaciones proporcionadas por las nuevas tecnologías de la información y de la comunicación y que, por tanto, no prevén ni contemplan los múltiples problemas que la implantación de las tecnologías de la información y de la comunicación plantea en el ámbito de las relaciones de los trabajadores con la empresa, con los sindicatos, o con los representantes unitarios, o incluso las consecuencias de una defectuosa utilización de las mismas por parte del trabajador, aborda el rico debate doctrinal y jurisprudencial existente acerca de la posibilidad de realizar una interpretación de la regulación vigente a la luz de la realidad social del tiempo en que vivimos "ex" artículo 3.1 del Código Civil, en el sentido de que las herramientas telemáticas de la empresa sirvan de mecanismo para el ejercicio de los derechos reconocidos por el ordenamiento jurídico.

Finalmente, en el último capítulo, elaborado por los profesores Giuseppina Maria Cardella, Brizeida Hernández-Sánchez y José Carlos Sánchez-García, bajo el título de "estado del arte sobre el teletrabajo: futuras líneas de investigación para un constructo multidimensional", se procede a examinar las investigaciones sobre el tema del teletrabajo llevadas a cabo en el ámbito psicosocial utilizando una metodología de revisión de mapeo científico, con el fin de contribuir a la sistematización de este campo de investigación extremadamente controvertido. Específicamente, se abordan las siguientes preguntas de investigación: ¿Cuál es la principal trayectoria de crecimiento y distribución geográfica de la investigación sobre teletrabajo?; ¿Qué revistas científicas, autores y artículos de la literatura tienen mayor impacto? y ¿Qué temas de la literatura existente sobre teletrabajo han sido más analizados y cuáles están llamando la atención de la comunidad científica en la actualidad?

Como ya se ha anticipado, a partir de todos los estudios que se acaban de exponer se pretende seguir ofreciendo al lector una visión de conjunto sobre la irrupción de las nuevas tecnologías y las nuevas formas de organización de la empresa que de las mismas se derivan y, en particular, sobre cuáles son sus causas y las consecuencias económicas, personales y sociales que de estas trascendentales transformaciones se derivan, así como también, cuáles son las posibles medidas que desde diferentes ámbitos de actuación, pero especialmente, desde el ámbito jurídico-laboral y de seguridad social, se están adoptando con el fin de mantener el necesario equilibrio entre los intereses empresariales y los derechos individuales y colectivos de los trabajadores que se ven afectados por los fenómenos descritos.

Lleida, septiembre de 2022

Josep Moreno Gené
Ana María Romero Burillo

Capítulo I
Impacto del teletrabajo y la digitalización[1]

Lluís Carreras Roig
*Profesor Titular de Escuela Universitaria
Departamento de Economía
Universitat Rovira i Virgili*

Ramon Bastida Vialcanet
*Associate Professor
UPF Barcelona School of Management*

1. EL IMPACTO DEL TELETRABAJO

1.1. Introducción

El teletrabajo es una modalidad del trabajo que ha ganado popularidad desde la aparición del COVID-19. De hecho, se convirtió en un factor clave para continuar trabajando y mantener la actividad económica en los momentos más duros de la pandemia. Aunque la COVID-19 aceleró el uso del teletrabajo en muchas empresas, este tipo de trabajo a distancia se venía utilizando mucho antes de la pandemia, aunque su ritmo de implantación era mucho más reducido que el actual. Una buena prueba de ello es el Acuerdo Marco Europeo sobre Teletrabajo firmado en el año 2002 por la Confederación Europea de Sindicatos (CES), la Unión de Confederaciones de la Industria y de Empresarios de Europa (UNICE), la Unión Europea del Artesanado y de la Pequeña y Mediana Empresa (UNICE/UEAPME) y el Centro

---

[1] Este trabajo se ha elaborado en el marco del proyecto de investigación RTI2018-097947-B-100 concedido por el Ministerio de Ciencia, Innovación y Universidades, que lleva por título: "Nuevas tecnologías, cambios organizativos y trabajo: una visión multidisciplinar".

Europeo de la Empresa Pública (CEEP). Este acuerdo marco se firmó con el fin de modernizar la organización del trabajo en empresas y entidades públicas, dar mayor autonomía a las personas trabajadoras para en la realización de sus tareas, y dar más seguridad a las personas que se acogieran a esta modalidad de trabajo.

Durante la COVID-19 no solo se ha reforzado la normalización del trabajo a distancia, sino que incluso su utilización se ha llegado a configurar como preferente. En algunos países, las cifras reflejan claramente esta preferencia de uso. Según la encuesta Eurofound "*Living, working and COVID-19*", casi cuatro de cada diez personas trabajadoras (un treinta y siete por ciento) empezaron a teletrabajar a causa de la pandemia. En España, esta tasa fue del treinta por ciento.

En la actualidad, existe legislación específica que regula el desarrollo del trabajo a distancia en diferentes países de la Unión Europea. En España, en el año 2021, se aprobó la *Ley 10/2021, de 9 de julio, de trabajo a distancia*, que dio respuesta a las necesidades de reglamentación derivadas de la expansión del teletrabajo durante de la COVID-19. En esta Ley también se hace referencia al teletrabajo como un elemento fundamental para favorecer el asentamiento y la fijación de la población en el medio rural, con el fin de revertir la despoblación de los territorios que sufren el declive demográfico, como zonas rurales y remotas, o pequeños municipios.

En este capítulo, realizaremos un análisis de los efectos de la implementación del teletrabajo desde una perspectiva económica, empresarial, y de las personas trabajadoras. La perspectiva económica pretende analizar el impacto de la implementación del teletrabajo desde un punto de vista macroeconómico. Como han admitido numerosos organismos multinacionales, el teletrabajo ha sido clave para mantener a flote la economía de muchos países, puesto que, sin su implementación, muchas actividades empresariales hubieran tenido que detenerse. La perspectiva empresarial pretende analizar las adaptaciones que han tenido que realizar las empresas debido a la implementación del teletrabajo, en ámbitos de la gestión como el liderazgo de equipos y la comunicación interna, o la productividad y la gestión económica, entre otros. En la perspectiva de las personas trabajadoras, analizaremos el impacto del teletrabajo en la salud, las relaciones interpersonales, la conciliación laboral-familiar, entre otros aspectos que se han visto afectados por la implementación del teletrabajo en las empresas, o otros tipos de entidades públicas y privadas. Finalizaremos el capítulo con una reflexión sobre los retos futuros y algunas recomendaciones para garantizar que el teletrabajo se mantiene como una buena alternativa para las actuales y las nuevas generaciones de personas trabajadoras.

1.2. Concepto y caracterización del teletrabajo

A pesar que existe un creciente consenso en la definición del teletrabajo, la búsqueda de una definición universalmente aceptada en el ámbito de la investigación académica, ha sido una fuente de considerable debate (Baruch, 2000). Además, la diferenciación entre las diferentes tipologías de trabajo a distancia, entre ellas el teletrabajo, ha sido uno de los aspectos que ha generado más debate.

Existe acuerdo en que el teletrabajo es una tipología de trabajo a distancia. Este último concepto se define en la Ley 10/2021, como:

> «Trabajo a distancia»: forma de organización del trabajo o de realización de la actividad laboral conforme a la cual esta se presta en el domicilio de la persona trabajadora o en el lugar elegido por esta, durante toda su jornada o parte de ella, con carácter regular.

Como queda claro en la definición anterior, el trabajo a distancia se caracteriza por el desarrollo de la actividad laboral fuera del centro de trabajo de la empresa. Habitualmente, el trabajo se desarrolla en la propia vivienda de la persona trabajadora, pero también puede realizarse en otras ubicaciones como, por ejemplo, espacios de coworking. Otro aspecto que caracteriza el trabajo a distancia es su carácter regular. Es decir, es necesario que el trabajo fuera de la oficina se realice de forma regular para que pueda considerarse trabajo a distancia. Según establece la Ley 10/2021, se entenderá que es regular el trabajo a distancia que se preste, en un periodo de referencia de tres meses, un mínimo del treinta por ciento de la jornada, o el porcentaje proporcional equivalente en función de la duración del contrato de trabajo

El teletrabajo es una forma de trabajo a distancia que implica la utilización de tecnologías de la información y de la comunicación

(Kerrin and Hone, 2001). En la Ley 10/2021, el teletrabajo se define como:

> *«Teletrabajo»: aquel trabajo a distancia que se lleva a cabo mediante el uso exclusivo o prevalente de medios y sistemas informáticos, telemáticos y de telecomunicación.*

Eurofound (2020a) define el teletrabajo como:

> *"Any type of work arrangement where workers work remotely, away from an employer's premises or fixed location, using digital technologies such as networks, laptops, mobile phones and the internet"*

Por tanto, el aspecto más relevante que caracteriza el teletrabajo es el uso de tecnologías de la información y comunicación (TIC). Por ejemplo, el uso de equipos informáticos, sistemas de información en la nube, o aplicaciones para realizar videollamadas, etc.

A continuación, se detallan algunos aspectos del teletrabajo, identificados por Sullivan (2003), que contribuyen a su conceptualización y caracterización:

- Transporte. Un elemento relevante del teletrabajo es que contribuye a reducir los desplazamientos de las personas trabajadores desde su vivienda al centro de trabajo. En el contexto actual, en el que las empresas reciben presiones importantes de sus grupos de interés para mejorar su sostenibilidad, el teletrabajo se ha convertido en una forma de organización laboral que contribuye a la sostenibilidad a medio y largo plazo de las empresas.

- Tecnologías de la información y la comunicación (TIC). El uso de las tecnologías es un elemento clave de la conceptualización del teletrabajo. También permite diferenciar el teletrabajo de otras formas de trabajo a distancia.

- Ubicación del trabajo. Otro elemento que se ha utilizado para la conceptualización del teletrabajo es la ubicación de la persona trabajadora. En un primer momento, el teletrabajo se había relacionado con el trabajo en la vivienda de la persona trabajadora. Aunque la aparición de otros tipos de ubicaciones, como por ejemplo, los espacios de trabajo compartido o *coworking,* han ampliado las posibilidades de ubicación de las personas teletrabajadoras.

- Proporción del tiempo de trabajo descentralizada. La proporción de tiempo dedicado al trabajo a distancia es un elemento común en la caracterización del teletrabajo. En España, la Ley del trabajo a distancia, establece que la persona trabajadora tiene que dedicar un mínimo del treinta por ciento de su jornada laboral al trabajo a distancia, para que pueda acreditarse su carácter regular.

- Modalidades contractuales. En algunos países, las diferentes modalidades contractuales que se utilizan para determinar la relación entre la persona trabajadora y la empresa, sirven para establecer la tipología de trabajo a distancia que realiza la persona trabajadora.

1.3. Evolución del teletrabajo

Para explicar la evolución del teletrabajo, debemos establecer tres períodos diferentes: antes, durante, y después del COVID-19. También existen diferentes fuentes de datos, más o menos precisas en función de la fuente escogida. A nivel europeo, bajo la supervisión de la Comisión Europea y el Parlamento Europeo, se han realizado diferentes estudios e informes para conocer la evolución y el impacto del teletrabajo en los países miembros.

- **Uso del teletrabajo antes del COVID-19**

Según las estimaciones de Eurofound, basadas en la encuesta europea de condiciones laborales, en el año 2015, en la Unión Europea alrededor de un 19% de personas trabajadoras trabajaban a distancia. De estos, casi la mitad eran empleados que utilizaban ocasionalmente las TIC para trabajar desde fuera de las instalaciones de su empresa. Casi una cuarta parte eran empleados que utilizaban con frecuencia las TIC para el trabajo, y trabajaban en al menos dos lugares, varias veces a la semana. Alrededor del 15% eran empleados que usaban con frecuencia las TIC para trabajar desde casa.

Las personas que trabajaban a distancia estaban más extendidas en los países escandinavos (con el 38% y el 33% de los trabajadores de Dinamarca y Suecia, respectivamente), los Países Bajos (31%), Luxemburgo (29%), Francia (26%) y Estonia (25%). Por el contrario, la incidencia del teletrabajo en varios países del sur y este de Europa fue mucho más baja que la media de la UE (19%). Por ejemplo, en Grecia, Polonia e Italia, la proporción de teletrabajo fue de alrededor del 10% o menos.

Figura 1. Porcentaje de personas que teletrabajaban en 2015

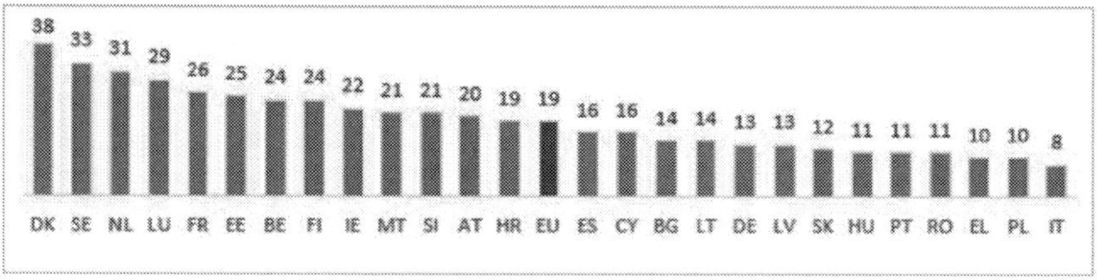

Fuente: Eurofound (2020a)

Las diferencias en el porcentaje de teletrabajo en los diferentes países de la Unión Europea, se explican por diferentes factores que influyen en la implantación de esta forma de organización del trabajo. Entre estos factores, destacan: las habilidades digitales de las personas trabajadoras, la disponibilidad, velocidad y calidad de las TIC, los marcos normativos laborales, la estructura empresarial de la economía, o la cultura organizacional, entre otros.

• **Expansión del teletrabajo durante la COVID-19**

La crisis sanitaria de la COVID-19 ha sido un factor determinante de la expansión del teletrabajo en los países de la Unión Europea. El principal motivo han sido las medidas tomadas por los gobiernos para contener el virus, que han consistido en el cierre de los colegios y la recomendación de trabajar desde casa en la medida de lo posible.

Las cifras obtenidas en el cuestionario "*Living, working and CO-VID-19*" (Eurofound, 2020b), muestran un aumento substancial del teletrabajo en la mayoría de países de la Unión Europea. Entre las personas encuestadas, la proporción de quiénes empezaron a trabajar desde casa a raíz de la pandemia fue del 36,5%, en comparación con solo el 15,8% que declaró trabajar desde casa, al menos varias veces a la semana antes de la pandemia. Las personas que empezaron a trabajar desde casa debido al COVID-19, eran en parte empleados que ya trabajaban teletrabajando regularmente antes (54%), aunque el 46% eran teletrabajadores "nuevos", sin experiencia previa en el teletrabajo (Sostero et al. 2020).

Figura 2. Porcentaje de población (18+) que empezó a teletrabajar debido a la COVID-19. (Abril 2020)

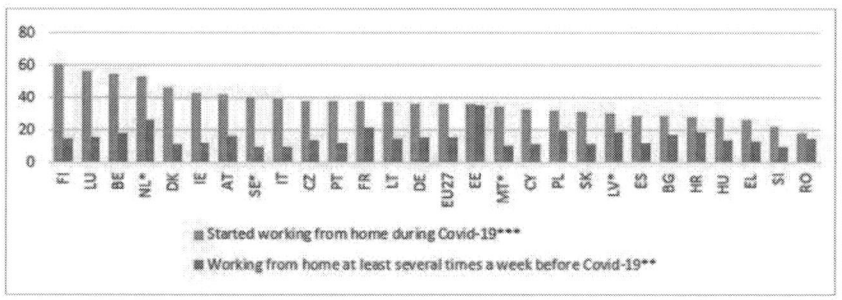

Fuente: Eurofound (2020b).

En la figura anterior se observan diferencias significativas entre los países miembros de la UE. La proporción más elevada de personas trabajadoras que empezaron a trabajar desde casa se registraron en aquellos países donde el teletrabajo ya estaba bien desarrollado antes de la pandemia (por ejemplo, BE, FI, LU, NL, SE), y en aquellos países que se vieron más afectados por la crisis sanitaria, como, por ejemplo, Italia (OIT, 2020).

- **Expectativas futuras de evolución del teletrabajo después del CO-VID-19**

La mayoría de organismos a nivel internacional coinciden en que el uso del teletrabajo incrementará en los próximos años. En los Estados Unidos, el Global WorkPlace Analytics, estimaba que el 25-30% de las personas trabajadoras en este país trabajarían desde casa diversos días a la semana a finales de 2021. Otra encuesta a empresas realizada por el Enterprise Technology Research Center estimaba que el porcentaje de teletrabajo con carácter permanente en los Estados Unidos llegaría al 35% a finales del año 2021, en parte debido al aumento de la productividad de las personas trabajadoras.

No existen estimaciones comparables en los países de la Unión Europea. Sin embargo, es posible obtener algunas ideas al observar la proporción de trabajos que se pueden realizar de forma remota (es decir, son teletrabajables) o de encuestas nacionales.

Sostero et al. (2020) estiman que la proporción de empleados en ocupaciones "teletrabajables" oscila entre el 35% y el 41% en dos tercios de los países de la UE, según la diferente composición de su mano de obra. Las estimaciones de la OIT (2020) son que alrededor del 30% de los trabajadores en Europa occidental y el 18% en Europa oriental tienen ocupaciones teletrabajables, y la principal diferencia se deriva principalmente de las diferencias en la disponibilidad de Internet, además de la composición sectorial de la economía.

1.3.1. Evolución del teletrabajo en España.

Datos de Eurostat muestran que, en 2018, en nuestro país, sólo el 4,3% de trabajadores por cuenta ajena lo hacían de modo habitual en su domicilio particular, porcentaje inferior al de la media de la Unión (5,2%) y alejado de sus países más desarrollados (Luxemburgo y Austria, con el 10%, Finlandia, con el 13,3%, y Países Bajos, con el 14%), y asimismo por debajo de su implantación en los países más grandes de la UE (Alemania, con el 5% y Francia, con el 6,5%), con la excepción de Italia (3,6%). Luego, entre 2019 y marzo de 2020, el teletrabajo experimentó un auge significativo en España, llegando al 9,7%, con más de 1,5 millones de personas haciéndolo de forma cotidiana. Y, durante los tres meses de confinamiento en la pasada primavera, este porcentaje se triplicó, alcanzando el 30,2%. Es lo mismo que ha ocurrido en otros países europeos, ya que la media de la población de la Unión realizando teletrabajo ha crecido hasta situarse en el 37%.

1.4. Impacto del teletrabajo en la economía

Las grandes crisis sirven para comprobar la capacidad de la economía para adaptarse, ajustarse, y continuar produciendo, en respuesta a sucesos inesperados. Cuando se producen este tipo de sucesos, como por ejemplo, desastres naturales, ataques terroristas, ciberataques, o una pandemia global, la severidad de la crisis se determina no solo mediante la dimensión de la caída de la producción, sino también mediante la resiliencia de la respuesta.

1.4.1. Disminución en la caída del PIB

En la figura 3, las columnas de color oscuro muestran la caída del producto interior bruto (PIB) de siete países durante el período que comprender el primer y segundo trimestre de 2020. El colapso del PIB durante este período se situó entre el 8,7% y el 21%. Una de las mayores caídas económicas de los últimos 300 años para muchos países. Pero, según Eberly, Haskel y Mizen (2021), el colapso de la economía podría haber sido del 26% en lugar del 14%, que se produjo de media en los siete países analizados. Como se observa en la figura 3, la caída de la producción en los centros de trabajo, representada en las columnas en azul, fue muy superior a la caída real del PIB, debido a que muchas empresas permanecieron cerradas durante la primera mitad de 2020.

Figura 3. Comparativa de la pérdida de productividad real y en el puesto de trabajo

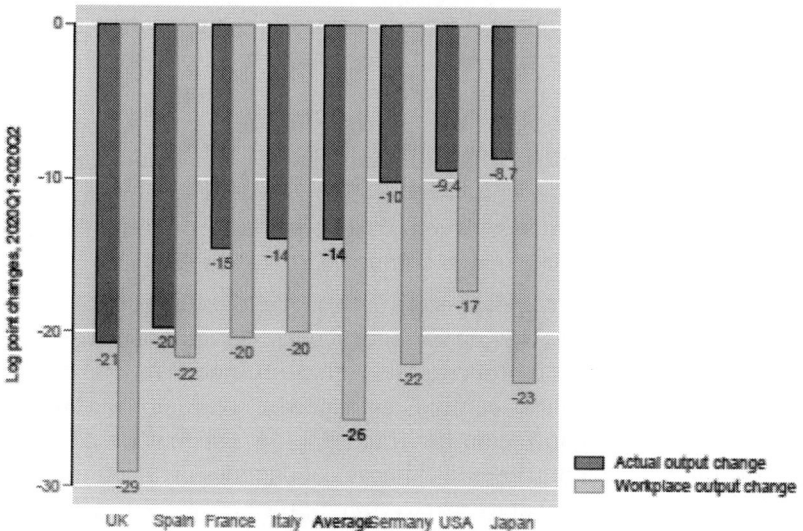

Fuente: Eberly, Haskel y Mizen (2021)

Los autores del estudio consideran que existen dos factores que fueron clave para mantener la resiliencia de la economía durante la crisis sanitaria:

- El teletrabajo se convirtió en un elemento clave para "salvar" 8 puntos del PIB de los países analizados durante el período comprendido entre el primer y segundo trimestre de 2020. Aunque también apuntan que no todas las empresas pudieron utilizar el teletrabajo al mismo nivel.

- El capital potencial (*Potential Capital*) representado por los equipos, como, por ejemplo, espacios de trabajo en casa, ordenadores portátiles, o conexiones de internet, entre otros, fueron claves para "salvar" 4 puntos del PIB.

1.5. Impacto del teletrabajo en las empresas

Las empresas son organizaciones vivas que cambian y se transforman para adaptarse a las nuevas condiciones de su entorno. Normalmente, estos cambios suelen ser progresivos, de manera que las empresas tienen tiempo suficiente para prepararse y hacer frente a las nuevas condiciones. Pero, en el caso de la crisis sanitaria del COVID-19, el cambio en la organización del trabajo se produjo en cuestión de unos pocos días, y las empresas tuvieron que adaptarse al teletrabajo de forma acelerada, y sin una preparación previa. La implantación rápida del teletrabajo generó una serie de impactos económicos en las empresas derivados de los cambios en la productividad de las personas trabajadoras, del ahorro en los costes relacionados con la organización del trabajo, o de la necesidad de realizar inversiones, principalmente, en equipos informáticos, sistema de comunicación en línea, etc.

Otro tipo de impactos derivados del uso del teletrabajo fueron los relacionados con el liderazgo, la comunicación y el seguimiento de equipos. En este sentido, diferentes estudios realizados muestran la necesidad de las empresas de realizar cambios en aspectos como la coordinación de los equipos, la organización del trabajo, o los sistemas de control y seguimiento, para adaptarlos a las nuevas condiciones del teletrabajo.

La implantación del teletrabajo también ha generado impactos relevantes en la satisfacción laboral y en la motivación de las personas trabajadoras, que se han visto directamente afectadas por el cambio de trabajar en un centro de trabajo a hacerlo en casa, con los correspondientes efectos en la conciliación laboral, los aspectos psicológicos y de estrés, o las relaciones interpersonales, entre otros.

1.5.1. Impactos económicos

Los principales impactos económicos registrados desde la aplicación masiva del teletrabajo durante la COVID-19 son:

- **Cambios en la productividad**

El análisis del impacto del teletrabajo en la productividad de las personas trabajadoras es un elemento importante para las empresas. Se han realizado numerosos estudios sobre el impacto del teletrabajo en la productividad, aunque los resultados obtenidos son ambiguos. Según la OCDE (2020), dada la multiplicidad, la complejidad y las interacciones entre los diferentes factores relacionados con el trabajo, hasta la fecha no existe un consenso en la literatura sobre el impacto del teletrabajo en la productividad. Algunos de los factores que pueden tener un impacto en la productividad del teletrabajo son:

- Las condiciones en las que se teletrabaja. Por ejemplo, los equipos informáticos disponibles, las condiciones ergonómicas del mobiliario en casa, la rapidez y calidad de la conexión, o la formación para teletrabajar, entre otras.

- La organización del trabajo y el estilo de gestión. Por ejemplo, el grado de autonomía del trabajador, la flexibilidad, o las habilidades de la dirección para motivar a sus equipos, entre otros.

- La naturaleza del trabajo. Por ejemplo, el grado de interrelación entre las tareas del teletrabajador y el resto de tareas, el grado en el que las personas que teletrabajan pueden hacerlo de manera independiente, o el nivel de creatividad necesario, entre otras.

Como se puede observar en la figura 4, el teletrabajo puede afectar, positivamente o negativamente, al desempeño de una empresa y a su productividad a través de dos canales principales. Ambos presuponen el uso adecuado de las TIC (*ICT infraestructura*, en inglés).

- Un canal directo. Por el cual el teletrabajo mejora o dificulta el desempeño de la empresa a través de cambios en su eficiencia, satisfacción y motivación de los trabajadores, y generación de conocimiento de su fuerza laboral.

– Un canal indirecto. Por el que el teletrabajo puede conducir a reducciones de costes, por ejemplo, a través de ahorros en alquileres y energía. Estos pueden, a su vez, liberar recursos de la empresa que pueden utilizarse para mejorar la productividad, la innovación y la reorganización del trabajo.

Figura 4. Modelo teletrabajo y productividad

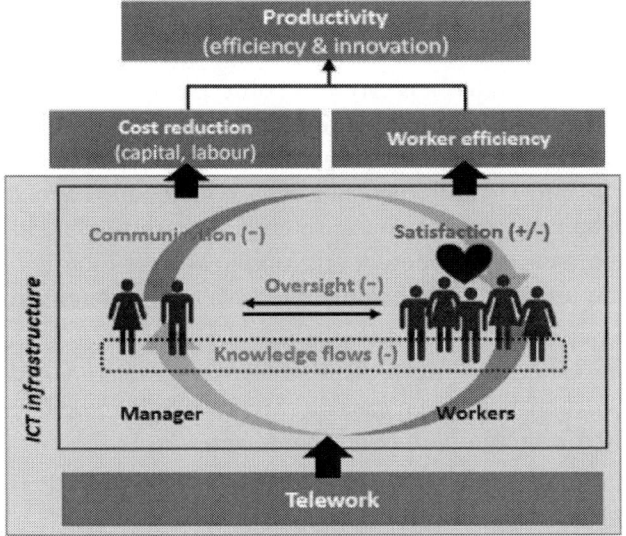

Fuente. OECD, (2020).

• **Ahorros en costes**

Se han realizado múltiples estudios sobre el ahorro que genera el teletrabajo. Por ejemplo, incluso antes de la llegada de la COVID-19, las encuestas indicaban que para casi seis de cada diez empresas estadounidenses, los ahorros de costes debido al teletrabajo se consideraban un beneficio significativo (Global Workplace Analytics, 2015). En 2020, Dell tenía un 60% de sus empleados que teletrabajan. Esto les permitía ahorrar 12 millones de dólares anuales al necesitar menos espacio de oficinas. Además, los empleados que teletrabajan tenían un nivel más elevado de motivación.

En España, empresas como Cepsa, por ejemplo, están realquilando espacios en sus oficinas tras implantar de forma generalizada el teletrabajo. En la figura 5 se comprueba que el ahorro de un teletrabajador se sitúa entre 7.870 euros/año y 16.740 euros/año.

Figura 5. Estimación de los ahorros que produce un teletrabajador por año (datos en euros

FUENTE	OIT (2016) Ahorro de un teletrabajador que trabaja la mitad del tiempo en casa	TECLA (2019) Ahorro de un teletrabajador que trabaja todo el tiempo en casa
EMPRESA	6.524	10.230
EMPLEADO	1.260	6.510
SOCIEDAD	86	No se ha calculado
TOTAL	7.870	16.740

Fuente. Amat *et al* (2020)

La disminución de las necesidades de espacios y equipos para trabajar, en las empresas que han implantado el teletrabajo, representa un ahorro de costes directo y significativo en la cuenta de resultados (OECD, 2020; Bloom et al., 2015). Entre los costes que más se reducen figuran los costes del capital derivados de la compra de inmuebles, los costes de alquiler, de mantenimiento, de electricidad, o calefacción y aire acondicionado, entre otros.

Una parte de los costes anteriores, han sido asumidos por los empleados que trabajan desde su propia vivienda. En este sentido, algunas grandes empresas han decidido compensar una parte de estos costes a sus empleados, pero la mayoría de empresas, sobre todo las empresas pequeñas y medianas, no cubren estos sobrecostes a sus empleados. Este es un aspecto sobre el cual deberán llegar a un acuerdo los representantes de las empresas y los trabajadores, junto con la Administración Pública, para regularlo en la reglamentación sobre el trabajo a distancia.

El teletrabajo también puede ayudar a reducir los costos laborales, ya que amplía considerablemente la oferta de personas trabajadoras que disponen de los conocimientos y habilidades requeridas para cada puesto de trabajo. Además, existen personas que valoran la posibilidad de teletrabajar y disponer de una jornada flexible, y que están dispuestas a obtener una retribución más reducida a cambio de disponer de estos beneficios, que ayudan a mejorar la conciliación entre el ámbito profesional y familiar.

En la misma línea, los trabajadores que están satisfechos con el teletrabajo y los beneficios de flexibilidad asociados, tienen más probabilidades de permanecer en la empresa, lo que reduce la rotación laboral y los costos de contratación (OCDE, 2020). Por ejemplo, algunos trabajos de investigación sugieren que la tasa de retención es mayor entre las personas que teletrabajan (Linos, 2019).

- Necesidad de realizar inversiones

La principal inversión que la empresa necesita realizar es en equipamiento informático y *software*. Por teletrabajador, la Confederación Española de la Pequeña y Mediana Empresa (CEPYME) estimaba en 22.400 euros los costes iniciales para una empresa de 10 empleados y unos 50 euros al mes por teletrabajador de costes de licencias informáticas.

1.5.2. Impactos en la gestión de personas

La explosión del teletrabajo debido a la COVID-19 ha generado un cambio de paradigma en el modelo de organización, desempeño y seguimiento del trabajo en las empresas. Los cambios que se han producido en la organización del trabajo llevan asociados cambios en los métodos de liderazgo, comunicación de equipos, o seguimiento de desempeños, entre otros. Sin embargo, los cambios que se han producido en este ámbito no han sido homogéneos en todos los sectores de actividad, empresas, grupos de trabajadores, o tareas.

A continuación, se describen algunos de los impactos más relevantes en el ámbito de la gestión de personas:

- Liderazgo empresarial

La dispersión física que el teletrabajo lleva a sus líderes a ejercer un rol diferente al que tradicionalmente se les había asignado. Los aspectos de supervisión y control pierden peso frene al enfoque a las relaciones y a las personas.

Para la implantación exitosa de un sistema de teletrabajo es imprescindible el apoyo del conjunto de la organización, especialmente de la alta dirección. Los empleados que reciben apoyo de sus compañeros y superiores jerárquicos, son los más satisfechos con la experiencia del teletrabajo y al mismo tiempo, los más productivos en el teletrabajo.

Según un estudio realizado con una muestra de más de 150 directivos de empresa (Cóppulo y Palau, 2020), estos creen que deben pensar, actuar y liderar de manera distinta y más activa para afrontar los retos que plantea el teletrabajo. Consideran que deben generar cambios en sus liderazgos, superando resistencias y desarrollando sus competencias interpersonales, en especial la comunicación, o la inteligencia y el control emocional.

La comunicación es uno de los retos más importantes del teletrabajo. Las empresas deben establecer los protocolos de comunicación entre compañeros y con los superiores jerárquicos. Una estrategia de comunicación interna efectiva debe velar para evitar el aislamiento social o el hecho de sentirse fuera de lugar, que es una de las amenazas que puede generar el teletrabajo (Martín, Bastida y Piqué, 2020).

- **Nuevos sistemas de control y seguimiento**

El aumento imprevisto del teletrabajo y la obligación de no acudir a los centros de trabajo durante la COVID-19, generó la necesidad de adaptar los sistemas de control y seguimiento del trabajo. Esta adaptación se produjo en dos etapas diferentes. La primera etapa se produjo durante las primeras semanas de la pandemia, cuando se crearon mecanismos de coordinación horizontal de forma espontánea, organizados por los mismos empleados, utilizando las herramientas tecnológicas disponibles en casa (Fana, M. et al., 2020). Aunque los directivos, a menudo, buscaron utilizar mecanismos más tradicionales de control directo a través de plataformas digitales, correos electrónicos o llamadas telefónicas, estos no resultaron muy efectivos en un contexto de teletrabajo generalizado.

La segunda etapa se produjo cuando el choque inicial de la COVID-19 ya se había superado, y la mayoría de las empresas ya habían implantado el teletrabajo. En esta etapa, el control y seguimiento del trabajo tradicionales ya se habían restaurado, aunque aplicando nuevos métodos adaptados al teletrabajo. En concreto, se produjo un cambio de un seguimiento del trabajo directo o en persona, a una nueva forma de control burocrática o basada en la plataforma. Por ejemplo, las personas trabajadoras tenían que utilizar nuevos métodos para certificar su trabajo mediante informes detallando las tareas que habían realizado, o las horas trabajadas. Además, como parte de la adaptación de los sistemas de control y seguimiento al teletrabajo, se introdujeron guías detallando cómo realizar el trabajo o las herramientas de comunicación a utilizar como compañeros, proveedores o clientes, entre otros.

Desde la implementación masiva del teletrabajo, los empleados han visto como se incrementaban las formas de control digitales del teletrabajo por parte de la empresa. Existen un gran número de herramientas tecnológicas para controlar y realizar un seguimiento del trabajo que realizan las personas trabajadoras desde sus casas. Algunos de los *softwares* más conocidos con esta finalidad son ActivTrak, InterGuard, Veriato 360, Teramind, WorkSmart, Work Examiner y Sneek.

El incremento en el control y seguimiento del trabajo de la persona que teletrabajan ha generado preocupación y críticas entre las organizaciones sindicales y medios de comunicación, puesto que consideran que pueden vulnerar el derecho a la privacidad de las personas trabajadoras (Manokha, I., 2019). En este sentido, la UE y los gobiernos de los países miembros están desarrollando legislación y reglamentos para preservar el derecho a la privacidad de la información de las personas que trabajan desde su casa.

1.6. *Impactos del teletrabajo en las personas y la sociedad*

La introducción del teletrabajo en las empresas requiere que las personas trabajadoras puedan aplicarlo con la mayor eficacia y eficiencia posible. Muchas personas que teletrabajaron por obligación durante la pandemia de la COVID-19, no lo habían hecho antes, y necesitaron de un período de adaptación, y de un esfuerzo importante para adaptarse a la nueva forma de trabajo. Para estas personas, y para otras que ya habían teletrabajado antes de la pandemia, el teletrabajo ha generado un impacto importante en su vida profesional y personal. El impacto principal, y que más preocupa, es el impacto en la salud de las personas, puesto que el cambio en la organización y la forma de trabajar ha tenido consecuencias positivas y negativas en la salud de las personas. El teletrabajo también ha tenido un impacto en la empleabilidad de algunas personas, facilitando o dificultando su acceso al mercado laboral.

En un sentido más amplio, el teletrabajo también ha tenido un impacto en la sociedad, en aspectos como la reducción de los desplazamientos de casa al centro de trabajo, disminuyendo las emisiones de dióxido de carbono, o los atascos en las carreteras. O la redistribución y fijación de la población en las zonas rurales.

1.6.1. Efectos en la salud de las personas

El teletrabajo es una forma de trabajo relativamente nueva en comparación con otras que se aplican desde hace mucho más tiempo, como, por ejemplo, el trabajo presencial en oficinas o fábricas, entre otros. Además, su introducción masiva en las empresas se produjo con la aparición de la pandemia de la COVID-19, por lo cual sus efectos sobre las personas aún no son totalmente visibles.

Sin embargo, existen estudios que determinan que el teletrabajo tiene un impacto importante en la salud de las personas. Especial atención merecen los riesgos psicosociales y las nuevas patologías que se deriven del uso de las nuevas tecnologías. Habrá que estar alerta de la ansiedad, la fatiga y sobre todo de la adicción que puedan generar el uso de las tecnologías de la información y la comunicación, en cualquiera de sus modalidades: tabletas, smartphones, aplicaciones, etc.''

Cóppulo y Palau (2021) realizaron un estudio con una muestra de más de 600 personas teletrabajadoras, para analizar las relaciones entre el nivel de conectividad y sus efectos sobre la salud. A continuación, destacamos algunas conclusiones interesantes del estudio:

- La gran mayoría teletrabaja cada día o algunos días a la semana (73,3%), con una dedicación de más de 40 horas semanales (55,7%) y especialmente en horario flexible (64,5%).

- Una gran mayoría de personas (76,8%) admite que lo primero que hacen al levantarse y lo último antes de acostarse es mirar su teléfono móvil.
- La mayoría (54,3%) admite sentir "fatiga digital".
- Es muy importante el número de personas que creen que la conectividad digital provoca desconexión emocional (46,7%) frente a un 25,2% que opina lo contrario claramente.

En vista de las conclusiones del estudio, las autoras proponen la necesidad de establecer una normativa de desconexión digital para proteger la salud de las personas que teletrabajan, y evitar que las enfermedades psicosociales (estrés, ansiedad, etc.) incrementen. Esta medida sería beneficiosa para las personas, pero también para las empresas, ya que evitarían un incremento del número de bajas de sus empleados.

Algunas empresas pioneras ya han empezado a implantar medidas de desconexión digital:

- La multinacional de origen sueco IKEA, en 2018, llevó a cabo una regulación pionera de la desconexión digital, que indica que, las personas trabajadoras tienen el derecho a no contestar correos electrónicos, whatsapps o cualquier otro tipo de comunicación fuera de su horario de trabajo, para proteger ese espacio personal y permitir descansar la mente. La medida se acompañó de una sensibilización de las personas con roles de mando y de los empleados para hacerles conscientes del nuevo derecho y cambiar las inercias comunicativas.
- La multinacional de seguros francés AXA, en el convenio colectivo aprobado en 2017, recogía por primera vez en España su derecho a la desconexión digital. La medida estaba enmarcada en su política de conciliación y flexibilidad y reforzaba sus acciones de *employer branding*, ya que ayudaba a atraer talento al profundizar en las políticas de igualdad, conciliación y flexibilidad.
- Otras empresas también han avanzado en la línea de permitir descansar digitalmente a sus empleados y empleadas. El IX Acuerdo Marco del Grupo Repsol añade el derecho a la desconexión fuera del tiempo de trabajo como principio de conciliación de vida privada y vida personal. Telefónica, Grupo

Santander o Laboratorios Théa también han implementado la desconexión digital en sus relaciones laborales.

1.6.2. Efectos en la empleabilidad de las personas

La aceleración en el uso del teletrabajo y las TIC con la pandemia del COVID-19 ha creado nuevas formas de inclusión/exclusión en el mercado laboral, mejorando las oportunidades laborales para algunos, mientras aumentaba el riesgo de exclusión para otros.

- **Implicaciones para las mujeres**

Existen evidencias que el teletrabajo ha generado oportunidades laborales para las mujeres con responsabilidades de cuidado de niños o personas mayores. El European Working Conditions Survey (EWCS) de 2015 indicaba que las mujeres con niños, u otras personas a su cuidado, tenían más probabilidades de teletrabajar o participar en trabajos digitales que el resto de las personas trabajadoras (Eurofound, 2020a).

Sin embargo, algunas voces son contrarias a que las mujeres dejen de acudir presencialmente a su centro de trabajo, y se centren en el teletrabajo porque les permite conciliar mejor la vida personal y profesional. El motivo es que consideran que este comportamiento contribuye a fortalecer los roles tradicionales de hombres y mujeres, y a reducir la visibilidad y las perspectivas profesionales de las mujeres en la empresa.

- **Implicaciones para las personas con discapacidades**

El teletrabajo puede permitir a las personas con discapacidades a acceder al mercado laboral, puesto que evita que tengan que realizar desplazamientos que por sus condiciones físicas pueden ser complicados. Además, el teletrabajo les brinda una mayor autonomía, flexibilidad y control sobre su propio horario de trabajo, lo que elimina las barreras relacionadas con la fatiga, la resistencia y el dolor que pueden impedir que las personas con ciertas discapacidades trabajen en horarios más estandarizados.

Algunos factores pueden privar a las personas con discapacidades de poder beneficiarse de las oportunidades que ha generado el teletrabajo. Son factores como el tipo de trabajos que realizan, a menudo centrados en la presencialidad de las personas trabajadoras, o un bajo nivel de acceso a internet, entre otros.

- **Implicaciones de la brecha digital**

Si bien en el caso de las mujeres y las personas con discapacidad, los cambios provocados por el teletrabajo pueden generar tanto oportunidades como riesgos, es muy probable que aumenten los riesgos del mercado laboral relacionados con la brecha digital.

Estos riesgos pueden derivar no solo de los diferentes grados de acceso al teletrabajo entre sectores y ocupaciones, sino también de la falta de afinidad de las empresas y las personas trabajadoras con las herramientas digitales.

Las motivaciones de la brecha digital pueden ser diversas. Por un lado, las habilidades y conocimientos digitales de las personas trabajadoras, que deben disponer de la formación necesaria para poder utilizar las herramientas propias del teletrabajo (ordenador, sistemas operativos, aplicaciones informáticas, etc.). Por otro lado, el acceso a las infraestructuras de conexión a las redes de internet. Algunas persones se ven privadas de acceso a estas redes por motivos ajenos a su voluntad, como la falta de implantación de las redes en zonas rurales, o por motivos económicos, que no les permiten disponer de los recursos necesarios para poder teletrabajar.

Existen planes a nivel de la Unión Europea y de los países miembros para reducir la brecha digital, implementando medidas para luchar contra las diferentes motivaciones que la generan. La aplicación de estos planes no es tan rápida como cabría esperar, y esto provoca que la brecha digital sea uno de los principales problemas para la implantación del teletrabajo.

1.6.3. Efectos sobre el medio ambiente

La reducción de los desplazamientos de la vivienda al centro de trabajo, y viceversa, se produce una disminución de las emisiones de dióxido de carbono, y por tanto, mejoran las condiciones medioambientales.

Los desplazamientos de la población en edad de trabajar de la UE están íntimamente relacionados con el modo de transporte más utilizado, los coches privados: el 50 % utiliza vehículos privados a diario, mientras que solo el 16 % utiliza el transporte público y el 12 % utiliza la bicicleta. El resultado de una dependencia tan grande del transporte privado es que los desplazamientos diarios generan alrededor del 25% de las emisiones de dióxido de carbono en Europa (Giménez-Nadal et al., 2020).

El número y la frecuencia de los desplazamientos pueden reducirse de una forma importante con la introducción del teletrabajo (O'Brien y Yazdani Aliabadu, 2020). A su vez, esta medida puede ahorrar energía, aliviar la congestión del tráfico y reducir las emisiones y, al mismo tiempo, mejorar el bienestar mental de los trabajadores que se ahorran el estrés de los largos viajes hacia y desde el trabajo, a menudo en vehículos de transporte privado y público muy concurridos (Chatterjee, et al., 2020).

Un estudio realizado por Greenpeace en Alemania (Büttner, L. et al., 2020), preveía una reducción potencial de las emisiones de dióxido de carbono, basado en dos escenarios:

- Un escenario conservador que contemplaba el teletrabajo durante uno o dos días a la semana, suponiendo una participación del 25% de teletrabajadores entre la población activa.

- Un escenario avanzado que contemplaba el teletrabajo durante uno o dos días a la semana, suponiendo una participación del 40% de teletrabajadores entre la población activa.

Figura 6. Ahorro potencial de realizar 1 o 2 días por semana de teletrabajo en Alemania

	Conservative scenario		Advanced scenario	
Extra teleworking days per week	+1	+2	+1	+2
Saving potential: Passenger Kilometres (in billion Pkm)	10.9	20.9	18.4	35.9
Saving potential: Emissions (in million tonnes CO_2)	1.6	3.2	2.8	5.4

Fuente: Büttner, L. *et al.*, (2020)

Como se puede observar en la figura 6, ambos escenarios conllevarían un ahorro muy significativo de las emisiones de dióxido de carbono vinculadas a los desplazamientos de la vivienda al centro de trabajo. Por ejemplo, en el escenario avanzado, si los empleados pudieran trabajar desde casa dos días a la semana, los ahorros anuales equivaldrían al 18% de las emisiones de los desplazamientos, y al 4% del total de emisiones de pasajeros de transporte en Alemania.

El teletrabajo también puede resultar en un mayor (o más intenso) uso de las tecnologías digitales, lo que a su vez puede aumentar las emisiones de gases de efecto invernadero o *Greenhouse Gas Emissions* (Batut y Tabet, 2020).

En conclusión, la implementación del teletrabajo genera impactos positivos y negativos en el medioambiente. Hasta la fecha, las evidencias obtenidas muestran que externalidades positivas del teletrabajo en el medioambiente superarían a las negativas.

1.7. Conclusiones, recomendaciones y retos futuros

La pandemia de la COVID-19 ha provocado cambios importantes en la organización del trabajo. Uno de estos cambios ha sido la introducción masiva del teletrabajo en muchas empresas. El teletrabajo es una modalidad de trabajo a distancia que se caracteriza por realizarse fuera del centro de trabajo habitual, y por el uso intensivo de la tecnología. El rápido avance de las tecnologías de la información y la comunicación (TIC), en las últimas décadas, ha sido un factor clave para la implementación del teletrabajo. Muy probablemente, si la pandemia de la COVID-19 se hubiera producido a mediados o finales del siglo XX, las empresas hubieran tenido que parar su actividad por completo, y la economía se habría hundido en una profunda crisis.

Cómo en cualquier cambio importante, la implantación del teletrabajo ha generado impactos, positivos y negativos, en diferentes ámbitos, como, por ejemplo, en la economía, en la gestión de las empresas, o en las personas y el medioambiente. Debido a que la implantación masiva del teletrabajo se produjo como consecuencia de la pandemia de la COVID-19, hace apenas dos años, los impactos son muy recientes, y aún no se disponen de series temporales de datos que permitan demostrar empíricamente estos impactos. Aunque sí que existen evidencias que nos han permitido identificar los principales impactos de la implantación del teletrabajo.

En la economía, el uso del teletrabajo ha evitado una caída mayor del PIB generado por los países, durante la pandemia de la COVID-19. Por tanto, el teletrabajo ha tenido un impacto positivo en la economía. También existen evidencias que el teletrabajo ha tenido un impacto positivo en la gestión económica de las empresas, ya que ha permitido el ahorro de costes operativos (alquileres, suministros, desplazamientos, etc.) y del capital. Algunos estudios también apuntan a una posible mejora de la productividad de los empleados, aunque otros afirman que el teletrabajo no ha tenido efectos destacados en la productividad.

Durante la COVID-19, muchas personas teletrabajaron por primera vez en su vida profesional. La mayoría no tenían una formación específica para hacerlo, ni habían utilizado las herramientas para ello. Los estudios realizados demuestran que los resultados fueron satisfactorios, aunque se produjeron algunos impactos negativos, sobre todo relacionados con la salud de las personas. Por ejemplo, se han identificado casos de personas que no pueden desconectar del trabajo (sobreconexión digital), y que han derivado en un incremento en los casos de estrés, o *burnouts*, entre otras enfermedades mentales. Otro impacto negativo, identificado en diferentes estudios, han sido los problemas de comunicación entre la dirección y los equipos, o entre los diferentes equipos de las empresas.

Desde la implantación del teletrabajo, han aflorado algunos impactos como la reducción de los desplazamientos al centro de trabajo, o de los viajes de negocios, que previsiblemente deberían tener un impacto positivo en el medioambiente, aunque es necesario más tiempo para poder determinar el resultado final de estos cambios.

Existe un acuerdo generalizado que el uso del teletrabajo se mantendrá más allá de la pandemia de la COVID-19. Los resultados de las encuestas de satisfacción que las empresas realizan a sus empleados, indican que la combinación entre trabajo presencial y teletrabajo es la opción preferida por estos. En este sentido, es importante que existan una serie de condiciones, que permitan que el teletrabajo se consolide como una forma de trabajo estable en las empresas, entidades del sector público, o entidades no lucrativas, entre otras. A continuación, se apuntan algunas recomendaciones y retos futuros para consolidar la implantación del teletrabajo:

- Regulación de la aplicación del teletrabajo. Recientemente, se ha aprobado la *Ley 10/2021, de 9 de julio, de trabajo a distancia,* que regula el uso del teletrabajo en las organizaciones. Este es un paso importante para que exista un marco jurídico que dé seguridad a empresas y empleado para utilizar el teletrabajo. Es importante el despliegue y aplicación rápida de esta Ley para promover el teletrabajo, sobretodo, en pequeñas y medianas empresas.

- Mejorar la formación de los empleados en el uso del teletrabajo y de las TIC. La realización de cursos de formación en aspectos como el uso de las plataformas digitales, herramientas y aplicaciones en línea, o organización del teletrabajo y desconexión digital, suelen tener un impacto muy positivo en los resultados del teletrabajo.

- Mejora de la digitalización de los hogares. La implementación del teletrabajo está directamente relacionada con el uso de las TIC. Actualmente, aún existen regiones de España que no disponen de una conexión a internet con suficiente velocidad para poder teletrabajar. A menudo, se trata de zonas rurales en vías de despoblación que podrían el uso del teletrabajo para fijar su población, e incluso para incrementarla.

- Los ciberataques suponen un riesgo importante para empresas y empleados. Con la introducción masiva del teletrabajo se ha producido un aumento exponencial de los datos que circulan por internet, y que se almacenan en la "nube". Es necesario que las empresas dispongan de sistemas de ciberseguridad que permitan proteger de una manera adecuada toda esta información confidencial.

- La fiscalidad de las personas que teletrabajan. El teletrabajo aumenta el potencial de captación de talento de una empresa, puesto que permite contratar personas que realicen su actividad desde cualquier país del mundo. Aunque para que esto sea posible, es necesario establecer una fiscalidad favorable para las empresas y los empleados que teletrabajan. Actualmente, solo un número reducido de países disponen de un régimen fiscal adaptado al teletrabajo, aunque muchos están en proceso de desarrollo.

2. EL IMPACTO DE LA DIGITALIZACIÓN

2.1. Introducción

La sociedad digital se abre paso a ritmo exponencial imponiendo un cambio radical en las relaciones de producción y de consumo entre las distintas poblaciones que la componen.

Resulta necesario analizar las principales cuestiones que plantea el reto digital a los sectores tradicionales de la economía los cuales están viviendo en tiempo real una profunda transformación, así como también a otras actividades cercanas que les impactan directamente en su desarrollo futuro. No cabe duda de que toda esta problemática tiene importantes implicaciones para el crecimiento económico, la calidad de vida de los ciudadanos y en el nuevo modelo de sociedad para el siglo XXI.

La digitalización es un proceso en continuo desarrollo que está cambiando la realidad económica y social.

El proceso de digitalización no solo lleva asociado un elevado dinamismo, sino que además está transformando las economías y las sociedades.

Al debate centrado en un principio en el impacto de la digitalización sobre la productividad y el empleo se han sumado otros nuevos: los riesgos que supone la hegemonía tecnológica de un pequeño grupo de países o empresas, los efectos de la creciente concentración empresarial sobre los equilibrios y los fundamentos de la economía industrial, la necesidad de alcanzar acuerdos internacionales sobre materias como la fiscalidad digital, los debates geopolíticos y técnicos alrededor del despliegue del 5G, los límites éticos a los desarrollos de la inteligencia artificial, o los nuevos problemas que han surgido alrededor de la propiedad y la privacidad de los datos y de la ciberseguridad.

2.2. La digitalización de la economía

El gran reto al que se enfrentan las sociedades en relación con la digitalización y los desarrollos e innovaciones conexas, como la inteligencia artificial, es lograr que se oriente hacia el progreso humano, social y medioambiental.

Los principales debates se centran en la productividad y el empleo, la defensa de la competencia, la política tributaria, para evitar la traslación de beneficios hacia territorios de baja o nula tributación, la política educativa, para reforzar las aptitudes necesarias en el nuevo contexto digital.

Pero, además, los últimos desarrollos digitales han elevado los debates a una capa superior, en la que se trata de dilucidar el impacto que tienen la digitalización, la irrupción del *big data*, la elevada capacidad de procesado de información y los desarrollos de la inteligencia artificial sobre la privacidad de los datos personales y empresariales, la ciberseguridad o la ética de los algoritmos.

También se ha constatado que se viene produciendo una brecha y dispersión entre las distintas economías en cuanto a la capacidad para transformar los avances digitales en crecimientos de la productividad. Se observa, en este sentido, la coexistencia en el tiempo de dos fenómenos: fortísimos ritmos de avance técnico —ligados a la inteligencia artificial, el internet de las cosas o el *big data*, entre otros avances disruptivos— junto a lentas, o incluso negativas, variaciones de la productividad.

Las TIC han transformado los procesos productivos de los sectores preexistentes; han dado origen a nuevos sectores y a nuevas formas de hacer las cosas. Si las empresas quieren sacarle todo su potencial necesitan invertir en software, I + D, y cada vez más, en bases de datos para poder explotar las enormes ventajas que proporciona la inteligencia artificial.

Y esto implica introducir cambios en la organización de las empresas. Los nuevos modelos de negocio fuerzan a aumentar la sofisticación, y eso implica invertir en diseño de nuevos productos y obliga a crear una imagen de marca. Y, por supuesto, obliga a contar con trabajadores cualificados y formados en el puesto de trabajo. Es decir, requiere invertir en intangibles.

En cuanto al impacto neto sobre el empleo, existen visiones divergentes respecto al efecto neto de la digitalización en términos de creación de empleo.

Los análisis más pesimistas consideran que los avances tecnológicos van a efectuar un efecto sustitución sin precedentes, basándose en lo acontecido en procesos anteriores, en la alta velocidad y simultaneidad sectorial de los desarrollos tecnológicos —que dificultan la adaptación rápida de los trabajadores— y en que la digitalización, no solo sustituirá tareas rutinarias de baja cualificación, sino que también desplazará y/o mutará trabajos de alta cualificación.

Otros estudios señalan que el riesgo de automatización de los empleos no implica necesariamente la destrucción de los mismos. La automatización y la robotización afectará más a unas tareas determinadas que a ocupaciones concretas, de manera que algunos estudios podrían haber sobreestimado los efectos sobre el empleo. Incluso se observa un favorable creciente dinamismo en la recualificación de los trabajadores como resultado de la automatización y la creciente complejidad de las tareas.

Están surgiendo proyectos de colaboración y convivencia entre trabajadores y robots (proyectos de *cobots*). Se destaca la importancia de las políticas de recursos humanos y del diálogo social en este nuevo entorno, en aras de garantizar una transición digital fluida tanto para las empresas como para los trabajadores.

Se señala que cada vez se necesitan habilidades comunicativas y de tipo social para el trabajo en equipo y para las relaciones con los clientes y proveedores. Se trata de fomentar un enfoque más multidisciplinar de las competencias necesarias para hacer frente al reto digital – de STEM (*science, technology, engineering and mathematics*) a STEAM (que incluye la A de *arts*) en la que se incluyan dichas habilidades más sociales.

Estos análisis apoyan que los avances tecnológicos, debido al efecto de compensación, terminaran generando más crecimiento económico y empleo, en el largo plazo.

Llegados a este punto, la discusión se centra en dos cuestiones: cuál sería ese largo plazo para observar efectivamente un efecto neto positivo de suficiente entidad en el empleo, por un lado, lo que atañe a cómo salvar el período de transición; y, por otro, como evitar el riesgo de polarización, dado que las tendencias señalan en todos los estudios sobre el futuro de las ocupaciones, una estructura con mayor peso de los extremos.

En definitiva, continúa siendo difícil determinar el impacto neto en el empleo.

Otra parte importante de los debates se centra en los retos que el proceso acelerado de digitalización supone para las políticas públicas a la hora de reducir o compensar los efectos no deseados de la misma como resultado de la tendencia a la concentración de poder de mercado o al aumento de la desigualdad.

La evidencia muestra que resulta muy difícil contrarrestar la concentración de poder de mercado de los grandes actores digitales y existe una preocupación razonable en que las empresas digitales dominantes tengan fuertes incentivos para participar en comportamientos anticompetitivos a una escala global, difícilmente regulables o controlables.

Las características específicas de las plataformas, los ecosistemas digitales y la economía de datos requieren el refuerzo, la revisión y la adaptación de los conceptos, doctrinas y metodologías de la normativa de la competencia.

Así, por ejemplo, se discute el efecto que la economía digital tiene sobre el consumidor.

Por otra parte, se viene constatando desde hace tiempo que tampoco las normas fiscales vigentes se adecúan a la nueva realidad digital, a modelos de negocios basados en activos intangibles, datos y conocimiento y por lo tanto, se enfrentan a dificultades para gravar los beneficios generados por la digitalización de la economía.

Se considera que lo más pertinente es alcanzar un acuerdo global sobre la fiscalidad de las grandes compañías, un empeño en el que la OCDE lleva trabajando una década en el marco del proyecto BEPS (*Base Erosion and Profid Shifting*) y en cuya negociación están implicados 137 Estados, entre los que se incluyen Estados Unidos y China.

Por su parte, la Unión Europea ya en 2018 dejó clara su postura ante el problema de la tributación de la economía digital, cuestión que fue incluida en su paquete de propuestas para una "fiscalidad justa y simplificada" (*Package for a fair and simple taxation*), y que habría retomado con renovado interés a partir de la necesidad de reforzar las políticas públicas que se implementen en el marco del Plan de Recuperación y Resiliencia.

Junto a estos debates continúan vigentes con una nueva dimensión, algunos que tienen que ver con la gobernanza global del proceso de digitalización.

De hecho, esos debates se han trasladado a una capa superior de análisis trascendiendo lo estrictamente económico a medida que la digitalización se extiende a más dominios de la realidad económica y social (que la pandemia ha acelerado), se multiplican las fuentes de suministro de datos y se acelera la capacidad de computación de grandes cantidades de datos, a las que se aplican sistemas de inteligencia artificial.

Se ha acumulado una gran cantidad de información personal y empresarial, tanto en manos privadas como públicas, que, mediante la elevada capacidad de computación, la presencia de trabajadores altamente cualificados y la aplicación de algoritmos —inteligencia artificial— permiten perfilar usuarios y prever conductas.

En este sentido, la inteligencia artificial es una de las tecnologías más transformadoras del proceso de digitalización de las economías y está siendo ya aplicada en numerosos ámbitos de actividad.

Sin embargo, la inteligencia artificial puede dar lugar a selecciones sesgadas y resultar en una desprotección de los derechos fundamentales.

En primer lugar, se debe encontrar un equilibrio entre la protección de la privacidad y el fomento de la innovación.

En segundo lugar, se debe fomentar la ciberseguridad. En este ámbito resulta clave la cooperación internacional.

Por último, en cuanto a los principios éticos que deberían respetar los desarrollos de la "inteligencia artificial", no se trata de descubrir nuevos derechos digitales pretendiendo que sean algo distinto de los derechos fundamentales ya reconocidos (…) sino de concretar los (derechos) más relevantes en el entorno y los espacios digitales o describir derechos instrumentales o auxiliares de los primeros."[2]

Pero más allá de las iniciativas particulares de los distintos gobiernos, sería deseable lograr un acuerdo multilateral sobre la gobernanza global del proceso de digitalización y orientarlo hacia el bien común. En este sentido, destaca el reciente proyecto de recomendación de la

---

[2] Carta de Derechos Digitales de la Ciudadanía presentada por el Gobierno de España para su consulta pública.

UNESCO sobre la ética de la inteligencia artificial, con vocación de convertirse en instrumento normativo mundial.

2.3. Impacto económico a nivel europeo y nacional

2.3.1. Impacto a nivel europeo

La Comisión Europea situó en noviembre de 2019 la transición digital como una de sus prioridades estratégicas, junto con la transición ecológica, constituyendo los pilares de su estrategia de crecimiento, sostenible e inclusiva.

La hegemonía de EE. UU y China, principalmente, pero también de otros países, como Corea del Sur, Singapur o Taiwán, obligan a la Unión Europea a liderar una estrategia proactiva y decisiva para no quedarse rezagada y poder afrontar el reto de la transición digital con una visión global.

La irrupción en 2020 de la COVID-19 ha abierto un escenario de digitalización acelerada en todos los Estados miembros.

Todo ello ha puesto en evidencia la necesidad de afrontar con mayor esfuerzo una dimensión estratégica de la digitalización.

La Unión Europea se encuentra en desventaja y tiene dificultades para competir.

Resulta necesario reducir el desajuste digital frente a los competidores, la dependencia de tecnologías y plataformas de terceros países, proteger los activos, fomentar la competitividad e innovación en las cadenas de suministro y evitar una regulación que lastre a las empresas europeas para competir en los mercados globales. Pero ello debe partir de garantizar el respeto a los derechos fundamentales y valores europeos en el marco del modelo económico y social europeo.

Es necesario evolucionar hacia un marco regulatorio del sector digital armonizado a escala europea.

Estado de situación

Abordar el proceso de digitalización en la Unión Europea requiere partir de un análisis sobre el grado de avance alcanzado tanto en relación con las economías más avanzadas, como a nivel comunitario y entre los Estados miembros.

La fuente principal de información sobre el estado de situación de la digitalización en la Unión Europea y los distintos Estados miembros es el Índice sobre Economía y Sociedad Digital (DESI) de la Comisión Europea. Además, basado en este, la Unión Europea publica desde 2013 el Índice Internacional de Economía y Sociedad Digital (I-DESI) que analiza la digitalización de las economías europeas en comparación con un conjunto de 18 países, entre los que están Noruega, Estados Unidos, Corea del Sur o China.

El informe de 2020 (con datos hasta 2018), mostraba que el conjunto de la Unión Europea está en una situación comparable con los 18 países no pertenecientes a la Unión Europea contemplados, especialmente en las dimensiones de conectividad y competencias digitales estando más alejados en la de uso de servicios de Internet y servicios públicos digitales.

Por otro lado, si bien la evolución de 2015 a 2018 refleja el avance digital en el conjunto de la Unión Europea, no se ha logrado cerrar la brecha con Estados Unidos o Japón y se enfrenta, además, a un desempeño digital acelerado de China.

En el ámbito estrictamente comunitario, el DESI para 2020 refleja, con carácter general, un avance en el indicador compuesto, así como de sus cinco dimensiones: conectividad, capital humano, uso de servicios de Internet, integración de la tecnología digital y servicios públicos digitales.

Sin embargo, se sigue registrando una brecha interna entre los Estados miembros con diferencias significativas en algunas dimensiones que requieren de un mayor esfuerzo tanto desde el ámbito comunitario como de los propios Estados miembros para no quedarse atrás.

A mediados de 2019, los jefes de Estado y de Gobierno de la Unión Europea consensuaron la necesidad de ir más allá en el ámbito digital para impulsar la competitividad en toda la Unión y favorecer la cohesión digital.

La nueva Comisión Europea que inició su mandato a finales de 2019, presentó en febrero de 2020 el Paquete Digital, que incluía propuestas para el diseño de una nueva Agenda digital para Europa, una Estrategia europea de datos y el Libro Blanco sobre inteligencia artificial.

La orientación de la Agenda tenía tres objetivos clave:

- la tecnología al servicio de las personas, en el sentido de que la digitalización beneficie a las personas, la competitividad y los valores de la sociedad europea.
- Una economía justa y competitiva con el fin de fomentar la autonomía europea y equilibrar las reglas de juego.
- Preservar una sociedad abierta, democrática y sostenible en base a los valores y la ética europea.

El papel del diálogo social y de los interlocutores sociales a nivel europeo resulta fundamental para contribuir a su desarrollo.

Con el planteamiento para su nueva agenda digital, la Unión Europea ha buscado impulsar un enfoque sobre la base del modelo económico y social europeo y su marco regulatorio que sea un ejemplo a seguir por otros países, buscando desarrollar estándares digitales y promoverlos internacionalmente. Pero dado el contexto geopolítico y tecnológico marcado por la hegemonía digital de Estados Unidos y China, la Unión Europea ha incorporado abiertamente la dimensión geoestratégica y el objetivo de lograr una "soberanía digital" definiendo sus propias reglas, tomando decisiones tecnológicas autónomas y desarrollando y desplegando capacidades e infraestructuras digitales estratégicas.

La soberanía digital implica construir un verdadero mercado único digital, tener capacidad para definir normas, tomar decisiones tecnológicas autónomas y desarrollar y desplegar capacidades e infraestructuras digitales estratégicas.

Esta nueva Agenda pretende ser el instrumento para convertir a la Unión Europea en un actor digital global: el desafío ahora es integrar el mercado único digital europeo en el mercado global de la era digital.

De hecho, se están produciendo rápidos avances. Destacan por su novedad sendas propuestas de Ley por parte de la Comisión para regular el mercado digital y los servicios digitales:

- Actualización de las reglas de la competencia en el mercado único digital con la propuesta de Ley del Mercado Digital (DMA).
- Regulación de los servicios digitales, con la propuesta de Ley de Servicios digitales (DSA).
- La presentación de la Estrategia Europea de Datos.

- El desarrollo de la Estrategia de Ciberseguridad.
- La recomendación para impulsar el despliegue del 5G.
- El desarrollo de la Inteligencia Artificial.
- El impulso de tecnologías facilitadoras que impulsen el liderazgo en las cadenas de valor digitales.
- La educación y capacidades digitales.
- La adaptación de los sistemas tributarios al mundo digital.

El Plan de Recuperación y Resiliencia

La dimensión estratégica de la digitalización y la necesidad de abordar la transición digital de la Unión Europea se ha puesto aún más de manifiesto con la irrupción en 2020 de la COVID-19.

El acuerdo histórico alcanzado en el Consejo Europeo de julio de 2020 para articular un plan de recuperación económica a escala europea, *Next Generation EU*, ha supuesto un impulso adicional para abordar la transición digital.

El Plan aprobado por el Parlamento Europeo y el Consejo el 18 de diciembre de 2020, una vez aprobado el Marco Financiero Plurianual (MFP) 2021-2027, constituye el instrumento comunitario más importante de las últimas décadas y supone un hito fundamental en las políticas desarrolladas hasta ahora por la Unión Europea.

El acuerdo alcanzado dota al Plan de 750 mil millones de euros, de los que 390 mil millones son transferencias, siendo el resto créditos. El grueso de los recursos para inversiones se instrumenta a través del Mecanismo de Recuperación y Resiliencia que ofrece apoyo financiero para inversiones en proyectos digitales y medioambientales y reformas estructurales que fortalezcan las economías de los Estados miembros y las hagan más resistentes para el futuro.

De hecho, las directrices de la Comisión Europea presentadas en septiembre para la elaboración de los Planes de Recuperación por parte de los Estados miembros, señalaban que al menos el 20 por 100 de los fondos de este Mecanismo deberían destinarse a proyectos de transición digital para las pymes.

El Plan de Recuperación y Resiliencia supone un cambio fundamental en la actuación de la Unión Europea, pero es necesario que vaya más allá y sea una realidad en un horizonte temporal breve, a través de un desarrollo ágil de proyectos concretos de forma eficiente.

Así, el Plan debe incluir proyectos concretos que se materializarán durante los tres próximos años con el fin de desarrollar en la Unión Europea un ecosistema digital.

Se señalan cinco líneas de actuación:

- Educación digital, competencias e inclusión.
- Sanidad digital.
- Digitalización de pymes e impulso de su crecimiento.
- Transformación digital, innovación y pacto verde.
- Conectividad e infraestructura.

Todo ello requerirá una evaluación continuada de las actuaciones.

En todo caso, el objetivo de inversión pública procedente del Fondo de Recuperación y Resiliencia debe ser estimular la inversión privada a través de su impacto multiplicador.

La colaboración público-privada en este sentido se convierte en un instrumento fundamental para su desarrollo.

2.3.2. Impacto en la economía española

El estado de situación de la economía española en este terreno, a tenor de los indicadores generalmente utilizados para hacer esta valoración —principalmente el Índice Europeo DESI— apunta a que España presenta un desempeño medio bastante aceptable en el ámbito digital en comparación con sus socios comunitarios. No obstante, el uso de las tecnologías digitales en España resulta escaso respecto a su potencial y queda muy lejos del realizado por las potencias mundiales que lideran la transformación digital.

En cuanto a la generación de TIC, España no ocupa una posición de liderazgo si se atiende a las invenciones en el campo de las tecnologías más dinámicas. Entre las tecnologías más dinámicas, la inteligencia artificial (IA) ocupa un lugar muy destacado.

El indicador de inversión en investigación y desarrollo (I + D) es clave para impulsar el avance en tecnologías digitales. en el caso español, la inversión en I+D empresarial supone tan sólo el 0.71% del PIB —en

2019— alejado todavía de países como Israel donde supera el 4%, de la media de la OCDE que es superior al 1.7% y de la UE con un 1.3%.

En particular, el valor del indicador para las "industrias de la información", que comprenden a los productores de bienes y servicios de TIC, así como a los productores de contenidos digitales, presenta en España un valor inferior al correspondiente a la UE (OECD, 2020).

Asimismo, un indicador muy extendido sobre el uso de TIC es el de usuarios de internet. la evolución que ha seguido en el caso de España es positiva y remarcable, con un crecimiento sobresaliente dado que en los últimos años se han escalado 80 puntos porcentuales. en 2021, el dato se sitúa en el 93% de la población española, sobrepasando en más de 5 puntos porcentuales el correspondiente al promedio de la unión europea.

Atendiendo a la última edición del DESI correspondiente al año 2021, la trayectoria seguida por España en avance digital puede calificarse de exitosa. con una puntuación de 57.4 puntos, España se sitúa en la novena posición entre los estados miembros de la UE-27, tras una escalada de dos puestos desde el que ocupaba en la edición del DESI 2020, y por encima del valor medio de la UE (50,7).

Los últimos datos de este índice confirman que España está holgadamente por encima de la media europea en servicios públicos digitales, aspecto en el que sobresale respecto al promedio de la UE, al igual que en conectividad.

No obstante, presenta una clara desventaja en la integración de las tecnologías digitales en la actividad productiva y en la dotación de capital humano provisto de competencias digitales básicas.

Se constata que la transformación digital española puede verse comprometida por la falta de cualificación y competencias, la escasa inversión en I+D+i y en activos intangibles o por la elevada presencia de pequeñas y medianas empresas escasamente digitalizadas.

Se debe superar la concepción restrictiva que se tiene de la digitalización, puesto que no consiste solamente en la incorporación de nuevas tecnologías, sino que supone un cambio total de procesos y de cultura de los negocios.

La información estadística ha permitido comprobar que España realiza una inversión en activos tangibles sobre el PIB superior a la media de la Unión Europea, pero en términos de la inversión en intangibles ocupa la penúltima posición, tras Grecia y justo detrás de Portugal. Además, el problema de España no es solo de nivel de inversión en intangibles; también lo es de composición al estar sesgada, dentro de los intangibles, hacia los activos que menos contribuyen al crecimiento de la productividad —diseño e imagen de marca— mientras que en *software*, bases de datos, I + D, organización de las empresas y formación de los trabajadores ocupa las últimas posiciones.

No obstante, todo depende de cómo España afronte el desafío de la digitalización.

Ahora bien, para extraer todo el potencial que ofrece la digitalización, se debe combinar la inversión en TIC, inteligencia artificial y otras innovaciones disruptivas, con la inversión en activos intangibles.

Por otra parte, aunque en líneas generales los datos correspondientes a 2020 Y 2021 arrojan un rendimiento especialmente positivo en términos de conectividad gracias a la amplia disponibilidad de redes de banda ancha fija y móvil rápidas y ultrarrápidas y al aumento de su implantación, continúan existiendo zonas rurales y remotas con un acceso a la red aún precario.

España ocupa una posición de liderazgo en la dimensión de los servicios públicos digitales, en gran parte gracias al desarrollo digital de la Agencia Tributaria; sin embargo, necesita impulsar la digitalización en otros ámbitos clave de la Administración como, por ejemplo, justicia o políticas sociales.

Pero donde España presenta una clara deficiencia tanto en términos relativos como en absolutos, es en las dimensiones de capital humano, en los usos avanzados de Internet y en la integración de las tecnologías digitales en el ecosistema empresarial, todas ellas relacionadas con la inversión en intangibles. En estas dimensiones adopta un valor similar a la media de la UE.

En cuanto al uso de las TIC en las empresas españolas, si bien en las empresas de 10 o más empleados se dan muy buenos resultados respecto al porcentaje de empresas con acceso a internet, que supera el 98% en todos los casos, el valor de este indicador en el caso de las empresas con menos de 10 empleados es inferior al 79%.

También sobresale el indicador de medidas de seguridad TIC, que es superior al 95% en las empresas de mayor tamaño y está por encima del 70% en las microempresas.

En el caso de los medios sociales, las empresas del sector TIC obtienen los mejores resultados, sobrepasando el 70% de empresas de 10 y más empleados que hacen uso de esta técnica, mientras que apenas sobrepasa el 61% el porcentaje de empresas en el sector manufacturero y el 35% entre las empresas más pequeñas.

Por otra parte, los servicios en la nube muestran un valor elevado en el caso del sector TIC (más del 68%), mientras que en el sector industrial y en los servicios apenas un tercio de las empresas los utilizan. se hace aún más palpable la brecha de tamaño en este caso porque entre las microempresas menos del 9% hacen uso de esta tecnología.

En el ámbito de la robótica se obtienen los valores más bajos, que no llegan al 9% de las empresas de 10 o más empleados y, mientras que el peso más alto corresponde a casi el 19% de las empresas del sector industrial, en el sector tic es inferior al 3% y en las unidades empresariales de menos de 10 empleados no llega al 2%.

El empleo en el entorno digital

Los datos correspondientes al Índice DESI 2021de la Unión Europea señalan que el punto más débil de la digitalización en España es el capital humano.

En capital humano, España ocupa el puesto 12 entre los 27 países de la UE. El 57 % de la población en España tiene al menos habilidades digitales básicas, justo por encima de la media de la UE, pero aún lejos del objetivo de lograr que el 80 % de la población europea tenga al menos competencias digitales básicas para 2030. Además, el 36% de la población activa española aún no tiene competencias digitales básicas lo cual dificulta el progreso de la digitalización de las empresas y la aceptación de tecnologías digitales avanzadas. La proporción de especialistas en TIC aumentó al 3,8% del empleo total en 2020; en 2018, la participación de especialistas en TIC representó el 3,5%. A pesar de algunos avances, la escasez de especialistas en TIC sigue siendo un factor que limita la productividad, en particular de las pymes. El desequilibrio de género sigue siendo significativo y el porcentaje de mujeres dentro del total de especialistas en TIC sigue siendo tan solo del 20 % (justo por encima de la media de la UE del 19 %).

Apoyar las habilidades digitales de su población es una de las 10 prioridades de la estrategia digital de España, España Digital 2025.

Esta estrategia reconoce que la falta de habilidades digitales, tanto básicas como avanzadas, dificulta la transformación digital del país.

A principios de 2021 se adoptó un Plan Nacional de Competencias Digitales específico. Para alcanzar objetivos ambiciosos, acordes a los establecidos en la Comunicación relativa a la Década Digital para las competencias digitales básicas y los especialistas en TIC, el Plan Nacional de Competencias Digitales consta de siete líneas de actuación:

1) Capacitación digital de la ciudadanía (con especial énfasis en colectivos en riesgo de exclusión digital).

2) Lucha contra la brecha digital de género.

3) Digitalizar el sistema educativo y desarrollar habilidades digitales para el aprendizaje.

4) Formación en competencias digitales a lo largo de la vida laboral (con foco en la población trabajadora del sector privado y desempleados).

5) Capacitación en habilidades digitales para trabajadores del sector público.

6) Formación en habilidades digitales para pymes.

7) Aumentar la oferta de especialistas en TIC (a través de la formación profesional y la educación universitaria).

Este plan es un instrumento fundamental para impulsar el desarrollo de las competencias digitales en España. Será fundamental para la adquisición de competencias digitales de la ciudadanía de España en general, y de los trabajadores y profesionales TIC en particular. La estrategia en su conjunto se beneficiará de una inversión total de 3 750 millones EUR.

El programa Educa en Digital, presentado en junio de 2020, incluye acciones para impulsar una mayor digitalización del sistema educativo español, favoreciendo así una mayor inclusión social.

Este programa ha apoyado: la realización de un programa de conectividad de alta velocidad en escuelas públicas; provisión de equipamiento para las personas más vulnerables; y la modificación de la legislación básica en materia de educación, otorgando un papel más relevante a la digitalización en los centros educativos, tanto en el proceso de aprendizaje como en el currículo.

Además, en medio de la pandemia de COVID-19, el gobierno lanzó un paquete de medidas de emergencia en respuesta a las dificultades que planteaba la enseñanza a distancia, y puso herramientas de aprendizaje en línea y recursos educativos abiertos a disposición de la comunidad educativa. Incluyó acciones para fomentar una mayor digitalización del sistema educativo español, apoyando así aún más la inclusión social.

También se están llevando a cabo acciones para mejorar y reciclar la mano de obra española y abordar la escasez existente de especialistas en TIC en España. Se han desarrollado múltiples iniciativas, incluidas aquellas para promover las necesidades de las pymes, como Talento Digital, o Profesionales Digitales, que proporciona formación y ofertas de empleo en los ámbitos que requieren competencias digitales avanzadas.

Además de estas enormes inversiones, la colaboración entre los sectores público y privado encaminada a alcanzar los objetivos europeos fijados para las competencias digitales es de vital importancia.

AMETIC, la asociación empresarial de la industria digital, impulsa la Coalición Española de Habilidades y Empleos Digitales, que engloba a más de 150 organizaciones (empresas, administraciones públicas, centros de formación y universidades) activas en la promoción de las competencias digitales en España. En mayo de 2021, la coalición lanzó la Plataforma Española de Habilidades y Empleos Digitales, que está conectada a la plataforma europea, como ventanilla única para obtener información sobre competencias digitales y material de formación en el contexto español.

AMETIC también participará activamente en el recién creado Centro de Competencias Digitales, un organismo asociativo institucional público-privado que regirá la implantación del Plan español y de sus acciones orientadas a las competencias digitales.

Durante la edición 2020 de la Semana de Programación de la UE se organizaron 1.126 actos en España; atrajo a 90.469 participantes, el 43% de los cuales eran mujeres y el 57% de las actividades se organizaron en escuelas.

En abril de 2021 se puso en marcha la iniciativa Talento Hacker. Esta iniciativa de formación gratuita en ciberseguridad, que tiene como objetivo fomentar el aprendizaje en ciberseguridad entre diferentes tipos de destinatarios, atrajo en su primera edición un total de 1.258 equipos y 437 inscripciones individuales (5.341 participantes).

En términos generales, si se aplican correctamente, es muy probable que el nuevo plan y las inversiones conexas influyan de forma duradera en la población española y en la economía del país. En una sociedad más digitalizada, centrarse en los grupos de población menos propensos a utilizar las tecnologías digitales y potenciar la participación de la mujer en la economía digital permitirá a todos obtener el máximo provecho de la transformación digital de España.

La especial atención prestada al perfeccionamiento y al reciclaje profesional de la población activa, tanto en el sector público como en el privado, permitirá que España aproveche plenamente el potencial de la economía digital y, por tanto, contribuirá a una recuperación sólida.

El proceso de digitalización puede ser tomado como una oportunidad para lograr una composición sectorial de la actividad productiva más equilibrada y sostenible, sobre todo en términos de crecimiento y empleo.

De hecho, en el contexto de la pandemia, el empleo ha mostrado una apreciable resiliencia, a través de un rápido y fuerte incremento del teletrabajo y de un incremento de empleos asociados a prestación de servicios a distancia, en especial comercio electrónico.

El desarrollo de las capacidades digitales es ya imprescindible para la población activa.

Las previsiones para el año 2030 señalan una evolución basada más en cambios en las ocupaciones dentro de cada actividad y de tareas dentro de cada ocupación, así como un mayor peso de algunos factores de cambio, entre ellos y de manera destacada, el proceso de digitalización de la economía.

Las previsiones son un mayor aumento de las ocupaciones de mayor cualificación (universitarias y de formación profesional de grado superior, en general más cuanto mayor asociación con el ámbito STEM).

No obstante, en España el riesgo asociado a la transformación digital y la automatización sigue siendo más alto que en los países centrales de la unión europea, en consonancia con su patrón de especialización productiva.

El CEDEFOP prevé para 2030 que el mayor crecimiento en España se daría para empleos de alta cualificación y los descensos más pronunciados en ocupaciones intermedias, sobre todo de tipo administrativo, aunque también en el sector primario y algunas asociadas a la hostelería.

Los cálculos del IVIE a partir de datos de la EPA apuntan también a que los mayores riesgos estarían en el sector primario y la hostelería y los menores en la educación, sanidad y servicios sociales y las actividades profesionales.

El futuro que dibujan todas estas previsiones de cambio ocupacional y sobre los contenidos de las ocupaciones apunta, por otro lado, a una necesidad creciente de profesionales con altas cualificaciones.

El peso en España de titulaciones con contenidos avanzados en tecnologías digitales (inteligencia artificial, supercomputación, ciberseguridad y ciencia de datos) es más bajo que en la UE-27.[3]

No se trata solo de elevar el número de profesionales TIC; es preciso aumentar también los contenidos y capacitaciones Profesionales asociados a la tecnología digital avanzada en todos los campos de estudio.

Mirando al futuro en materia de digitalización

La agenda España Digital 2025 incluye cerca de 50 medidas agrupadas en diez ejes estratégicos que tienen el objetivo de impulsar la transformación digital como eje fundamental para el crecimiento económico, la reducción de la desigualdad y el aumento de la productividad.

EJES ESTRATÉGICOS
1. Conectividad digital
2. Impulso de la Tecnología 5G
3. Competencias digitales
4. Ciberseguridad
5. Transformación digital del Sector Público
6. Transformación digital de la Empresa y Emprendimiento Digital
7. Proyectos Tractores de Digitalización Sectorial
8. España, polo de atracción de inversiones y talento del Sector Audiovisual
9. Economía del Dato e Inteligencia Artificial
10. Derechos Digitales

Fuente: Plan España Digital 2025. Gobierno de España.

---

[3] Sólo el 9% de los estudiantes de grado en España cursan titulaciones con esos contenidos avanzados, frente al 13.8% en la UE-27, el 24.3 en Finlandia, o el 19.6 en Alemania.

Esta agenda digital se alinea con la estrategia española de ciencia, tecnología e innovación y conjuntamente persigue el objetivo de dar respuesta a los desafíos de los sectores estratégicos nacionales a través de la i + d + i, para superar las debilidades del sistema español de ciencia, fortalecer la disponibilidad y difusión de tecnologías en aquellos sectores estratégicos, al tiempo que permitir generar nuevas oportunidades en líneas que se consideran clave para el desarrollo científico y tecnológico, y que conjuntamente promuevan la innovación.

Es esperable que estas acciones se verán reforzadas por las reformas e inversiones que contempla el plan de recuperación, transformación y resiliencia de España, en el que más del 28% de los fondos irán destinados al ámbito digital.

Asimismo, cabe destacar que en España se estableció un plan nacional de competencias digitales para toda su población, en el que pueden distinguirse siete líneas de actuación:

- capacitación digital de la ciudadanía
- disminución de la brecha digital por cuestión de género
- adquisición de competencias digitales para la educación a docentes y estudiantes en todos los niveles del sistema educativo
- competencias digitales avanzadas de la población activa
- competencias digitales de las personas al servicio de las administraciones públicas
- competencias digitales para las empresas españolas en general y, en particular, las pymes
- fomento de especialistas tic, orientadas al mejoramiento y fortalecimiento de las competencias digitales

Alguno de los resultados obtenidos permite discutir la idoneidad de las políticas e incluso sugerir alguna cuestión adicional.

Primero, las brechas de género y urbana-rural son más de acceso y de habilidades que de uso de servicios a través de internet; no obstante, presentan especificidades por tipo de servicios.

Segundo, trabajar en el sector de las TIC siempre aumenta las posibilidades de pertenecer al grupo de mayor capacitación digital de los individuos y de un mayor uso de servicios en la red.

Tercero, la brecha de renta es muy relevante y muy similar a la brecha de educación en cuento a e-comercio, e-gobierno y e-banca.

Cuarto, la brecha de edad se sitúa a un nivel de importancia similar a las anteriores y resulta ser más marcada en los servicios de comercio electrónico y banca electrónica.

Quinto, queda margen de mejora en la digitalización de los autónomos y en los ocupados en sectores de actividad distintos a las TIC (tanto en industria como en agricultura y construcción) y, fundamentalmente, en los servicios educativos en línea, así como en la relación con las administraciones públicas.

Puede afirmarse que sigue existiendo espacio para la definición y puesta en marcha de acciones conducentes a mejorar la accesibilidad y a escalar las habilidades y, específicamente, las relacionadas con el uso de servicios digitales tanto de las mujeres como de las poblaciones rurales.

También cabe pensar en medidas que atenúen la presencia de la notoria brecha de edad y la marcada brecha de renta que limita la capacidad de beneficiarse de servicios económicos. más específicamente, sigue siendo preocupante el menor acceso y habilidades relativo de los hogares de menores ingresos, que incide notablemente en todos los servicios digitales.

La brecha empresarial: el retraso digital de las pymes y autónomos

Para que España pueda beneficiarse de las ventajas de la transformación digital resulta necesario integrar de manera amplia a las pymes y a los autónomos en este proceso, dado que representan el 99.9% del tejido empresarial español, el 71.9 por 100 del empleo y el 61.3 por 100 del valor añadido bruto.

Las pequeñas empresas españolas continúan mostrando un importante retraso en cuanto a la transformación digital.

Indudablemente, la digitalización ofrece oportunidades al pequeño tejido empresarial para mejorar la eficiencia de los procesos de producción y la capacidad para innovar productos y modelos de negocio, un mayor uso de tecnologías avanzadas como el *blockchain*, la inteligencia artificial, la computación en la nube o la de alto rendimiento pueden mejorar su capacidad y posición competitiva.

El pequeño empresariado debe hacer un especial esfuerzo dada la creciente digitalización de las relaciones con las administraciones públicas, con los proveedores y los clientes, con las entidades financieras e, incluso, respecto a la provisión de suministros como los energéticos.

Algo se ha avanzado en este ámbito, pero la irrupción de la pandemia ha puesto de manifiesto que el proceso de transformación de las pymes es lento y poco homogéneo entre sectores.

En el caso de las tecnologías más avanzadas, como el uso de los servicios en la "nube", del *big data*, del internet de las cosas (IoT), de la impresión en 3D o de los robots, la mayor parte del conjunto del tejido empresarial español presenta un uso limitado y completamente marginal en el caso de las micropymes.

El retraso de las pymes españolas en el uso del *big data* y de las aplicaciones avanzadas de la inteligencia artificial, una de las tendencias digitales más transformadoras, puede afectar a su capacidad competitiva en el futuro y, por ende, a su capacidad de crecimiento y de creación de empleo.

Los resultados del Eurobarómetro 486 de la comisión europea señalan que un 42% de las pymes españolas consideran como principal barrera para su digitalización la incertidumbre sobre futuras normas digitales, seguida de los obstáculos normativos (40%), de ahí la importancia de contar con un marco normativo estable y armonizado, que aporte seguridad jurídica y que permita a las empresas en general y a las pymes de forma particular, una planificación estratégica adecuada a medio y largo plazo.

Por otra parte, más de una tercera parte apunta que la falta de recursos financieros y las escasas habilidades digitales, incluidas las de sus equipos directivos, constituyen igualmente importantes limitaciones para su digitalización.

La dimensión empresarial parece determinante a la hora de contar con especialistas tic en las plantillas; de hecho, solamente un 2.5% de las microempresas cuentan con personal especializado en este ámbito, frente al 13% de las pequeñas empresas, el 39,5% de las medianas o el 67,7 de las grandes.

Estas mayores limitaciones para estas empresas les exigen ser muy selectivas en los procesos de inversión.

Sin embargo, uno de los aspectos que más llama la atención es que el 29% de las pequeñas empresas señala que una de las mayores dificultades para la digitalización de sus empresas es la resistencia interna al cambio; de hecho, un 23% de las pymes afirman que no necesitan implantar tecnologías digitales en sus negocios.

No obstante, resulta necesario recordar que entre las pequeñas y medianas empresas existen también compañías con un elevado grado de digitalización, siendo su mayor desarrollo digital parte de sus ventajas competitivas. de entre ellas destacan un alto número de *startups* españolas, que pertenecen a la categoría de pymes al haber iniciado su actividad con pocos trabajadores, pero que, frente al resto del tejido empresarial, llevan incorporadas las tecnologías digitales en sus modelos de negocio.

La irrupción de la pandemia y el traslado de parte de la actividad empresarial a las redes, así como el mayor recurso al teletrabajo han sido probablemente un acicate para la digitalización de muchas pymes, si bien con notables diferencias sectoriales.

Haciéndose eco del menor grado de digitalización del pequeño tejido empresarial, destacó entre las medidas urgentes para hacer frente al impacto de la pandemia, la rápida puesta en marcha del programa acelera pyme, que perseguía tres objetivos:

1. formar y asesorar al pequeño empresariado en su desarrollo digital.

2. ayudar a la creación de soluciones tecnológicas.

3. facilitar la financiación de las actuaciones específicas de digitalización de las pymes y de las soluciones de teletrabajo.

y quedaría integrado en el plan de digitalización de pymes 2021-2025, presentado el 27 de enero de 2021.

Con una inversión pública de cerca de 5.000 millones de euros hasta 2023, el plan de digitalización de las pymes persigue como objetivos, además de lograr la transformación digital básica de las pymes, impulsar la innovación disruptiva (inteligencia artificial, internet de las cosas, *big data*) a través de la colaboración público-privada.

La digitalización de sectores tractores para la recuperación

Se considera que existen actividades identificadas como tractoras en el Plan España Digital 2025, es decir, aquellas que logren crear ecosistemas competitivos con efectos positivos sobre el crecimiento y el empleo.

– *Sector agroalimentario digital*

Desde hace tiempo el sector agrario ha venido incorporando progresivamente innovaciones digitales enfocadas a optimizar los recursos, obtener el máximo rendimiento y reforzar su competitividad. La digitalización es clave para la reactivación y consolidación de la actividad económica en las áreas rurales y presenta un papel estratégico como vector de desarrollo rural.

La digitalización del sector primario contribuye a aumentar el valor añadido de su actividad.

El acceso a la ingente información procedente de los satélites o de sensores remotos, facilita la aplicación y el tratamiento avanzado de los datos para optimizar la toma de decisiones por parte del sector primario. Los drones, los sensores conectados, los robots y el IoT forman ya parte de una agricultura inteligente y conectada, lo que abre múltiples oportunidades a la innovación y a su aplicación para la lucha contra el cambio climático.

Durante los últimos años se están realizando importantes esfuerzos en este ámbito a través de la Estrategia de Digitalización del Sector Agroalimentario y Forestal y del Medio Rural del Ministerio de Agricultura, Pesca y Alimentación, que fue presentada en 2019 y tiene como objetivo general la eliminación o reducción de las barreras técnicas, legislativas, económicas y formativas para la digitalización del sector, contribuyendo a que su actividad sea sostenible económica, social y medioambientalmente, así como al poblamiento activo del medio rural haciéndolo un lugar más atractivo, vivo, dinámico y diversificado, generador de riqueza y de empleo de calidad, con especial atención a jóvenes y mujeres.

Esta Estrategia establece tres grandes objetivos:

1. Reducir la brecha digital, tanto la urbana-rural como la existente entre pequeñas y grandes empresas, persiguiendo que haya conectividad para todos.

2. Fomentar el uso de datos como motor de impulso sectorial, abordando la interoperabilidad de datos del sector y fomentan-

do la apertura de estos, tanto por parte de la Administración como en el ámbito de la investigación y del sector privado.

3. Impulsar el desarrollo empresarial y los nuevos modelos de negocio, teniendo presente la Industria 4.0 y las oportunidades de diversificación económica que ofrecen las nuevas tecnologías.

España Digital 2025 apuesta por seguir avanzando en la mejora de la trazabilidad, la seguridad alimentaria y la calidad e información al consumidor, así como en la medición y el control de impactos ambientales mediante el uso de la tecnología, la interoperabilidad de los datos, o el fomento del emprendimiento en el territorio.

– *Energía*

La transformación digital resulta esencial para que el sector de la energía pueda llevar a cabo su transición a una producción totalmente descarbonizada, sostenible, eficiente y competitiva, así como para reducir la dependencia exterior.

España resulta un referente tecnológico en cuanto las redes de transporte o transmisión inteligentes.

Unas redes inteligentes son necesarias para responder a la cambiante estructura del sector eléctrico, ahora determinada por la conectividad, uniendo, monitorizando, agregando y controlando un elevado número de unidades individuales productoras de energía y un alto número de unidades consumidoras. Las tradicionales fronteras entre la oferta y la demanda —generación y consumidores— quedan desdibujadas y se abre la posibilidad de que, de manera descentralizada o distribuida, se den mercados de energía de carácter local con mayor participación de las energías renovables.

De hecho, los avances tecnológicos y la digitalización facilitan la integración de las energías renovables en los sistemas energéticos.

Pero, además, la digitalización tanto de los hogares como de multitud de actividades económicas permite mejorar la eficiencia energética. También en los usos residenciales o en el transporte.

Todo ello supone un gran reto transformador para las empresas energéticas que necesitarán desarrollar un nuevo tipo de relación con sus clientes, más personalizada y avanzada.

De hecho, desde finales de 2018, se cuenta en España con la implantación masiva de los denominados contadores inteligentes, que permiten realizar discriminación horaria y facilitan las operaciones de telemedida y/o telegestión.

El sector de la energía queda enmarcado, dentro de la estrategia España Digital 2025, entre los proyectos de digitalización sectorial con alto potencial susceptibles de ser promovidos a través de la lanzadera de proyectos tractores, junto a la industria conectada 4.0 y otros macroproyectos relacionados con la construcción de ciudades y territorios inteligentes y sostenibles. En este ámbito existe un amplio margen de actuación.

– *Movilidad y logística*

La digitalización resulta un elemento imprescindible para ofrecer soluciones inteligentes en la búsqueda de una movilidad sostenible, integrada y equilibrada entre el transporte público y privado que garantice la accesibilidad universal de todos los ciudadanos.

En la actualidad, la digitalización del transporte y la logística debe responder a una nueva movilidad inteligente que garantice la sostenibilidad medioambiental, así como la accesibilidad y el derecho a la movilidad.

Emerge, en ese contexto, la importancia de la movilidad como servicio, que tiene su máximo exponente en las plataformas de movilidad compartida. A esta nueva realidad se suman los compromisos de descarbonización asumidos por los distintos países y que, en el caso de España, tienen especial incidencia sobre el sector del transporte y la movilidad.

Este nuevo concepto de movilidad, que exige poner al usuario en el centro de cualquier estrategia, se apoyará en una mayor conectividad y electrificación de los medios de transporte, requerirá contar con las infraestructuras adecuadas, necesitará la coordinación y cooperación de las Administraciones públicas y de todos los agentes públicos y privados involucrados; todo ello con el objetivo de optimizar la seguridad en los desplazamientos, la sostenibilidad del transporte y la máxima conectividad geográfica y multimodal.

El Plan España Digital 2025 ha incluido entre los proyectos sectoriales tractores de la digitalización el relativo a una Movilidad sostenible, innovadora y eficiente.

En este marco se presentó, a mediados de septiembre de 2020, la Estrategia española para una Movilidad Segura, Sostenible y Conectada 2030, que actualiza la Estrategia de Movilidad de 2009, y afronta los retos derivados del nuevo modelo de transporte concretados en la introducción masiva de nuevas tecnologías, la necesidad de descarbonizar la economía, la despoblación del entorno rural y la concentración de población en zonas urbanas y periurbanas, con los impactos asociados sobre la salud de las personas.

La conectividad y la digitalización forman parte integral de dicha Estrategia.

La Estrategia incide, asimismo, en la necesidad de mejorar la conectividad entre nodos de comunicación y en la aplicación de las tecnologías digitales para mejorar la eficiencia del sector logístico, prestando especial atención al impulso del transporte ferroviario de mercancías, de la intermodalidad, y al establecimiento de una normativa adecuada sobre distribución urbana de mercancías.

En todo caso las medidas que se articulen a partir de la Estrategia española deberán ser coherentes y ajustarse a los marcos temporales establecidos en la nueva Estrategia Europea de Movilidad Sostenible presentada a finales de 2020.

– *Turismo*

La adopción de las tecnologías digitales por parte del sector turístico ofrece la oportunidad para mantener el liderazgo mundial de un sector que en España ha venido representando alrededor de un 11% del PIB y casi el 13% del empleo.

La transformación digital del turismo permite hacer frente a los principales desafíos estructurales a los que se enfrenta el sector en su mayoría relacionados con la creciente digitalización de las economías, como son un nuevo tipo de turista digitalizado y conectado, el avance de la economía de plataformas y la presencia de nuevos modelos de negocio digitales disruptivos y competitivos.

Esta transformación en la actualidad se encuentra bastante integrada en las grandes empresas del sector, mientras que para las de menor dimensión representa un importante desafío.

Las TIC han cambiado sustancialmente los tres ejes fundamentales sobre los que pivota la actividad del sector: los turistas, los operadores y los destinos.

En efecto, una de las disrupciones más importantes a la que se enfrenta el sector es el nuevo tipo de turista, un viajero más conectado y con una participación activa en la cadena de valor del servicio turístico gracias a las tecnologías digitales y al creciente uso de las redes sociales.

Asimismo, los operadores turísticos se enfrentan a un escenario de consolidación de la desintermediación, a una menor dependencia de mayoristas y operadores, en el que resulta necesario encontrar nuevos nichos de ventajas competitivas.

La transparencia informativa que facilita Internet, la digitalización de las actividades y la familiarización de los usuarios con estas tecnologías exigen que algunas de esas actividades productivas deban replantearse sus estrategias competitivas.

Las nuevas tecnologías digitales ofrecen a los operadores nuevas fuentes de generación de valor añadido relacionadas, por ejemplo, con la financiación, la salud, la seguridad o la confianza, todo ello desde una gestión diferenciada y personalizada del servicio turístico.

Por último, la desestacionalización, la diversificación de destinos y el relanzamiento de los destinos maduros constituyen pilares hacia una mayor sostenibilidad en el sector.

Adquiere especial importancia el desarrollo de los denominados «Destinos turísticos inteligentes», concepto presente en el sector turístico español desde 2015, que hace referencia a destinos sostenibles, accesibles y con un sistema de gestión adaptable a los cambios, en los que se facilita la interacción e integración del turista con el entorno gracias a una infraestructura tecnológica innovadora.

De hecho, el «Turismo inteligente» se ha incluido entre los macroproyectos tractores del Plan España Digital 2025 con el objetivo de acelerar la digitalización de los destinos turísticos españoles y sus empresas.

– *Distribución comercial*

El papel del sector comercial como tractor de la economía española se apoya en una elevada capacidad de arrastre sobre otros sectores y su, por lo general, buen comportamiento respecto al ciclo económico.

La integración de la digitalización en la distribución comercial es una realidad bastante consolidada. El canal de venta online forma parte de las opciones que el comercio minorita baraja a la hora de hacer negocios aunque existen, por supuesto, importantes diferencias en el grado de digitalización de las empresas comerciales en función de su tamaño o del tipo de producto o servicio que distribuyen.

La digitalización ofrece múltiples ventajas innovadoras para mejorar la facturación del comercio minorista.

Además, la creciente digitalización de la actividad económica ha traído consigo importantes retos competitivos para el comercio minorista. Por un lado, la desintermediación de la distribución; por otro, el comercio minorista es una de las actividades más expuestas a la fuerte competencia que ejercen las grandes plataformas de distribución comercial online (*marketplaces*).

Los recientes desarrollos del comercio digital responden a importantes cambios en los hábitos de consumo de los ciudadanos, con una mayor presencia del consumo *online*.

Durante la crisis, el comercio electrónico se ha erigido como una importante vía alternativa para la distribución comercial.

Aun así, en solo tres meses, los de mayores restricciones a la movilidad, se concentró prácticamente el mismo número de compradores *online* que en todo 2019; aunque se detecta un cambio en los hábitos de compra y de consumo. Un 47,2 por 100 de los consumidores que compraron online durante el confinamiento no habían comprado por Internet en 2019; mientras que un 16 por 100 de los que sí había realizado alguna compra online durante 2019, no compró durante el periodo de marzo a mayo de 2020.

La cuestión reside en si estos cambios producidos por la pandemia tendrán carácter estructural o coyuntural.

El 48,7 por 100 de los internautas compradores a través de Internet durante el confinamiento afirman que continuarán haciéndolo, mientras que un 43,8 por 100 subraya que optará por el consumo en pequeños comercios próximos a sus domicilios.

En efecto, aunque la venta *online* ha sustituido durante la crisis del COVID-19 a la venta física, el comercio electrónico hay que entenderlo más como un complemento de la venta tradicional que como sustitutivo. La digitalización de la distribución comercial debe tener como objetivo la omnicanalidad, es decir, ir más allá de la venta *online*, facilitando la actividad minorista y promoviendo su eficiencia.

La estrategia España Digital 2025 hace hincapié en la necesidad de fomentar el desarrollo digital de la distribución comercial como palanca para su modernización. De hecho, se propone como meta que una cuarta parte del volumen de negocio de las pequeñas y medianas empresas procedan del comercio electrónico.

Este fomento de la digitalización del comercio y la distribución en España deberá tener en consideración la necesidad de hacer frente a los retos anteriormente señalados para lo cual se estima conveniente, en primer lugar, asegurar unas reglas de juego equilibradas para toda la distribución comercial, de manera que las exigencias y normativa sobre aspectos como la protección de los consumidores, la fiscalidad, la trazabilidad o incluso el tratamiento de residuos sean equiparables para todo el sector, independientemente de que sean grandes plataformas digitales de comercio o minoristas tradicionales, de que sea comercio digital o físico o del ámbito geográfico en el que operen.

En este sentido, son bienvenidas las propuestas de la Comisión Europea, enmarcadas en el Paquete de Digital Single Market y descritas anteriormente, que tratan de lograr un verdadero marco regulatorio europeo, armonizado y que otorgue una mayor seguridad jurídica a los operadores.

En segundo lugar, independientemente de la necesidad de acordar una fiscalidad

más adecuada de la digitalización, para el caso de la distribución comercial resulta necesario y constituye un desafío a corto plazo, asegurar un marco fiscal homogéneo entre el comercio *offline* y el realizado por Internet. La existencia de obligaciones fiscales distintas para los establecimientos comerciales físicos frente a los competidores *online* resta capacidad competitiva a los primeros.

Por último, en este sector resulta especialmente conveniente la formación y capacitación de los trabajadores en el ámbito digital para poder aprovechar todas las ventajas que ofrece el comercio online y la digitalización de la distribución comercial.

– *El desarrollo del sector TIC y el despliegue de redes*

El sector digital o TIC, en el que están incluidos desde los grandes operadores hasta las pequeñas empresas de servicios digitales, constituye la pieza clave para todo este proceso de digitalización.

Hay que recordar que entre las primeras medidas tomadas para hacer frente al impacto de la pandemia destacaron las encaminadas a garantizar el acceso digital.

Todo ello no hace sino poner de manifiesto la importancia que ha adquirido la conectividad digital en todos los aspectos de nuestras vidas y la actividad económica: teletrabajo, entretenimiento digital, comercio electrónico, enseñanza a distancia, servicios financieros digitales, servicios de Administración digital o servicios de teleasistencia y telediagnóstico y que durante la pandemia ha permitido amortiguar los efectos del confinamiento y del distanciamiento social sobre los ciudadanos y, también, sobre algunas empresas.

A pesar de este papel relevante de las tecnologías de la información y la comunicación, el sector TIC español se sitúa, en términos comparados, en una posición de inferioridad a nivel mundial. Según el estudio Predict Report 2020 publicado por la Comisión Europea, el peso de las TIC en el PIB español ascendería a 2,8 por 100 frente al 4,1 por 100 que representa de media en la UE-28.

Esto se traduce también en un escaso peso del empleo en las TIC sobre el total del empleo en España, un 2,1 por 100, frente al 2,7 por 100 de media en la UE-28.

La estrategia España Digital 2025 se hace eco de estas prioridades y subraya la necesidad de desarrollar las infraestructuras digitales como palanca de crecimiento económico, atendiendo a la necesidad de impulsar la vertebración económica, social y territorial de España y a la de cerrar las brechas de desigualdad social por la falta de acceso o uso de Internet.

Pero, además, plantea el objetivo de situar a España como polo de infraestructuras digitales de interconexión transfronteriza de referencia para el sur de Europa.

Para lograr estos objetivos, la estrategia plantea las siguientes medidas:

- Plan de conectividad digital.
- Reforma de la Ley general de Telecomunicaciones con el objetivo de facilitar el despliegue de redes de muy alta velocidad e impulsar el despliegue del 5G.

- Plan de atracción de infraestructuras digitales transfronterizas, en el que dichas infraestructuras quedaran categorizadas como estratégicas de alto interés económico y que exigirá el refuerzo de la interconexión digital.

– *La trasformación digital de la Administración Pública y de los servicios públicos.*

Otro de los aspectos que se ha puesto de relieve durante la pandemia es la importancia de poder contar con unos servicios públicos electrónicos universales y de calidad, abiertos, eficientes, flexibles, inclusivos y accesibles a todos los colectivos.

La posición de España en este terreno es aventajada respecto a sus socios comunitarios, y según el Índice de Economía y Sociedad Digital (DESI) 2021 de la Comisión Europea, parece que continúa siéndolo. España ocupa el séptimo lugar en la clasificación en cuanto al desarrollo de sus servicios públicos digitales, presenta un alto nivel de interacción entre las Administraciones públicas, la ciudadanía y las empresas y ocupa el segundo puesto en el indicador de datos abiertos.

Sin embargo, como se ha indicado, esa posición de liderazgo a nivel comunitario en el ámbito de los servicios públicos digitales responde al buen funcionamiento de la Agencia Tributaria y, hasta la irrupción de la pandemia, de la Seguridad Social. De hecho, se detectan considerables deficiencias en otros ámbitos clave de la Administración que exigen impulsar su digitalización, como es el caso evidente del SEPE (Servicio Público de Empleo Estatal) y de otros como, por ejemplo, la justicia o las políticas sociales.

La Administración pública española se enfrenta al reto de hacer llegar las ventajas de su digitalización a los ciudadanos y a las empresas.

La incorporación de las tecnologías más disruptivas a la digitalización del sector público se enfrenta a los siguientes retos:

En primer lugar, la Administración se enfrenta al reto tecnológico de asegurar una dotación de infraestructuras físicas e inmateriales (*software*) actualizadas.

En segundo lugar, al nuevo tipo de ciudadano y sus características como usuario digital de los servicios públicos. La centralidad que adquiere el ciudadano requiere una revisión y modernización del funcionamiento de la Administración a través de una digitalización de la burocracia que rodea a los servicios públicos que se prestan, exigiendo una doble modernización de los servicios: la relacionada con la manera de interactuar con los administrados y la relativa al modo de procesar los expedientes.

Pese a que España ocupa un puesto destacado entre los países de mayor desarrollo del denominado «gobierno electrónico» según el e-*Government Development Index* de las Naciones Unidas, todavía existe margen de mejora en el acceso online a los servicios o en términos de eficiencia y agilidad de los trámites.

La transformación digital del sector público es uno de los ejes de actuación previstos por la agenda España Digital 2025 presentada por el Gobierno, y que se ha concretado en el Plan de Digitalización de las Administraciones Públicas 2021-2025, presentado el 27 de enero de 2021, que prevé una movilización de 2.600 millones de euros.

La educación y la formación desempeñan un papel clave para impulsar el crecimiento, la innovación y la creación de empleo, por lo que los sistemas educativos y de formación deben proporcionar los conocimientos, habilidades y competencias necesarias para innovar y prosperar en el momento actual y a futuro.

La situación creada por la pandemia ha puesto de manifiesto, la necesidad de abordar la digitalización de la educación desde tres planos diferentes: primero, en lo referente a la dotación de infraestructuras, accesos a Internet y *software* de los centros educativos; en segundo lugar, respecto a las competencias y habilidades digitales de los docentes y, en tercer lugar, respecto a la brecha de capacidad de uso adecuado por parte del alumnado relacionado con determinantes socioeconómicos.

La digitalización del sector educativo ha venido siendo deficitaria en España desde hace tiempo, manifestándose claras diferencias en función del tamaño municipal.

Todo ello ha llevado al lanzamiento en junio de 2020 del Programa Educa en Digital para impulsar la transformación tecnológica de la Educación en España.

Es importante asegurar que la brecha tecnológica no amplifique las inequidades ya existentes en acceso y calidad de la enseñanza.

Evidentemente, el acceso a un aprendizaje *online* solo está disponible en los hogares con suficiente ancho de banda para soportar un intercambio de información adecuado en contenido y velocidad.

Los datos ponen de manifiesto la persistencia e incluso agudización de la brecha social con la utilización intensiva de las nuevas tecnologías en el ámbito educativo.

La agenda España Digital 2025 hace referencia a la necesidad de garantizar las competencias digitales avanzadas del alumnado al finalizar la educación secundaria.

A través de programas de formación digital para la ciudadanía; de digitalización y desarrollo de competencias digitales en educación (primaria, secundaria y universitaria) y formación profesional; de competencias digitales para empleados y desempleados; y de especialistas en tecnologías digitales básicas y avanzadas, España Digital 2025 persigue que todos sus alumnos y alumnas adquieran las competencias y habilidades exigidas, y la capacidad para mantenerlas actualizadas, impulsando, además, vocaciones científico-tecnológicas que supongan un volumen suficiente de alumnos en estudios de Ciencia, Tecnología, Ingeniería, Artes y Matemáticas (STEAM).

La crisis provocada por el COVID-19 ha acentuado el rápido proceso de transición digital en educación y formación, exacerbando en ocasiones las brechas existentes de acceso a infraestructura y dispositivos digitales, calidad de la enseñanza en línea y capacidades de los estudiantes y personal docente y formador.

En todo caso, no debe olvidarse que los entornos virtuales y las nuevas tecnologías constituyen una herramienta en apoyo a la educación presencial, que representa una institución de socialización difícilmente sustituible.

El Parlamento Europeo subraya la importancia de garantizar el aprendizaje presencial, ya que la educación online no sustituye la interacción directa entre docentes y alumnos, por lo que el aprendizaje presencial debe seguir siendo el núcleo de la educación y la formación.

En el ámbito sanitario, la digitalización ofrece importantes oportunidades para mejorar la calidad de las prestaciones y la atención recibida por los ciudadanos.

Sin embargo, los desarrollos en este terreno deben tener en cuenta que el área sanitaria exige un marco normativo que otorgue seguridad jurídica suficiente y que, en concreto, respete la regulación sobre la protección de datos.

En España, se han venido produciendo avances en los desarrollos digitales en el ámbito de la salud y la sanidad, prestando especial atención a la necesidad de asegurar la interoperabilidad de las tarjetas sanitarias, de las historias clínicas digitales, así como de las recetas electrónicas.

No obstante, también la pandemia ha puesto de relieve los problemas que pueden surgir de una adopción masiva y rápida de las tecnologías digitales para la salud:

- En primer lugar, la principal limitación reside, nuevamente, en la desigualdad digital por razones socioeconómicas, como la edad o la renta, que determinan el grado de habilidades digitales, de dotación de infraestructuras TIC domésticas o incluso del nivel de confianza para la navegación *online*; cuando, además, por lo general son los individuos de edad más avanzada y los pertenecientes a los percentiles de renta inferiores los que presentan peores condiciones de salud.

- Asimismo, las consultas en remoto presentan evidentes limitaciones para hacer diagnósticos precisos y/o preventivos de los problemas de salud, sobre todo en caso de emergencias médicas.

- la pandemia ha reavivado el debate sobre la necesidad de compartir información y datos personales de salud.

El proyecto tractor dedicado a la transformación de la salud dentro de la estrategia

España Digital 2025 debería dar respuesta a estos retos y limitaciones.

Es necesario tener en cuenta los siguientes aspectos:

- El ámbito sanitario subraya la necesidad de superar la brecha digital territorial anteriormente mencionada,

- Se necesitará establecer una adecuada gobernanza del proceso de digitalización de la salud, procurando asegurar, como se ha indicado, que el sistema sea interoperable.

Convendrá desarrollar herramientas digitales que aseguren a los pacientes el control de su historia clínica digital y adoptar medidas que garanticen el respeto de los derechos de los pacientes contando con la necesaria formación de los gestores y los profesionales sanitarios en el uso de las herramientas digitales.

2.4. Conclusiones

La digitalización es un proceso en continuo desarrollo que está cambiando la realidad económica y social.

El gran reto al que se enfrentan las sociedades en relación con la digitalización y los desarrollos e innovaciones conexas, como la inteligencia artificial, es lograr que se oriente hacia el progreso humano, social y medioambiental.

Las TIC han transformado los procesos productivos de los sectores preexistentes; han dado origen a nuevos sectores y a nuevas formas de hacer las cosas. Y esto implica introducir cambios en la organización de las empresas.

Existen visiones divergentes respecto al efecto neto de la digitalización en términos de creación de empleo. Continúa siendo difícil determinar el impacto neto en el empleo.

Por otra parte, se viene constatando desde hace tiempo que tampoco las normas fiscales vigentes se adecúan a la nueva realidad digital.

Junto a estos debates continúan vigentes con una nueva dimensión, algunos que tienen que ver con la gobernanza global del proceso de digitalización.

La Unión Europea se encuentra en desventaja y tiene dificultades para competir.

Es necesario evolucionar hacia un marco regulatorio del sector digital armonizado a escala europea.

La Comisión Europea presentó en febrero de 2020 el Paquete Digital, que incluía propuestas para el diseño de una nueva Agenda digital para Europa, una Estrategia europea de datos y el Libro Blanco sobre inteligencia artificial.

El acuerdo histórico alcanzado en el Consejo Europeo de julio de 2020 para articular un plan de recuperación económica a escala europea, *Next Generation EU*, ha supuesto un impulso adicional para abordar la transición digital.

Por lo que hace referencia a la economía española en este terreno, el Índice Europeo DESI apunta a que España presenta un desempeño medio bastante aceptable en el ámbito digital en comparación con sus socios comunitarios. No obstante, el uso de las tecnologías digitales en España resulta escaso respecto a su potencial y queda muy lejos del realizado por las potencias mundiales que lideran la transformación digital.

En este sentido, los últimos datos de Índice DESI confirman que España está holgadamente por encima de la media europea en servicios públicos digitales, aspecto en el que sobresale respecto al promedio de la UE, al igual que en conectividad. No obstante, presenta una clara desventaja en la integración de las tecnologías digitales en la actividad productiva y en la dotación de capital humano provisto de competencias digitales básicas.

A principios de 2021 se adoptó un Plan Nacional de Competencias Digitales específico.

El proceso de digitalización puede ser tomado como una oportunidad para lograr una composición sectorial de la actividad productiva más equilibrada y sostenible, sobre todo en términos de crecimiento y empleo.

El desarrollo de las capacidades digitales es ya imprescindible para la población activa.

Para que España pueda beneficiarse de las ventajas de la transformación digital resulta necesario integrar de manera amplia a las pymes y a los autónomos en este proceso.

Las pequeñas empresas españolas continúan mostrando un importante retraso en cuanto a la transformación digital.

Se considera que existen actividades identificadas como tractoras en el Plan España Digital 2025: el sector agroalimentario, la energía, movilidad y logística, Turismo, distribución comercial, el sector TIC y la Administración Pública y los servicios públicos.

3. BIBLIOGRAFÍA

Adsuara, B. (2017): "Los obstáculos a la digitalización: el marco regulatorio", *Información Comercial Española*, n° 897, 117-127.

Alvar, J. (2017): "Digitalización y mercados de exportación", *Información Comercial Española*, n° 898. 35-45.

Álvarez, I.; Biurrun, A. (2022): "La digitalización como baza de recuperación pospandémica", *Información Comercial Española*, n° 924, 197-213.

Amat, O. *et al* (2020). Teletrabajar en tiempos de COVID. Miradas transversales sobre el impacto del teletrabajo. Fundació Institut d'Educació Continua. Disponible en: https://media.timtul.com/media/web_railgrup/1606141035-teletrabajar_en_tiempos_de_covidespliegos_1pdf_20201130113012

Ballestero, F.; Pérez, M. (2017): "El papel del Estado ante la digitalización de la economía. Estrategia digital y políticas públicas", *Información Comercial Española*, n° 898, 113-129.

Baruch, Y. (2000). Teleworking: benefits and pitfalls as perceived by professionals and managers. *New technology, work and employment*, 15(1), 34-49.

Batut, C. y Tabet, Y. (2020). What do we know about the economic effects of remote work?, *Direction générale du Trésor, Trésor-Economics*, No. 270, November. Disponible en:https://www.tresor.economie.gouv.fr/Articles/7b3be9a0-7f07-4c7b-b5f9-85319aa7d02b/files/1527a501-7e52-4f7b-8dca-ba8a18f5a20d.

Bloom, N., *et al*. (2015). Does Working from Home Work? Evidence from a Chinese Experiment, *The Quarterly Journal of Economics*, pp.165–218.

Büttner, L. *et al*. (2020). How COVID-19 working routines can save emissions in a post-COVID-19 world, *Report for Greenpeace Hamburg*, August. Disponible en: https://www.greenpeace.de/sites/www.greenpeace.de/files/2020-08-19_gpd_homeofficestudy_english.pdf.

Chatterjee, K., *et al*. (2020). Commuting and wellbeing: a critical overview of the literature with implications for policy and future research, *Transport Reviews*, 40:1, pp. 5-34. Disponible en:
https://www.tandfonline.com/doi/pdf/10.1080/01441647.2019.1649317.

Comisión europea (2022): *Índice de la Economía y la Sociedad Digital (DESI) 2021. España.*

Consejo Económico y Social (2021): *La digitalización de la economía*, Colección Informes, n° 01.

Cóppulo, S. y Palau, E. (2020). Cómo liderar presencialmente y en remoto a raíz de la crisis de la COVID-19. Comunicación, gestión del cambio, y transformación de competencias directivas. *Colección Estudios UPF-BSM* nº. 5A. Disponible en: https://cms.bsm.upf.edu/sites/default/files/inline-files/n5A-como-liderar-presencialmente-remoto-crisis-covid-19.pdf.

Cóppulo, S. y Palau, E. (2021). La Desconexión Digital, un Derecho laboral imprescindible para la Salud: Análisis de la situación en las empresas en Cataluña. *Colección Estudios UPF-BSM* nº. 9. Disponible en:

https://cms.bsm.upf.edu/sites/default/files/inline-files/n9-la-desconexio-digital_1.pdf.

Delgado, A.; Crisóstomo, B; CRUZ, M.L.: "Transformación digital en la industria eléctrica", *Economistas*, nª155, 65-77.

Eberly, J. C., Haskel, J., y Mizen, P. (2021). " Potential Capital", Working From Home, and Economic Resilience (No. w29431). *National Bureau of Economic Research*.

Eurofound (2020a). Telework and ICT-based mobile work: Flexible working in the digital age, *New forms of employment series*, Publications Office of the European Union, Luxembourg. Disponible en:

https://www.eurofound.europa.eu/sites/default/files/ef_publication/field_ef_document/ef19032en.pdf.

Eurofound (2020b). Living, working and COVID-19: First findings-April 2020, Dublin. Disponible en: https://www.eurofound.europa.eu/data/covid-19.

Fana, M. *et al.* (2020). Telework during the Covid-19 crisis: New reality, old questions', Social Europe,18/12/2020. Disponible en: https://www.socialeurope.eu/telework-during-the-covid-19-crisis-new-reality-old-questions.

Giménez-Nadal, J. I. et al. (2020). Trends in Commuting Time of European Workers: A Cross-Country Analysis, *IZA Discussion Paper* No. 12916. Disponible en: http://ftp.iza.org/dp12916.pdf.

Global Workplace Analytics (2015). Advantages of Agile Work Strategies for Companies. Disponible en: https://globalworkplaceanalytics.com/resources/costs-benefits.

Hernández de Cos, P. (2020): *Los principales retos de la economía española tras el Covid-19*, Documentos Ocasionales nº 2024, Banco de España.

Jeux, C.: "Oportunidades de la educación digital", *Economistas*, nª155, 78-85.

Kerrin, M., y Hone, K. (2001). Job seekers perceptions of teleworking: A cognitive mapping approach. *New Technology, Work and Employment*, 16(2), 130-143.

Linos, E. (2019). When working from home changes work at the office: Measuring the impact of teleworking on organisations, *Harvard University Working Paper*.

Manokha, I. (2019). New Means of Workplace Surveillance', *Monthly Review*, 1/2/2019. Disponible en: https://monthlyreview.org/2019/02/01/new-means-of-workplace-surveillance/.

Martín, J.A.: "El reto digital en la sanidad", *Economistas*, n°155, 86-94.

Martín, M., Bastida, R. y Piqué F. (2020). Trabajar en tiempo de COVID-19: El impacto del teletrabajo. Estudio sobre los efectos del uso del teletrabajo en la satisfacción y condiciones laborales. *Colección Estudios UPF-BSM* n°. 1. Disponible en: https://cms.bsm.upf.edu/sites/default/files/inline-files/n1-impacte-teletreball-octubre-2020.pdf.

Molina, D.J.: "La digitalización en la Administración Pública —efectos—", *Economistas*, n°155. 54-64.

O'Brien, W. y Yazdani Aliabadi, F. (2020). Does telecommuting save energy? A critical review of quantitative studies and their research methods, *Energy & Buildings* 225 (2020) 110298. Disponible en:

https://www.ncbi.nlm.nih.gov/pmc/articles/PMC7369595/pdf/main.pdf.

OECD (2020). Productivity gains from teleworking in the post COVID-19 era: How can public policies make it happen?, *Policy Brief*, 7 September 2020. Disponible en:

https://read.oecd-ilibrary.org/view/?ref=135_135250-u15liwp4jd&title=Productivity-gains-from-teleworking-in-the-post-COVID-19-era.

OIT (2020). Defining and measuring remote work, telework, work at home and home-based work, *ILO policy brief*. Disponible en: https://www.ilo.org/global/statistics-and-databases/publications/WCMS_747075/lang--en/index.htm.

Portillo, M.J. (2019): "El desarrollo de la economía digital: un reto para la fiscalidad", *REAF*, n° 422-423, 39-51.

Sostero, M., *et al.* (2020). Teleworkability and the COVID-19 crisis: a new digital divide?, Seville: European Commission, JRC121193. Disponible en: https://ec.europa.eu/jrc/sites/jrcsh/files/jrc121193.pdf.

Sullivan, C. (2003). What's in a name? Definitions and conceptualisations of teleworking and homeworking. *New Technology, Work and Employment*, 18(3), 158

Torres, E.: "Digitalización en el transporte: seguridad, disponibilidad y rendimiento para mejorar la experiencia del viaje", *Economistas*, n°155. 95-99.

Capítulo II
Plataformas digitales de reparto: pasado, presente y futuro de su calificación jurídica[1]

Josep Moreno Gené[2]
Profesor Titular de Derecho del Trabajo
y de la Seguridad Social
Universidad de Lleida

1. LA PRESTACIÓN DE SERVICIOS A TRAVÉS DE PLATAFORMAS DIGITALES DE REPARTO Y SUS PROBLEMAS DE CALIFICACIÓN JURÍDICA

El principal impacto en las relaciones individuales de trabajo de las nuevas tecnologías y de los cambios en la organización de la empresa que de las mismas se derivan consiste en que han contribuido de un modo decisivo a desdibujar los ya de por si tenues contornos de los propios sujetos de la relación laboral, es decir, de empresarios y trabajadores[3]. En otros términos, la innovación tecnológica participa activamente en la progresiva indefinición de los propios sujetos de la

---

[1] Este trabajo se ha elaborado en el marco del proyecto de investigación RTI2018-097947-B-I00, concedido por el Ministerio de Ciencia, Innovación y Universidades que lleva por título "Nuevas tecnologías, cambios organizativos y trabajo: una visión multidisciplinar".

[2] El autor es miembro del grupo de investigación consolidado reconocido por la Generalitat de Catalunya "Social and Business Research Laboratory" (SBRLab). Ref. 2021 SGR 00460.

[3] Sobre esta cuestión vid. ampliamente en MORENO GENÉ, J.: "El impacto de las nuevas tecnologías en la difuminación de los contornos de empresario y trabajador: el trabajo en plataformas digitales como ejemplo paradigmático", en MORENO GENÉ, J. y ROMERO BURILLO, A.M. (Coords.): *Nuevas tecnologías, cambios organizativos y trabajo*, Tirant lo Blanch, Valencia, 2021, págs. 177 y ss.

relación laboral, a través de nuevas formas de organización empresarial por parte de las empresas y de nuevas formas de prestación de servicios por parte de los trabajadores[4]. Esta circunstancia genera un clima de extrema incertidumbre e inseguridad para todos los actores del sistema de relaciones laborales[5].

No cabe duda de que la economía colaborativa, también conocida como *sharing economy*, constituye en la actualidad la principal manifestación de este proceso de difuminación de los contornos de la figura del empresario y, fundamentalmente, del trabajador. Ahora bien, el principal impacto que se produce en estos supuestos sobre los sujetos de la relación laboral se plantea fundamentalmente respecto a aquellas plataformas digitales cuya actividad consiste en poner en contacto directo a clientes con prestadores de servicios, no en vano, esta modalidad de prestación de servicios que se puede englobar en la "on demand economy" (economía bajo demanda) o "Gig" economy (economía de pequeños pero masivos pedidos) es la que afecta en mayor medida al ámbito laboral[6].

A tal efecto, en la también conocida coloquialmente como "Ubereconomy", las empresas que gestionan estas plataformas digitales no se limitan a facilitar el intercambio de bienes y servicios entre particulares, actuando como meras intermediarias, sino que, por el contrario, puede afirmarse que, en la mayoría de ocasiones, las mismas prestan o, en todo caso, ofrecen determinados servicios al mercado, pero no lo hacen con trabajadores propios, sino mediante trabajadores autónomos o independientes, poniéndose en cuestión de este modo la forma de entender y comprender el tradicional modo de prestación de servicios laborales. Como no podía ser de otro modo, esta nueva forma de prestación de servicios mediante las plataformas digitales está transformando radicalmente lo que significa tener un trabajo y

---

4   Vid. CRUZ VILLALÓN, J.: "El concepto de trabajador subordinado frente a las nuevas formas de empleo", *Revista de Derecho Social*, núm. 83, 2018, pág. 15.
5   Vid. CAVAS MARTÍNEZ, F.: "Breves apuntes para una regulación multinivel del trabajo en plataformas digitales", *Revista de Derecho Social*, núm. 87, 2019, pág. 65.
6   Vid. TODOLÍ SIGNES, A.: *El trabajo en la era de la economía colaborativa*, Tirant lo Blanch, Valencia, 2017, pág. 15.

por extensión la protección laboral que hasta el momento se había vinculado a la existencia de un empleo laboral[7].

Como puede observarse, en este modelo de prestación de servicios a través de plataformas digitales cabe identificar la participación de los siguientes sujetos: a) el usuario o cliente —*user*—, ya se trate de empresas o particulares, que requiere que se realice en su beneficio la prestación de algún servicio determinado; b) las personas que prestan los servicios requeridos —*provider o crowdwoker*—; y c) las empresas titulares de las plataformas digitales —*platform*— que mediante las tecnologías de la información se dedican a unir la oferta y la demanda y que perciben por ello un porcentaje por cada prestación de servicios realizada[8].

A su vez, de las distintas formas en que pueden prestarse servicios a través de las plataformas digitales, no cabe duda que las que plantean los mayores interrogantes en la delimitación de los sujetos de la relación laboral, especialmente, del trabajador, son aquellas en que la prestación de servicios requiere que el prestador de los mismos lo haga presencialmente (crowdwork offline), para lo que debe estar disponible y localizado, existiendo sistemas de control de la prestación, no en vano, en estos supuestos cabe cuestionarse muy seriamente si realmente nos encontramos ante un verdadero trabajador autónomo o independiente o si nos encontramos ante un auténtico trabajador[9]. A tal efecto, en estos supuestos la plataforma digital cumple una doble función: por una parte, permite que el cliente pueda contactar a través de la app o sitios de internet con la empresa titular de la plataforma para recibir un servicio que puede ser realizado por una multitud de prestadores, facilitando una externalización de la actividad; y, por otra parte, permi-

---

[7] Vid. MERCADER UGUINA, J.: *El futuro del trabajo en la era de la digitalización y la robótica*, Tirant lo Blanch, Valencia, 2017, pág. 80, TRILLO PÁRRAGA, F.: "Economía digitalizada y *relaciones* de Trabajo", *Revista de Derecho Social*, núm. 76, 2016, pág. 64 y GINÉS I FABRELLAS, A. y GÁLVEZ DURÁN, S.: "*Sharing economy vs. uber economy* y las fronteras del Derecho del Trabajo: la (des)protección de los trabajadores en el nuevo entorno digital", *InDRET. Revista para el Análisis del Derecho*, núm. 1, 2016, págs. 4 y 33.

[8] Vid. TODOLÍ SIGNES, A.: *El trabajo...* cit. pág. 22.

[9] Vid. SUÁREZ CORUJO, B.: "La gran transición: la economía de plataformas digitales y su proyección en el ámbito laboral y de la seguridad social", *Temas Laborales*, núm. 13, 2018, pág. 40.

te a la empresa titular de la plataforma contactar con los prestadores del servicio y organizar y controlar la prestación del mismo. Sin lugar a dudas, esta segunda faceta de las plataformas digitales está teniendo importantes consecuencias desde la perspectiva laboral y, en particular, a la hora de discernir la naturaleza jurídica de estas prestaciones[10].

De lo expuesto hasta el momento, cabe concluir que la principal cuestión que se plantea en todos aquellos supuestos en que se prestan servicios a través de plataformas digitales no es otra que la de determinar la calificación jurídica que debe otorgarse a la relación existente entre la empresa, titular de la plataforma, y los prestadores de servicios a través de la misma[11].

Pues bien, en este contexto, no cabe duda que el ámbito en el que se han suscitado mayores controversias al respecto ha sido en el de las plataformas digitales de reparto, en las que, hasta fechas muy recientes, ha sido la práctica habitual la de excluir del ámbito de la relación laboral a quienes efectivamente prestan los servicios de reparto ofertados por las mismas. Como no podía ser de otro modo, esta actuación por parte de las plataformas digitales de reparto planteó la cuestión de si dicho comportamiento se ajustaba a la legalidad vigente o si, por el contrario, suponía una huida ilícita del Derecho del Trabajo.

La respuesta a esta cuestión, como no puede ser de otro modo, únicamente podía venir de la mano del art. 1.1 ET, que al definir el ámbito de aplicación del Estatuto de los Trabajadores establece que el mismo "será de aplicación a los trabajadores que voluntariamente presten sus servicios retribuidos por cuenta ajena y dentro del ámbito de organización y dirección de otra persona, física o jurídica, denominada empleador o empresario". En definitiva, como ha sucedido en tantos otros supuestos del pasado en los que se ha discutido la naturaleza jurídica de una determinada prestación de servicios, debe acudir-

10   Vid. GORELLI HERNÁNDEZ, J.: "Indicios de laboralidad en el trabajo a través de plataformas (crowdsourcing offline)", *Revista de Derecho Social*, núm. 86, 2019, págs. 40 y 41.
11   Vid. SERRANO OLIVARES, R.: "*Nuevas formas de organización empresarial: economía colaborativa o mejor, economía digital a demanda —trabajo 3.0 y laboralidad—*", en RODRÍGUEZ PIÑERO, M. y HERNÁNDEZ BEJARANO, M. (Dirs.): *Economía colaborativa y trabajo en plataforma: realidades y desafíos*, Bomarzo, Albacete, 2017, pág. 35.

se a los elementos definidores de la relación laboral para resolver esta cuestión, a saber, la voluntariedad, la ajenidad, la dependencia y la remuneración; siendo, sin lugar a dudas, la ajenidad y la dependencia los elementos fundamentales a tener en cuenta a la hora de calificar cualquier prestación de servicios como laboral.

Con el recurso exclusivo a estos instrumentos, el Tribunal Supremo, en su importantísima sentencia dictada en pleno de 25 de septiembre de 2020 (núm. rec. 4746/2019), procedió a resolver la cuestión planteada, concluyendo en relación a la plataforma digital de Glovo[12], que en el supuesto enjuiciado concurren las notas definitorias del contrato de trabajo entre el repartidor y la empresa demandada previstas en el art. 1.1 ET y, por consiguiente, la relación existente entre ambos debe ser calificada como laboral. Es cierto que inicialmente la decisión del Tribunal Supremo se circunscribía a esta plataforma digital de reparto, pero posteriormente, el mismo criterio se ha ido adoptando respecto a otras plataformas digitales de reparto, como ha sido el caso de la plataforma de Deliveroo, mediante el auto del Tribunal Supremo de 18 de mayo de 2021 (núm. rec. 3350/2020)[13].

---

[12] No cabe duda que uno de los supuestos en que este debate sobre la naturaleza jurídica de las prestaciones de servicios que se desarrollan a través de las plataformas digitales de reparto se ha planteado con mayor virulencia ha sido en torno a la popular plataforma digital de la empresa Glovo APP 23 SL, dedicada al servicio de reparto. A tal efecto, si nos limitamos únicamente a las resoluciones judiciales dictadas por las Salas de lo Social de los diferentes Tribunales Superiores de Justicia, pueden identificarse un grupo mayoritario de resoluciones judiciales que habían declarado el carácter laboral de las prestaciones de servicios desarrolladas a través de esta plataforma digital —STSJ de Asturias de 25 de julio de 2019 (núm. rec. 1134/2019), STSJ de Madrid de 27 de noviembre de 2019 (núm. rec. 588/2019), STSJ de Madrid de 18 de diciembre de 2019 (núm. rec. 714/2019), STSJ de Madrid de 3 de febrero de 2020 (núm. rec. 749/2019), STSJ de Castilla y León de 17 de febrero de 2020 (núm. rec. 2253/2019) y STSJ de Cataluña de 21 de febrero de 2020 (núm. rec. 5613/2019)— y alguna resolución, que mantenía el carácter extralaboral de dichas prestaciones de servicio —STSJ de Madrid de 19 de septiembre de 2019 (núm. rec. 195/2019)—. Vid. sobre este debate, MORENO GENÉ, J.: "El carácter laboral de la prestación de servicios a través de plataformas digitales: el caso de Glovo", *Revista General de Derecho del Trabajo y de la Seguridad Social*, núm. 57, 2020.

[13] En dicho auto, el Tribunal Supremo inadmite el recurso en unificación de doctrina por considerar que la pretensión impugnatoria, contraria a la declaración de laboralidad de los repartidores de dicha plataforma digital, "es contraria a la doc-

Una vez dictada la referida STS de 25 de septiembre de 2020 (núm. rec. 4746/2019) parecía que la controversia podía haber quedado resuelta, pero nada más lejos de la realidad, gran parte de las plataformas digitales de reparto, en una clara postura de rebeldía ante lo dispuesto por el Alto Tribunal, anunciaron que continuarían y de hecho continuaron con su modelo de negocio, basado en expulsar ilegítimamente del ámbito de la relación laboral a quienes efectivamente prestan los servicios de reparto ofertados por las mismas y considerarlos como trabajadores autónomos, invocando al respecto que habían introducido cambios "sustanciales" en el modelo, que justificaban que los repartidores ahora no pudieran ser considerados como trabajadores por cuenta ajena.

En este punto, no cabe duda que una de las principales dificultades que plantea el abordaje de esta cuestión es que nos enfrentamos a una realidad muy cambiante, no en vano, como acertadamente se ha puesto de manifiesto, la economía de las plataformas digitales ostenta una facilidad connatural "para modificar algunos de sus elementos configuradores, en aras a una mejor acomodación ante los criterios, más o menos exigentes, que puedan ir marcando en su devenir presente y futuro las resoluciones judiciales"[14].

Este comportamiento que podríamos calificar como altamente beligerante por parte de las plataformas digitales de reparto a la hora de asumir y acatar el fallo del Tribunal Supremo que declaraba la laboralidad de la actividad desarrollada por sus repartidores puso de manifiesto, aún más si cabe, la necesidad de fijar por vía normativa esta cuestión, lo cual, por otra parte, ya se venía macerando desde hacía un largo período de tiempo, aunque sin resultados concretos. Con ello se pretendía evitar estas prácticas obstruccionistas por parte de las plataformas digitales de reparto, tan reacias a la laboralización del colectivo de repartidores.

---

trina de esta Sala fijada en la reciente sentencia de 25 de septiembre de 2020 (del Pleno), y en la que se da respuesta a la nueva realidad que supone la prestación de servicios a través de las plataformas digitales". Sobre el alcance de esta resolución, vid. ROJO TORRECILLA, E.: "De la sentencia del Tribunal Supremo de 25 de septiembre de 2020 al RDL 9/2021. La relación laboral de los repartidores de las empresas de reparto", *Temas Laborales*, núm. 158, 2021, págs. 19 y 20.

14   Vid. GARCÍA QUIÑONES, J.C.: "Economía colaborativa y "dodecafonismo judicial": El caso Glovo", *Derecho de las Relaciones Laborales*, núm. 1, 2019, pág. 638.

Finalmente, tras un largo y más que complejo proceso negociador, se aprobó el Real Decreto-Ley 9/2021, de 11 de mayo, por el que se modifica el texto refundido de la Ley del Estatuto de los Trabajadores, aprobado por el Real Decreto Legislativo 2/2015, de 23 de octubre, para garantizar los derechos laborales de las personas dedicadas al reparto en el ámbito de plataformas digitales (en adelante, Real Decreto-Ley 9/2021)[15], mediante el cual, por lo que respecta al objeto de este comentario, se añade una nueva disposición adicional vigesimotercera al Texto Refundido de la Ley del Estatuto de los Trabajadores, aprobado por el Real Decreto Legislativo 2/2015, de 23 de octubre, mediante la que se introduce una "presunción de laboralidad en el ámbito de las plataformas digitales de reparto", en virtud de la cual, "se presume incluida en el ámbito de esta ley la actividad de las personas que presten servicios retribuidos consistentes en el reparto o distribución de cualquier producto de consumo o mercancía, por parte de empleadoras que ejercen las facultades empresariales de organización, dirección y control de forma directa, indirecta o implícita, mediante la gestión algorítmica del servicio o de las condiciones de trabajo, a través de una plataforma digital (...)".

Este Real Decreto-Ley fue posteriormente tramitado como proyecto de ley, dando origen a la Ley 12/2021, de 28 de septiembre, por la que se modifica el texto refundido de la Ley del Estatuto de los Trabajadores, aprobado por el Real Decreto Legislativo 2/2015, de 23 de octubre, para garantizar los derechos laborales de las personas dedicadas al reparto en el ámbito de plataformas digitales (en adelante, Ley 12/2021), que en lo que respecta al objeto de este estudio contiene idéntica regulación.

Pese a las limitaciones que *a priori* podía tener esta norma y que serán abordadas a lo largo de este trabajo, todo hacía presagiar que con la aprobación de la misma se pondría fin de forma definitiva a esta controversia, pero nuevamente, ante esta intervención normativa,

---

[15] Vid. también la Resolución de 10 de junio de 2021, del Congreso de los Diputados, por la que se ordena la publicación del Acuerdo de convalidación del Real Decreto-ley 9/2021, de 11 de mayo, por el que se modifica el texto refundido de la Ley de los Trabajadores, aprobado por el Real Decreto Legislativo 2/2015, de 23 de octubre, para garantizar los derechos laborales de las personas dedicadas al reparto en el ámbito de las plataformas digitales.

las diferentes plataformas digitales han adoptado diferentes estrategias que, fuera de aquellos supuestos minoritarios en que se ha procedido a la efectiva contratación laboral de los repartidores por parte de las plataformas digitales, están provocando nuevas controversias, como es el caso del recurso a la subcontratación a empresas de última milla y a cooperativas de repartidores creadas al efecto, para poder ejecutar los repartos gestionados a través de la plataforma digital, así como también del recurso a empresas de trabajo temporal.

En este contexto, como es bien conocido, en el ámbito de la Unión Europea se está gestando una directiva relativa a esta materia, que deberá abordar el espinoso aspecto de la laboralidad de la actividad desarrollada en el marco de las plataformas digitales, incluidas las de reparto, además de la adaptación de la regulación de las condiciones de trabajo que se presta en las mismas a las características específicas de este sector de actividad.

Pues bien, en este comentario se pretende analizar las soluciones jurisprudenciales y legales dispensadas a la controversia de la naturaleza jurídica que cabe atribuir a la actividad de reparto efectuada a través de plataformas digitales, así como indagar en las nuevas controversias jurídico-laborales que, sin lugar a dudas, van a suscitar y, de hecho, ya están suscitando, las nuevas e ingeniosas estrategias adoptadas por las plataformas digitales con el fin de "eludir" la presunción de laboralidad de esta actividad impuesta ahora de forma expresa por la normativa, que no pueden más que calificarse como verdaderas obras de ingeniería laboral. Asimismo, se pretende analizar el papel que puede jugar en este debate la futura directiva sobre las plataformas digitales, que está pendiente de aprobación.

2. LA SOLUCIÓN JURISPRUDENCIAL: LA DECLARACIÓN DE LABORALIDAD DE LA PRESTACIÓN DE SERVICIOS A TRAVÉS DE PLATAFORMAS DIGITALES

Como ya se ha anticipado, la STS de 25 de septiembre de 2020 (núm. rec. 4746/2019) aborda la calificación jurídica que cabe atribuir a la prestación de servicios desarrollada a través de la plataforma digital de Glovo, resolviendo esta cuestión de forma definitiva y, al mismo tiempo, indicando de un modo indubitado el tratamiento que debe merecer esta misma controversia en relación con el resto de plataformas digitales de reparto, como así ha sucedido en resoluciones judiciales dictadas posteriormente por el Alto Tribunal[16].

A tal efecto, una vez constatada por el Tribunal Supremo la contradicción exigida entre la STSJ de Madrid de 19 de septiembre de 2019 (núm. rec. 195/2019), impugnada en casación y la STSJ de Asturias de 25 de julio de 2019 (núm. rec. 1134/2019), invocada como sentencia de contraste, y acreditado el contenido casacional del recurso planteado, el Alto Tribunal procede a resolver, en primer lugar, la solicitud presentada por la empresa Glovo de que se elevara una cuestión prejudicial al TJUE sobre la cuestión debatida.

El Alto Tribunal resuelve de forma tajante esta pretensión indicando que "en el supuesto enjuiciado, en el que se debate si concurren las notas definitorias del contrato de trabajo entre un repartidor de Glovo y esta empresa, no existen dudas razonables en relación con la aplicación del Derecho de la Unión que justifiquen el planteamiento de una cuestión prejudicial ante el TJUE". A tal efecto, se indica que "la calificación de la relación jurídica del actor como un contrato laboral no supone una restricción de las libertades de establecimiento y libre prestación de servicios garantizadas por los Tratados de la Unión, ni vulnera los derechos fundamentales a la libertad profesional y a la libertad de empresa de los arts. 15 y 16 de la Carta de los Derechos Fundamentales de la Unión Europea".

---

[16] Esta sentencia, como no podía ser de otro modo, ya ha suscitado muchos e interesantes comentarios en el seno de la doctrina: MONEREO PÉREZ, J.L. y MARTÍN MUÑOZ, R.M.: "La laboralidad de quienes prestan servicios a través de plataformas digitales", *Revista de Jurisprudencia Laboral*, núm. 9, 2020; ÁLVAREZ ALONSO, D. y MARTÍNEZ MORENO, C.: "Trabajo y plataformas digitales: primera sentencia del Tribunal Supremo a propósito de un repartidor de Glovo", *Trabajo y Derecho*, núm. 72, 2020; BARCELÓ FERNÁNDEZ, J.: "Cerco a los falsos autónomos en las plataformas digitales. Notas al hilo de la sentencia del Tribunal Supremo 805/2020, de 25 de septiembre", *Revista General de Derecho del Trabajo y de la Seguridad Social*, núm. 57, 2020, MONTOYA MELGAR, A.: "Trabajadores en plataformas digitales: la STS 805/2020 y el RDL 9/2021", *Nueva Revista Española de Derecho del Trabajo*, núm. 243, 2021 y MORENO GENÉ, J.: "El carácter laboral de la prestación de servicios de reparto a través de la plataforma digital Glovo: el Tribunal Supremo zanja el debate", *IUSlabor*, núm. 3, 2020.

A mayor abundamiento, el Tribunal Supremo invoca el Auto dictado por el TJUE de 22 de abril de 2020, asunto C-692/19, relativo a la calificación jurídica de la relación de un transportista con una empresa de transporte de paquetería, que estableció que la Directiva 2003/88/CE, de 4 de noviembre, relativa a determinados aspectos de la organización del tiempo de trabajo, debe interpretarse en el sentido de que excluye de ser considerado "trabajador" a los efectos de dicha directiva, a una persona contratada por su posible empleador en virtud de un acuerdo de servicios que estipula que es un empresario independiente si esa persona dispone de las siguientes facultades: a) de utilizar subcontratistas o sustitutos para realizar el servicio que se ha comprometido a proporcionar; b) aceptar o no aceptar las diversas tareas ofrecidas por su supuesto empleador, o establecer unilateralmente el número máximo de tareas; c) proporcionar sus servicios a cualquier tercero, incluidos los competidores directos del empleador putativo; y, finalmente, d) fijar sus propias horas de "trabajo" dentro de ciertos parámetros y adaptar su tiempo a su conveniencia personal en lugar de únicamente a los intereses del supuesto empleador.

Pese a ello, el Tribunal Supremo recuerda que el propio TJUE establece dos salvedades a la consideración en estos supuestos de que nos encontramos ante un empresario independiente, a saber: a) que la independencia de esa persona no parezca ficticia y b) que no sea posible establecer una relación de subordinación entre esa persona y su supuesto empleador.

En base a estas consideraciones, el Tribunal Supremo recuerda que el TJUE establece, para el supuesto enjuiciado, que corresponde al tribunal nacional calificar la situación profesional del sujeto en cuestión a efectos de la Directiva, para lo cual deberá tener en cuenta todos los factores relevantes relacionados con dicho sujeto y la actividad económica que el mismo realiza.

A partir de la doctrina recogida en el citado Auto del TJUE de 22 de abril de 2020, el Tribunal Supremo, al tiempo que desestima la pretensión de la empresa Glovo de que se eleve cuestión prejudicial al TJUE sobre la materia objeto de litigio, efectúa una importante declaración de principios sobre la cuestión, al afirmar que "si se llega a la conclusión de que la independencia del actor era meramente aparente y realmente existía una subordinación del repartidor a Glovo, el citado auto del TJUE no impedirá la calificación de la relación laboral a dichos efectos".

Efectuada esta importante aclaración, el Tribunal Supremo pasa a centrarse en el análisis del marco normativo interno aplicable a la cuestión litigiosa suscitada que, como ya se ha ido exponiendo a lo largo de este trabajo, se recoge esencialmente en el art. 1.1 ET. A tal efecto, el Alto Tribunal nos recuerda que "el concepto legal de trabajador por cuenta ajena exige que haya una prestación de servicios voluntaria, retribuida, ajena y dependiente (art. 1.1 ET)", indicando, además, que "reiterada doctrina jurisprudencial sostiene que la dependencia y la ajenidad son los elementos esenciales que definen el contrato de trabajo (por todas, sentencias del TS (Pleno) de 24 de enero de 2018 (núm. rec. 3595/2015 y 3394/2015); 8 de febrero de 2018 (núm. rec. 3389/2015); y 29 de octubre de 2019 (núm. rec.1338/2017)".

Es consciente el Alto Tribunal, sin embargo, que tanto la dependencia como la ajenidad son conceptos abstractos que se manifiestan de forma distinta según cuál sea la actividad y el modo de producción y que, además, guardan entre sí una relación estrecha. Específicamente, el Tribunal Supremo recuerda la evolución que ha sufrido el presupuesto de la dependencia-subordinación desde su temprana sentencia de 11 de mayo de 1979 hasta la actualidad. A tal efecto, indica que "en la sociedad postindustrial la nota de dependencia se ha flexibilizado. Las innovaciones tecnológicas han propiciado la instauración de sistemas de control digitalizados de la prestación de servicios. La existencia de una nueva realidad productiva obliga a adaptar las notas de dependencia y ajenidad a la realidad social del tiempo en que deben aplicarse las normas (art. 3.1 Cc)". Para ello, recuerda el Alto Tribunal que "en la práctica, debido a la dificultad que conlleva valorar la presencia de los elementos definitorios de la relación laboral en los supuestos dudosos, para determinar si concurren se utiliza la técnica indiciaria, identificando los indicios favorables y contrarios a la existencia de un contrato de trabajo y decidiendo si en el caso concreto concurre o no la relación laboral". En este análisis, tal y como se recoge en la sentencia de 20 de enero de 2015 (núm. rec. 587/2014), el Tribunal considera que debe valorarse principalmente el margen de autonomía del que goza quien presta el servicio.

A partir de estas premisas, el Alto Tribunal lleva a cabo una exposición detallada de diferentes resoluciones judiciales dictadas por el TJUE —sentencias de 13 de enero de 2004, asunto C-256/2001, Allonby y de 20 de diciembre de 2017, asunto C-434/2015, Asociación Profesional Élite Taxi y por el propio Tribunal Supremo —sentencias de 19 de febrero de 2014 (núm. rec. 3205/2012); 24 de enero de 2018 (Pleno) (núm. rec. 3394/2015 y 3595/2015); de 8 de febrero de 2018 (núm. rec. 3389/2015; de 29 de octubre de 2019, (núm rec. 1338/2017); de 4 de febrero de 2020 (núm. rec. 3008/2017); de 1 y 2 de julio de 2020 (núm. rec. 3585/2018 y 5121/2018, respectivamente), etcétera—. Mediante la exposición de todas estas resoluciones judiciales, especialmente las dictadas por el propio Tribunal Supremo, se nos recuerdan los criterios jurisprudenciales acuñados a lo largo del tiempo, pero muy especialmente, en los últimos años, para identificar una relación laboral, diferenciándola de otros vínculos jurídicos de naturaleza análoga, y muy especialmente, del papel que cabe desempeñar en la actualidad a las notas de la dependencia y la ajenidad en este no siempre fácil cometido.

En este elenco de resoluciones judiciales citadas, el Alto Tribunal dedica un apartado especial a las dictadas respecto de los transportistas con vehículo propio, probablemente por su proximidad conceptual respecto al supuesto ahora enjuiciado de los repartidores a través de la plataforma digital de Glovo. A tal efecto, se cita la ya mítica STS de 26 de febrero de 1986 que consideró laboral la prestación de servicios de unos mensajeros que prestaban el servicio de recepción de paquetes, para su transporte y entrega a los destinatarios y las posteriores sentencias dictadas por el mismo Tribunal de 2 de febrero de 1988 que reputó laboral la prestación de servicios de un repartidor de periódicos y de 3 de mayo de 1988 que también consideró laboral la prestación de servicios de transporte y reparto de mercancías efectuada por un repartidor.

También cita el Tribunal Supremo de un modo muy detallado su sentencia de 16 de noviembre de 2017 (núm. rec. 2806/2015), tal vez, por considerarla también más próxima al supuesto enjuiciado, por cuanto la actividad de traducción e interpretación desarrollada en este supuesto se efectuaba a través de una plataforma informática de la que era titular la empresa. Pues bien, el Alto Tribunal nos recuerda que en este supuesto se declaró existente una relación laboral entre los traductores e intérpretes y la empresa para la cual éstos desarrollaban su actividad.

Hecho este amplio recordatorio de la jurisprudencia existente en la materia enjuiciada, el Tribunal Supremo ya se encuentra en disposición de poder abordar el objeto del litigio, que no es otro que la calificación jurídica que merece la prestación de servicios como repartidor a través de la plataforma digital de Glovo. Este cometido se lleva a cabo, sin embargo, de una manera peculiar, ya que, en primer lugar, se afronta la cuestión desde una perspectiva negativa, negando que la relación de las partes encaje dentro de la figura del trabajador autónomo económicamente dependiente, en segundo lugar, también negando que determinados elementos puedan desvirtuar la naturaleza laboral de la prestación de servicios enjuiciada y, finalmente, ahoya ya sí desde una perspectiva positiva, exponiendo los indicios favorables a la existencia de una relación laboral y, por extensión, la concurrencia de las notas definidoras de toda relación laboral, en especial, la dependencia y ajenidad.

En primer lugar, teniendo en cuenta que las partes —Glovo y el repartidor— habían suscrito un contrato de trabajador autónomo económicamente dependiente, lo primero que hace el Alto Tribunal es constatar que en el supuesto enjuiciado no concurren las condiciones exigidas por el art. 11.2 de la Ley 20/2007, de 11 de julio, del Estatuto del Trabajo Autónomo (en adelante, LETA) para tener la condición de trabajador autónomo económicamente dependiente. Por una parte, porque en contra de lo que prevé dicha norma, según la cual dicho colectivo debe "desarrollar su actividad con criterios organizativos propios, sin perjuicio de las indicaciones técnicas que pudiese percibir de un cliente", en el supuesto enjuiciado se constata que el repartidor no llevaba a cabo su actividad con sus propios criterios organizativos sino con sujeción estricta a los establecidos por Glovo. Por otra parte, porque a pesar de que la norma exige "disponer de infraestructura productiva y material propios, necesarios para el ejercicio de la actividad e independientes de los de su cliente, cuando en dicha actividad sean relevantes económicamente", en el supuesto enjuiciado el repartidor únicamente contaba con una moto y con un móvil, medios a todas luces accesorios y complementarios, si se comparan con la infraestructura esencial para el ejercicio de esta actividad que es la plataforma digital. Como puede observarse, al tiempo que el Tribunal

Supremo niega el carácter de trabajador autónomo económicamente dependiente del repartidor, de facto ya está reconociendo el carácter laboral de esta actividad, puesto que los argumentos expuestos ya permiten vislumbrar la concurrencia de las notas de ajenidad y dependencia propias de la relación laboral.

En segundo lugar, el Tribunal Supremo procede a negar que determinados elementos que concurren en el supuesto enjuiciado sirvan para desvirtuar la naturaleza laboral de la prestación, en concreto, la capacidad de rechazar clientes o servicios, de elegir franja en la que va a prestar servicios o de compatibilizar el trabajo con varias plataformas. Con esta manera de articular el razonamiento más bien parece que el Tribunal tiene una cierta prisa en descartar antes que nada todos aquellos elementos que constituyen el mayor obstáculo para la calificación como laboral de estas prestaciones de servicios. Pudiendo encajar todos estos elementos en la nota de la dependencia, tal vez, hubiera sido más pedagógico analizarlos conjuntamente con otros elementos concurrentes que sí permiten constatar la existencia de dependencia y, por extensión, de una relación laboral. En todo caso, siendo esta la opción metodológica adoptada por Tribunal, veamos a continuación como se abordan estos elementos.

A criterio del Tribunal, la libertad de elección de la franja horaria, que se califica de "teórica", estaba claramente condicionada, puesto que, aunque el repartidor podía rechazar pedidos sin penalización, el desempeño de la actividad es evaluado diariamente mediante un sistema de puntuación, del que en última instancia dependen los ingresos del repartidor. A tal efecto, los repartidores que tienen mejor puntuación gozan de preferencia de acceso a los servicios o recados que van entrando. Ello comporta, a criterio del Tribunal, que en la práctica este sistema de puntuación condiciona la libertad del repartidor de elección de horarios porque si no está disponible para prestar servicios en las franjas horarias con más demanda, su puntuación disminuye y con ella la posibilidad de que en el futuro se le encarguen más servicios y conseguir de este modo la rentabilidad económica que busca, lo que equivale a perder empleo y retribución. Por lo demás, el Tribunal recuerda que la empresa penaliza a los repartidores, dejando de asignarles pedidos, cuando no se encuentren operativos en las franjas reservadas, salvo causa justificada debidamente comunicada y acreditada.

Según el Alto Tribunal, el hecho de que los repartidores compitan entre sí por las franjas horarias más productivas propicia que los mismos intenten estar disponibles el mayor período de tiempo posible para acceder a más encargos y a una mayor retribución, lo cual se encuentra especialmente acentuado por la inseguridad jurídica que provoca la retribución a comisión sin garantía alguna de encargos mínimos propia de esta actividad.

En este punto, el Tribunal Supremo se eleva más allá del supuesto enjuiciado y considera que nos encontramos ante "un sistema productivo caracterizado por que no se exige el cumplimiento de un horario rígido impuesto por la empresa porque las microtareas se reparten entre una pluralidad de repartidores que cobran en función de los servicios realizados, lo que garantiza que haya repartidores que acepten ese horario o servicio que deja el repartidor que no quiera trabajar".

En tercer lugar, tras negar categóricamente que la capacidad de rechazar clientes o servicios, de elegir franja en la que va a prestar servicios o de compatibilizar el trabajo con varias plataformas que se atribuye a los repartidores pueda excluir el carácter laboral de su actividad, el Tribunal procede a enumerar los indicios favorables a la existencia de una relación laboral, la mayor parte de los cuales, servirían, aunque el Tribunal no lo diga de forma expresa, para acreditar la concurrencia de la nota de la dependencia, si bien, alguno de ellos, también encajaría en la nota de la ajenidad. Los indicios de laboralidad destacados por el Alto Tribunal serían los siguientes:

- La existencia de un sistema de puntuación que, entre otros aspectos, se nutre de la valoración del cliente final.

- La geolocalización por GPS del repartidor mientras realiza su actividad, registrando los kilómetros que recorría.

- La impartición de indicaciones sobre cómo debe prestarse el servicio, controlándose el cumplimiento de las mismas a través de la aplicación —plazo máximo del servicio, como dirigirse al cliente, prohibición de uso de distintivos corporativos tales como camisetas, gorros, etcétera—.

- El suministro de una tarjeta de crédito al repartidor para que pueda comprar los productos para el usuario.

- La puesta a disposición del repartidor por parte de Glovo de un adelanto de 100 euros para poder empezar su actividad.

- El abono de una compensación económica por el tiempo de espera que el repartidor pasa en el lugar de recogida esperando el pedido.

- El establecimiento de hasta trece causas justificativas de resolución del contrato por la empresa consistentes en incumplimientos contractuales del trabajador, algunas de las cuales prácticamente idénticas a las que justifican el despido disciplinario del trabajador.

- El conocimiento exclusivo por parte de Glovo de la información necesaria para el manejo del sistema de negocio: comercios adheridos, pedidos, etcétera.

De una manera más ordenada aborda la sentencia la nota de la ajenidad. A tal efecto se identifican las ya tradicionales manifestaciones de la misma.

En primer lugar, si bien, sin especificarse a cuál de las diferentes manifestaciones de la ajenidad se refiere, aunque parece que podría referirse a la ajenidad en el mercado, el Alto Tribunal considera que la empresa Glovo tomaba todas las decisiones comerciales, fijando el precio de los servicios prestados, la forma de pago y la remuneración. Además, los repartidores no perciben sus honorarios directamente de los clientes finales de la plataforma, sino que el precio del servicio lo recibe Glovo, quien posteriormente abona su retribución a los repartidores. En consecuencia, a criterio del Tribunal, Glovo no es una mera intermediaria entre clientes finales y repartidores, sino que los comercios y consumidores finales son sus clientes y no del repartidor.

A mayor abundamiento, aunque formalmente el repartidor gira su factura a Glovo para que esta se la abone, en realidad, dicha factura la elabora Glovo, conforme a sus tarifas y condiciones, remitiéndola posteriormente al repartidor para que éste la gire a la empresa y la cobre.

En segundo lugar, ahora sí identificando la manifestación de la ajenidad en los riesgos, el Tribunal Supremo recuerda su propia doctrina, según la cual, el hecho de no cobrar por el servicio si éste no llega a materializarse es consecuencia obligada de la retribución por unidad de obra, pero de ello no se desprende necesariamente que el trabajador responda del buen fin asumiendo el riesgo y ventura del servicio.

A la conclusión de que el repartidor no asume el binomio riesgo-lucro ajeno a la relación laboral, no se opone, a criterio del Tribunal, la concurrencia de dos circunstancias concurrentes que suponen que el repartidor sí asume ciertos riesgos en el desarrollo de su actividad. En primer lugar, el hecho de que responda frente al cliente final de los daños y pérdidas que pudieran sufrir los productos o mercancías durante el transporte y, en segundo lugar, que el repartidor asuma el riesgo derivado de la utilización de una motocicleta y móvil propios, cuyos gastos corren a su cargo, percibiendo su retribución únicamente en función de los servicios prestados.

En tercer lugar, por lo que respecta a la ajenidad en los frutos, el Tribunal pone de manifiesto que Glovo se apropia de manera indirecta del resultado de la prestación del trabajo, que redunda en beneficio de dicha empresa, que hace suyos los frutos del mismo. A tal efecto, se constata nuevamente que el repartidor no tenía ninguna intervención en los acuerdos establecidos entre Glovo y los comercios, ni en la relación entre Glovo y los clientes a los que servía los pedidos. En definitiva, el repartidor se limita a prestar el servicio en las condiciones impuestas por Glovo, que acuerda con los distintos establecimientos los precios que éstos le abonan y fija unilateralmente las tarifas que el repartidor percibe por los recados que efectúa, incluidas las sumas adicionales por kilometraje y tiempo de espera, en cuyo establecimiento el repartidor no tiene la más mínima participación.

Finalmente, en relación con la ajenidad en los medios de producción, el Tribunal constata la palmaria diferencia de importancia económica entre la plataforma digital y los medios aportados por el repartidor —teléfono móvil y motocicleta—, no cabe duda al respecto para el Alto Tribunal que el medio de producción esencial en esta actividad es la plataforma digital, en la que deben darse de alta los restaurantes, consumidores y repartidores, al margen de la cual no es factible la prestación del servicio, desarrollando el actor su actividad en consecuencia bajo una marca ajena.

De forma coherente con todo lo que se acaba de exponer, el Tribunal Supremo concluye que en el supuesto enjuiciado concurren las notas definitorias del contrato de trabajo entre el actor y la empresa demandada previstas en el art. 1.1 ET y, por consiguiente, la relación existente entre ambos debe ser calificada como laboral.

La valoración de la respuesta dispensada por el Tribunal Supremo a la cuestión suscitada en torno a la calificación jurídica que debe merecer la prestación de servicios desarrollada por los repartidores de las diferentes plataformas digitales de reparto no puede merecer más que una valoración muy positiva, por cuanto que las diferentes mutaciones que está provocando en el trabajo típico la prestación de servicios a través de estas plataformas no puede suponer la exclusión automática de estas prestaciones del ámbito de aplicación del Derecho del Trabajo, sino que, tan solo se requiere un replanteamiento de los diferentes indicios utilizados hasta el momento para la calificación de la relación de trabajo con el fin de adaptarlos a los nuevos requerimientos que plantea la economía digital, que deben verse reforzados, además, por la necesaria potenciación de la presunción de laboralidad ya existente en nuestro ordenamiento jurídico (art. 8 ET).

A tal efecto, cabe valorar muy positivamente que el Tribunal Supremo no haya dudado en replantear, que no forzar, los criterios utilizados para la calificación de la relación de trabajo, dando lugar a nuevos indicios de laboralidad más adaptados a la economía digital[17], donde, por ejemplo, criterios como los de la ajenidad y dependencia o subordinación pueden aparecer ocultos detrás de las formas más novedosas de organización empresarial, habiéndose puesto el énfasis no tanto en la capacidad del empresario de incidir en la forma y contenido de la prestación, que aparentemente ha quedado más diluida, sino en la situación en la que respecto del mercado se colocan las partes de esta relación de trabajo[18]. Ello ha permitido que, pese a las singularidades que presenta la prestación de servicios cuando se desarrolla a través de plataformas digitales de reparto, no se haya reconocido a las mismas una entidad suficiente como para desnaturalizar el carácter

---

17   Vid. TODOLÍ SIGNES, A.: *El trabajo...* cit. págs. 229 y 238 y TODOLÍ SIGNES, A.: "Los indicios de laboralidad valorados por los tribunales en materia de plataformas digitales: a propósito de la sentencia que confirma el acta de la Inspección de Trabajo de Deliveroo en Madrid", *Trabajo y Derecho*, núm. 58, 2019, pág. 88.

18   Vid. CRUZ VILLALÓN, J.: "Las transformaciones de las relaciones laborales ante la digitalización de la economía", *Temas Laborales*, núm. 138, 2017, págs. 41 y 42, GONZÁLEZ ORTEGA, S.: "Trabajo asalariado y trabajo autónomo en las actividades profesionales a través de las plataformas informáticas", *Temas Laborales*, núm. 138, 2017, págs. 91 y 92 y 114 a 123, SUÁREZ CORUJO, B.: "La gran transición..." cit. pág. 53 y GINÉS I FABRELLAS, A.: "Diez retos del trabajo en plataformas digitales para el ordenamiento jurídico-laboral español", *Revista de Trabajo y Seguridad Social. CEF*, núms. 425-426, 2018, págs. 99 a 101.

laboral de estas prestaciones de servicios de reparto, siendo calificadas, por el contrario, como auténticas relaciones laborales.

3. LA SOLUCIÓN LEGAL: LA PRESUNCIÓN LEGAL DE LABORALIDAD DEL TRABAJO EN PLATAFORMAS DIGITALES DE REPARTO.

La ineludible necesidad de adaptación del Derecho del Trabajo a las nuevas realidades socioeconómicas derivadas de la economía digital no debe suponer necesariamente que el mismo se encuentre en crisis, más bien al contrario, de llevarse a cabo una adaptación del Derecho del Trabajo que garantice la integración en su ámbito de aplicación de un modo plenamente satisfactorio de todas o de una gran parte de las nuevas formas de trabajo atípico surgidas al calor de las nuevas tecnologías, no cabe duda que esta disciplina jurídica se verá ampliamente reforzada, dotando de cobertura y protección a un número cada vez más amplio de prestaciones de servicios que en la actualidad carecen de la misma. Sin lugar a dudas, ésta tiene que ser una de las prioridades del futuro "Estatuto de las personas trabajadoras del Siglo XXI" anunciado ya hace algún tiempo por el Gobierno.

Únicamente, mediante la vía de la integración de todas estas "nuevas" formas de prestación de servicios en el ámbito de aplicación del Derecho del Trabajo, puede empezar a combatirse la alarmante precariedad laboral que ineludiblemente acompaña siempre a este tipo de servicios, puesto que, aunque la condición de trabajador por cuenta ajena ya no es un auténtico seguro ni una garantía contra la precariedad laboral, como se desprende del alarmante crecimiento del colectivo de los trabajadores pobres[19], lo cierto es que fuera de la tutela dispensada por el Derecho del Trabajo —trabajo autónomo y, en

---

[19] Vid. MARTÍNEZ MORENO, C.: "El riesgo de exclusión social de los trabajadores pobres: análisis de las reglas jurídicas conectadas con este nuevo fenómeno", en MORENO GENÉ, J. y FERNÁNDEZ VILLAZÓN, L. (Dirs.): *Crisis de empleo, integración y vulnerabilidad social*, Thomson Reuters Aranzadi, Cizur Menor (Navarra), 2017 y RODRÍGUEZ-PIÑERO ROYO, M.: "La agenda reguladora de la economía colaborativa: aspectos laborales y de seguridad social", *Temas Laborales*, núm. 138, 2017, pág. 147.

particular, trabajo autónomo económicamente dependiente (TRADE digital)—, la precariedad es todavía mayor[20].

No parece suficiente, por tanto, combatir esta precariedad laboral manteniendo a estos colectivos fuera del ámbito de aplicación del Derecho del Trabajo o dotándolos de una "marco normativo ad hoc"[21], ya sea como meros trabajadores autónomos o independientes[22], trabajadores "autónomos de segunda generación" o "trabajadores autónomos 4.0"[23], trabajadores autónomos económicamente dependientes[24], una "nueva categoría intermedia entre los conceptos tradicionales de trabajador por cuenta ajena y por cuenta propia"[25] o, en el mejor

---

[20] Vid. GORELLI HERNÁNDEZ, J.: "Indicios de laboralidad..." cit. págs. 41 y 42. Vid., también, GINÉS I FABRELLAS, A.: "El tiempo de trabajo en plataformas: ausencia de jornada mínima, gamificación e inseguridad algorítmica", *Labos*, Vol. 2, núm. 1, 2021, pág. 34.

[21] Vid. OTERO GURRUCHAGA, C.: "El complicado encaje de los trabajadores en la economía colaborativa en el Derecho Laboral: nuevos retos para la frontera de la laboralidad", *Derecho de las relaciones laborales*, núm. 1, 2018, pág. 74.

[22] Vid. PÉREZ DE LOS COBOS ORIHUEL, F. (Dir.): *El trabajo en plataformas digitales. Análisis sobre su situación jurídica y regulación futura*, Wolkers Kluwer, Madrid, 2018, pág. 6.

[23] Vid. GUERRERO VIZUETE, E.: "La economía digital y los nuevos trabajadores: un marco contractual necesitado de delimitación", *Revista Internacional y Comparada de Relaciones Laborales y Derecho del Empleo*, Vol. 6, núm. 1, 2018, pág. 216.

[24] Vid. MERCADER UGUINA, J.: "La prestación de servicios en plataformas digitales. Nuevos indicios para una nueva realidad", en TODOLÍ SIGNES, A. y HERNÁNDEZ BEJARANO, M. (Dirs.): *Trabajo en plataformas digitales: innovación, derecho y mercado*, Thomson Reuters-Aranzadi, Cizur Menor (Navarra), 2018 (versión electrónica), pág. 13. Vid. también GUTIÉRREZ ARRANZ, R.: "Las relaciones laborales en la economía colaborativa", *Revista Española de Derecho del Trabajo*, núm. 186, 2016, págs. 161 y ss. y GRAU PINEDA, C.: "La economía digital o de plataformas ("platform economy") como oportunidad para crear empleo autónomo ¿precario?" *Nueva Revista Española de Derecho del Trabajo*, núm. 213, 2018 (versión digital), pág. 13. Vid. también, CAÑIGUERAL BAGÓ, A.: *El mercado laboral digital a debate. Plataformas, trabajadores, derechos y workertech*, Fundación COTEC, Madrid, 2019.

[25] Vid. MARTÍNEZ ESCRIBANO, A.: "¿Nuevos trabajadores? Economía colaborativa y Derecho del Trabajo. Repensando el Derecho del Trabajo: el impacto de la economía colaborativa", *Derecho de las Relaciones Laborales*, núm. 1, 2018, pág. 58. La autora considera al respecto que a esta categoría le sería de aplicación determinada legislación laboral mínima a pesar de que no reúnan la totalidad de las condiciones para ello.

de los casos, incorporándolos al ámbito de aplicación del Derecho del Trabajo mediante una relación laboral especial[26], articulando una "nueva categoría de trabajador"[27] o creando un "contrato de trabajo digital"[28]. Aunque con estas últimas propuestas se pretenda mejorar las condiciones laborales de este colectivo, otorgándoles derechos laborales y de protección social digitales, lo más similares posibles a los que disfrutan los trabajadores por cuenta ajena ordinarios, con toda seguridad, el resultado final de esta opción sería que el estándar de protección otorgado a este colectivo quedaría notablemente limitado, configurándose de este modo un estatuto laboral menos favorable que el común, en favor únicamente de los intereses empresariales[29]. En otros términos, se estaría dando carta de naturaleza a una especie de relaciones laborales "low cost"[30].

Asimismo, tampoco nos parece plenamente satisfactoria la opción por dotar al colectivo de quienes desarrollan su actividad median-

---

[26] Vid. TODOLÍ SIGNES, A.: "El impacto de la "uber economy" en las relaciones laborales: los efectos de las plataformas virtuales en el contrato de trabajo", *IUSlabor*, núm. 3, 2015, págs. 21 y 22, TODOLÍ SIGNES, A.: *El trabajo...*cit. págs. 44 y 45, CAVAS MARTÍNEZ, F.: "Las prestaciones de servicios a través de las plataformas informáticas de consumo colaborativo: un nuevo desafío para el derecho del trabajo", *Revista de Trabajo y Seguridad Social.* CEF, núm. 406, 2017, págs. 53 a 55, GONZÁLEZ ORTEGA, S.: "Trabajo asalariado..." cit. pág. 123 y ARAGÜEZ VALENZUELA, L.: "Nuevos modelos de economía compartida: Uber Economy como plataforma virtual de prestación de servicios y su impacto en las relaciones laborales", *Revista Internacional y Comparada de Relaciones Laborales y Derecho del Empleo*, núm. 1, 2017, pág. 19.

[27] Vid. DAGNINO, E.: "Uber law: perspectiva jurídico-laboral de la sharing/on demand economy", *Revista Internacional y Comparada de Relaciones Laborales y Derecho del Empleo*, vol. 3, núm. 3, 2015, pág. 28.

[28] Vid. AUVERGNON, P.: "Angustias de uberización y retos que plantea el trabajo digital al derecho laboral", *Revista Derecho Social y Empresa*, núm. 6, 2016, pág. 37.

[29] Vid. BELTRAN DE HEREDIA, I.: "Economía de las plataformas y contrato de trabajo", *Ponencia realizada en las XXIX Jornadas Catalanas de Derecho Social*, Barcelona, 2019, pág. 96, SUÁREZ CORUJO, B.: "La gran transición..." cit. págs. 53 a 55, GONZÁLEZ ORTEGA, S.: "Trabajo asalariado..." cit. pág. 122 y JOVER RAMÍREZ, C.: "El fenómeno de la "gig economy" y su incidencia en el derecho del trabajo: aplicabilidad del ordenamiento jurídico británico y español", *Nueva Revista Española de Derecho del Trabajo*, núm. 209, 2018 (versión digital), pág. 12.

[30] Vid. AUVERGNON, P.: "Angustias de uberización..." cit. pág. 37.

te plataformas digitales de un catálogo común de derechos sociales fundamentales con independencia de su calificación como dependientes, independientes y semi-independientes[31], no en vano, a pesar de lo loable de esta opción, la misma podría contribuir a justificar la progresiva deslaboralización de estas actividades, en tanto que una cierta protección laboral y de seguridad social ya estaría garantizada con independencia de la calificación jurídica que se diera a las mismas que, por lo demás, intuyo que también sería inferior a la dispensada en la actualidad a los trabajadores ordinarios. Por el mismo motivo, tampoco parece suficiente el desarrollo de un Derecho del Empleo con un sistema de protecciones mínimas extendidas a todo trabajador, por la sola condición de participar en una comunidad productiva[32].

En la dirección de garantizar la integración de todas estas "nuevas" formas de prestación de servicios en el ámbito de aplicación del Derecho del Trabajo y, en particular, de la prestación de servicios a través de plataformas digitales de reparto, se encuentra precisamente la regulación de esta materia efectuada por el Gobierno, aprobada inicialmente mediante el Real Decreto-Ley 9/2021 y, posteriormente, recogida en la Ley 12/2021, que no procede a crear una figura propia

---

[31] Muy contundente en esta dirección se muestra BLAZQUEZ AGUDO, E.M.: "La incidencia de las nuevas tecnologías en las relaciones laborales: economía digital, teletrabajo y desconexión digital", *Revista Derecho Social y Empresa*, núm. 15, 2021, pág. 19, al indicar que "no parece que lo importante en este asunto sea aclarar quienes son trabajadores por cuenta ajena (...) sino reforzar la protección para aquellos que son trabajadores autónomos. En definitiva, es preciso que la protección de los trabajadores por cuenta ajena y por cuenta propia converja, sobre todo en estas fronteras del derecho del trabajo". Vid. también, RODRÍGUEZ FERNÁNDEZ, M.L.: "Calificación jurídica de la relación que une a los prestadores de servicios con las plataformas digitales", en RODRÍGUEZ FERNÁNDEZ, M.L. (Coord.): *Plataformas digitales y mercado de trabajo, Ministerio de Trabajo*, Migraciones y Seguridad Social, Madrid, 2019, págs. 82 a 87, CAVAS MARTÍNEZ, F.: "Breves apuntes..." cit. págs. 86 y 87, DUEÑAS HERRERO, L.: "Retos y propuestas para la regulación del trabajo en los procesos productivos de las plataformas digitales", *Cuadernos de Relaciones Laborales*, núm. 37(1), 2019, pág. 284 y GODÍNEZ VARGAS, A.: "El trabajo organizado mediante plataformas virtuales y aplicaciones de dispositivos: trabajadores asalariados o contratistas independientes", *Trabajo y Derecho*, núm. 54, 2019, pág. 47.

[32] Vid. RASO DELGUE, J.: "La empresa virtual: nuevos retos para el Derecho del Trabajo", *Revista Internacional y Comparada de Relaciones Laborales y Derecho del Empleo*, vol. 5, núm. 1, 2017, pág. 28.

o específica para este colectivo de repartidores, ya sea mediante algún tipo de trabajo autónomo o parasubordinado, una relación laboral especial, ni tan siquiera, a través de una modalidad contractual particular, sino que, como ya se ha anticipado, se limita a prever que "se presume incluida en el ámbito de esta ley la actividad de las personas que presten servicios retribuidos consistentes en el reparto o distribución de cualquier producto de consumo o mercancía, por parte de empleadoras que ejercen las facultades empresariales de organización, dirección y control de forma directa, indirecta o implícita, mediante la gestión algorítmica del servicio o de las condiciones de trabajo, a través de una plataforma digital (...)".

Veamos a continuación, las principales cuestiones que plantea esta regulación legal del trabajo a través de las plataformas digitales de reparto.

3.1. La conveniencia o no de la propia regulación legal

La primera cuestión que se podría valorar es la propia conveniencia de la aprobación de la referida norma, es decir, hasta qué punto era necesario abordar normativamente la cuestión de la naturaleza jurídica de la prestación de servicios desarrollada a través de las plataformas digitales y, en particular, aquellas que se dedican a la actividad de reparto, o bien, si ya era suficiente la normativa vigente (arts. 1 y 8 ET), así como la interpretación jurisprudencial dispensada a dicha materia por el Tribunal Supremo para resolver esta cuestión.

En este punto, cabe constatar que, aunque esta cuestión ya había sido abordada y resuelta por el Tribunal Supremo, lo cierto es que, en el día a día del tráfico mercantil, seguíamos viendo operar a dichas plataformas digitales de reparto con el mismo formato de siempre, es decir, acudiendo para la ejecución de su actividad a repartidores que actuaban como trabajadores autónomos. En este contexto de rebeldía, no cabe duda que la regulación legal de esta materia debe constituir un acicate para normalizar la situación laboral de este colectivo y para poner coto a las prácticas de las plataformas digitales dirigidas a desvirtuar la naturaleza laboral de estas prestaciones de reparto.

En esta dirección, se ha indicado que esta norma puede ser valorada "como una herramienta útil para favorecer la consecución del consenso empresarial indispensable para el alcance con el menor grado de conflictividad posible de este objetivo"[33], que no es otro que el de la efectiva laboralización de los repartidores que prestan sus servicios para las referidas plataformas digitales, así como que con la misma, "se viene a poner fin a un debate jurídico que estaba ya terminado, por más que algunas plataformas se empeñaran en mantenerlo vivo"[34].

3.2. La validez y/o adecuación del recurso a un Real Decreto-Ley

Una vez valorada positivamente la intervención normativa llevada a cabo en este ámbito y con carácter previo al análisis del contenido de la misma, cabe valorar el hecho de que para llevar a cabo esa regulación se haya acudido una vez más a la fórmula tan extendida en el ámbito de las relaciones laborales del Real Decreto-Ley. A tal efecto, en relación con esta cuestión, el Preámbulo de la norma indica que "a la hora de justificar la concurrencia de la extraordinaria y urgente necesidad, debemos referirnos a la litigiosidad comentada en este Preámbulo y la doctrina contenida en la STS 805/2020, de 25 de septiembre de 2020, que impone, de *lege ferenda*, la adopción de una solución legislativa que procure un panorama necesario de normalización y seguridad jurídica para personas trabajadoras y empresas". En este punto, argumentos como el de dotar de seguridad jurídica a esta materia, pero fundamentalmente, la actitud de cierta rebeldía en la que se habían instalado las plataformas digitales de reparto a la hora de cumplir la doctrina del Tribunal Supremo, invocando meros cambios en el modelo organizativo de dichas plataformas, parecen justificar el recurso al Real Decreto-Ley[35]. No han faltado, sin embar-

---

[33] SANGUINETI RAYMOND, W. (15 de mayo de 2021). La presunción de laboralidad de los riders o cómo se consiguió la cuadratura del círculo de la laboralidad. En El Blog de Wilfredo Sanguineti. La presunción de laboralidad de los riders o cómo se consiguió la cuadratura del círculo de la laboralidad | El blog de Wilfredo Sanguineti (wordpress.com)

[34] Vid. RODRÍGUEZ-PIÑERO ROYO, M. (13 de mayo de 2021). Por fin la Ley Rider. En Trabajo, Persona, Derecho y Mercado, http://grupo.us.es/iwpr/2021/05/13/por-fin-la-ley-rider/

[35] Vid ROJO TORRECILLA, E. (18 de mayo de 2021). Y llegó la norma que declara la relación laboral de las persones dedicadas al reparto en el ámbito de las pla-

go, voces que consideran que en este supuesto no estaba justificado el recurso a esta normativa de urgencia[36].

En todo caso, esta cuestión deberá ser abordada por el Tribunal Constitucional, por cuanto que se ha presentado un recurso de inconstitucionalidad contra esta norma, precisamente, por entenderse la inexistencia de la urgente necesidad que justifica el recurso al Real Decreto-Ley. Pese a ello, cabe recordar que, en caso de ser estimado dicho recurso, no tendría efectos reales, dado que, como ya se ha anticipado, este Real Decreto-Ley ha sido posteriormente tramitado como proyecto de ley —Ley 12/2021—.

3.3. El origen pactado de la nueva regulación

En el análisis del contenido de la previsión legal finalmente aprobada deben tomarse en consideración los diferentes borradores presentados a lo largo de las arduas negociaciones que precedieron a la aprobación de esta norma, puesto que ello nos ayudará a valorar el verdadero alcance de los resultados finalmente alcanzados. En este punto, cabe recordar que el texto finalmente aprobado es el resultado del acuerdo alcanzado el 10 de marzo de 2021 en el marco de la mesa tripartita del diálogo social por parte del Ministerio de Trabajo y Economía Social, las organizaciones sindicales y las organizaciones empresariales, con el que se puso fin a unas negociaciones que se habían iniciado el 28 de octubre de 2020[37].

---

taformas digitales. Primeras notas y comentarios al RDL 9/2021, de 11 de mayo. En El nuevo y cambiante mundo del trabajo. Una mirada abierta y crítica a las nuevas realidades laborales. http://www.eduardorojotorrecilla.es/2021/05/y-llego-la-norma-que-declara-la.html Vid. también, ROJO TORRECILLA, E.: "De la sentencia del Tribunal Supremo..." cit. pág. 39.

36 Vid. MOLINA NAVARRETE, C. (17 de mayo de 2021). La "Ley" de personas repartidoras en plataformas online ("riders"): pequeño paso legal, gran paso para humanizar el precariado digital? En Transforma Work. Blog Información. https://www.transformaw.com/blog/la-ley-de-personas-repartidoras-en-plataformas-online-riders-pequeno-paso-legal-gran-paso-para-humanizar-el-precariado-digital/

37 Sobre este proceso negociador, vid. ROJO TORRECILLA, E.: "De la sentencia del Tribunal Supremo..." cit. págs. 20 y ss.

No cabe duda que el hecho de encontrarnos ante una legislación negociada[38] aporta un gran valor añadido a la norma, puesto que, al estar consensuada por Gobierno e interlocutores sociales, su efectiva implantación debería resultar mucho menos traumática para los diferentes colectivos afectados —plataformas digitales y repartidores, fundamentalmente— y, en consecuencia, mucho más efectiva, a lo que cabe añadir el posible impacto que dicho acuerdo pueda tener en la futura interpretación judicial de la norma[39].

Ahora bien, el hecho de haberse extendido la negociación hasta alcanzar un acuerdo en el que encajaran las diferentes sensibilidades que cohabitan de un modo más o menos soterrado en el propio Gobierno y las que manifiestan públicamente los interlocutores sociales —sindicatos y organizaciones empresariales—, también ha comportado importantes renuncias por todas la partes negociadoras implicadas y, en consecuencia, necesariamente se han visto reducidas la expectativas que *a priori* había generado el anuncio de una nueva regulación sobre la materia y, muy especialmente, los numerosos borradores que habían circulado sobre la misma[40].

---

[38] Vid. MELLA MÉNDEZ, L.: "La protección de los repartidores de plataformas tras el RD-Ley 9/2021: ¿Se está ante una verdadera presunción *iuris tantum* de laboralidad?", *Nueva Revista Española de Derecho del Trabajo*, núm. 244, 2021, pág. 150.

[39] A tal efecto, CRUZ VILLALÓN, J. (12 de mayo de 2021). Una presunción plena de laboralidad de los riders. En Blog de Jesús Cruz Villalón, https://jesus-cruzvillalon.blogspot.com/2021/05/una-presuncion-plena-de-laboralidad-de.html, pone en valor el acuerdo alcanzado, señalando que el mismo "refuerza la legitimidad de la medida y le otorga dosis superiores de eficacia y efectividad". En parecidos términos, SANGUINETTI, W. (15 de mayo de 2021). La presunción de laboralidad... cit. afirma que estamos ante una norma que "posee la gran virtud de venir avalada por un acuerdo tripartito en el que han participado activamente los representantes de los empresarios y que sirve para consolidar a nivel normativo los resultados de un proceso de calificación como laboral de la actividad de los trabajadores de las plataformas digitales previamente zanjado a nivel jurisprudencial". Vid. también, ROJO TORRECILLA, E.: "De la sentencia del Tribunal Supremo..." cit. pág. 36 y TRILLO PÁRRAGA, F.: "La "Ley Rider" o el arte de volver", *Revista de Derecho Social*, núm. 94, 2021, págs. 21 y ss.

[40] ROJO TORRECILLA, E. (18 de mayo de 2021). Y llegó la norma... cit.

3.4. El título de la norma y su limitado ámbito de aplicación —plataformas de reparto—

Entrando ya en el contenido de la nueva regulación sobre plataformas digitales de reparto, la primera cuestión a valorar es el propio título o la denominación dados a la norma finalmente aprobada, es decir, de Real Decreto o Ley "(...) para garantizar los derechos laborales de las personas dedicadas al reparto en el ámbito de plataformas digitales".

Si se compara este título con el de anteriores propuestas, especialmente, con la inicial de "Anteproyecto de Ley contra la huida del Derecho del Trabajo a través de las nuevas tecnologías", se observa que los objetivos de la norma finalmente aprobada son mucho más modestos, puesto que ya no se intenta regular el conjunto de las plataformas digitales[41], sino únicamente las de un determinado sector de actividad de dichas plataformas —el de reparto—, probablemente por ser éste el sector más conflictivo y mediático y, cuya laboralización, ya contaba con el aval del Tribunal Supremo, por lo que la laboralización propuesta de estas prestaciones de servicios no constituiría una auténtica novedad, sino una mera plasmación normativa del criterio jurisprudencial ya existente. Por el contrario, no se ven afectadas por la norma aquellas plataformas en las que los trabajadores prestan sus tareas o encargos en línea[42], quedando las mismas por el momento huérfanas de regulación.

---

[41] Llamaba la atención, sin embargo, que pese a lo ambicioso de este título, en el texto de este borrador únicamente se mencionaba de un modo expreso a dos ámbitos de actividad: los de "reparto o distribución de cualquier producto de consumo o de mercancía a terceras personal" y "servicios en el ámbito del hogar familiar". Pese a ello, en aquel momento todo hacía pensar que se ampliaría el ámbito de aplicación de la norma, extendiéndolo a otros ámbitos en los que también actúan las plataformas digitales.

[42] Vid. GONZÁLEZ COBALEDA, E.: "La regulación del trabajo de plataformas en línea: puntos críticos más allá de la punta del iceberg", *Revista de Trabajo y Seguridad Social. CEF*, núm. 459, 2021. La autora considera que urge abordar esta cuestión, en tanto que los efectos disruptivos pueden ser aún mayores que respecto a las plataformas basadas en la ubicación, por ser mayor la heterogeneidad entre ellas y el mayor alejamiento del modelo respecto de la relación de trabajo clásico.

Una vez más, la norma jurídica va a remolque de la jurisprudencia y no lidera el cambio, sino que únicamente se adapta al mismo. Pese a lo cual, como ya se ha anticipado, no cabe duda que la nueva regulación normativa contribuirá a dotar de mayor seguridad jurídica a esta materia y, en consecuencia, a reducir la actual conflictividad judicial existente en el sector del reparto a través de plataformas digitales.

Pese a esta drástica limitación del ámbito de aplicación de la nueva regulación aprobada, cuyo ámbito de aplicación se limita a las plataformas digitales de reparto, muy criticada en el ámbito sindical[43], no cabe duda que la misma deberá tener un impacto decisivo en la solución que en el futuro den los tribunales laborales a otras controversias jurídicas que con toda seguridad se van a plantear en relación con la prestación de otros servicios diversos realizada también en el marco de otras plataformas digitales, por compartir muchas de ellas características comunes con las plataformas digitales de reparto ahora expresamente reguladas, como es el caso de las actividades de cuidados, traducciones, etcétera. No creemos, por el contrario, que la restricción de la regulación a las plataformas digitales de reparto pueda usarse como argumento en contra del carácter laboral de aquellas prestaciones de servicios que se desarrollan a través de otras plataformas digitales[44].

Por lo demás, incluso ya centrados exclusivamente en el ámbito de las plataformas digitales de reparto, parece que la denominación de la norma finalmente aprobada resulta *a priori* menos contundente que en borradores anteriores, no en vano, si acudimos a la denominación acordada en el acuerdo adoptado al respecto en la mesa de diálogo social sobre la regulación laboral de los repartidores de 10 de marzo de 2021, observamos que en la misma se hablaba del "Real Decre-

---

[43]   Llama la atención que incluso los sindicatos firmantes del acuerdo hayan criticado esta limitación y sigan exigiendo una regulación global de las plataformas digitales, que resuelva los gravísimos problemas que suceden en otros sectores de la economía digital. Por lo demás, también otras organizaciones sindicales —por ejemplo, la CGT— o asociaciones de riders —por ejemplo, Riders X Derechos—, también se han mostrado críticos con esta limitación del ámbito de aplicación de la norma.

[44]   MELLA MÉNDEZ, L.: "La protección de los repartidores..." cit. pág. 179, advierte de este riesgo.

to-Ley para la laboralización de las personas dedicadas al reparto en el ámbito de las plataformas digitales", lo que parece más contundente que la denominación finalmente adoptada de "Real Decreto (...) para garantizar los derechos laborales de las personas dedicadas al reparto en el ámbito de plataformas digitales".

3.5. El alcance de la presunción de laboralidad.

El sustancial adelgazamiento de la norma durante el proceso negociador de la misma que se acaba de exponer no afecta únicamente a su denominación y, en consecuencia, al ámbito de aplicación de la misma, sino que afecta, también a su contenido, que finalmente ha quedado reducido a la introducción de una disposición adicional, la vigesimotercera, en el Estatuto de los Trabajadores, así como a la incorporación de un nuevo apartado en el art. 64 de dicha norma, obviándose otras materias que habían ido apareciendo en anteriores borradores dirigidas a combatir cuestiones tales como la disponibilidad permanente del repartidor, la compensación de gastos de mantenimiento de los vehículos mediante los que se desarrolla la actividad de reparto o el establecimiento de un registro de plataformas digitales con el correspondiente algoritmo utilizado.

De conformidad con el objeto de este estudio, nos detendremos únicamente en el análisis de la primera de estas previsiones, a saber, la que incorpora una disposición adicional vigesimotercera en el Estatuto de los Trabajadores, por ser en la misma donde se aborda la naturaleza jurídica de la prestación de servicios que se desarrolla en las plataformas digitales de reparto. A tal efecto, bajo la rúbrica de "presunción de laboralidad en el ámbito de las plataformas digitales de reparto", la citada disposición adicional dispone que "por aplicación de lo establecido en el artículo 8.1, se presume incluida en el ámbito de esta ley la actividad de las personas que presten servicios retribuidos consistentes en el reparto o distribución de cualquier producto de consumo o mercancía, por parte de empleadoras que ejerzan las facultades empresariales de organización, dirección y control de forma directa, indirecta o implícita, mediante la gestión algorítmica del servicio o de las condiciones de trabajo, a través de una plataforma digital. Esta presunción no afecta a lo previsto en el artículo 1.3 de la presente norma".

Como fácilmente puede apreciarse, nuevamente la regulación finalmente aprobada se configura como una intervención normativa mucho más "suave" respecto a borradores anteriores de la misma en los que se pretendía introducir de forma expresa una "inclusión declarativa" de dichas prestaciones de servicios en el ámbito de aplicación del Estatuto de los Trabajadores. A título de ejemplo, en uno de los múltiples borradores presentados por el Ministerio de Trabajo y Economía Social, bajo el epígrafe de "inclusiones declarativas en el ámbito de esta ley (LET) se establecía lo siguiente: "Se presume existente una relación laboral en los términos del apartado 1.1 de esta ley entre las personas contratadas por proveedores de servicios de intermediación en línea a través de plataformas, aplicaciones u otros medios tecnológicos, informáticos o digitales, y las personas físicas, jurídicas o comunidades de bienes titulares de dichas plataformas, cuando las facultades de organización, dirección y control de la actividad laborales se ejerciten mediante la gestión algorítmica del servicio, manifestándose de forma implícita a través de la fijación indirecta de las condiciones de trabajo, cuando la ejecución de la actividad laboral por parte de las personas trabajadoras, dentro de los términos flexibles acordados o establecidos, tenga repercusión en el mantenimiento o volumen de su empleo, en su retribución o en cualesquiera otras condiciones de trabajo (...)".

En parecidos términos, en otro de los borradores presentados por el Ministerio de Trabajo y Economía Social, también bajo el epígrafe de "inclusiones declarativas en el ámbito de esta Ley" se indicaba que "Se presume existente una relación laboral en los términos del apartado 1.1 de esta ley entre las personas contratadas por proveedores de servicios de intermediación en línea a través de plataformas, aplicaciones u otros medios tecnológicos, informáticos o digitales, y las personas físicas, jurídicas o comunidades de bienes titulares de dichas plataformas, cuando las facultades de organización, dirección y control de la actividad laboral se ejerciten mediante la gestión algorítmica del servicio, manifestándose de forma implícita a través de la fijación indirecta de las condiciones de trabajo, cuando la ejecución de la actividad laboral por parte de las personas trabajadoras, dentro de los términos flexibles acordados o establecidos, tenga repercusión en el mantenimiento o volumen de su empleo, en su retribución o en cualesquiera otras condiciones de trabajo (...)".

Obsérvese como estos y otros borradores presentados por el Ministerio de Trabajo y Economía Social contemplaban, al menos nominalmente, la incorporación de una inclusión en el ámbito de aplicación del derecho del trabajo que se sumaría al resto de inclusiones ya existentes actualmente en el art. 2 ET, pero, al mismo tiempo, llama la atención que esta inclusión se formulaba en todos estos supuestos únicamente a modo de presunción de laboralidad cuando concurren determinados elementos/circunstancias, a diferencia de las inclusiones previstas en el referido precepto en las que se afirma categóricamente que son relaciones laborales, sin más matices. Por tanto, parecía que en estos borradores nos encontrábamos ante una especie de inclusión "débil" dentro del ámbito de aplicación del Derecho del Trabajo, al menos en comparación con las restantes inclusiones previstas por la ley.

Por lo demás, no cabe duda que como reza el epígrafe de las diferentes propuestas expuestas, nos encontraríamos ante una inclusión de carácter declarativo, puesto que en las prestaciones de servicios a través de plataformas digitales a las que se refiere, como ya ha constatado el Tribunal Supremo, concurren todos los presupuestos sustantivos del Derecho del Trabajo, a saber, voluntariedad, ajenidad, dependencia, remuneración y carácter personal. Lo único que haría la norma, por tanto, sería declarar de forma expresa, por diferentes motivos políticos, económicos y sociales el carácter laboral de estas prestaciones de servicios que, ya de por sí, serían laborales, con independencia de la intervención legal. En otros términos, con esta inclusión declarativa lo único que se pretendía era reforzar para el sector del reparto a través de plataformas digitales y, en particular, para las personas que desarrollan esta actividad de reparto, el carácter laboral que ya existiría claramente si se acude a lo dispuesto en los arts. 1.1 y 8.1 ET, pero que las empresas del sector habían tratado de desvirtuar a través de las más variadas y torticeras prácticas.

Asimismo, de tratarse de una inclusión en el ámbito de aplicación del Derecho del Trabajo, como se indicaba en los borradores expuestos, estas relaciones laborales deberían ser calificadas como de carácter o de régimen especial y, en consecuencia, todo hace suponer que hubieran dispuesto de una normativa laboral específica, sin perjuicio de que, en todo lo no previsto en esta regulación, se aplicara supletoriamente la normativa laboral común. No cabe duda que esta normativa específica habría podido tener la virtualidad de adaptar la normativa laboral a los especiales requerimientos que plantea la prestación de servicios de reparto a través de las plataformas digitales, especialmente, en materia de jornada, horarios, descansos, retribución mínima, privacidad, portabilidad de evaluaciones, conciliación de la vida laboral y familiar, prevención de riesgos laborales, igualdad y no discriminación, régimen de penalizaciones, etcétera.

Frente a ello, como ya se ha anticipado, en la norma finalmente aprobada se ha optado por no introducir una inclusión declarativa sino una "presunción de laboralidad"[45]. Se trata de un mecanismo habitual en el ámbito del Derecho del Trabajo y que en este supuesto se concreta en que el legislador describe la situación de hecho que el trabajador debe probar, en este caso, el trabajo realizado para la plataforma de una determinada manera y, a partir de ello, se presume la consecuencia jurídica, que no es otra que la calificación como laboral de esta prestación de servicios[46].

La primera cuestión que ineludiblemente plantea el hecho de que finalmente se haya recurrido a una presunción a la hora de abordar esta materia es la determinación del alcance y/o eficacia que cabe conceder a la misma, teniendo en cuenta que nuestro ordenamiento jurídico permite distinguir entre las presunciones *iuris tantum* y las presunciones *iuris et de iure*, siendo la diferencia esencial entre ambas la admisibilidad o no de prueba en contrario. En este contexto, la doctrina laboral se ha pronunciado en direcciones diversas sobre el alcance que cabe atribuir a esta presunción.

Un sector doctrinal considera que se trata de una presunción de laboralidad *iuris tantum* al estilo de la contenida en el art. 8.1 ET, al que la disposición adicional vigesimotercera del ET introducida por el Real Decreto-Ley 9/2021 —posterior Ley 12/2021— se remite de forma expresa, que admitiría prueba en contrario siempre que se acredite que los servicios prestados a la plataforma no lo han sido bajo un contrato de trabajo sino con un título jurídico diferente, normal-

---

[45]   Muy expresiva al respecto se muestra MELLA MÉNDEZ, L.: "La protección de los repartidores…" cit. pág. 151, cuando indica que "la opción es clara: son trabajadores ordinarios, con relación laboral común, del Derecho del Trabajo".

[46]   Vid. MELLA MÉNDEZ, L.: "La protección de los repartidores…" cit. pág. 154.

mente como trabajadores autónomos. A tal efecto se indica que "por aplicación de lo establecido en el artículo 8.1, se presume incluida en el ámbito de esta ley la actividad de las personas que presten servicios retribuidos consistentes en el reparto o distribución de cualquier producto o consumo o mercancía (...)", cuando concurran determinados requisitos[47].

En esta dirección, se ha considerado que se trata de "la singularización nominativa de uno de los supuestos que aquella presunción general de laboralidad engloba", con la que se pretendía establecer una "presunción legal específica "aseguradora" de la laboralidad de estas actividades, pero que paradójicamente la misma no presume nada nuevo que no estuviera ya presumido con carácter general y reforzado en los arts. 1.1 y 8.1" del Estatuto de los Trabajadores[48].

Aún un menor alcance parece conferirle a esta presunción otro sector doctrinal, que aun partiendo también de que se trata de una presunción *iuris tantum* similar a la prevista en el art. 8.1 ET, mantiene que para su activación aún se requieren más requisitos que los exigidos en dicho precepto, a saber, que las actividades sean de reparto o distribución; que la empleadora ejerza facultades de dirección de forma directa o indirecta a través de una plataforma digital y, finalmente, que se use un algoritmo para gestionar el servicio o para determinar las condiciones de trabajo[49]. Por este motivo, se mantiene que "tiene poco sentido que una normativa, que tiene por objeto reducir

---

[47] Vid. RODRÍGUEZ-PIÑERO ROYO, M. (13 de mayo de 2021). Por fin... cit.

[48] Vid. PALOMEQUE LÓPEZ, M.: "Las presunciones legislativas de laboralidad", *Trabajo y Derecho*, núms. 79 y 80, 2021. En la misma dirección, vid. PÉREZ GUERRERO, M.L.: "Trabajo en plataformas como forma de trabajo del siglo XXI en continuo cambio", en CALVO GALLEGO, J.; HERÁNDEZ-BEJARANO, M. Y RODRÍGUEZ-PIÑERO ROYO. M. (Dirs.): *La revolución de las formas de empleo en el siglo XXI*, Ediciones Laborum, Murcia, 2021, pág. 118. A tal efecto, la autora considera que "la presunción recogida en la DA 23ª recién promulgada no añade nada nuevo a la presunción de laboralidad que ya conocemos y que se recoge en el artículo 8 del ET; presunción *iuris tantum*, que permitirá a las partes implicadas en la relación discutir la existencia o no de los citados indicios de laboralidad".

[49] Vid. TODOLÍ SIGNES, A.: "Cambios normativos en la digitalización del trabajo: comentario a la "Ley Rider" y los derechos de información sobre los algoritmos", *IUSlabor*, núm. 2, 2021, pág. 36. Vid. también, TODOLÍ SIGNES, A. (12 de mayo de 2021). Nueva "Ley Rider". Texto y un pequeño comentario a la

la conflictividad, y conseguir la laboralidad de los repartidores en plataformas, añada una carga superior de presupuestos o requisitos de "activación" de los ya existentes antes de la norma"[50]. En definitiva, se considera que la nueva normativa no supone una alteración del concepto de trabajador, sino que únicamente afecta a la carga de la prueba, que se hace recaer en quien sustenta en cada caso que no se trata de una relación laboral[51].

Por el contrario, mayor eficacia le confieren a esta presunción de laboralidad otros autores, que mantienen que se trata de una presunción de laboralidad "más que fuerte"[52], reforzada[53], más cualificada[54], que "va más allá de su carácter *iuris tantum*"[55], siempre, claro está, que se cumplan los requisitos requeridos por el precepto y que refuerza la presunción general de laboralidad ya incorporada en el art. 8.1 ET, que ya recoge una presunción plena cuando concurren los elementos de ajenidad y dependencia. Pues bien, ahora nos encontraríamos ante una variante de la subordinación que podría demostrarse claramente con los indicios expresamente indicados en la norma y que deberá llevar necesariamente al reconocimiento de la existencia de laboralidad. A tal efecto, se ha llegado a considerar que dándose el presupuesto de la situación descrita por la norma, la relación profesional entre las partes se somete necesariamente a la legislación laboral, sin admisión de prueba en contrario por parte empresarial[56].

norma. Argumentos en Derecho Laboral. https://adriantodoli.com/2021/05/12/nueva-ley-rider-texto-y-un-pequeno-comentario-a-la-norma/

50   Vid. TODOLÍ SIGNES, A. (12 de mayo de 2021). Nueva "Ley Rider"..." cit.

51   Vid. TODOLÍ SIGNES, A.: "Cambios normativos en la digitalización..." cit. pág. 35.

52   Vid. CRUZ VILLALÓN, J. (12 de mayo de 2021). Una presunción plena de laboralidad... cit.

53   Vid. TRILLO PÁRRAGA, F.: "La "Ley Rider"..." cit. pág. 33. Vid. también, BLAZQUEZ AGUDO, E.M.: "La incidencia de las nuevas tecnologías..." cit. pág. 9.

54   Vid. GIL DE GÓMEZ PÉREZ-ARADROS, C. y IMAZ MONTES, M.M.: "Economía colaborativa y mercado de trabajo. Un repaso a propósito de la "Ley Rider", *Trabajo y Derecho*, núm. 81, 2021, pág. 15.

55   Vid. ROJO TORRECILLA, E. (18 de mayo de 2021). "Y llegó la norma..." cit. Vid. también, ROJO TORRECILLA, E.: "De la sentencia del Tribunal Supremo..." cit. pág. 40.

56   Vid. CRUZ VILLALÓN, J. (12 de mayo de 2021). "Una presunción plena..." cit. El autor añade que "basta con que el trabajador aporte indicios de que la organización, dirección y control del trabajo se efectúan a través de algoritmos,

En la misma dirección, se considera que, a partir de la entrada en vigor de esta norma, que introduce una "presunción fuerte de laboralidad", la concurrencia de los requisitos exigidos por la norma hará innecesario el debate judicial sobre la materia, es decir, la intensidad mayor o menor de la dependencia o subordinación de las personas que trabajan para una empresa de reparto a través de plataformas digitales. A tal efecto, se indica que ahora "la ley presume de manera terminante que la inclusión en el ámbito laboral se produce cuando se trate de una actividad de reparto gestionada u organizada mediante algoritmos a través de una plataforma digital", lo que hace nacer, a su vez, de manera superpuesta a ésta, "la relación jurídico-pública de seguridad social con las obligaciones consiguientes de alta y cotización por estos sujetos" [57].

Aún con mayor contundencia sobre el valor de la presunción de laboralidad incorporada en la disposición vigesimotercera del Estatuto de los Trabajadores se pronuncian otros autores que consideran que "más que ante una presunción *iuris tantum*, cabe entender que se está ante una regla material de interpretación fijada por el legislador o, como ya se apuntó para el art. 8.1 ET, ante un mandato legal de laboralidad para el supuesto concreto de los repartidores de plataformas, equivalente, en todo caso —si se quiere seguir con la falsa terminología presuntiva—, a una presunción *iuris et de iure*"[58].

No han faltado, sin embargo, autores que llegan a cuestionar que se trate de una verdadera presunción de laboralidad, indicando al respecto que "seguramente haremos mal en intentar extraer consecuencias desde esta perspectiva, puesto que ni es esa su naturaleza,

---

de modo que, aportados estos indicios, se reconoce la condición de laborales en todo caso, por tanto, sin capacidad empresarial de demostración en contrario".

[57] Vid. BAYLOS GRAU, A. (12 de mayo de 2021). Por fin la norma sobre los repartidores de plataformas de trabajo y la ciudadanía social. En Según Antonio Baylos. https://baylos.blogspot.com/2021/05/por-fin-la-norma-sobre-los-repartidores.html

[58] Vid. MELLA MÉNDEZ, L.: "La protección de los repartidores..." cit. pág. 162. A ello añade la autora que "cuando se cumple el supuesto de hecho indicado en la nueva disposición adicional del ET, con todos sus requisitos, el trabajador queda incluido, necesariamente, en el ámbito del ET y debe entenderse que hay contrato de trabajo".

ni cumple en realidad esa función"[59]. Para sostener esta posición se recuerda que la institución de la presunción de laboralidad tenía por finalidad facilitar la prueba de la existencia de un contrato de trabajo a quienes eran víctimas de fraude o simulación, de modo que en lugar de tener que demostrar todos los elementos definitorios de la relación laboral únicamente se tuviera que acreditar la prestación de servicios en beneficio de otro. Una demostración a partir de la cual el juez presumía la existencia de los demás elementos del contrato —retribución y subordinación—, salvo prueba en contrario de quien negara la condición de empleador. Por el contrario, en la redacción actual del art. 8 ET se considera que la misma deja de lado cualquier presunción de laboralidad, puesto que ahora se exige al trabajador para "presumir" la existencia de un contrato de trabajo, todos los elementos previstos en el art. 1.1 ET, es decir, que nos encontremos ante una prestación de servicios remunerada por cuenta ajena y dentro del ámbito de organización y dirección de otra persona[60].

Pues bien, a partir de estas premisas, se indica que la presunción ahora introducida en la disposición adicional vigesimotercera del ET se apoya precisamente en la "presunción" del art. 8.1 ET. Y en este punto, se mantiene que la activación de la nueva presunción requiere la prueba de todos los elementos definitorios de la relación laboral. De un modo muy expresivo se indica "¿qué es lo que se presume? Porque, para que se active esta presunción el rider debe demostrar la presencia de todos los presupuestos sustantivos del contrato de trabajo exigidos en el art. 1.1 ET. Es decir, la prestación personal de sus servicios por cuenta ajena, la percepción de una retribución y la subordinación al empleador, solo que en el marco de una prestación vinculada a una plataforma. Con lo que, en realidad, es difícil entender que se esté presumiendo algo"[61].

---

[59]   Vid. SANGUINETI RAYMOND, W. (15 de mayo de 2021). La presunción de laboralidad... cit.

[60]   Vid. SANGUINETTI RAYMOND, W. (15 de mayo de 2021). La presunción de laboralidad... cit. Vid. también, SANGUINETI RAYMOND, W.: "La laboralidad de los trabajadores de las plataformas de reparto y sus consecuencias", *Trabajo y Derecho*, núm. 82, 2001.

[61]   Vid. SANGUINETTI RAYMOND, W. (15 de mayo de 2021). La presunción de laboralidad... cit. Vid. también, GORELLI HERNÁNDEZ, J.: "Sobre la pre-

En esta misma dirección, se ha cuestionado "¿qué aporta realmente esta regla, si lo que se dice es que serán personas con relación laboral las que presten servicios en el ámbito de dirección y control algorítmico? ¿No es redundante, más bien una tautología?"[62].

Frente a ello, se manifiesta que para que se tratara de un auténtica presunción debería haberse optado, por ejemplo, "por señalar que el trabajo prestado a través de plataformas digitales de reparto se presume incluido en el ámbito de aplicación del Estatuto de los Trabajadores, salvo prueba en contrario que demuestre el carácter autónomo de la prestación de quien lo realiza o su condición de empresario, dotado de la infraestructura y los medios necesarios para el desarrollo de esa actividad"[63].

Llegados a este punto y con independencia de que se trate o no de una auténtica presunción legal de laboralidad y, en caso afirmativo, que la misma sea más o menos fuerte o intensa, lo cierto es que, frente a dicha presunción de laboralidad, cabría en todo caso prueba en contrario, siempre, claro está, que se demuestre que se trata de actividades de reparto a través de plataformas digitales que no cumplen con los requisitos ahora exigidos por la norma. En este punto, sin embargo, lo que sí resulta indiscutible es que en ningún caso parece fácil destruir esta presunción legal de laboralidad en la práctica, más si cabe, teniendo en cuenta la jurisprudencia elaborada al respecto por el Tribunal Supremo con anterioridad a la propia aprobación del Real Decreto-Ley 9/2021 y de la Ley 12/2021 y, por consiguiente, con anterioridad a la propia previsión de la referida presunción de laboralidad. A esta dificultad cabe añadir, además, la fuerza con la que dota a esta presunción el hecho de que la misma haya sido el resultado del acuerdo alcanzado por los interlocutores sociales tras un largo proceso de negociación[64].

---

sunción de laboralidad de los repartidores de plataformas digitales", *Trabajo y Derecho*, núm. 91, 2022, págs. 8 a 25.

[62] Vid. MOLINA NAVARRETE, C. (17 de mayo de 2021). La "Ley" de personas repartidoras...

[63] Vid. SANGUINETTI RAYMOND, W. (15 de mayo de 2021). La presunción de laboralidad... cit.

[64] Vid. BAYLOS GRAU, A. (12 de mayo de 2021). Por fin la norma sobre los repartidores... cit.

Por lo demás, al tratarse de una presunción de laboralidad y no de una inclusión en el ámbito de aplicación del Derecho del Trabajo, a la misma, en principio, le será de aplicación el marco normativo laboral común y, en consecuencia, deberá articularse la manera, ya sea normativa o convencional, en la que vayan a abordarse las particularidades que el trabajo a través de plataformas digitales comporta para quien lo ejecuta, especialmente, en materia de jornada, horarios, descansos, retribución mínima, privacidad, portabilidad de evaluaciones, conciliación de la vida laboral y familiar, prevención de riesgos laborales, igualdad y no discriminación, régimen de penalizaciones, etcétera. En este punto, dadas las dificultades que con toda seguridad va a encontrar la negociación colectiva en el sector de las plataformas digitales de reparto, tal vez lo preferible sería que dichas materias se abordaran por vía normativa[65].

3.6. El contenido de la presunción de laboralidad

Si nos adentramos ya en el contenido de la disposición adicional vigesimotercera del ET, observamos que la citada presunción de laboralidad incorporada inicialmente por el Real Decreto-Ley 9/2021 y con posterioridad por la Ley 12/2021, requiere para su activación que la actividad de los repartidores de las plataformas digitales de reparto reúna acumulativamente los siguientes requisitos constitutivos:

- que presten servicios retribuidos;
- que los servicios consistan en el reparto o distribución de cualquier producto de consumo o mercancía;
- que sean empleados por empleadoras que ejercen las facultades empresariales de organización, dirección y control de forma directa, indirecta o implícita;
- que dichas facultades se ejerzan mediante la gestión algorítmica del servicio o de las condiciones de trabajo, a través de una plataforma digital.

Como fácilmente puede apreciarse, la referida presunción de laboralidad se apoya fundamentalmente en la identificación de la forma

---

[65] Una apuesta decida por este nuevo marco regulatorio en PÉREZ DEL PRADO, D. (14 de mayo de 2021). La Ley Rider: un muy buen comienzo. En Foro de Labos. https://www.elforodelabos.es/la-ley-rider-un-muy-buen-comienzo/

en que se ejercen los poderes de organización, dirección y control por parte del empresario, estableciéndose al respecto que entra en juego la referida presunción de laboralidad cuando dichas facultades empresariales se ejerzan "de forma directa, indirecta o implícita, mediante la gestión algorítmica del servicio o de las condiciones de trabajo, a través de una plataforma digital".

Ello supone que siempre que el algoritmo empleado por la plataforma digital determine de algún modo las condiciones del servicio o las condiciones del trabajo de quien lo preste se entenderá cumplida la exigencia de la dependencia jurídica y no únicamente económica o técnica propia de una relación laboral, con lo que se ha venido a atenuar el rigor de este requisito[66]. En otros términos, se ha indicado que cuando se cumplan estos requisitos, "no será necesario, como sin embargo se debatía principalmente en los pleitos planteados, insistir en la intensidad mayor o menor de la dependencia o subordinación de las personas que trabajan para una empresa de reparto a través de plataformas digitales, sino que la ley presume de manera terminante que la inclusión en el ámbito laboral se produce en cuanto se trate de una actividad de reparto gestionada u organizada mediante algoritmos a través de una plataforma digital"[67].

Pese a la mejora que ello supone, especialmente, la referencia expresa a la posibilidad de que los poderes empresariales de organización, dirección y control se ejerzan de forma directa, indirecta o implícita a través de algoritmos[68], aún puede resultar complejo demostrar el ejer-

---

[66] Vid. GIL DE GÓMEZ PÉREZ-ARADROS, C. y IMAZ MONTES, M.M.: "Economía colaborativa..." cit. pág. 15.

[67] Vid. BAYLOS GRAU, A. (12 de mayo de 2021). Por fin la norma sobre los repartidores... En esta misma dirección, SANGUINETI RAYMOND, W.: "La laboralidad de los trabajadores..." cit., indica que con la presunción introducida en la disposición adicional vigesimotercera del Estatuto de los Trabajadores se pretende "facilitar la concurrencia de estos presupuestos, y en especial de la subordinación jurídica, en situaciones particularmente conflictivas como las que pueden presentarse tratándose del trabajo realizado a través de las plataformas de reparto". Vid. también, GORELLI HERNÁNDEZ, J.: "Sobre la presunción de laboralidad..." cit. pág. 11.

[68] MELLA MÉNDEZ, L.: "La protección de los repartidores..." cit. constata que a pesar de que la norma parece admitir tres formas distintas de desarrollar estas facultades, realmente únicamente se identifican dos, la directa y la indirecta, que admite como sinónimo la implícita. GORELLI HERNÁNDEZ, J.: "Sobre la

cicio por estos medios de todos y cada uno de los poderes empresariales indicados —organización, dirección y control—[69]. A tal efecto, se han expuesto por la doctrina diferentes ejemplos que conducirían a la inclusión del repartidor en el Estatuto de los Trabajadores, a saber, "que el algoritmo asigne las tareas a realizar —jornada—, se establezcan incentivos (ejemplo, mayor salario cuando llueve o en horario de fin de semana), defina como se evalúa el trabajo (ejemplo, reputación digital) —control—, resuelva cuando alguien es "desactivado" de la aplicación —poder disciplinario—, etcétera"[70].

No cabe duda que esta previsión introducida ahora de forma expresa en la disposición adicional vigesimotercera del ET viene a verbalizar de forma expresa en el texto legal una de las manifestaciones de la dependencia ya incorporada en su momento por los tribunales y la doctrina laborales[71]. Esta circunstancia se reconoce de forma expresa en la Exposición de Motivos de la norma que indica que "la nueva disposición adicional incorpora los criterios y parámetros establecidos por el Tribunal Supremo".

En este punto, cabe recordar que, aunque la concurrencia de subordinación es uno de los elementos más discutidos en las prestaciones de servicios desarrolladas a través de las plataformas digitales[72], puede concluirse que la misma también concurre en estos supuestos, si atendemos a las diferentes circunstancias habitualmente concurrentes que permiten acreditar la inclusión del prestador de servicios a través de

---

presunción de laboralidad..." cit. considera que ahora será más fácil probar la subordinación por haber una referencia legal expresa al ejercicio de facultades directivas de manera directa, indirecta o implícita, mediante algoritmos.

[69] Vid. SANGUINETTI, W. (15 de mayo de 2021). La presunción de laboralidad... cit.

[70] Vid. TODOLÍ SIGNES, A.: "Cambios normativos en la digitalización del trabajo..." cit. pág. 40.

[71] BLAZQUEZ AGUDO, E.M.: "La incidencia de las nuevas tecnologías..." cit. pág. 9, pone de manifiesto que esta presunción de laboralidad no menciona como nota la ajenidad, pero "de la propia lógica de la aplicación del art. 1 del Estatuto de los Trabajadores habrá que concluir que debe cumplirse igualmente esta condición para que una relación pueda ser declarada como laboral".

[72] Vid. SIERRA BENÍTEZ, E.M.: "El tránsito de la dependencia industrial a la dependencia digital: ¿qué Derecho del Trabajo dependiente debemos construir para el siglo XXI?", *Revista Internacional y Comparada de Relaciones Laborales y Derecho del Trabajo*, núm. 4, 2015, pág. 9 y TODOLÍ SIGNES, A.: *El trabajo...* cit. pág. 31.

la plataforma digital dentro del ámbito rector, organizativo y de dirección de la empresa titular de la misma[73]. En definitiva, más allá de una dependencia económica y técnica, que también pueden concurrir en el trabajo autónomo[74], se constata en la actividad de reparto ejecutada a través de plataformas digitales, con mayor o menor intensidad, la existencia de la dependencia jurídica propia de la relación laboral.

Pues bien, como acertadamente se indica en el Preámbulo del Real Decreto-Ley 9/2021, posterior Ley 12/2021, se introduce en el Estatuto de los Trabajadores una previsión expresa que viene a reconocer que las facultades empresariales, a las que se refiere el artículo 20 de dicha norma, pueden ser ejercidas de numerosas maneras y, entre ellas, por medio de la gestión algorítmica del servicio o de las condiciones de trabajo a través de una plataforma digital, que pasan a ser, los activos claves y esenciales de la actividad. De conformidad con esta apreciación, se establece que la forma indirecta o implícita de ejercicio de las facultades empresariales abarca los supuestos en los que una cierta flexibilidad o libertad por parte de la persona trabajadora en la ejecución del trabajo sea solo aparente, por llevar en realidad aparejada consecuencias o repercusiones en el mantenimiento de su empleo, en su volumen o en el resto de sus condiciones de trabajo.

A tal efecto, debe recordarse que, una vez iniciada la prestación de servicios para la plataforma digital, todo el proceso de ejecución del servicio se encuentra supervisado por el titular de la misma a través de su propia aplicación telemática, que quien presta el servicio ha tenido que descargarse en su propio dispositivo digital —móvil o tablet—[75]. Con ello, la plataforma pretender garantizar unos estándares mínimos de calidad —know-how empresarial—. La sujeción del prestador de servicios a las órdenes e instrucciones empresariales no es opcional, sino que la realización por el mismo de su actividad, apartándose de las instrucciones impartidas por la empresa comporta consecuencias negativas o penalizadoras. La existencia de estas instrucciones o indicaciones permite constatar que quien presta los servicios no lo hace en un régimen de auto-organización, sino bajo la organización del titular

---

[73] Vid. BELTRAN DE HEREDIA, I.: *Economía...* cit. pág. 66.
[74] Vid. GUERRERO VIZUETE, E.: "La economía digital y los nuevos trabajadores..." cit. pág. 207.
[75] Vid. CRUZ VILLALÓN, J.: "El concepto de trabajador..." cit. pág. 40.

de la plataforma digital[76], es decir, en un régimen de "hetero-organización", aunque se puedan incorporar importantes dosis de independencia[77]. En definitiva, en estos supuestos, pese a las dificultades añadidas puede identificarse igualmente la "trazabilidad" de la subordinación[78].

A ello cabe añadir las amplias posibilidades de control del prestador de servicios y, en consecuencia, de la ejecución del servicio que tiene la empresa, precisamente a través de la propia plataforma digital a través de la cual se prestan los servicios, además, de otros sistemas de control que se puedan añadir a la misma, como, por ejemplo, la geolocalización del prestador de servicios[79], mediante mensajería —whatsapp, telegram—, etcétera[80]. Estas amplias posibilidades de control *just in time* mediante los datos obtenidos por la propia aplicación informática, entre los que se incluyen, las evaluaciones del servicio efectuadas por los propios clientes —reputación *on line* o reputación digital[81] y sistemas de *feedback*[82]—, se acostumbra a materializar, además, en la valoración/puntuación que realiza la empresa de cada uno de los prestadores de servicios —sistema de evaluación o rating—, en base a elementos de disponibilidad, productividad y sa-

---

[76]   Vid. GONZÁLEZ ORTEGA, S.: "Trabajo asalariado..." cit. pág. 119 y SUÁREZ CORUJO, B.: "La gran transición..." cit. pág. 50.

[77]   Vid. RASO DELGUE, J.: "La empresa virtual..." cit., pág. 16.

[78]   Vid. CRUZ VILLALÓN, J.: "Las transformaciones..." cit., pág. 42.

[79]   Sobre la geolocalización como factor de control en las prestaciones desarrolladas a través de Glovo vid. GARCÍA QUIÑONES, J.C.: "Economía colaborativa..." cit. págs. 88 y 89. Vid. también, MARTÍNEZ ESCRIBANO, A.: "¿Nuevos trabajadores? ..." cit. y GIL OTERO, L.: "Soluciones "tecnológicas" a problemas clásicos: la evolución jurisprudencial de la ajenidad y la dependencia", *Temas Laborales*, núm. 151, 2020, págs. 41 y 42.

[80]   Vid. PERÁN QUESADA, S.: "Economía colaborativa: entre las relaciones laborales y la colaboración empresarial impropia", *Revista de Derecho Social*, núm. 87, 2019, pág. 222.

[81]   Vid. TODOLÍ SIGNES, A.: "El impacto de la "uber economy"..." cit., pág. 10, SÁNCHEZ PÉREZ, J.: "Economía colaborativa y crisis del derecho del trabajo", *Revista de Trabajo y Seguridad Social. CEF*, núm. 430, 2019, págs. 92 y 93 y ÁLVAREZ CUESTA, H.: "Los retos de la economía colaborativa: yacimiento de empleo o precipicio hacia la precariedad de los jóvenes", en ESCUDERO PRIETO, A. (Dir.) y ALONSO BRAVO, M. (Coord.): *Los nuevos perfiles del Estado Social. La promoción del empleo de los trabajadores jóvenes y maduros*, Reus, Madrid, 2017, pág. 371.

[82]   Vid. DAGNINO, E.: "Uber law..." cit. págs. 17 y ss.

tisfacción de los clientes —a través de puntos, estrellas o similares—, con trascendentales efectos sobre el futuro desarrollo de la prestación de los servicios a través de la plataforma y, en consecuencia, con trascendentales efectos desde un punto de vista económico y laboral[83]. En otros términos, se constata un control indirecto, es decir, realizado a través del programa informático, que permite la vigilancia constante del repartidor, aunque no haya órdenes personales dirigidas al mismo. En definitiva, es la empresa y no el repartidor la que ostenta la facultad de condicionar el desarrollo de la actividad empresarial, lo cual se encuentra reforzado, además, por el amplio elenco de repartidores dispuestos a trabajar si otro repartidor no lo hace.

Por el contrario, no obstaculiza la concurrencia de la dependencia la existencia de un cierto margen de libertad que aparentemente ostentan quienes prestan servicios a través de las plataformas digitales a la hora de determinar su horario de trabajo y, por extensión su jornada de trabajo, e, incluso, de rechazar libremente los encargos que le hayan podido ser asignados por la aplicación informática[84], no en vano, estas facultades deben ser valoradas atendiendo a las condiciones reales en que se prestan estos servicios para las diferentes plataformas digitales, que se definen por la concurrencia de una auténtica multitud de sujetos o bolsa infinita de potenciales empleados que ofertan sus servicios para las referidas plataformas[85] que, de este modo, ven plenamente garantizada la satisfacción de sus necesidades de mano de obra pese a conceder un relativo margen de libertad a quienes deben prestar los servicios que la plataforma oferta al mercado, lo que favorece esta "permisividad meramente contenida" o mera tolerancia por parte de las empresas que gestionan la plataforma[86]. En otros términos, el propio modelo organizativo de las plataformas

---

[83] Vid. GINÉS I FABRELLAS, A. y GÁLVEZ DURÁN, S.: "*Sharing economy...*" cit. pág. 24. Vid. también, GARCÍA QUIÑONES, J.C.: "Economía colaborativa..." cit. pág. 87 y 88.

[84] Vid. GINÉS I FABRELLAS, A.: "*Diez retos del trabajo...*" cit. págs. 99 y 100.

[85] Vid. ÁLVAREZ CUESTA, H.: "Los retos de la economía colaborativa..." cit. pág. 355.

[86] Vid. BELTRAN DE HEREDIA, I.: "Economía de las plataformas..." cit. pág. 63. Vid. también, CÁMARA BOTÍA, A.: "La prestación de servicios en plataformas digitales: ¿trabajo dependiente o autónomo?", *Nueva Revista Española de Derecho del Trabajo*, núm. 222, 2019 (versión digital), cit. pág. 12.

garantiza la disponibilidad del personal suficiente sin necesidad de una organización específica del tiempo de trabajo de quienes prestan los servicios[87].

Además, en muchas ocasiones, este aparente margen de libertad a la hora de elegir horarios o de aceptar o rechazar los encargos, no es tan amplio como se pretende indicar, sino que está limitado o sujeto a importantes restricciones, así por ejemplo, el horario se puede elegir únicamente dentro de determinados turnos o franjas horarias preestablecidas por la empresa; el horario elegido o el cambio del mismo, debe comunicarse con una cierta antelación a la empresa para que pueda adaptar la organización de la actividad a los mismos; la elección de determinados horarios se hace depender de la valoración obtenida previamente por el prestador de servicios en función del desarrollo de su actividad; debe justificarse el motivo del rechazo de algún encargo, etcétera.

Por si todo esto fuera poco, en no pocas ocasiones esta libertad de horarios o de aceptar o rechazar encargos es más formal que real, puesto que el ejercicio de estas aparentes facultades comporta consecuencias negativas en la valoración obtenida por quien presta los servicios, con la consiguiente repercusión laboral y, fundamentalmente, económica que puede derivarse de ello[88]. Esta circunstancia permite cuestionar, cuanto menos, que exista una verdadera libertad para elegir los horarios o rechazar los encargos[89].

Como ya hiciera el Tribunal Supremo, todos estos argumentos permiten contrarrestar o matizar los contenidos en el Auto de 22 de abril de 2020 del Tribunal de Justicia de la Unión Europea (C-692/19) que parece atribuir un valor, a nuestro parecer excesivo, a algunas de las circunstancias que se acaban de exponer y que, en mayor o menor medida, suelen acompañar a las prestaciones de servicios desarrolladas a través de las plataformas digitales[90]. A tal efecto, a pesar de que

---

[87]   Vid. GONZÁLEZ ORTEGA, S.: "Trabajo asalariado…" cit. pág. 120 y GORELLI HERNÁNDEZ, J.: "Indicios de laboralidad…" cit. pág. 59.

[88]   Vid. GINÉS I FABRELLAS, A. y GÁLVEZ DURÁN, S.: "Sharing economy…" cit. pág. 18.

[89]   Vid. STS de 16 de noviembre de 2017 (núm. rec. 2806/2015).

[90]   Un análisis crítico de esta resolución judicial en CAMINO FRÍAS, J.J.: "La consideración de los repartidores a domicilio a través de plataformas digitales como

dicho auto no entra a analizar la naturaleza jurídica de esta modalidad de prestación de servicios, remitiendo la cuestión, como en tantos otras ocasiones, a lo que disponga el tribunal nacional, parece dar a entender que, a la luz de las circunstancias del caso, no se dan las características del trabajo subordinado por los siguientes motivos: el prestador del servicio parece tener una gran libertad en relación con su supuesto empleador, así, por ejemplo, se considera que el hecho de que el prestador del servicio pueda designar sustitutos para llevar a cabo las tareas, es una posibilidad que está en principio reservada a quién, precisamente, no presta servicios de forma subordinada; el prestador del servicio tiene libertad para no aceptar las tareas que le fueron asignadas, además, de poder fijar un límite vinculante para la cantidad de tareas que está listo para realizar; el prestador de servicio tiene la posibilidad de prestar servicios similares para otros competidores directos del supuesto empleador; y, finalmente, el prestador del servicio puede establecer sus propias horas de trabajo dentro de ciertos parámetros, así como organizar su tiempo para adaptarse a su conveniencia personal y no únicamente a los intereses del supuesto empleador.

Por lo demás, como ya se ha indicado con anterioridad, cabe recordar que, aun considerando que la concurrencia de estos elementos podría cuestionar la naturaleza laboral de la prestación de servicios, el propio Auto del TJUE prevé las siguientes salvedades al respecto: a) que la independencia de esa persona no parezca ficticia y b) que no sea posible establecer una relación de subordinación entre esa persona y su supuesto empleador.

En este punto, cabe destacar que en la tramitación como proyecto de ley del Real Decreto-Ley 9/2021 se plantearon enmiendas dirigidas precisamente a conseguir que la presencia de algunos de los elementos de flexibilidad en la prestación de servicios a los que se acaba de hacer referencia permitieran excluir el carácter laboral de las mismas[91].

---

trabajadores. Comentario al Auto del Tribunal de Justicia de la Unión Europea de 22 de abril de 2020, asunto C-692/19", *Revista de Trabajo y Seguridad Social. CEF*, 448, 2020.

[91] Vid., por ejemplo, la Enmienda presentada por el grupo del PDECat, integrado en el Grupo Parlamentario Nacionalista. Vid. con la misma finalidad, la Enmienda presentada por el grupo parlamentario de Ciudadanos.

Así, por ejemplo, se pretendía que para considerar que se trata de una relación laboral deberían darse tres de las siguientes situaciones: la imposición de asistencia al centro de trabajo del proveedor de servicios de intermediación a través de plataformas digitales; la imposición de horarios e instrucciones o cualquier decisión relacionada con el tiempo de trabajo o de tiempo libre; el impedimento de la prestación de servicios para una o más empresas competidoras; la imposibilidad de rechazar encargos; la organización de formación para la prestación de servicios o el ejercicio de la facultad disciplinaria. No cabe duda, que de prosperar estas enmiendas hubiera sido difícil cualificar como laborales estas prestaciones de servicios, por cuanto, las plataformas digitales de reparto ya han procurado adaptar su modelo organizativo evitando precisamente estos comportamientos. El juego de mayorías existente en Congreso y Senado no permitieron, sin embargo, incorporar ningún cambio en la tramitación como proyecto de ley del Real Decreto-Ley 9/2021.

En definitiva, como acertadamente se ha indicado, con la incorporación de la disposición adicional vigesimotercera del Estatuto de los Trabajadores el legislador da un paso más en el proceso de flexibilización de la dependencia, "pues, a la anterior interpretación flexible de esta realizada por los jueces (que resta importancia a ciertas circunstancias en las que el trabajador presta servicios, por ejemplo, en pluriempleo, fuera del lugar de trabajo tradicional, sin observar un horario rígido, con instrumentos propios y con una cierta cuota de autonomía), se suma ahora una nueva dosis de flexibilidad legal al aceptar el ejercicio indirecto implícito de los poderes del empresario, a través de las nuevas tecnologías (algoritmo). Así, si los jueces flexibilizaron la exégesis de aspectos relativos al modo de prestar servicios por el trabajador, el legislador lo hace respecto de la manera de ejercer los diversos poderes empresariales"[92].

De todo lo expuesto hasta el momento, no cabe duda que, como indica el Preámbulo del Real Decreto-Ley 9/2021, posterior Ley 12/2021, la eficacia de la disposición adicional vigesimotercera del ET va a depender en última instancia de la información verificable que se tenga acerca del desarrollo de la actividad a través de las plataformas

---

[92] Vid. MELLA MÉNDEZ, L.: "La protección de los repartidores..." cit. pág. 173.

digitales, que debe permitir discernir si las condiciones de prestación de servicios manifestadas en una relación concreta encajan en la situación descrita por dicha disposición, siempre desde el respeto a los secretos industrial y comercial de las empresas, que no se tienen que ver cuestionadas por esta información sobre las derivadas laborales de los algoritmos u otras operaciones matemáticas al servicio de la organización empresarial.

En este punto, va a resultar un instrumento determinante las nuevas facultades informativas introducidas en la letra d) del art. 64.4 ET, según la cual el comité de empresa deberá ser informado por la empresa "de los parámetros, reglas e instrucciones en los que se basan los algoritmos o sistemas de inteligencia artificial que afectan a la toma de decisiones que pueden incidir en las condiciones de trabajo, el acceso y mantenimiento del empleo, incluida la elaboración de perfiles".

3.7. La no afectación de la presunción de laboralidad a las previsiones del art. 1.3 ET

Sorprende la previsión final contenida en la nueva disposición adicional vigesimotercera del ET, según la cual la presunción de laboralidad que incorpora la norma "no afecta a lo previsto en el art. 1.3 de la presente norma". Recuérdese que dicho precepto regula las exclusiones del ámbito de aplicación del Estatuto de los Trabajadores.

Resulta difícil valorar el alcance de esta previsión, de la cual, además, nada indican los extensos Preámbulos del Real Decreto-Ley 9/2021 y de la Ley 12/2021. En todo caso, la explicación más plausible de la misma parece ser la voluntad de evitar que en el futuro se puedan plantear problemas de deslinde entre la presunción de laboralidad que introduce esta norma y la exclusión de los transportistas contenida en el art. 1.3 f) ET, habiéndose querido dejar claro que la primera en nada afecta a lo previsto por la segunda[93]. De ser esta la

---

[93] BLAZQUEZ AGUDO, E.M.: "La incidencia de las nuevas tecnologías..." cit. pág. 10, pone de manifiesto que a partir de esta previsión "hay que concluir que todo el que haga el reparto de las mercancías con un vehículo que precise una autorización administrativa, en ningún caso será un trabajador por cuenta ajena.

intención, tal vez hubiera sido preferible que se hubiera citado de un modo expreso la exclusión de este colectivo de transportistas y no la remisión genérica que finalmente se ha recogido al conjunto de exclusiones recogidas en el art. 1.3 ET. Siendo, sin embargo, esta la redacción del precepto, cabe concluir que la presunción de laboralidad ahora introducida no puede afectar a ninguna de las exclusiones actualmente recogidas en el art. 1.3 ET[94].

3.8. La previsión de un largo periodo transitorio

El impacto económico y organizativo que, sin lugar a dudas, iba a tener el Real Decreto-Ley 9/2021 sobre la actividad de reparto efectuada a través de las plataformas digitales, tanto en los propios repartidores, pero fundamentalmente en los titulares de dichas plataformas digitales, comportó que, desde los primeros borradores, se estableciera un periodo transitorio, más o menos extenso, para que dichas plataformas se adaptaran al nuevo marco normativo. A tal efecto, en la redacción de la norma finalmente aprobada se incorpora una disposición final segunda que bajo el epígrafe de "entrada en vigor", establece que "el presente real decreto-ley entrará en vigor a los tres meses de su publicación en el "Boletín Oficial del Estado".

Con ello, como expresa el Preámbulo de la norma, se pretendía posibilitar "el conocimiento material de la norma y la adopción de las medidas necesarias para su aplicación"[95]. A tal efecto, al haberse publicado la norma en el Boletín Oficial del Estado el 12 de mayo de 2021, la entrada en vigor de la misma no se produjo hasta el día 12 de agosto del mismo año. No parece que la entrada en vigor de esta norma en pleno periodo vacacional, sin embargo, ayudara a la implementación efectiva de la misma.

Quedando de nuevo al arbitrio del tipo de vehículo utilizado la calificación de la laboralidad, como ocurre de forma general".

94 Vid. BLAZQUEZ AGUDO, E.M.: "La incidencia de las nuevas tecnologías..." cit. pág. 10.

95 Este plazo de tres meses aún parecía insuficiente para algún grupo parlamentario que en la tramitación de esta norma como proyecto de ley pidió su ampliación hasta los seis meses.

En todo caso, cabe constatar que ello no ha comportado, necesariamente, privar de derechos al colectivo de repartidores, puesto que la jurisprudencia existente en este punto ha permitido a los trabajadores seguir reclamando durante todo este periodo el reconocimiento del carácter laboral de su actividad por vía judicial con totales garantías de éxito, al igual que no ha impedido la actuación de las Inspección de Trabajo y de la Seguridad Social. Por ello, no parece apropiado afirmar que ha habido una "amnistía" en favor de las empresas hasta la entrada en vigor de esta norma[96].

Por si ello fuera poco, más allá de la conveniencia de este largo período transitorio de adaptación por parte de las plataformas digitales de reparto al nuevo marco normativo, el mismo puede contribuir a cuestionar la existencia de las notas de extraordinaria y urgente necesidad que exige el recurso al Real Decreto-Ley mediante el cual se ha procedido a regular esta materia, que como ya se ha anticipado, se trata de una materia muy controvertida, sobre la que deberá pronunciarse en su momento el Tribunal Constitucional.

4. Y TRAS LA REGULACIÓN LEGAL, ¿CÓMO VAN A ACTUAR LAS PLATAFORMAS DIGITALES DE REPARTO?

4.1. Las diferentes construcciones de "ingeniería laboral" adoptadas por las plataformas digitales para hacer frente a la laboralización de los repartidores que prestan servicios a través de las mismas

Si la finalidad declarada de la previsión contenida en la disposición final segunda del Real Decreto-Ley 9/2021, en el que encuentra su origen la Ley 12/2021, consistente en posponer la entrada en vigor de la norma durante un amplio período de tres meses desde su publicación en el Boletín Oficial del Estado era la de "posibilitar el conocimiento material de la norma y la adopción de las medidas necesarias para su aplicación", en la práctica ha sido utilizado por gran parte de las

---

[96] Vid. TODOLÍ SIGNES, A.: "Cambios normativos en la digitalización del trabajo..." cit. pág. 53.

plataformas digitales de reparto para diseñar sus nuevas estrategias de negocio y, muy especialmente, diseñar nuevas construcciones de ingeniería laboral que les permitan eludir en lo esencial la finalidad última de dicha norma, que no era otra que "regularizar" la contratación laboral de los repartidores por las citadas plataformas digitales para las que desarrollan su actividad de reparto[97].

Aunque no haya sido la respuesta mayoritaria, llama la atención la coincidencia en el tiempo entre la aprobación del Real Decreto-Ley 9/2021 y el anuncio de una de las grandes plataformas digitales de reparto que operaban en España de abandonar el mercado español de reparto, es decir, la actividad de delivery. A tal efecto, los medios de comunicación, especialmente los económicos, se hacían eco en julio de 2021 de la intención de Deliveroo de cesar su actividad de reparto en España. Obviamente, la empresa alegó motivos económicos para tomar dicha decisión, pero no puede olvidarse que dicho anuncio se produjo a pocas semanas de la entrada en vigor del Real Decreto-Ley 9/2021, hasta el punto que los medios de comunicación establecieron una relación de causa efecto al respecto.

Cabe constatar, sin embargo, que esta decisión empresarial de abandonar el mercado español de delivery no se encuentra exenta del riesgo de generar nuevas responsabilidades laborales para la plataforma o plataformas digitales de reparto que la puedan adoptar, no en vano, la misma constituye de facto un despido colectivo de todos aquellos repartidores que hasta el momento hubieran podido prestar sus servicios para dicha o dichas plataformas[98]. A tal efecto, diferentes bufetes de abogados y organizaciones sindicales anunciaron de inmediato que interpondrían las correspondientes demandas judiciales

---

[97] OJEDA AVILÉS, A.: "Deconstrucción de los indicios de laboralidad frente al cambio tecnológico", *Revista de Trabajo y Seguridad Social. CEF, núm. 464*, 2021, pone de manifiesto la "fragmentación estratégica" de las diferentes plataformas digitales de reparto a la hora de abordar el nuevo contexto normativo. Vid. también, MORENO GENÉ, J.: "Presunción legal de laboralidad del trabajo en plataformas digitales de reparto ¿y ahora qué?", *Revista de Estudios Jurídico Laborales y de Seguridad Social*, núm. 4, 2022.

[98] Por este motivo, Deliveroo anunció que estaba dando de alta en la Seguridad Social a todos aquellos repartidores y que una vez lo hiciera, se negociaría con los representantes de los trabajadores las condiciones del despido colectivo. Vid. Cinco días, 9 de agosto de 2021.

al respecto[99]. Téngase en cuenta, además, que la STS de 20 de julio de 2022 (núm. rec. 111/2020) ha ratificado de un modo expreso la legitimidad de los sindicatos para impugnar el despido de los falsos autónomos en relación con la plataforma digital de Uber Eats.

Fuera de estas opciones más radicales, el resto de plataformas digitales ha optado por diferentes estrategias a la hora de continuar con su actividad económica y "dar cumplimiento" a lo previsto ahora por la disposición adicional vigesimotercera del ET, sin que, por el contrario, se haya producido la diáspora de plataformas digitales anunciadas por los agoreros de los efectos negativos que tendría la Ley rider[100].

A tal efecto, lo menos común ha sido la opción de dar cumplimiento pleno, al menos en apariencia, a lo previsto por la ley, siendo escasas las plataformas digitales de reparto que han manifestado la voluntad de integrar en sus plantillas a sus repartidores o, al menos, a una parte sustancial de los mismos. Este ha sido el caso de Just Eat y de Stuart que abogan por la laboralización plena o, en todo caso, mayoritaria de sus plantillas[101]. En este punto, cabe recordar que Just Eat ya había respaldado en su momento el acuerdo alcanzado en la Mesa de Diálogo. En este contexto favorable a la laboralización de sus repartidores, además, la empresa Just Eat ha anunciado el acuerdo con CCOO y UGT del primer convenio colectivo de reparto a domicilio[102].

En todo caso, cabe tener en cuenta que según las propias declaraciones de responsables de Just Eat, "en España operan con dos modelos de contratación. Uno basado en acuerdos de colaboración con empresas especializadas en logística de última milla que emplean a repartidores por cuenta ajena y se comprometen a respetar los derechos laborales de sus plantillas, y otro, que pusieron en marcha en

---

[99] Vid. Cinco días, 11 de agosto de 2021.
[100] En este sentido, OJEDA AVILÉS, A.: "Deconstrucción de los indicios..." cit., constata que la anunciada por la prensa "implosión" del negocio, y con ella de los miles de puestos de trabajo precario de los/las "riders" o personas repartidoras, no parece haberse producido.
[101] Vid. Cinco días, 11 de marzo de 2021.
[102] Vid. El País, 16 de diciembre de 2021.

noviembre de 2020, basado en una red propia de repartidores que trabajan bajo contrato laboral".

La misma dirección es la que parece que va a seguir otra plataforma digital de reparto, denominada Rocket, que ha anunciado su progresiva implantación en España y que aboga por la contratación indefinida de los repartidores que vayan a prestar sus servicios para la plataforma[103].

Otras plataformas digitales, entre las que destaca Glovo, sin embargo, han anunciado que, para la ejecución de su actividad de reparto, seguirán acudiendo indistintamente a trabajadores por cuenta ajena —con horarios y retribuciones fijas y rutas concretas para aquellos servicios que, por su naturaleza, sean viables tecnológica y operativamente— y a trabajadores autónomos, si bien, adecuando los contratos de estos últimos para no incumplir la ley[104]. Teniendo en cuenta la jurisprudencia del Tribunal Supremo sobre esta materia, no cabe duda que esta opción se antoja *a priori* de muy difícil compatibilidad con la legalidad vigente, por mucho que, como ya ha anunciado la empresa, se dote a los repartidores de mayor autonomía y flexibilidad en el desarrollo de su actividad —libre conexión, discrecionalidad horaria, libertad de fijación de precios (el multiplicador), posibilidad de subcontratar, eliminación del sistema de puntuación y penalizaciones—[105]. Como era de esperar, las organizaciones sindicales no han tardado en denunciar a esta plataforma digital por incumplir la Ley rider[106], habiéndose interpuesto ya por la Inspección de Trabajo y de la Seguridad Social nuevas sanciones[107].

---

[103] Vid. Cinco días, 11 de octubre de 2021.

[104] A tal efecto, inicialmente la plataforma digital Glovo había anunciado a finales de julio de 2021 cómo iba a ser su nuevo modelo operativo para cumplir la ley, que consistía en contratar a 2.000 repartidores en España antes de final de año, pero seguir operando con autónomos (entre 7.000 y 10.000), bajo un modelo que, a su criterio, permitiría cumplir la ley y seguir el criterio establecido por el Tribunal Supremo y el Tribunal de Justicia de la Unión Europea (Vid. Cinco días, 28 de julio de 2021).

[105] En la misma dirección, SANGUINETI RAYMOND, W.: "La laboralidad de los trabajadores de las plataformas..." cit., pone de manifiesto que este modelo de negocio de las plataformas "no precisa de la estandarización de los tiempos y las tareas, e incluso del abono de retribuciones homogéneas".

[106] Vid. Cinco días, 9 de agosto de 2021.

[107] Vid. Cinco días, 21 de septiembre de 2022.

En este contexto, el art. 1 de la Ley Orgánica 14/2022, de 22 de diciembre, de transposición de directivas europeas y otras disposiciones para la adaptación de la legislación penal al ordenamiento de la Unión Europea, y reforma de los delitos contra la integridad moral, desórdenes públicos y contrabando de armas de doble uso (en adelante, Ley Orgánica 14/2022), añade un nuevo numeral 2º en el art. 311 CP, en virtud del cual, serán castigados con las penas de prisión de seis meses a seis años y multa de seis a doce meses: "(...) 2º Los que impongan condiciones ilegales a sus trabajadores mediante su contratación bajo fórmulas ajenas al contrato de trabajo, o las mantengan en contra de requerimiento o sanción administrativa".

No cabe duda que esta modificación del Código Penal encuentra su fundamento último en la actual actitud de rebeldía de determinadas plataformas digitales de reparto a la hora de proceder a la contratación laboral de sus repartidores, a pesar de las sucesivas y reiteradas sanciones laborales impuestas a las mismas por este motivo por la Inspección de Trabajo y de Seguridad Social. Es de prever que la amenaza penal pueda ser más efectiva para conseguir que estas empresas acaten la normativa y la jurisprudencia vigentes en este punto.

A tal efecto, el Preámbulo de la Ley Orgánica 14/2022 indica que "(...) El conjunto de instrumentos de tutela de la relación de trabajo reposa en el ordenamiento jurídico laboral, que garantiza la eficacia de sus preceptos mediante las instituciones, administrativas y judiciales, que permiten asegurar la vigencia de las normas y de las decisiones judiciales. No obstante, cuando los medios preventivos y sancionadores con que cuenta el ordenamiento laboral ceden ante nuevas formas de criminalidad grave, es inevitable el recurso, como última ratio, al Derecho penal. Por un lado, el nuevo precepto pretende cubrir una laguna de punibilidad sobre hechos vinculados, en general, pero no exclusivamente, a nuevas tecnologías que, a partir del uso de sistemas automatizados, permiten el incumplimiento masivo de la correcta utilización del contrato de trabajo; conductas que no pudieron ser previstas por el legislador de 1995 pero que no puede desconocer el de 2022. Por otro lado, pretende garantizar la efectividad del ordenamiento jurídico laboral y de su sistema de control administrativo ante incumplimientos del mismo en detrimento de los derechos, individuales y colectivos, de las personas trabajadoras (...)".

Finalmente, un importante grupo de plataformas digitales de reparto ha ido desistiendo de la idea de emplear a trabajadores autónomos, para acudir a otras fórmulas más "imaginativas", entre las cuales cabe destacar, el recurso a la subcontratación de la fase final de esta actividad de reparto con empresas especializadas al efecto —empresas de reparto de última milla, como por ejemplo, Ara Vinc, Sargo, Deelivers o grupo Mox, anunciada, entre otras, por Uber Eats[108], o bien, acudiendo y/o fomentando, la constitución de cooperativas de riders. Opciones a las que cabe añadir también el recurso a empresas de trabajo temporal digitales, como, por ejemplo, JobantTalent y BuscoExtra.

Todas estas opciones de externalización del servicio de reparto, al tiempo que permiten a las plataformas digitales reducir los costes laborales que asumen, también les permiten reducir o eliminar muchos gastos de logística —por ejemplo, garajes, vehículos, mantenimiento, etcétera—. Como acertadamente se ha indicado, las ventajas de recurrir a estas formas de descentralización son notables, no en vano, además de ocuparse las empresas externas de la gestión laboral y de seguridad social, se consigue un ajuste al minuto a las necesidades de las empresas de plataforma, como de los clientes, pero cargando los tiempos muertos a las empresas proveedoras, e indirectamente, a las personas trabajadoras de éstas[109].

4.2. *Valoración jurídica de las diferentes estrategias adoptadas por las plataformas digitales para eludir la contratación laboral directa de los repartidores*

4.2.1. Las empresas de última milla: subcontratación *versus* cesión ilegal de trabajadores

No cabe duda que el recurso a la subcontratación por parte de las plataformas digitales plantea serias dudas de encaje con la legalidad y, específicamente, con lo preceptuado por el art. 42 ET, por cuanto

---

[108]   Vid. Cinco días, 9 de agosto de 2021.
[109]   Vid. ESTEVE SEGARRA, A. y TODOLÍ SIGNES, A.: "Cesión ilegal de trabajadores y subcontratación en las empresas de plataformas digitales", *Revista de Derecho Social*, núm. 95, 2021, págs. 39 y 40.

estas empresas, aunque jurídicamente sean reales e independientes, difícilmente van a ejercer sobre los repartidores los poderes empresariales que corresponden al empresario, sino que, por el contrario, todo hace prever que dichos poderes y, muy especialmente, el poder de dirección y organización, seguirán ejerciéndose por parte de la empresa titular de la plataforma digital a través de los algoritmos mediante los que se gestiona la actividad de reparto[110]. En otros términos, si las empresas subcontratadas se limitan a facilitar la mano de obra —los repartidores—, pero sigue siendo la plataforma digital la que organiza y controla a dichos repartidores mediante la aplicación y el correspondiente algoritmo, se estaría incurriendo en una cesión ilegal de trabajadores, prohibida por nuestro ordenamiento jurídico (art. 43 ET)[111]. A tal efecto, el apartado segundo de dicho precepto, recogiendo la jurisprudencia de indicios ya preexistente, establece que "(...)se entiende que se incurre en la cesión ilegal de trabajadores contemplada en este artículo cuando se produzca alguna de las siguientes circunstancias: que el objeto de los contratos de servicios entre las empresas se limite a una mera puesta a disposición de los trabajadores de la empresa cedente a la empresa cesionaria, o que la empresa cedente carezca de una actividad o de una organización propia y estable, o no cuente con los medios necesarios para el desarrollo de su actividad, o no ejerza las funciones inherentes a su condición de empresario".

Conocedor de las dificultades de encaje de la subcontratación de los servicios de reparto por parte de las plataformas digitales, el Gru-

---

[110] En parecidos términos, vid. ROJO TORRECILLA, E.: "De la sentencia del Tribunal Supremo..." pág. 33. En la misma dirección, MELLA MÉNDEZ, L.: "La protección de los repartidores..." cit. págs. 180 y 181, indica que se producirá una cesión ilegal de trabajadores ex art. 43 ET, cuando quien verdaderamente dirija el trabajo y ejerza los poderes propios de un empresario sea la plataforma y no la empresa aparente (que solo contrató a los repartidores para cederlos a aquella).

[111] También advierte de este riesgo SANGUINETI RAUMOND, W.: "La laboralidad de los trabajadores de las plataformas..." cit. al considerar que la gestión y asignación de los pedidos es realizada también en estos casos, dada la naturaleza de la actividad, por la plataforma. En otros términos, podría entenderse, según el autor, que quien organiza y dirige la actividad de los trabajadores es la plataforma, "limitándose el contratista o la cooperativa a actuar como un suministrador de personal, que no ejerce en realidad ninguna de las funciones nucleares propias de la condición de empleador".

po parlamentario popular en el Senado presentó una enmienda a la tramitación como proyecto de ley del Real Decreto-Ley 9/2021, mediante la que se pretendía introducir una nueva disposición adicional en el Estatuto de los Trabajadores que bajo el epígrafe de "subcontratación", permitiría de forma expresa a las plataformas digitales prestar sus servicios directa o indirectamente, pudiendo subcontratar prestaciones de servicios siempre que se realicen al amparo del art. 42 ET. Aunque no parece que dicha previsión aportara nada nuevo, no en vano, la misma seguiría exigiendo que se cumplieran con los requerimientos del art. 42 ET, sin establecer ninguna regulación específica al respecto, lo cual, por otra parte, no parece de recibo, a riesgo de desnaturalizar esta institución jurídica, seguro que la misma hubiera añadido un plus de legitimidad a estas prácticas. Esta enmienda, sin embargo, finalmente no prosperó.

En este contexto, como era de esperar, ya se han presentado las primeras denuncias por subcontratar los repartos, invocándose al respecto que los repartidores siguen utilizando la misma aplicación con la que trabajaban antes y que la organización del trabajo se sigue realizando desde la empresa principal, de modo que se convierte a la subcontrata "en una empresa pantalla que le permite burlar la legislación laboral" y, en consecuencia, nos encontramos ante una cesión ilegal de trabajadores[112].

Antecedentes como las multas impuestas por la inspección de trabajo de Cataluña y Valencia a la filial de Cabify por incurrir en una cesión ilegal de trabajo pueden ser un buen referente de cómo vayan a resolverse en el futuro estas reclamaciones.

En concreto, los argumentos de la inspección de trabajo y de la seguridad social para llegar a esta conclusión vienen siendo los siguientes[113]: a) Cabify es la empresa propietaria de los medios materiales indispensables para realizar la actividad. A tal efecto, se considera que los vehículos, uniformes y teléfonos no son los verdaderos medios materiales para realizar la actividad, sino la aplicación y el algoritmo, que son

---

[112] A título de ejemplo, UGT ya ha denunciado a Glovo, Uber Eats y Amazon por este motivo. Vid. Cinco días, 26 de abril de 2021.

[113] Vid. ESTEVE SEGARRA, A. y TODOLÍ SIGNES, A.: "Cesión ilegal de trabajadores…" cit. págs. 43 y 44.

propiedad de Cabify. b) El poder de dirección y control de los trabajos realizados por los conductores se realiza por Cabify, siendo esta última la que a través del algoritmo de su propiedad, asigna los conductores y les indica que ruta deben seguir y, además, imparte instrucciones concretas al conductor que debe cumplir durante el transporte y que hacen referencia a la forma en que debe realizarse el servicio —abrir la puerta al pasajero, ayudarle con el equipaje, vestir formal y comportarse de forma discreta, tener la radio apagada salvo que el pasajero se lo pida, etcétera—. c) El poder disciplinario lo ejerce Cabify. Esta empresa es la que recoge, mediante la reputación digital, las valoraciones de los clientes y advierte a través de la aplicación de un comportamiento incorrecto, llegando a desconectar a los conductores de la aplicación. d) El trabajo contratado se factura por trabajador contratado, por unidad de producción por horas de trabajo, mientras que el cliente es facturado por Cabify y la empresa de VTC cobra por Kilómetro y por hora del conductor. e) Es la imagen de Cabify la que está en juego. Y, finalmente, f) Cabify da formación a los conductores, incluso les hace un test de conocimiento de la ciudad y les entrega medidas de protección personal.

Pese a lo sugerente de los razonamientos jurídicos contenidos en estas actas de infracción, los mismos deberán enfrentarse a la muy restrictiva jurisprudencia actualmente existente sobre cesión ilegal de trabajadores, que viene exigiendo una valoración conjunta de todos los requisitos previstos en el art. 43 ET, es decir, que el objeto de los contratos de servicios entre las empresas se limite a una mera puesta a disposición de los trabajadores de la empresa cedente a la empresa cesionaria, que la empresa cedente carezca de una actividad o de una organización propia y estable, que no cuente con los medios necesarios para el desarrollo de su actividad y que no ejerza las funciones inherentes a su condición de empresario.

A tal efecto, la sentencia del Juzgado de lo Social núm. 8 de Valencia (autos núm. 7/2021) ha procedido a revocar alguna de las referidas sanciones impuestas en su momento por la Inspección de Trabajo y Seguridad Social, en base a la restrictiva jurisprudencia sobre cesión ilegal de trabajadores a la que se acaba de hacer mención.

Por si ello no fuera suficiente, no cabe duda que las plataformas digitales intentarán eludir la calificación de cesión ilegal de trabajadores imponiendo a las empresas contratistas —empresas de última milla— unas determinadas adaptaciones del modelo, como puede ser que las mismas dispongan de una mínima estructura de personal o de una determinada infraestructura material; adaptaciones que podrían ser suficientes para permitir que estas prácticas fueran calificadas como auténticas prácticas lícitas de subcontratación laboral. A título de ejemplo, algunas empresas de reparto de última milla, como Deeliveers, ya alegan que no usan el algoritmo de las plataformas digitales de reparto, sino que utilizan su propia tecnología.

Frente a esta restrictiva jurisprudencia sobre cesión ilegal de trabajadores, se ha defendido "la necesidad de introducir (o "reponderar") "nuevos" indicios en materia de cesión ilegal aplicados a las plataformas digitales", efectuándose al respecto las siguientes propuestas: 1) utilización de la plataforma de la empresa principal y con conexión directa y de inmediatez temporal de los trabajadores; 2) gestión algorítmica del trabajo; 3) transmisión de datos e información, que son propiedad de la principal, entre las empresas; 4) evaluación de los trabajadores como ejercicio de poder disciplinario directo o indirecto; y, finalmente, 5) apariencia externa uniforme, es decir, que el cliente únicamente conozca la marca de la plataforma digital[114].

4.2.2. Cooperativas de riders y cesión ilegal de trabajadores

Sin perjuicio del espacio que puedan ocupar las cooperativas de riders creadas para competir con las grandes plataformas digitales de reparto, al estilo de Mensakas, en Barcelona o La Pájara, en Madrid[115], el recurso a cooperativas de trabajo asociado por parte de las plataformas digitales tradicionales para poder desarrollar su actividad de reparto, también resulta complicado[116], puesto que, como acertadamente se ha

---

[114] Estos nuevos indicios se encuentran desarrollados ampliamente en ESTEVE SEGARRA, A. y TODOLÍ SIGNES, A.: "Cesión ilegal de trabajadores..." cit. págs. 52 y ss.

[115] TRILLO PÁRRAGA, F.: "La "Ley Rider"..." cit. pág. 34, llama la atención sobre "el trabajo jurídico desplegado en el ámbito de las cooperativas de trabajo asociado para impedir el fenómeno de los falsos autónomos". Vid. también AUVERGNON, P.: "Angustias de la Uberización..." cit.

[116] En esta dirección, PÉREZ GUERRERO, M.L.: "Trabajo en plataformas..." cit. pág. 125 constata que "existen también formas de construir el trabajo en plataformas desde las instituciones de economía social —cooperativas y sociedades

indicado, aunque la presunción del laboralidad introducida por la Ley 12/2021 no coincida con este supuesto, al concurrir en las cooperativas de trabajo asociado una relación societaria, debe tenerse en cuenta "la fuerza expansiva de esa presunción", que "incide de manera decisiva en la eliminación de la figura de falsos autónomos y por lo tanto asimismo en la desvirtuación de estas formas societarias para escapar a la calificación de laboralidad plena de la relación laboral"[117].

En este punto, podría considerarse que el contrato de servicios entre la cooperativa de repartidores autónomos y la plataforma digital de reparto se limitaría a la mera puesta a disposición de los repartidores por parte de la cooperativa en favor de la plataforma digital, sin que la cooperativa llegue a disponer de una auténtica organización propia y estable al margen de la plataforma. En definitiva, continuaría siendo la plataforma digital de reparto el empresario real, actuando la cooperativa como un instrumento formal para la aportación de repartidores.

Más tolerante con esta práctica se muestra algún sector doctrinal, que tras indicar que nos encontramos ante normativas contradictorias, a saber, la normativa sobre cooperativas y la disposición adicional vigesimotercera del ET, considera que la previsión genérica recogida por esta última disposición, según la cual la misma no afectará a las exclusiones del art. 1.3 ET, incluiría la exclusión de los cooperativistas, en base a lo previsto en el art. 1.3. g) ET, que excluye del ámbito del Derecho del Trabajo a "todo trabajo que se efectúe en desarrollo de relación distinta de la que define el apartado 1"[118].

---

laborales—. Mucho se ha escrito sobre estas formas de organización del trabajo como posible vía para canalizar de forma solidaria esta forma de trabajo precarizada. Tampoco faltan quienes advierten de la generalización de plataformas que son meras pantallas de facturación fraudulentas, para albergar, bajo su paraguas de protección, trabajos intermitentes y esporádicos de carácter autónomo".

[117] Vid. BAYLOS GRAU, A. (12 de mayo de 2021), *Por fin la norma sobre los repartidores... cit.* Igualmente crítico se muestra GORELLI HERNÁNDEZ, J.: "Sobre la presunción de laboralidad..." cit. pág. 18, cuando mantiene que el recurso a las cooperativas de trabajo asociado (cooperativas de repartidores) como sujeto intermedio que asume la condición de empresario, liberando de esta carga a las empresas de plataformas, supone una clara contradicción con la lógica cooperativista, pues se trata de cooperativas que en buena medida estarán controladas por las propias plataformas digitales, desviando a ellas sus antiguos trabajadores".

[118] Vid. TODOLÍ SIGNES, A.: "Cambios normativos en la digitalización del trabajo..." cit. pág. 39.

En este contexto de inseguridad jurídica, se ha reclamado la previsión de pautas de control en la subcontratación fraudulenta a través de empresas aparentes e interpuestas, especialmente sobre el recurso a cooperativas de trabajo asociado por parte de las plataformas[119].

En este punto, no cabe duda que a la hora de abordar la legalidad del recurso a la subcontratación de empresas de última milla o a cooperativas de riders puede resultar de gran utilidad la presunción de laboralidad prevista en la disposición adicional vigesimotercera del ET. A tal efecto, aunque la misma se limita a establecer que quien realiza la actividad de reparto debe estar contratado laboralmente, sin obligar a que dicha contratación la realice directamente la plataforma digital de reparto[120], al reconocer que las facultades empresariales de organización, dirección y control mediante gestión algorítmica pueden ejercerse tanto de forma directa, como de forma indirecta o implícita, dando pie al "empleador algorítmico indirecto", estaría limitando la posibilidad de subcontratar a terceros la actividad de reparto. A tal efecto, se ha manifestado que dicha previsión "puede ser un buen escudo frente a las alternativas que parece ahora están diseñando las plataformas de reparto basadas en la ubicación, a fin de reducir el ámbito aplicativo de la ley, como son las formas de gestión indirecta, a través de la contratación ex art. 42 ET con cooperativas de personas repartidoras, es decir, formas de autoempleo colectivo o asociado"[121].

4.2.3. El limitado alcance del recurso a empresas de trabajo temporal

No menos problemático resulta en estos casos el recurso a empresas de trabajo temporal, puesto que el mismo únicamente sería posible en los supuestos previstos por la ley —art. 6.2 de la Ley 14/1994, de 1 de junio, por la que se regulan las empresas de trabajo temporal (en adelante, Ley 14/1994)—, que básicamente se centran en la cober-

---

[119] Vid. GIL DE GÓMEZ PÉREZ-ARADROS, C. y IMAZ MONTES, M.M.: "Economía colaborativa..." cit. 15.

[120] Vid. TODOLÍ SIGNES, A.: "Cambios normativos en la digitalización del trabajo..." cit. pág. 38.

[121] Vid MOLINA NAVARRETE, C. (17 de mayo de 2021). *La "Ley" de personas repartidoras...* cit. Vid. también, TRILLO PÁRRAGA, F.: "La "Ley Rider"..." cit. pág. 34.

tura de necesidades temporales de mano de obra y no para satisfacer la actividad habitual de reparto de las plataformas digitales. A tal efecto, la doctrina ya ha advertido de que habrá que estar vigilantes ante el recurso a las empresas de trabajo temporal para casos injustificados que no encajan o exceden de lo permitido en el art. 10 de la Ley reguladora de las empresas de trabajo temporal[122].

En este punto, sin embargo, está por ver la incidencia que pueda tener la reforma de esta materia introducida por el Real Decreto-Ley 32/2021, de 28 de diciembre, de medidas urgentes para la reforma laboral, la garantía de la estabilidad en el empleo y la transformación del mercado de trabajo (en adelante, Real Decreto-Ley 32/2021). A tal efecto, la disposición adicional primera de esta norma ha modificado el apartado 3 del art. 10 de la Ley 14/1994 en los siguientes términos: "3. La empresa de trabajo temporal podrá celebrar también con el trabajador un contrato de trabajo para la cobertura de varios contratos de puesta a disposición sucesivos con empresas usuarias diferentes, siempre que tales contratos de puesta a disposición estén plenamente determinados en el momento de la firma del contrato de trabajo y respondan en todos los casos a un supuesto de contratación de los contemplados en el artículo 15.2 del Estatuto de los Trabajadores, debiendo formalizarse en el contrato de trabajo cada puesta a disposición con los mismos requisitos previstos en el apartado 1 y en sus normas de desarrollo reglamentario. Igualmente, las empresas de trabajo temporal podrán celebrar contratos de carácter fijo-discontinuo para la cobertura de contratos de puesta a disposición vinculados a necesidades temporales de diversas empresas usuarias, en los términos previstos en el artículo 15 del Estatuto de los Trabajadores, coincidiendo en este caso los periodos de inactividad con el plazo de espera entre dichos contratos (...)".

5. EL ALCANCE DE LA PRESUNCIÓN DE LABORALIDAD DE LA DIRECTIVA COMUNITARIA SOBRE PLATAFORMAS DIGITALES

Más allá de las actuaciones normativas que pueden llevarse a cabo a nivel nacional, no cabe duda que también van a jugar un papel muy

---

[122] Vid. MELLA MÉNDEZ, L.: "La protección de los repartidores..." cit. pág. 180.

relevante en la delimitación de la naturaleza jurídica de las prestaciones de servicios desarrolladas en el marco de las plataformas digitales todas aquellas iniciativas que ya se están fraguando a nivel internacional, especialmente, en el ámbito de la Unión Europea, en que ya se está gestando una directiva relativa a esta materia, en la que, entre otras cuestiones, se aborda el espinoso tema de la laboralidad de esta actividad[123].

A diferencia de lo que ha sucedido en el ordenamiento jurídico español, en que la intervención normativa en materia de plataformas digitales de reparto ha seguido a la intervención judicial que, de algún modo, ya le había marcado el camino a seguir, en el ámbito europeo la intervención normativa que se pretende desarrollar con la aprobación de la Directiva del Parlamento Europeo y del Consejo sobre la mejora de las condiciones de trabajo en las plataformas digitales, no cuenta con una bagaje similar del TJUE que apenas ha abordado esta problemática en su Auto de 22 de abril de 2020 al que ya se ha hecho referencia a lo largo de este estudio.

A tal efecto, únicamente cabe recordar que dicho Auto del TJUE de 22 de abril de 2020 parecía atribuir un valor, a nuestro parecer excesivo, a determinados elementos que, en mayor o menor medida, suelen acompañar a la mayor parte de las prestaciones de servicios desarrolladas a través de las plataformas digitales. En este sentido, a pesar de que dicho auto no entra a analizar de forma expresa la naturaleza jurídica de esta modalidad de prestaciones, remitiendo la cuestión, como en tantas otras ocasiones, a lo que disponga el respectivo tribunal nacional, parece dar a entender que, a la luz de las circunstancias del caso, no se dan las características del trabajo subordinado por los siguientes motivos: a) el prestador del servicio parece tener una gran libertad en relación con su supuesto empleador, así, por ejemplo, se considera que el hecho de que el prestador del servicio pueda designar sustitutos para llevar a cabo las tareas, es una posibilidad que está

---

123 Vid. PÉREZ DEL PRADO, D.: "El debate europeo sobre el trabajo de plataformas. Propuestas para una directiva", *Trabajo y Derecho*, núm. 77, 2021. El autor mantiene que esta intervención es necesaria para garantizar "unos estándares comunes en todos los Estados miembros que, a su vez, aseguran el correcto funcionamiento del mercado interior y una justa competencia entre todos los sujetos intervinientes".

en principio reservada a quién, precisamente, no presta servicios de forma subordinada; b) el prestador del servicio tiene libertad para no aceptar las tareas que le fueron asignadas, además, de poder fijar un límite vinculante para la cantidad de tareas que está listo para realizar; c) el prestador del servicio tiene la posibilidad de prestar servicios similares para otros competidores directos del supuesto empleador; y, d) el prestador del servicio puede establecer sus propias horas de trabajo dentro de ciertos parámetros, así como organizar su tiempo para adaptarse a su conveniencia personal y no únicamente a los intereses del supuesto empleador.

Bajo estas premisas, la propuesta de Directiva del Parlamento Europeo y del Consejo sobre la mejora de las condiciones de Trabajo en las plataformas digitales (en adelante, Propuesta de Directiva) pretende afrontar, por primera vez, en el ámbito de la Unión Europea una regulación global y de conjunto de las diferentes cuestiones que suscitan las plataformas digitales y no únicamente, como sucede en el ordenamiento jurídico español, de las plataformas digitales de reparto[124], dando una respuesta única para todos los Estados de la Unión Europea a toda la problemática que plantea esta nueva forma de prestación de servicios, poniendo fin a las divergencias actualmente existentes sobre esta materia en los diferentes Estados Miembros de la Unión Europea, ya sean de origen normativo o jurisprudencial. Por lo demás, esta Propuesta de Directiva no se aplicaría únicamente a quienes prestan sus servicios para una plataforma digital en régimen de dependencia, sino también a quienes lo hacen como autónomos y como semiautónomos[125].

Una vez definido lo que debe entenderse por una plataforma digital, la primera cuestión que aborda la Propuesta de Directiva es la controvertida cuestión de la correcta calificación de la situación laboral de aquéllos que desarrollan su actividad en las mismas. A tal efecto, el art. 3 de dicha propuesta establece que los Estados miembros

---

[124] Ello es valorado muy positivamente por DE STEFANO, V. y ALOISI, A.: "European Commission takes the lead on regulating plaform work", *Social Europe*, 2021. Vid. también, GORELLI HERNÁNDEZ, J.: "Sobre la presunción de laboralidad..." cit. pág. 6 y 13.

[125] Vid. OJEDA AVILÉS, A.: "Gig economy y trabajo con plataformas digitales: el ámbito laboral", *Nueva Revista Española de Derecho del Trabajo*, núm. 251, 2022.

dispondrán de procedimientos apropiados para verificar y garantizar la correcta determinación de la situación laboral de las personas que desarrollan su actividad a través de dichas plataformas, con el fin de determinar la existencia de una relación laboral de las definidas en la ley, los convenios colectivos o la práctica vigente en los diferentes Estados miembros de la Unión Europea y de conformidad con la jurisprudencia del Tribunal de Justicia.

Como sucede en el ordenamiento jurídico español, la determinación de la existencia de una relación laboral se hace depender en la Propuesta de Directiva de la manera en que se lleve a cabo la ejecución real del trabajo, teniendo en cuenta el uso de algoritmos en la organización del trabajo en la plataforma, con independencia de cómo se haya calificado dicha prestación de servicios en el contrato. En definitiva, una vez más, el *nomen iuris* no determina la calificación jurídica que debe merecer una determinada prestación de servicios. Nos encontramos ante una manifestación más del principio de primacía de los hechos que ya goza de un amplio recorrido en el Derecho de la Unión Europea y en la doctrina del Tribunal de Justicia de la Unión Europea[126].

A partir de estas premisas, el art. 4 de la Propuesta de Directiva incorpora una presunción de laboralidad, en virtud de la cual, la relación contractual entre una plataforma digital que controle la ejecución del trabajo y la persona que lo realice a través de la misma se presumirá legalmente como una relación laboral[127]. En consecuencia, no es necesario que se acredite la concurrencia de todos los elementos que caracterizan la relación laboral, si no uno en particular, a saber,

---

[126] Vid. sobre el alcance del principio de primacía, GIL OTERO, L.: "Un paso (necesario) más allá de la laboralidad. Análisis y valoración de la Propuesta de Directiva relativa a la mejora de las condiciones laborales en el trabajo en plataformas", *Lex Social. Revista Jurídica de los Derechos Sociales*, núm. 12, 2022, pág. 99 y ss.

[127] GORELLI HERNÁNDEZ, J.: "Sobre la presunción de laboralidad…" cit. pág. 9, considera que, en este caso, a diferencia de la regulación nacional, sí nos encontramos ante una auténtica presunción de laboralidad de la relación entre un trabajador y una plataforma. A tal efecto, el autor considera que "es una verdadera presunción que facilita la posición del trabajador a la hora de probar la existencia de una relación laboral".

que la plataforma controla la ejecución de su trabajo[128]. Para que actúe esta presunción, lo único que se exige es que el control a que se hace referencia se lleve a cabo en los términos previstos en el art. 4.2 de la citada Propuesta de Directiva.

Téngase en cuenta que se trata de una mera presunción que se activa por la concurrencia de determinados indicios, de modo que la plataforma, es decir, la parte empresarial, puede, en terminología de la Propuesta de Directiva, "refutar" esta presunción, si acredita que, conforme al concepto de trabajador de la legislación interna de cada país, el trabajador debe ser calificado como autónomo[129]. No olvidemos al respecto que la Propuesta de Directiva incluye la obligación de los Estados miembros de adoptar medidas que garanticen que la presunción sea efectiva, que puede ser aplicada y que pueda ser refutada. Nos encontramos, por tanto, ante una presunción moderada de laboralidad[130].

Por lo demás, a quien pretenda refutar la presunción de laboralidad prevista en la Propuesta de Directiva, le corresponderá la carga de la prueba, de acuerdo con la normativa propia de cada Estado y siempre teniendo en cuenta la jurisprudencia del TJUE.

En el art. 4.2 de la Propuesta de Directiva se indica que el control de la ejecución del trabajo al que se refiere el apartado primero de dicho precepto para que entre en juego la presunción de laboralidad exige el cumplimiento de al menos dos de los cinco elementos que se enumeran de forma expresa, que recuerdan mucho a los indicios empleados por los tribunales españoles para considerar que concurren los presupuestos de dependencia e, incluso, de ajenidad y, en consecuencia, nos encontramos ante una relación laboral. En consecuencia, si se acreditan como mínimo dos de los indicios previstos por la norma se presumiría que la plataforma controla la ejecución del trabajo de quien presta sus servicios a través de la misma, lo que activaría la presunción de laboralidad.

---

[128] GIL OTERO, L.: "Un paso (necesario) ..." cit. pág. 101.

[129] TODOLÍ SIGNES, A. (9 de diciembre 2021). Propuesta de Directiva sobre el Trabajo en plataformas digitales. Comentario breve", En Argumentos en Derecho Laboral. https://adriantodoli.com/2021/12/09/propuesta-de-directiva-europea-sobre-el-trabajo-en-plataformas-digitales-comentario-breve/.

[130] Vid. GIL OTERO, L.: "Un paso (necesario)..." cit. pág. 100.

Los indicios previstos por el art. 4.2 de la Propuesta de Directiva para identificar el control por parte del titular de la plataforma digital de la ejecución del trabajo de quien presta servicios a través de la misma que permiten presumir la existencia de una relación laboral son los siguientes: a) determinar o fijar efectivamente límites máximos para el nivel de remuneración; b) exigir a la persona que realiza el trabajo en la plataforma que respete normas vinculantes especificadas con respecto a la apariencia, la conducta hacia el destinatario del servicio o la ejecución del trabajo; c) supervisar la ejecución del trabajo o verificar la calidad de los resultados de la obra incluso por medios electrónicos; d) restringir efectivamente la libertad, incluso mediante sanciones, de organizarse el propio trabajo, en particular la discreción de elegir las horas de trabajo o periodos de ausencia, aceptar o rechazar tareas o utilizar subcontratistas o sustitutos; y, finalmente, e) restringir efectivamente la posibilidad de construir una base de clientes o realizar trabajos para cualquier tercero.

Lo primero que debe valorarse es la idoneidad de establecer una lista cerrada y no abierta de indicios que permiten que entre en juego la presunción de laboralidad, puesto que al tiempo que, como se verá, ello suscita el interrogante de porqué se incluyen unos indicios y no otros, permite que las plataformas digitales, como de hecho, ya vienen haciendo, diseñen su funcionamiento, al menos en apariencia, con la finalidad de evitar la aplicación de la referida presunción de laboralidad[131]. Por lo demás, se ha considerado que "si el objetivo de una presunción, que admite prueba en contrario, es facilitar la prueba a aquel que alega la presunción, (...) parece que tiene poco sentido establecer una lista de indicios que deba probar la parte que quiera activar la presunción. A tal efecto, cabe concluir que esta opción "acabará complicando la prueba para los trabajadores de plataformas e incluso puede reducir el debate de la laboralidad a estos 5 indicios lo cual (...) es una lista de indicios incompleta"[132].

Entrando en el análisis de dichos indicios de laboralidad, se observa como la Propuesta de Directiva parece incorporar, si bien, *a sensu*

---

131   Vid. TODOLÍ SIGNES, A. (9 de diciembre 2021). Propuesta de Directiva...· cit. Vid. también, GIL OTERO, L.: "Un paso (necesario)..." cit. págs. 105 y 106.

132   Vid. TODOLÍ SIGNES, A. (9 de diciembre 2021). Propuesta de Directiva...· cit.

contrario, los indicios ya indicados en el Auto dictado por el TJUE de 22 de abril de 2020, asunto C-692/19, relativo a la calificación jurídica de la relación de un transportista con una empresa de transporte de paquetería, que estableció que la Directiva 2003/88/CE, de 4 de noviembre, relativa a determinados aspectos de la organización del tiempo de trabajo, debe interpretarse en el sentido de que excluye de ser considerado "trabajador" a los efectos de dicha directiva, a una persona contratada por su posible empleador en virtud de un acuerdo de servicios que estipula que es un empresario independiente si esa persona dispone de las siguientes facultades: a) de utilizar subcontratistas o sustitutos para realizar el servicio que se ha comprometido a proporcionar; b) aceptar o no aceptar las diversas tareas ofrecidas por su supuesto empleador, o establecer unilateralmente el número máximo de tareas; c) proporcionar sus servicios a cualquier tercero, incluidos los competidores directos del empleador putativo; y, finalmente, d) fijar sus propias horas de "trabajo" dentro de ciertos parámetros y adaptar su tiempo a su conveniencia personal en lugar de únicamente a los intereses del supuesto empleador.

Dentro de los indicios ahora incluidos en la Propuesta de Directiva se incluyen aquellos más clásicos, definidores de la noción de dependencia o subordinación, ligados claramente con el control directo de la actividad laboral del trabajador y que resultarían igualmente útiles para la identificación de la naturaleza jurídica de cualquier prestación de servicios. Nos referimos, fundamentalmente, a la posibilidad del titular de la plataforma digital de supervisar la ejecución del trabajo o verificar la calidad de los resultados del mismo (letra c) y la posibilidad de restringir efectivamente la libertad, incluso mediante sanciones, de quien presta sus servicios a través de la plataforma digital para organizar su propio trabajo, en particular, el horario de trabajo y periodos de ausencia, aceptar o rechazar tareas o utilizar subcontratistas o sustitutos (letra d).

A tal efecto, se ha considerado que en ambos supuestos nos encontramos "en presencia de distintos significados del control, ya sea en el contenido o en los límites, pero el desequilibrio en favor del empleador es el mismo y muestra la evolución del originario poder de dirigir la ejecución del trabajo en las fábricas clásicas"[133].

---

[133] Vid. OJEDA AVILÉS, A.: "Gig economy y trabajo con plataformas digitales..." cit.

Otros indicios, por el contrario, estarían más actualizados y parecerían orientados de un modo más específico al trabajo desarrollado a través de plataformas digitales, y que nos mostrarían un control más indirecto, como sería el caso de la determinación o fijación de límites máximos para el nivel de remuneración (letra a), la exigencia que la persona que realiza el trabajo en la plataforma respete normas vinculantes específicas en relación con su apariencia, la conducta hacia los destinatarios del servicio o la ejecución del trabajo (letra b) y la posibilidad de restringir de un modo efectivo la posibilidad de construir una base de clientes o de realizar trabajos para cualquier tercero (letra e).

En esta misma dirección, se ha indicado que "la propuesta salva la evolución advertida en los países miembros con unos enunciados más amplios de parecidos criterios. Así, por ejemplo, cuando incluye el de determinar la empresa de plataforma la retribución, o fijar sus límites superiores —indicio a)—. En otros casos la mención de criterios anticuados parece haberse deslizado en ese esfuerzo por modernizar el elenco, como cuando considera sintomática de laboralidad la existencia de reglas empresariales de uniformidad, de conducta hacia los clientes o de realización del trabajo —indicio b)—, un indicio algo sorprendente cuando hablamos de trabajadores telemáticamente dirigidos, si no fuera porque en la mayoría de casos la actividad en sí exige el contacto directo con el cliente, como sucede en el sector de conductores de vehículos para el transporte de pasajeros"[134].

Como era de esperar, esta selección de indicios fijados en una lista cerrada ha suscitado valoraciones diversas por parte de la doctrina que hasta el momento los ha analizado, habiéndose considerado que faltan y que sobran determinados indicios.

Entre los indicios que se consideran discutibles se incluye el consistente en la existencia de limitaciones al trabajador de crear su propia clientela o realizar trabajos para otros recogido en la letra e), "porque las prohibiciones de concurrencia suponen habitualmente un plus en la relación laboral, que no suele interferir en la actividad del trabajador fuera de sus horarios de trabajo con la empresa"[135].

134   Vid. OJEDA AVILÉS, A.: "Gig economy y trabajo con plataformas digitales..." cit.
135   Vid. OJEDA AVILÉS, A.: "Gig economy y trabajo con plataformas digitales..." cit.

Entre los indicios que se echan de menos, se encuentra el de trabajar bajo la marca de la empresa y el de prestar servicios en la actividad principal ofrecida por la empresa contratista, por considerarse que son indicios que han sido tomados en consideración por los tribunales laborales para calificar como laboral a los trabajadores de plataformas[136].

En sentido contrario, se considera que "no parece que trabajar bajo la marca de la empresa constituya un indicio relevante, desde el punto y hora en que la práctica no lo requiere, al menos en los casos gestionados por plataformas digitales, donde se precisa el registro previo de ambas partes, por más que en algunos casos puede verse al "rider" con la marca de la empresa en la mochila como anuncio móvil". Asimismo, respecto a clasificar las tareas del trabajador dentro de la actividad principal de la empresa o no, cabe recordar el ejemplo de TaskRabbit, que evolucionó desde la ayuda en el montaje de muebles hasta la ayuda en toda clase de trabajos domésticos, lo que da una idea de la volatilidad del objeto comercial de estas empresas[137].

Más allá del debate sobre la inclusión de unos u otros indicios, también se plantean interrogantes sobre el alcance de los mismos. A título de ejemplo, se ha cuestionado si el indicio de supervisar la ejecución del trabajo o verificar la calidad de los resultados de la obra incluiría la evaluación del trabajo por parte de los propios clientes —reputación digital—, lo cual, podría desembocar en conflictos judiciales[138].

Pese a la relevancia que pueda tener la aprobación de esta Propuesta de Directiva, no parece que la misma vaya a tener una gran incidencia en el ordenamiento jurídico español, no en vano, en dicha Propuesta de Directiva se deriva a las leyes nacionales la fijación del marco general, limitándose a enumerar los indicios de laboralidad más evidentes y con una redacción bastante genérica[139]. A tal efecto,

---

[136] Vid. TODOLÍ SIGNES, A. (9 de diciembre de 2021). Propuesta de Directiva… cit.

[137] Vid. OJEDA AVILÉS, A.: "Gig economy y trabajo con plataformas digitales…" cit.

[138] Vid. TODOLÍ SIGNES, A. (9 de diciembre de 2021): Propuesta de Directiva… cit.

[139] En esta misma dirección, TODOLÍ SIGNES, A. (9 de diciembre de 2021). Propuesta de Directiva… cit. pone de manifiesto que "la directiva está pensando en países que, a diferencia de España, no tienen ya en su legislación una presunción de laboralidad. Para España esta directiva, aunque tendrá que transponerse, de-

no cabe duda que la legislación y jurisprudencia españolas concretan mucho más la presunción de laboralidad que se contiene en la Propuesta de Directiva y, en consecuencia, habrá que estarse a lo previsto por estas[140].

En esta dirección, el art. 20 de la Propuesta de Directiva, bajo la rúbrica de "no regresión y previsiones más favorables establece que "la presente Directiva no constituirá un motivo válido para reducir el nivel general de protección ya concedido a los trabajadores en los Estados miembros" y que "la presente Directiva no afectará a la prerrogativa de los Estados miembros de aplicar o introducir leyes, reglamentos o disposiciones administrativas más favorables a los trabajadores de la plataforma, o para fomentar o permitir la aplicación de convenios más favorables a los trabajadores de plataformas, en consonancia con los objetivos de la presente Directiva".

6. REFLEXIONES FINALES

El carácter dinámico de las nuevas realidades económicas de la economía digital y, muy especialmente, de las plataformas digitales de reparto dificulta que la calificación como laboral de las mismas pueda fijarse por la normativa laboral, más allá de la definición de relación laboral que ya lleva a cabo el art. 1.1 ET, no en vano, cualquier intento de fijar por ley los indicios de laboralidad en estos supuestos probablemente puede verse inmediatamente desbordado por las nuevas prácticas diseñadas por las empresas titulares de dichas plataformas.

berá hacerse en un contexto en el que nuestro art. 8.1 ya incorpora una presunción de laboralidad". Vid. también, GIL OTERO, L.: "Un paso (necesario)…" cit. págs. 116 y 117.

[140] En esta misma dirección, ROJO TORRECILLA, E. (13 de diciembre 2021). *El trabajo en plataformas digitales. Análisis de la propuesta de Directiva presentada por la Comisión Europea el 9 de diciembre y de los textos conexos. La importancia de la "primacía de los hechos" y del control humano de la gestión algorítmica.* En El nuevo y cambiante mundo del trabajo. Una mirada abierta y crítica a las nuevas realidades laborales. http://www.eduardorojotorrecilla.es/2021/12/el-trabajo-en-plataformas-digitales.html, considera que "pensando ahora en España, entiendo que será de plena aplicación, y no solo para las empresas de reparto, la jurisprudencia sentada por la Sala de lo Social del Tribunal Supremo a partir de su sentencia de 25 de septiembre de 2020".

A tal efecto, podría albergarse el temor de que, al igual que ha sucedido en algún otro ordenamiento jurídico, pudiera ocurrir que una vez incorporados dichos indicios de laboralidad en el texto normativo del Estatuto de los Trabajadores, primero por el Real Decreto-Ley 9/2021 y después por la Ley 12/2021, los mismos pudieran quedar nuevamente superados en un breve período de tiempo ante las nuevas estrategias organizativas adoptadas por las plataformas digitales.

En este punto, sin embargo, no cabe duda que el ejemplo de la STS de 25 de septiembre de 2020 (núm. rec. 4746/2019), al igual que otras resoluciones judiciales dictadas en su momento por el mismo Tribunal, permite mantener que la jurisprudencia sobre la delimitación de la relación laboral acuñada a lo largo de muchas décadas, pero siempre actualizada a las circunstancias del momento, resulta del todo suficiente para poder seguir abordando los nuevos retos que con toda seguridad pueda plantear en el futuro la economía digital en general y, más específicamente, la economía de plataformas.

En esta dirección, no cabe duda tampoco de que la intervención normativa llevada a cabo en relación con la calificación de la naturaleza jurídica de la prestación de servicios de reparto a través de plataformas digitales, constituye una declaración pedagógica muy potente, a través de la cual se va a ver claramente reforzado el carácter laboral de estas y otras prestaciones de servicios desarrolladas a través de plataformas digitales que, por otra parte, ya se desprendía de lo dispuesto por el art. 1.1 y 8 del ET y de la interpretación que de dichos preceptos ha realizado la jurisprudencia a lo largo del tiempo y, más recientemente, la STS de 25 de septiembre de 2020 (núm. rec. 4746/2019).

A partir de todo ello, cabe esperar que se ponga fin de una vez por todas a la inaceptable actitud "rebeldía" de las plataformas digitales de reparto que, sorprendentemente, a día de hoy aún pretenden seguir actuando como si el legislador y los tribunales laborales, incluido el Tribunal Supremo, no se hubieran pronunciado sobre esta cuestión, ya sea manteniendo la calificación de autónomos de sus repartidores, o bien, acudiendo a empresas interpuestas para la ejecución de su actividad de reparto.

No cabe duda que con el reconocimiento del carácter laboral de estas prestaciones de servicios por parte del legislador y de los tribunales laborales se pueden limitar algunas de las bondades que, sin lugar a dudas, cabe reconocer al trabajo a través de plataformas digitales de reparto[141], a saber: ofrece grandes posibilidades de conciliación con otras necesidades de quien lo ejecuta, ya sea el cuidado de hijos o personas dependientes, compatibilización con estudios, etcétera; permite obtener ingresos complementarios a otras actividades; facilita la inserción laboral de aquellos colectivos con especiales dificultades de inserción laboral; e, incluso, puede contribuir a poner coto a la economía sumergida[142]. Frente a ello, cabe poner de manifiesto que no resulta admisible la consecución de estos *a priori* loables objetivos mediante el incremento de la precariedad laboral y, en todo caso, que el actual marco jurídico-laboral ya es lo suficientemente flexible como para alcanzar dichos objetivos de un modo mucho más equitativo, sin necesidad de expulsar a todas estas prestaciones de servicios del marco jurídico-laboral.

Por lo demás, en el supuesto en que se considere que algunas de estas prestaciones de servicios pudieran encontrar aún un encaje adecuado en el trabajo autónomo, especialmente, cuando las mismas se desarrollen a través de plataformas digitales que efectivamente limitan su actividad al mero contacto entre usuarios y prestadores de servicios —empresas tecnológicas—, aún existe la posibilidad de destruir la presunción de laboralidad mediante la prueba de la ausencia de concurrencia de alguno de los presupuestos definidores de la relación laboral a los que se ha hecho referencia a lo largo de este trabajo y, en especial, de la ajenidad y la dependencia, de modo que, en estos supuestos, nos encontraríamos ante auténticos trabajadores autónomos o, en su caso, trabajadores autónomos económicamente dependientes. En este supuesto, sin embargo, aún sería del todo necesario reforzar la protección dispensada a estos colectivos en materia laboral, pero fundamentalmente, en materia de seguridad social[143].

---

[141] En esta dirección, BLAZQUEZ AGUDO, E.M.: "La incidencia de las nuevas tecnologías..." cit. pág. 15, constata que "hay que valorar que justamente en algunas ocasiones el atractivo de esta actividad se encuentra en la independencia para desarrollar la actividad que no tienen los trabajadores por cuenta ajena".

[142] Vid. SUÁREZ CORUJO, B.: "La gran transición..." cit. pág. 50 y PÁRAMO MONTERO, P.: "Las nuevas formas emergentes de trabajo. Especial referencia a la economía colaborativa", *Revista del Ministerio de Empleo y Seguridad Social*, núm. 128, 2017, págs. 186 y 189.

[143] BLAZQUEZ AGUDO, E.M.: "La incidencia de las nuevas tecnologías..." cit. pág. 19.

En cualquier caso, el reconocimiento del carácter laboral de la relación existente entre las plataformas digitales de reparto y quienes prestan servicios a través de las mismas por parte del legislador y del Tribunal Supremo, no es más que la primera batalla que, con toda seguridad, no pondrá fin a la conflictividad existente en este ámbito, sino que, por el contrario, será el inicio de otras batallas jurídicas dirigidas a dignificar el trabajo que se desarrolla a través de las plataformas digitales en diferentes cuestiones[144]: jornada, horarios, descansos, retribución mínima, privacidad, portabilidad de evaluaciones, conciliación de la vida laboral y familiar, prevención de riesgos laborales, igualdad y no discriminación, régimen de penalizaciones, etcétera[145], así como también, la garantía de los derechos de carácter colectivo que se derivan de la prestación de servicios a través de plataformas digitales y que también merecen ser protegidos —libertad sindical, convenio colectivo aplicable, derechos de representación, conflictos colectivos, etcétera—[146].

---

[144] MELLA MÉNDEZ, L.: "La protección de los repartidores..." cit. pág. 178, ya anticipaba que la medida general de entender incluidos a los trabajadores de plataformas digitales en el ámbito de aplicación del Estatuto de los Trabajadores "no va a solucionar todos los problemas que pueden surgir en el día a día de la prestación laboral. De hecho, muchos de aquellos no hallarán una adecuada respuesta en la concreta regulación de ese texto legal (por ejemplo, la valoración de los tiempos de trabajo, disponibilidad y descanso, la determinación de la remuneración, el respeto a la privacidad y a la protección de datos personales, la gestión de la prevención de riesgos laborales) y otros aspectos ni siquiera encuentran mención en aquel (como sucede con el sistema de valoración de los trabajadores por los clientes y la consiguiente reacción de la plataforma o la portabilidad de sus derechos entre plataformas).

[145] Vid. CUADROS GARRIDO, M.E.: "Hacia una reinterpretación de la relación de trabajo por la disrupción de las plataformas digitales", en AAVV: *El futuro del trabajo: cien años de la OIT". XXIX Congreso Anual de la Asociación Española de Derecho del Trabajo y de la Seguridad Social*, Ministerio de Trabajo, Migraciones y Seguridad Social, Madrid, 2019, págs. 61 a 62. Vid. también, TRILLO PÁRRAGA, F.: "La "Ley Rider"..." cit. págs. 35 y ss.

[146] Vid. GUERRERO VIZUETE, E.: "La digitalización del trabajo y su incidencia en los derechos colectivos de los trabajadores", en TORRES CORONAS, T.; BELZUNEGUI ERASO, A. y MORENO GENÉ, J. (Dirs.): *Finding solutions to societal problems*, Universitat Rovira i Virgili, Tarragona, 2018, págs. 41 y ss. Vid. ampliamente en VALLE MUÑOZ, F.A.: "Los derechos colectivos en los nuevos escenarios de trabajo tecnológico", en MORENO GENÉ, J. y ROMERO

En otros términos, una vez reconocido el carácter laboral de estas prestaciones de servicios, aún habrá que seguir dando la batalla para que esta declaración legal y judicial no se quede en una mera declaración formal o retórica, sino que la misma debe comportar que dichas prestaciones reciban toda la protección laboral y de seguridad social que se asocia a dicha calificación jurídica y que reclaman los más elementales estándares constitucionales e internacionales[147].

BURILLO, A.M. (Coords.): *Nuevas tecnologías, cambios organizativos y trabajo*, Tirant lo Blanch, Valencia, 2021, págs. 539 y ss.

[147] Vid. SUÁREZ CORUJO, B.: "La gran transición..." cit. pág. 45 y CAVAS MARTÍNEZ, F.: "Breves apuntes..." cit. pág. 66.

Capítulo III
Los algoritmos y la inteligencia artificial en la Ley 12/2021, de 28 de septiembre

Antonio Fernández García[1]
Profesor Agregado de Derecho del Trabajo
y de la Seguridad Social
Universitat Oberta de Catalunya (UOC)

1. INTRODUCCIÓN

La Ley 12/2021, de 28 de septiembre, por la que se modifica el texto refundido de la Ley del Estatuto de los Trabajadores, aprobado por el Real Decreto Legislativo 2/2015, de 23 de octubre, para garantizar los derechos laborales de las personas dedicadas al reparto en el ámbito de plataformas digitales (en adelante, Ley 12/2021), es la primera norma que habla explícitamente de algoritmos e inteligencia artificial (IA) en el ámbito de las relaciones laborales. No obstante, con anterioridad ya se habían regulado cuestiones relacionadas en la normativa sobre protección de datos, al establecerse previsiones sobre decisiones automatizadas y derechos que asisten al afectado, así como obligaciones preventivas como las evaluaciones de impacto de las operaciones de tratamiento cuando pudieran entrañar peligros para los derechos y libertades de las personas.

Asimismo, en el ámbito del derecho sancionador se estableció la posibilidad de que las actas de infracción de la Inspección de Trabajo y Seguridad Social fueran extendidas en el marco de actuaciones ad-

---

[1] ORCID ID: 0000-0003-1382-4407. Este trabajo se ha elaborado en el marco del proyecto de investigación financiado por el Ministerio de Ciencia, Innovación y Universidades «Nuevas tecnologías, cambios organizativos y trabajo: una visión multidisciplinar» (Ref. RTI2018-097947-B-I00), IPs: Ana María Romero Burillo y Josep Moreno Gené. Asimismo, el autor es miembro del grupo de investigación consolidado reconocido por la Generalitat de Catalunya «Fiscalidad, relaciones laborales y empresa» (Ref. 2021 SGR 652).

ministrativas automatizadas, sin intervención directa de un funcionario actuante en su emisión, modificándose así el art. 53.1.a de la Ley sobre Infracciones y Sanciones en el Orden Social[2]. Más adelante se desarrolló este nuevo procedimiento y entró en vigor el 1 de enero de 2022[3].

Y posteriores a la Ley 12/2021 se observan menciones a la IA en la Estrategia Española de Apoyo Activo al Empleo (2021-2024), en relación con la toma de decisiones y el acompañamiento personalizado, la detección de necesidades formativas de las personas que buscan empleo, su seguimiento y evaluación[4]. También aparecen estas tecnologías en la Ley 15/2022, de 12 de julio, integral para la igualdad de trato y la no discriminación (arts. 3.1.o y 23) y en la Ley 3/2023, de 28 de febrero, de Empleo (arts. 17 y 36.3).

Como se ha indicado, la Ley 12/2021 establece dos importantes modificaciones del Estatuto de los Trabajadores (ET) en las que aparecen mencionados los algoritmos y la IA, y por eso este capítulo lo dividiremos en dos apartados correspondientes a cada una de dichas modificaciones.

En primer lugar, centraremos la atención en «la gestión algorítmica del servicio o de las condiciones de trabajo» en el ámbito de las plataformas digitales de reparto o distribución de productos de consumo o mercancías.

En una segunda parte, analizaremos la obligación de informar a los representantes de los trabajadores de los «parámetros, reglas e instrucciones en los que se basan los algoritmos o sistemas de inteligencia artificial que afectan a la toma de decisiones que pueden incidir en las condiciones de trabajo, el acceso y mantenimiento del empleo, incluida la elaboración de perfiles».

Finalmente, en una tercera parte abordaremos las futuras normas comunitarias que regularán el trabajo en plataformas digitales y la IA.

---

[2] Disposición final 4ª del Real Decreto-ley 2/2021, de 26 de enero, de refuerzo y consolidación de medidas sociales en defensa del empleo.

[3] Real Decreto 688/2021, de 3 de agosto, por el que se modifica el Reglamento general sobre procedimientos para la imposición de sanciones por infracciones de orden social y para los expedientes liquidatorios de cuotas de la Seguridad Social, aprobado por el Real Decreto 928/1998, de 14 de mayo.

[4] Real Decreto 1069/2021, de 4 de diciembre.

Y antes de todo esto definiremos diversos conceptos como el de la propia IA, los algoritmos y otros relacionados como el análisis de macrodatos (*big data*), la *human resource analytics*, la elaboración de perfiles, etc.

2. DEFINICIÓN DE CONCEPTOS RELACIONADOS CON LA INTELIGENCIA ARTIFICIAL

La IA es una disciplina científica que incluye varios enfoques y técnicas, como el aprendizaje automático (del que el aprendizaje profundo y el aprendizaje por refuerzo constituyen algunos ejemplos), el razonamiento automático (que incluye la planificación, programación, representación y razonamiento de conocimientos, búsqueda y optimización) y la robótica (que incluye el control, la percepción, sensores y accionadores así como la integración de todas las demás técnicas en sistemas ciberfísicos)[5].

Lo cierto es que en la normativa se usa el término IA para referirnos realmente a los sistemas de IA. Pese a las múltiples definiciones del fenómeno que se han ido utilizando en los últimos años, la Propuesta de Reglamento del Parlamento Europeo y del Consejo por el que se establecen normas armonizadas en materia de inteligencia artificial (ley de inteligencia artificial) y se modifican determinados actos legislativos de la Unión (COM/2021/206 final), de 21 de abril de 2021 (en adelante, PRIA), establece la siguiente, que parece bastante amplia: un sistema de IA es un «software que se desarrolla empleando una o varias de las técnicas y estrategias que figuran en el anexo I y que puede, para un conjunto determinado de objetivos definidos por seres humanos, generar información de salida como contenidos, predicciones, recomendaciones o decisiones que influyan en los entornos con los que interactúa» (art. 3.1). Por su parte, el anexo I enumera las siguientes técnicas: (i) estrategias de aprendizaje automático (*machine learning*), incluidos el aprendizaje supervisado, el no supervisado y el realizado por refuerzo, que emplean una amplia variedad de méto-

---

[5] GRUPO INDEPENDIENTE DE EXPERTOS DE ALTO NIVEL SOBRE INTELIGENCIA ARTIFICIAL: *Directrices éticas para una IA fiable*, Comisión Europea, Bruselas, 2019, p. 50.

dos, entre ellos el aprendizaje profundo[6]; (ii) estrategias basadas en la lógica y el conocimiento, especialmente la representación del conocimiento, la programación (lógica) inductiva, las bases de conocimiento, los motores de inferencia y deducción, los sistemas expertos y de razonamiento (simbólico)[7]; (iii) estrategias estadísticas, estimación bayesiana, métodos de búsqueda y optimización.

Este software puede incorporarse en computadoras (programas de análisis de imágenes, motores de búsqueda, sistemas de reconocimiento facial y de voz, etc.), pero también en otros dispositivos como robots avanzados, automóviles autónomos, drones o aplicaciones del «Internet de las cosas» (IoT). Además, los sistemas de IA son capaces de percibir el entorno en el que se encuentran inmersos a través de sensores (cámaras, micrófonos, sensores de cantidades físicas, un teclado, un sitio web u otros dispositivos de captación de información), recopilando e interpretando datos, razonando sobre lo que se percibe o procesando la información derivada de esos datos, decidiendo cuál es la mejor acción que pueden realizar y actuando en consecuencia mediante accionadores (físicos o software), pudiendo así modificar el entorno[8].

Otra tecnología estrechamente relacionada con los sistema de IA es el análisis de macrodatos (*big data*), definido como la «recopilación, análisis y acumulación constante de grandes cantidades de datos, incluidos datos personales, procedentes de diferentes fuentes y objeto de un tratamiento automatizado mediante algoritmos informáticos y avanzadas técnicas de tratamiento de datos, utilizando tanto datos almacenados como datos transmitidos en flujo continuo, con el fin de generar correlaciones, tendencias y patrones»[9]. Por lo tanto, los datos son importantes para los sistemas de IA porque inciden en su diseño

---

[6] Más información sobre aprendizaje en GRUPO INDEPENDIENTE DE EXPERTOS DE ALTO NIVEL SOBRE INTELIGENCIA ARTIFICIAL: *Una definición de la inteligencia artificial: Principales capacidades y disciplinas científicas*, Comisión Europea, Bruselas, 2019, pp. 3-4.

[7] *Ibidem*, p. 2.

[8] *Ibidem*, p. 1.

[9] Considerando a) de la Resolución del Parlamento Europeo, sobre las implicaciones de los macrodatos en los derechos fundamentales: privacidad, protección de datos, no discriminación, seguridad y aplicación de la ley (2016/2225/INI), de 14 de marzo de 2017.

y en ellos basan las decisiones automatizadas que toman. Así, la PRIA define los datos de entrenamiento[10], de validación[11], de prueba[12] y de entrada[13], además de reiterar la definición de datos biométricos establecida en el art. 4.1 del Reglamento (UE) 679/2016, del Parlamento Europeo y del Consejo, de 27 de abril de 2016, relativo a la protección de las personas físicas en lo que respecta al tratamiento de datos personales y a la libre circulación de estos datos y por el que se deroga la Directiva 95/46/CE (Reglamento General de Protección de Datos, RGPD)[14].

Siguiendo en el ámbito de la protección de datos, los sistemas de IA se caracterizan por la posibilidad de elaborar perfiles, esto es, una forma de tratamiento de datos consistente en utilizar datos personales para evaluar determinados aspectos personales de una persona física, en particular para analizar o predecir aspectos relativos al rendimiento profesional, situación económica, salud, preferencias personales, intereses, fiabilidad, comportamiento, ubicación o movimientos de dicha persona física (art. 4.4 RGPD).

El papel básico y central dentro de estas tecnologías lo constituye el algoritmo informático, un código software que procesa un conjunto limitado de instrucciones[15] y en él se puede basar un análisis

---

[10] Datos usados para entrenar un sistema de IA mediante el ajuste de sus parámetros entrenables, entre los que se incluyen los pesos de una red neuronal (art. 3.29).

[11] Datos usados para proporcionar una evaluación del sistema de IA entrenado y adaptar sus parámetros no entrenables y su proceso de aprendizaje, entre otras cosas, para evitar el sobreajuste. El conjunto de datos de validación puede ser un conjunto de datos independiente o formar parte del conjunto de datos de entrenamiento, ya sea como una división fija o variable (art. 3.30).

[12] Datos usados para proporcionar una evaluación independiente del sistema de IA entrenado y validado, con el fin de confirmar el funcionamiento previsto de dicho sistema antes de su introducción en el mercado o su puesta en servicio (art. 3.31).

[13] Datos proporcionados a un sistema de IA u obtenidos directamente por él a partir de los cuales produce la información de salida (art. 3.32).

[14] Datos personales obtenidos a partir de un tratamiento técnico específico, relativos a las características físicas, fisiológicas o conductuales de una persona física que permitan o confirmen la identificación única de dicha persona, como imágenes faciales o datos dactiloscópicos (art. 4.14 RGPD y 3.33 PRIA).

[15] MONASTERIO ASTOBIZA, Aníbal: «Ética algorítmica: implicaciones éticas de una sociedad cada vez más gobernada por algoritmos», *Dilemata*, núm. 24, 2017, p. 186.

de macrodatos así como otras técnicas de IA. Nótese que, si bien en ocasiones se utiliza el término algoritmo y el de IA de forma intercambiable, en la PRIA solo parece mencionado el algoritmo en tres ocasiones, siempre en el apartado de los considerandos.

Respecto al ámbito empresarial, sabemos que existe interés en obtener la máxima información de los trabajadores, así como de la empresa y su entorno. Esto permite a un empresario tomar decisiones tanto lícitas como ilícitas relacionadas con su actividad de dirección y organización. Con la irrupción de la IA y el análisis de macrodatos, la posibilidad de obtener y tratar la información así como de tomar decisiones automatizadas ha aumentado exponencialmente. En ese sentido, se conoce como *human resource analytics* el recurso al *big data* y la integración de la IA en la gestión de los recursos humanos (RRHH). Su finalidad es tomar decisiones, incluidas las automatizadas, relacionadas con las diferentes parcelas del poder de dirección empresarial: reclutamiento, selección y contratación de personal; formación y promoción profesional; organización de la actividad productiva; evaluación del desempeño y políticas retributivas, etc.

En su «Encuesta sobre el uso de TIC y del comercio electrónico en las empresas» (Año 2020-Primer trimestre de 2021), el Instituto Nacional de Estadística (INE) nos muestra ese aumento en el recurso a estas nuevas tecnologías. Así, la IoT[16] es la que más ha crecido pasando del 16,8% (2019-2020) al 27,7% (2020-2021). Afecta a los trabajadores porque las empresas la utilizan principalmente para seguridad de las instalaciones (75,83%), pero también para mantenimiento (22,08%), logística (21,19%) y procesos de producción (18,71%).

Por su parte, el análisis de *big data* ha incrementado su uso del 8,5% (2019-2020) al 11,1% (2020-2021), destacándose el análisis de datos por geolocalización o GPS (54,06%) y de datos de la propia empresa con sensores o dispositivos inteligentes (25,09%).

Respecto a los sistemas de IA, en las empresas de más de 10 trabajadores aparecen datos por primera vez que indican que el 8,3% los emplean. Dentro de ese porcentaje de empresas, los sistemas de IA más utilizados son los de identificación de objetos o personas en

---

[16] El INE define la IoT como los «dispositivos interconectados que pueden ser monitorizados o controlados remotamente a través de Internet».

función de imágenes (40,56%) y los de automatización de flujos de trabajo o ayuda en la toma de decisiones (38,57%). Le siguen los sistemas de IA que convierten el lenguaje hablado en formato legible por una máquina (31,70%), los de análisis de datos o aprendizaje automático (30,42%) y los de análisis del lenguaje escrito (29,75%). Finalmente, cierran la lista los sistemas IA que generan lenguaje escrito o hablado (19,14%) y los que permiten el movimiento físico de máquinas (12,64%).

En cuanto a las tareas de esas empresas donde más se ha implantado la IA, destacan los procesos de producción (23,82%), el Marketing o ventas (22,18%), la seguridad de las TIC (21,80%), la organización de procesos de administración de empresas (20,22%), la gestión de empresas (15%), la logística (10,76%) y, finalmente, la gestión de RRHH o contratación (7,67%).

Toda esta tecnología ha provocado un abaratamiento en el coste de acceso a la información y de su posterior procesamiento para que sea útil, además de facilitar y automatizar la toma de decisiones empresariales basadas en dicha información. Por un lado, ha aumentado el volumen de información disponible gracias a la videovigilancia, los GPS, los *wearables* y los sistemas *online* de valoración del empleado. Por otro lado, ha aumentado la capacidad de procesamiento de esa información mediante programas de reconocimiento facial y de figuras, dispositivos de alerta y otros sistemas automatizados (incluidos los algoritmos). Finalmente, la IA puede acabar sustituyendo al empresario al ser capaz de tomar decisiones automatizadas según la información procesada que le va llegando[17].

3. LA GESTIÓN ALGORÍTMICA EN EL ÁMBITO DE LAS PLATAFORMAS DIGITALES

La primera novedad de la Ley 12/2021 es la incorporación de una disposición adicional vigesimotercera al ET (DA 23ª) con el título

---

[17] TODOLÍ SIGNES, Adrián: «La gobernanza colectiva de la protección de datos en las relaciones laborales: "big data", creación de perfiles, decisiones empresariales automatizadas y los derechos colectivos», *Revista de Derecho Social*, núm. 84, 2018, pp. 70-71.

«Presunción de laboralidad en el ámbito de las plataformas digitales de reparto» y que dice: «por aplicación de lo establecido en el artículo 8.1, se presume incluida en el ámbito de esta ley la actividad de las personas que presten servicios retribuidos consistentes en el reparto o distribución de cualquier producto de consumo o mercancía, por parte de empleadoras que ejercen las facultades empresariales de organización, dirección y control de forma directa, indirecta o implícita, mediante la gestión algorítmica del servicio o de las condiciones de trabajo, a través de una plataforma digital. Esta presunción no afecta a lo previsto en el artículo 1.3 de la presente norma».

Vemos pues que el precepto afecta únicamente a una determinada actividad, el reparto, dentro del amplio sector de las plataformas digitales, probablemente por ser esta la más conflictiva y mediática y, cuya laboralización, ya contaba con el aval del Tribunal Supremo (STS de 25 de septiembre de 2020, rec. 4746/2019), por lo que no nos encontramos ante una auténtica novedad, sino ante una mera plasmación normativa del criterio jurisprudencial ya existente[18].

Y en lo que respecta a este capítulo, nos interesa la mención a la «gestión algorítmica del servicio o de las condiciones de trabajo». No es desconocido que el uso más popular de algoritmos en la organización empresarial se ha dado en el trabajo prestado a través de plataformas digitales (Uber, Cabify, Deliveroo, Glovo, etc.). Por ejemplo, en la empresa Glovo se ha producido en las actividades de asignación de pedidos a los repartidores, en la distribución de horarios de los repartidores, en la valoración de su desempeño, en su retribución y en la extinción de la relación laboral. Se habla así de «gestión algorítmica del servicio» (STS de 25 de septiembre de 2020, rec. 4746/2019, F.J. 21) en los mismos términos que en la DA 23ª de la Ley 12/2021.

Respecto a la asignación de pedidos, la IA de Glovo realiza esta actividad buscando la mejor combinación posible pedido-repartidor que minimice la suma de costes (STS de 25 de septiembre de 2020, rec. 4746/2019). Además, los trabajadores mejor valorados tienen preferencia en esa asignación teniéndose en cuenta diversas variables:

18   MORENO GENÉ, Josep: «Presunción legal de laboralidad del trabajo en plataformas digitales de reparto. ¿Y ahora qué?», *Revista de Estudios Jurídico Laborales y de Seguridad Social (REJLSS)*, núm. 4, 2022, p. 177.

encargos aceptados anteriormente por el trabajador, valoración de los clientes, climatología, estado del tráfico, servicios realizados en horas de alta demanda, ausencias, etc. (STSJ Madrid de 3 de febrero de 2020, rec. 749/2019). Estos datos son proporcionados por sistemas de geolocalización que permiten el control empresarial en tiempo real del desempeño de la prestación[19], incluyendo información sobre el estado de carga de la batería para la duración de la totalidad de la operación (STSJ Cantabria de 1 de febrero de 2022, rec. 859/2021).

Del mismo modo actúa la IA de la empresa Deliveroo pues asigna los pedidos al trabajador que en cada momento concreto reúna los requerimientos profesionales y geográficos mejor adaptados a las necesidades del cliente (STSJ Madrid de 17 de enero de 2020, rec.1323/2019).

En cuanto a la distribución de horarios de los repartidores, la IA de Glovo la lleva a cabo según una puntuación del trabajador distribuida de la forma siguiente: 35% por la eficacia, medida por el algoritmo en función de la variable coste-beneficio para minimizar el tiempo de gestión entre la recogida y la entrega, tomando en consideración los 40 últimos pedidos realizados por el repartidor; el 35% por el número de pedidos realizados en las últimas 72 horas de alta demanda; el 10% por el volumen total histórico de pedidos entregados, valorados porcentualmente sobre un total de 750 pedidos; el 15% por la valoración de los usuarios en los últimos pedidos evaluados; el 5% a partir de la valoración de los establecimientos (STSJ Asturias de 25 de julio de 2019, rec. nº 1143/2019). Por su parte, la IA de Deliveroo tiene en cuenta variables como el tipo de vehículo utilizado por el repartidor; los datos históricos de pedidos; la tendencia o posible incidencia de

---

[19] En el control y supervisión del trabajador cobran relevancia los sensores que proporcionan información a los sistemas de IA (cámaras de videovigilancia, GPS, *wearables*, etc.) y también los accionadores (software de mensajería, *chatbots*, etc.). Por ejemplo, si un repartidor se encuentra parado (detectado mediante geolocalización) puede recibir automáticamente un mensaje de advertencia sobre el hecho, dictándole instrucciones para que se ponga en movimiento, TODOLÍ SIGNES, Adrián: «La gobernanza colectiva de la protección...», op. cit., p. 72. Por otro lado, salirse durante las horas de prestación de servicio de la zona geográfica en donde se permite el reparto, conlleva el bloqueo de la aplicación y la imposibilidad de realizar más servicios (STSJ Cantabria de 1 de febrero de 2022, rec. 859/2021).

campañas de marketing, meteorología prevista, acontecimientos deportivos o de interés, etc.; la fiabilidad del repartidor (disponibilidad real en los turnos asignados); la efectiva realización del servicio; el tiempo de respuesta en la entrega del pedido; la prestación de servicios en las horas punta (STSJ Madrid de 17 de enero de 2020, rec. nº 1323/2019).

Como se ha visto, la valoración del desempeño del trabajador influye directamente en la asignación de pedidos y en la distribución del horario de trabajo. Así, Glovo tiene establecido un sistema de puntuación de los repartidores clasificándolos en tres categorías: principiante, junior y senior. A diario se evalúa el desempeño de los repartidores mediante sistemas de IA que tienen en cuenta la disponibilidad[20], la rapidez y la valoración de clientes (STS de 25 de septiembre de 2020, rec. 4746/2019). Esto último se lleva a cabo por sistemas reputacionales, que serían sistemas de puntuación que permiten mejorar la prestación de los servicios o establecer instrucciones indirectas por lo que actuarían como una especie de control de calidad del servicio o producto. Asimismo, en estas plataformas digitales sirven para que el trabajador se autoincentive, aumente su rendimiento para ser más contratado, se distinga del resto y se eleven así sus ingresos[21].

También el cálculo y pago del salario puede delegarse en un sistema de IA. Así lo hace la plataforma de reparto Glovo que cruza para ello diferentes datos como el porcentaje fijado sobre el precio cobrado al cliente final, el precio por kilómetro recorrido y por el tiempo de espera para la retirada del producto por parte del repartidor (STSJ Asturias de 25 de julio de 2019, rec. nº 1143/2019 y STSJ Madrid de 3 de febrero de 2020, rec. nº 749/2019)[22]. También influyen las

---

[20] Si un repartidor lleva más de tres meses sin aceptar ningún servicio, la empresa puede decidir bajarle de categoría. Asimismo, se valora la realización de los servicios en las horas de mayor demanda, denominadas por la empresa «horas diamante». Existe una penalización de 0,3 puntos cada vez que un repartidor no está operativo en la franja horaria previamente reservada por él. Si la no disponibilidad obedece a una causa justificada, existe un procedimiento para comunicarlo y justificar dicha causa, evitando el efecto penalizador.

[21] TODOLÍ SIGNES, Adrián: *El trabajo en la era de la economía colaborativa*, Tirant lo Blanch, Valencia, 2017, p. 113.

[22] Este sistema de retribuciones no es igual para todas las ciudades en donde Glovo tiene implantación. Por ejemplo, en Santander se prevé una cantidad base fija de

condiciones climatológicas (lluvia), la nocturnidad, el hecho de que el cliente solicite el reparto en dos direcciones (STSJ Cataluña de 21 de febrero de 2020, rec. nº 5613/2019), así como la ausencia del propio cliente y la cancelación del pedido (STS de 25 de septiembre de 2020, rec. 4746/2019).

Finalmente, el despido automatizado mediante IA constituye una incómoda realidad a la que las plataformas digitales denominan «desactivación». La no consecución de objetivos, el descenso en el rendimiento, la inasistencia o impuntualidad, el rechazo de tareas (STSJ Madrid de 17 de enero de 2020, rec. nº 1323/2019), las malas (o escasas) valoraciones de los clientes, etc. se registran y puede procederse de forma automática al despido del trabajador, impidiéndosele el acceso a la plataforma digital (STSJ Cataluña de 21 de febrero de 2020, rec. nº 5613/2019).

Por lo tanto, siempre que una plataforma de reparto utilice algoritmos o sistemas de IA en materia organizativa, retributiva, evaluativa, etc. se cumplirá el requisito establecido en la DA 23ª ET. En nuestra opinión, no resulta necesario que este recurso a la IA alcance todas las facultades empresariales de organización, dirección y control, sino que puede circunscribirse únicamente a la gestión del servicio y de las condiciones de trabajo, ya que así se deduce del propio redactado y de la jurisprudencia relacionada a lo largo de este epígrafe.

4. INTELIGENCIA ARTIFICIAL Y DERECHOS DE INFORMACIÓN DE LOS REPRESENTANTES DE LOS TRABAJADORES

La Ley 12/2021 introduce una nueva letra d) en el artículo 64.4 ET, relativo a los derechos de información del comité de empresa, con la siguiente redacción: «ser informado por la empresa de los parámetros, reglas e instrucciones en los que se basan los algoritmos o sistemas de inteligencia artificial que afectan a la toma de decisiones

---

2 euros a la que se le añade un variable por kilómetro y tiempo (STSJ Cantabria de 1 de febrero de 2022, rec. 859/2021).

que pueden incidir en las condiciones de trabajo, el acceso y mantenimiento del empleo, incluida la elaboración de perfiles».

Nos encontramos ante una importante medida porque una característica del recurso a sistemas de IA es que los trabajadores suelen desconocer con exactitud los parámetros utilizados por estos[23]. Además, se trata de una información necesaria pues se ha demostrado que los sistemas de IA pueden vulnerar derechos fundamentales y, a su vez, suponen retos éticos sobre justicia, transparencia y responsabilidad empresarial, al existir el riesgo de que la empresa se esconda detrás de «cajas negras» sin entender ni comprender las decisiones que adopta a través de dichas herramientas informáticas[24]. A continuación, analizaremos esos riesgos, el alcance objetivo y subjetivo del nuevo precepto, así como la escasa regulación convencional sobre la materia.

4.1. Riesgos de la inteligencia artificial para los derechos fundamentales

La Declaración Europea sobre los Derechos y Principios Digitales para la Década Digital (COM/2022/28 final), de 26 de enero de 2022, afirma en su capítulo III que las instituciones comunitarias se comprometen a: (i) velar por la transparencia en el uso de los algoritmos y la IA; (ii) asegurar que esos sistemas se basen en conjuntos de datos adecuados para evitar la discriminación ilegal y permitir la supervisión humana de los resultados que afectan a las personas; (iii) garantizar que estas tecnologías no se utilicen para predeterminar las decisiones de las personas en ámbitos como, por ejemplo, la salud, la educación, el empleo y la vida privada; (iv) proporcionar salvaguardias que garanticen que la IA es segura y se utiliza con pleno respeto de los derechos fundamentales de las personas.

Esta preocupación por los riesgos que suponen los sistemas de IA para la ciudadanía la ha venido apuntando la UE en los últimos años.

---

[23] Así se desprende, por ejemplo, de la STSJ Cantabria de 1 de febrero de 2022, rec. 859/2021.

[24] GINÉS I FABRELLAS, Anna: «El derecho a conocer el algoritmo: una oportunidad perdida de la "Ley Rider"», *IUSLabor*, núm. 2, 2021, p. 3.

Por ejemplo, ya en el considerando m) de la Resolución del Parlamento Europeo de 14 de marzo de 2017 (2016/2225/INI) se afirmó que los algoritmos informáticos, los sistemas de IA, el *big data* y las decisiones automatizadas podrían dar lugar a «algoritmos sesgados, correlaciones falsas, errores, una subestimación de las repercusiones éticas, sociales y legales, el riesgo de utilización de los datos con fines discriminatorios o fraudulentos y la marginación del papel de los seres humanos en esos procesos».

Por su parte, la OIT también ha destacado el impacto de la evolución de los riesgos derivados de la digitalización, la automatización, el uso de la IA y la robótica en la transformación del mundo del trabajo. Esta organización ha mostrado su preocupación por la materia y se adhiere a un enfoque de la IA «bajo control humano» que garantice que las decisiones finales que afecten al trabajo sean tomadas por seres humanos y no por algoritmos. Además, exige una regulación del ejercicio de la gestión, vigilancia y control de los trabajadores a través de IA, con la finalidad de proteger su dignidad, su intimidad y su derecho a no ser discriminados[25].

No obstante, no todo resulta negativo: en el ámbito público, por ejemplo, la OIT afirma que la IA y la minería de datos permiten la extracción de información que puede ayudar a las administraciones a identificar los sectores de alto riesgo y a mejorar los sistemas de inspección del trabajo[26]. Asimismo, esta tecnología puede ayudar en la prevención de riesgos laborales[27].

El análisis de macrodatos y su posterior uso por los sistemas de IA pone en riesgo el derecho a la intimidad. Piénsese que los datos que pueden captarse durante la prestación laboral por parte de cámaras, micrófonos, *wearables*, sensores biométricos, GPS, software espía, etc. pueden incluir algunos que pertenezcan al ámbito privado protegido

---

[25]   OIT: *Trabajar para un futuro más prometedor. Comisión Mundial sobre el Futuro del Trabajo*, Oficina Internacional del Trabajo, Ginebra, 2019, pp. 46-47.

[26]   *Ibidem*, p. 45.

[27]   FERNÁNDEZ GARCÍA, Antonio: «La inteligencia artificial, su uso en la gestión de recursos humanos y los riesgos para los trabajadores», en CERRILLO MARTÍNEZ, Agustí y PEGUERA POCH, Miquel (Coord.): *Retos jurídicos de la inteligencia artificial*, Thomson-Reuters Aranzadi, Cizur Menor (Navarra), 2020, p. 139.

por el derecho a la intimidad (salud, movimientos fuera de la jornada laboral, conversaciones privadas, etc.). Además, esta tecnología es capaz de inferir ciertas características personales basadas en datos como los registros digitales del comportamiento humano (hábitos de navegación por Internet, publicaciones en redes sociales, etc.)[28]. Es decir, aunque se prohíba recabar datos en materia de afiliación sindical, religión, sexo, orientación sexual o discapacidad, los sistemas de IA son capaces de obtener esta información a través de otros datos[29], violando el derecho a la intimidad a la vez que el de protección de datos, y sentando la base para una futura lesión del derecho a no ser discriminado.

Por lo tanto, se puede vulnerar el derecho a la protección de datos de carácter personal del trabajador cuando la recogida y tratamiento de datos llevada a cabo por un sistema de IA no se ajuste a la normativa vigente, o se puedan elaborar perfiles de trabajadores, analizar patrones de voz, señales no verbales, o determinar los estados de ánimo de la persona, sus creencias políticas, religiosas, sindicales, etc. Si bien el art. 22 RGPD prohíbe en general la toma de decisiones automatizada, la autoriza en caso de que sea necesaria para la celebración o ejecución del contrato de trabajo. Por otro lado, el art. 5 RGPD exige que el procesamiento de datos sea legal, justo y transparente, y los artículos 13.2.f y 14.2.g RGPD exigen que, cuando el sujeto es objeto de decisiones automatizadas, incluyendo la elaboración de perfiles, el responsable de datos deberá entregar al sujeto información significativa sobre la lógica aplicada, así como la importancia y las consecuencias previstas de dicho tratamiento para el interesado. Finalmente, el uso de sistemas de IA que evalúan datos de trabajadores o candidatos conformando perfiles de estos puede considerarse una actividad que exige una evaluación de impacto en los términos del art. 35.3.a RGPD. Dicha evaluación de impacto de las operaciones de tratamiento en la protección de datos personales deberá realizarse, con

---

[28] Comunicación de la Comisión al Parlamento Europeo, al Consejo, al Comité Económico y Social Europeo y al Comité de las Regiones – Generar confianza en la inteligencia artificial centrada en el ser humano (COM/2019/168 final), de 8 de abril de 2019, p. 5.

[29] TODOLÍ SIGNES, Adrián: «La gobernanza colectiva de la protección...», op. cit., p. 73.

carácter previo a dicho tratamiento, cuando sea probable que, por su naturaleza, alcance, contexto o fines, entrañe un alto riesgo para los derechos y libertades de las personas físicas (art. 35.1 RGPD).

Con estas medidas se intentan evitar los riesgos derivados del uso de sistemas de IA y de las decisiones automatizadas que puedan tomar, así como de los resultados que ofrezcan con la finalidad de que un ser humano tome las decisiones. Dichas decisiones se sabe que pueden tener carácter discriminatorio[30], lo que puede parecer incoherente ya que precisamente se recurre a la máquina para evitar la intervención de las personas en el proceso correspondiente buscando una supuesta «neutralidad informática». Existen diversas explicaciones para el fenómeno de la denominada «discriminación algorítmica», es decir, la discriminación de cualquier tipo (directa, indirecta, etc.) donde el agente discriminador es un algoritmo o sistema de IA[31]. Por ejemplo, la propia construcción del sistema de IA requiere de datos que pueden estar sesgados por parámetros discriminatorios. En efecto, el sistema toma la realidad como factor de aprendizaje a la hora de procesar datos, lo que implica que los resultados obtenidos de esos datos vendrán a perpetuar sesgos existentes en nuestra sociedad[32]. Esto es lo

---

[30] Según la Consideración general 31 de la Resolución del Parlamento Europeo (2016/2225/INI), de 14 de marzo de 2017, se pueden provocar discriminaciones por múltiples factores, tasados o no específicamente en la normativa laboral, como son «la raza, el color, el origen étnico o social, las características genéticas, la lengua, la religión o creencia, las opiniones políticas o de otra índole, la propiedad, el nacimiento, la discapacidad, la edad, el género, la expresión o la identidad de género, la orientación sexual, la situación en materia de residencia, la salud o la pertenencia a una minoría nacional».

[31] FERNÁNDEZ GARCÍA, Antonio: «Trabajo, algoritmos y discriminación», en RODRÍGUEZ-PIÑERO ROYO, Miguel Carlos y TODOLÍ SIGNES, Adrián (Dir.): *Vigilancia y control en el Derecho del Trabajo Digital*, Thomson-Reuters Aranzadi, Cizur Menor (Navarra), 2020.

[32] TODOLÍ SIGNES, Adrián: «La gobernanza colectiva de la protección...», op. cit., p. 74. Lo mismo sucede con el análisis de los «casos de éxito» (identificación de las características principales de los mejores en un ámbito) de una profesión concreta muy masculinizada, cuyos datos inevitablemente responderán al perfil del varón, pudiendo inducir al sistema de IA a pensar que para ser exitoso es necesario ser de ese sexo o comportarse como ese género, GÓMEZ GARCÍA, Francisco Xabiere: «Discriminación por razón de género en la participación en el trabajo: acceso, evaluación y valores», en AAVV: *El futuro del trabajo: cien años de la OIT. XXIX Congreso Anual de la Asociación Española de Derecho*

que ha ocurrido con el algoritmo «Frank» que usa la plataforma Deliveroo en Italia y que tiene como norma favorecer a los repartidores que estén siempre disponibles para trabajar. La sentencia del Tribunal Ordinario de Bolonia de 31 de diciembre de 2020 dictamina que, dado que la plataforma no conoce ni quiere conocer los motivos por los que un trabajador cancela su disponibilidad, esta norma del algoritmo equivale a perjudicar a alguien por motivos de sexo, situación familiar, afiliación sindical, discapacidad, etc. o por el ejercicio de sus derechos, ya que las ausencias pueden derivar de diversos motivos, algunos protegidos por la normativa laboral y antidiscriminatoria (embarazo, conciliación, salud, huelga, etc.)[33].

Finalmente, si en la decisión tomada por el sistema de IA se valoran los resultados de un sistema reputacional, se podrían perpetuar conductas discriminatorias por razón de raza, sexo, discapacidad, etc. ya que los clientes pueden puntuar más bajo o exigir más a cierto tipo de personas por razones basadas en estereotipos[34]. De hecho, de la doctrina comunitaria se extrae la idea de que un empresario no puede tomar en cuenta la opinión de un cliente con el fin de tomar decisiones discriminatorias en el ámbito laboral[35].

4.2. Alcance subjetivo y objetivo del derecho

4.2.1. Alcance subjetivo

Hasta ahora existía un derecho individual a ser informado de decisiones automatizadas y elaboraciones de perfiles (arts. 22, 13.2.f y 14.2.g RGPD). Con este nuevo precepto se configura un derecho

---

     del Trabajo y de la Seguridad Social (Comunicaciones), Ministerio de Trabajo, Migraciones y Seguridad Social, Madrid, 2019, p. 628.

[33]   SÁEZ LARA, Carmen: «Mujer, trabajo y sistemas de inteligencia artificial», *Revista de Derecho Laboral vLex*, núm. 4, 2021, pp. 195-196.

[34]   TODOLÍ SIGNES, Adrián: *El trabajo en la era de la economía...*, op. cit., p. 115.

[35]   La STJUE de 10 de julio de 2008, C-54/07, asunto Feryn, establece como discriminatorio el hecho de declarar que no se contrata a extranjeros o personas de determinado origen racial o étnico porque a los clientes no les agrada este perfil de trabajador.

colectivo que se activa con el mero uso[36] en la empresa de algoritmos o sistemas de IA que tengan incidencia en el ámbito laboral.

El alcance subjetivo del derecho es fácil de determinar pues se ha ubicado dentro de las funciones y competencias del comité de empresa (art. 64 ET), lo que se extiende a los delegados de personal (por el art. 62.2 ET) y también a los delegados sindicales (por el art.10.3 LOLS)[37]. Asimismo, si el uso de algoritmos o de sistemas de IA se produce por parte de las empresas de trabajo temporal (ETT) respecto de los trabajadores cedidos a las empresas usuarias, «los representantes de éstas últimas tienen derecho a ser informados de ello, cuando ello repercuta sobre el empleo y las condiciones de trabajo de la empresa usuaria, aun cuando no sea su empleador quien gestiona directamente estos medios tecnológicos»[38].

Por su parte, el alcance objetivo resulta más complejo de determinar y ha sido sometido a examen y críticas por parte de nuestra doctrina más autorizada.

4.2.2. Alcance objetivo: «parámetros, reglas e instrucciones»

Se trata de una información que la empresa deberá ofrecer *ex ante*, incluyendo el contexto de su uso[39]. El redactado habla de «parámetros, reglas e instrucciones» lo que no parece abarcar el código fuente del algoritmo, esto es, una serie de códigos indescifrables que poco aportarían a las personas trabajadoras y que además está sometido al secreto empresarial. Más bien estamos ante un derecho «a obtener información clara y simple sobre el funcionamiento del algoritmo y,

---

36 TODOLÍ SIGNES, Adrián: «Cambios normativos en la digitalización del trabajo: comentario a la "Ley Rider" y los derechos de información sobre los algoritmos», *IUSLabor*, núm. 2, 2021, p. 46.

37 En el mismo sentido, CRUZ VILLALÓN, Jesús: «La participación de los representantes de los trabajadores en el uso de los algoritmos y sistemas de inteligencia artificial», *Blog de Jesús Cruz Villalón. Reflexiones y comentarios de cuestiones sociales y laborales de actualidad*, 2021, disponible en http://jesuscruzvillalon.blogspot.com/2021/05/la-participacion-de-los-representantes.html.

38 CRUZ VILLALÓN, Jesús: «La participación de los representantes de los trabajadores...», op. cit.

39 TODOLÍ SIGNES, Adrián: «Cambios normativos en la digitalización...», op. cit., p. 50.

en concreto, sobre las métricas o variables utilizadas, su importancia relativa en la ecuación y las eventuales consecuencias que pueden derivarse por alcanzar y no alcanzar dichos estándares»[40].

Por otro lado, téngase en cuenta que el algoritmo o sistema de IA puede no ser propiedad de la empresa sino una herramienta proporcionada por un tercero que cede temporalmente su uso. Esto resulta habitual en caso de reclutamiento y selección de personal pues existen empresas especializadas, así como portales de empleo y redes sociales profesionales (LinkedIn), que poseen sistemas de IA que ayudan en esta actividad precontractual. En estos supuestos se debería informar a la empresa de los parámetros, reglas e instrucciones de dichos sistemas para que a su vez informase a los representantes de los trabajadores, cumpliéndose así lo dispuesto en el nuevo precepto[41].

En todo caso, la crítica doctrinal viene por más por el hecho de que la norma no parece incluir el derecho a conocer los resultados del uso del sistema IA, sus efectos concretos, lo que impediría un control sobre esta materia[42]. Ya se ha dicho en páginas anteriores que no son lo mismo los datos con los que se diseña el sistema IA que los datos con los que se le alimenta, ni los datos generados tras un posible aprendizaje automático (*machine learning*). En ese lapsus de tiempo podrían

---

[40]　GINÉS I FABRELLAS, Anna: «El derecho a conocer el algoritmo...», op. cit., p. 5. En relación al código fuente del algoritmo y sus propiedades jurídicas véase RIVAS VALLEJO, Pilar: *La aplicación de la inteligencia artificial al trabajo y su impacto discriminatorio*, Thomson-Reuters Aranzadi, Cizur Menor (Navarra), 2020.

[41]　En el mismo sentido, CRUZ VILLALÓN, Jesús: «La participación de los representantes de los trabajadores...», op. cit. y ALAMEDA CASTILLO, María Teresa: «Reclutamiento tecnológico. Sobre algoritmos y acceso al empleo», *Temas Laborales*, núm. 159, 2021, p. 49. Esta última señala que «de un lado, podrían surgir responsabilidades (acciones civiles por daños y perjuicios) del empresario frente al proveedor tecnológico si este revelara datos esenciales de algoritmo (más allá de la transparencia suficiente y de la lógica de funcionamiento del mismo) y, de otro, el empresario solo podrá cumplir con su obligación de transparencia frente al algoritmo (frente a los representantes de los trabajadores o acciones individuales en caso de vulneración del derecho de protección de datos o indicios de discriminación) cuando se le haya aportado esa información».

[42]　«Solamente mediante información estadística sobre el impacto del uso de esta tecnología inteligente sobre las contrataciones, promociones, salarios o despidos puede evaluarse su posible impacto discriminatorio o injusto», GINÉS I FABRELLAS, Anna: «El derecho a conocer el algoritmo...», op. cit., p. 4.

producirse efectos negativos sobre los trabajadores y entonces la única opción sería accionar individualmente vía RGPD[43].

Por los motivos expuestos se ha demandado un aumento en los derechos de control sobre las decisiones empresariales automatizadas relativas a la gestión de personal, por ejemplo, con derechos de consulta y participación o estableciendo auditorias digitales externas por parte de los representantes de los trabajadores[44]. No obstante, este control podría ya estar cubierto a través de lo previsto en el art. 64.5 ET, esto es, el derecho de información y consulta «sobre todas las decisiones de la empresa que pudieran provocar cambios relevantes en cuanto a la organización del trabajo». Asimismo, «la implantación y revisión de sistemas de organización y control del trabajo, estudios de tiempos, establecimiento de sistemas de primas e incentivos y valoración de puestos de trabajo» (art. 64.5.f ET) implica el derecho de los representantes a emitir un informe con carácter previo a la ejecución empresarial de dichas medidas o decisiones. Si un algoritmo o sistema de IA va a realizar ese tipo de funciones organizativas, de control, etc. podrían activarse las previsiones contenidas en el mencionado articulado[45].

4.2.3. Alcance objetivo: «condiciones de trabajo, acceso y mantenimiento del empleo, incluida la elaboración de perfiles»

El nuevo precepto afecta de manera genérica al conjunto de los poderes y facultades del empresario derivadas del carácter subordinado de la relación laboral, esto es, facultades directivas y de organización del trabajo, facultades de control de cumplimiento de las obligaciones del trabajador y ejercicio de los poderes disciplinarios[46].

---

[43] TODOLÍ SIGNES, Adrián: «Cambios normativos en la digitalización...», op. cit., p. 23.

[44] SÁEZ LARA, Carmen: «Mujer, trabajo y sistemas...», op. cit., p. 202.

[45] TODOLÍ SIGNES, Adrián: «Cambios normativos en la digitalización...», op. cit., p. 51.

[46] CRUZ VILLALÓN, Jesús: «La participación de los representantes de los trabajadores...», op. cit. Si bien en el caso de los poderes disciplinarios el uso de algoritmos resultaría más complejo de implantar según RIVAS VALLEJO, Pilar: «Gestión algorítmica del trabajo», en RIVAS VALLEJO, Pilar (Dir.): *Discrimi-*

Como hemos indicado al hablar sobre gestión algorítmica en el ámbito de las plataformas digitales, es en el área de organización y control del trabajo donde más se está utilizando la IA, sustituyendo a los mandos intermedios[47]. Asimismo, hemos destacado su uso en actividades relacionadas como la evaluación del desempeño laboral e incluso la extinción del contrato.

Por otro lado, en el área de formación, las empresas están recurriendo a plataformas online (*e-learning*) que disponen de sistemas de realidad virtual. Además, los sistemas de IA permiten recomendar a cada trabajador los ascensos o vacantes más adecuados a su perfil o la formación necesaria para alcanzarlos[48].

En materia de promoción profesional y ascensos es donde cobra importancia la elaboración de perfiles para comparar trabajadores. Como ejemplo podemos citar el II Convenio Colectivo de Puertos del Estado y Autoridades Portuarias 2004-2009 (BOE de 11 de enero de 2006) que prevé en uno de sus anexos el recurso a un «algoritmo de distancia» para ayudar al empresario en esta materia. La voluntad expresada en el III Convenio colectivo de puertos del Estado y autoridades portuarias 2019-2026 (BOE de 15 de junio de 2019) es la de revisar dicho anexo, quizás añadiendo mejoras.

Incluso en el caso de beneficios sociales se pueden utilizar algoritmos. Por ejemplo, en el Convenio Colectivo de la empresa Grupo Acha Movilidad-Lujua Txorierri Mungialdea, S.A. 2019-2021 (BO Bizkaia de 23 de junio de 2021) se establece un algoritmo para diseñar un sistema de transporte del personal de conducción que se tenga que incorporar o salir de su puesto de trabajo fuera del horario del transporte público[49].

---

nación algorítmica en el ámbito laboral: perspectiva de género e intervención, Thomson-Reuters Aranzadi, Cizur Menor (Navarra), 2022.

[47] De ahí la expresión «mi jefe es un algoritmo», MERCADER UGUINA, Jesús Rafael: *El futuro del trabajo en la era de la digitalización y la robótica*, Tirant lo Blanch, Valencia, 2017, p. 90.

[48] INFOEMPLEO-ERNST & YOUNG, *Talento conectado. Nuevas realidades en el mercado de trabajo*, 2019.

[49] «Para la incorporación en el turno de mañana y la retirada en el turno de la tarde (noche) la empresa pondrá a disposición del personal de conducción un sistema de transporte que se regirá por los siguientes criterios: (…) 5. Las rutas, así como el orden de recogida y deje de los trabajadores, se confeccionan por un

Pero, en nuestra opinión, es en la fase precontractual o de acceso al empleo donde más se están explotando los sistemas de IA y donde menos interés ha tenido tradicionalmente la representación de los trabajadores y la negociación colectiva. Así, junto a la gestión algorítmica de las plataformas digitales, los procesos de intermediación laboral, reclutamiento y selección de personal constituyen uno de los máximos exponentes de digitalización y funcionamiento mediante sistemas de IA[50].

Cuando una empresa quiere incorporar nuevo personal puede contratar intermediarios o bien llevar a cabo este proceso por sus propios medios. En el primero de los supuestos, podrá recurrir a portales de empleo virtuales que indican al empresario el candidato más adecuado para su vacante publicada (Infojobs). Tras examinar las características de los aspirantes, las cruzan con las de la oferta de empleo y establecen una lista jerarquizada de los mismos, esto es, una elaboración de perfiles. Disponen también de mecanismos para filtrar y descartar a los usuarios inscritos en la oferta en función de las respuestas que dan a preguntas eliminatorias (*killer questions*), su titulación, lugar de residencia, etc.

Del mismo modo, la red profesional LinkedIn usa un algoritmo para sugerir ofertas de empleo adaptadas al perfil de cada usuario y su forma de actuar y navegar en dicha red. El sistema de IA aprende según la información que le proporciona el usuario, ofertas anteriores por las que mostró interés, sus preferencias de sectores profesionales, puestos concretos de trabajo, salario, etc. Asimismo, los usuarios pueden valorar aspectos de sus contactos (aptitudes, conocimientos, etc.) que también son tenidos en cuenta por la IA.

Por otro lado, si es la empresa la que pretende efectuar todo el proceso de reclutamiento y selección, puede valerse de diferentes herramientas donde la IA resulta relevante[51].

---

sistema informático en base a un algoritmo según los parámetros y en el orden arriba indicados» (art. 22).

[50] Véase también ALAMEDA CASTILLO, María Teresa: «Reclutamiento tecnológico. Sobre…», op. cit. y SERRANO FALCÓN, Carolina: «Proceso de contratación, política de empleo y uso de algoritmos» en RIVAS VALLEJO, Pilar (Dir.): *Discriminación algorítmica en el ámbito laboral: perspectiva de género e intervención*, Thomson-Reuters Aranzadi, Cizur Menor (Navarra), 2022.

[51] Las prácticas enumeradas pueden verse en INFOEMPLEO-ERNST & YOUNG, *Talento conectado. Nuevas…*, op. cit.

En primer lugar, la fase de difusión multicanal de la oferta de empleo, la recogida y procesado de datos, la criba inicial de *curriculum vitae* mediante palabras clave y el sistema de gestión de aspirantes y de agenda de entrevistas se lleva a cabo mediante un sistema de seguimiento de candidatos o ATS (*Applicant Tracking System*). En ocasiones este sistema también se dedica a la evaluación de las pruebas de selección y las entrevistas.

En segundo lugar, se están usando robots virtuales inteligentes (*bots*) que guían al candidato durante el proceso y resuelven sus dudas, le informan del estado de su solicitud, programan entrevistas y comunican los descartes.

En tercer lugar, las herramientas y pruebas tradicionales se han digitalizado y han incorporado la IA en su desarrollo: los cuestionarios que evalúan habilidades individuales, interpersonales y directivas, los test de aptitudes y psicotécnicos, las pruebas de idiomas, etc. se llevan a cabo en formato digital y multidispositivo (móvil, tableta, ordenador). En las dinámicas de grupo se utiliza la «realidad aumentada» y las entrevistas se pueden realizar mediante videoconferencias en directo o grabadas, incluso con la asistencia de *chatbots*. En ese sentido, un sistema de IA puede ser programado para valorar las entrevistas mediante reconocimiento de emociones. Estaríamos ante un sistema destinado a «detectar o deducir las emociones o las intenciones de personas físicas a partir de sus datos biométricos» según lo definido en el art. 3.34 PRIA. Se estima que unas 600 empresas en el mundo podrían estar usando esta tecnología que juzga las señales verbales y no verbales de los entrevistados filmados[52].

En cuarto lugar, se utilizan simulaciones del trabajo en entornos digitales o mediante realidad virtual, tanto para comprobar habilidades blandas (*soft skills*) como técnicas (*hard skills*). Destaca en este punto el recurso a la gamificación, es decir, la medición por un sistema de IA de las habilidades, competencias y conocimientos de un candidato (liderazgo, tolerancia al estrés, creatividad, agilidad o toma

---

52 MOORE, Phoebe V.: «OSH and the Future of Work: benefits and risks of artificial intelligence tools in workplaces», *Discussion paper*, EU-OSHA (European Agency for Safety and Health at Work), 2019, p. 5.

de decisiones, entre otros) mediante su comportamiento durante un juego.

El uso de estas pruebas digitales resulta apropiado en el caso de los procesos de selección «ciegos» o mediante *curriculum vitae* anónimo que se ayudan de la IA para ser eficaces y evitar los sesgos discriminatorios inconscientes del seleccionador humano.

Finalmente, se prevé el uso de sistemas de IA para rastrear la información de una persona disponible en Internet, la denominada «huella digital», lo que sustituirá la tradicional petición de referencias a antiguos empleadores.

4.3. *La regulación vía convenio colectivo*

La entrada en vigor de esta obligación de información sobre algoritmos y sistemas de IA tiene ya algún reflejo en la negociación colectiva. Parece que el pionero en la materia ha sido el XXIV Convenio colectivo del sector de la banca 2019-2023 (BOE de 30 de marzo de 2021). En su art. 80.5, con el título «Derecho ante la inteligencia artificial», se establece el derecho de las personas trabajadoras a «no ser objeto de decisiones basadas única y exclusivamente en variables automatizadas, salvo en aquellos supuestos previstos por la Ley, así como derecho a la no discriminación en relación con las decisiones y procesos, cuando ambos estén basados únicamente en algoritmos, pudiendo solicitar, en estos supuestos, el concurso e intervención de las personas designadas a tal efecto por la Empresa, en caso de discrepancia». Asimismo, se estipula que las empresas informarán a la representación legal de los trabajadores «sobre el uso de la analítica de datos o los sistemas de inteligencia artificial cuando los procesos de toma de decisiones en materia de recursos humanos y relaciones laborales se basen, exclusivamente en modelos digitales sin intervención humana. Dicha información, como mínimo, abarcará los datos que nutren los algoritmos, la lógica de funcionamiento y la evaluación de los resultados»[53]. Como puede observarse, se mejora lo dispuesto

---

[53]   Idéntico redactado contiene el art. 35.5 del Convenio colectivo para los establecimientos financieros de crédito 2021 (BOE de 15 de octubre de 2021).

en el ET porque se habla de datos, lógica y evaluación de resultados y no solo de parámetros, reglas e instrucciones[54].

Una segunda experiencia es la del Convenio colectivo del sector de grandes almacenes 2021-2022 (BOE de 11 de junio de 2021). En el primer punto de la disposición transitoria 11 se aprueba la creación de un observatorio sectorial, esto es, un órgano paritario que realizará análisis conjuntos de la realidad sectorial, incluyendo aspectos como la digitalización, las tendencias de consumo, la competitividad, el posicionamiento de las empresas en el mercado, la mejora de las condiciones laborales y de la calidad en el empleo, la formación y la igualdad de oportunidades. En el punto segundo de la mencionada disposición transitoria se establece que dicho observatorio «prestará especial atención a la utilización de algoritmos que incidan en las condiciones de trabajo».

Nada obsta a que por medio de la negociación colectiva se amplíen las competencias de los representantes de los trabajadores en la materia que nos ocupa. Así, se ha propuesto: (i) determinar el momento en el que se debe informar a los representantes y si cabe la información periódica respecto del uso de sistemas de IA; (ii) introducir un deber de información posterior respecto de posibles evaluaciones de resultados del uso de esta tecnología; (iii) prever mecanismos de formación a los representantes de los trabajadores sobre el funcionamiento de estas tecnologías y el modo de asimilar las consecuencias de su uso concreto en el terreno decisional empresarial[55]; (iv) establecer los criterios mínimos de transparencia que debe satisfacer cualquier proceso de toma de decisiones basado en sistemas de IA permitiendo, así, la adecuada comprensión de cómo se alcanzan sus conclusiones y resultados; (v) abordar y regular la cantidad de datos que se recopilan sobre el desempeño laboral y las características personales de las personas empleadas, así como la manera en que se recopilan tales datos, que luego son utilizados para alimentar un sistema de IA; (vi) someter a revisión humana toda decisión de un sistema de IA que afecte al personal (tales como incremento del ritmo de trabajo o intensificación de

[54] ALAMEDA CASTILLO, María Teresa: «Reclutamiento tecnológico. Sobre…», op. cit., p. 40.

[55] CRUZ VILLALÓN, Jesús: «La participación de los representantes de los trabajadores…», op. cit.

la producción) de modo previo a su implementación; (vii) establecer reglas y condiciones vía convenio colectivo respecto de la evaluación del desempeño en el trabajo basada en sistemas de IA; (viii) utilizar la negociación de planes de igualdad para introducir mecanismos de verificación del funcionamiento ético de los algoritmos[56].

5. LA FUTURA NORMATIVA COMUNITARIA

Puesto que en cuestiones de tecnología la legislación suele llegar tarde, la UE sostiene que las aplicaciones de IA deben respetar unos principios éticos y garantizar que su implementación evite daños involuntarios. Por eso, en cada una de las fases de desarrollo de la IA debe estar garantizada la diversidad en cuanto al género, el origen racial o étnico, la religión o las creencias, la discapacidad y la edad. La UE aboga por alcanzar una «IA fiable», esto es, que contenga las siguientes características: debe ser lícita, es decir, cumplir todas las leyes y reglamentos aplicables; ha de ser ética, demostrando el respeto y garantizando el cumplimiento de los principios y valores éticos; finalmente, debe ser robusta, tanto desde el punto de vista técnico como social, puesto que los sistemas de IA, incluso si las intenciones son buenas, pueden provocar daños accidentales. La fiabilidad de la IA no concierne únicamente a la fiabilidad del propio sistema de inteligencia artificial, sino también a la de todos los procesos y agentes implicados en el ciclo de vida del sistema»[57].

A su vez, para saber si una IA es fiable deben tenerse en cuenta siete requisitos esenciales: (i) intervención y supervisión humanas; (ii) solidez y seguridad técnicas; (iii) privacidad y gestión de datos; (iv) transparencia; (v) diversidad, no discriminación y equidad; (vi) bienestar social y medioambiental; (vii) rendición de cuentas.

---

[56] GARRIGUES GIMÉNEZ, Amparo: «La respuesta negocial al uso de algoritmos en la relación de trabajo: bases, previsiones, presencias y ausencias» en RIVAS VALLEJO, Pilar (Dir.): *Discriminación algorítmica en el ámbito laboral: perspectiva de género e intervención*, Thomson-Reuters Aranzadi, Cizur Menor (Navarra), 2022.

[57] GRUPO INDEPENDIENTE DE EXPERTOS DE ALTO NIVEL SOBRE INTELIGENCIA ARTIFICIAL: *Directrices éticas para una IA...*, op. cit., p. 50.

Toda esta filosofía impregna la futura normativa relacionada con la IA que se está desarrollando a nivel comunitario. Centraremos nuestra atención en dos de estas propuestas: la PRIA, mencionada en el epígrafe 2 de este capítulo, y la Propuesta de Directiva del Parlamento Europeo y del Consejo relativa a la mejora de las condiciones laborales en el trabajo en plataformas digitales (COM/2021/762 final), de 9 de diciembre de 2021 (en adelante, PDPD).

5.1. La Propuesta de Reglamento sobre normas armonizadas en materia de inteligencia artificial

La PRIA tiene como objetivo garantizar que los sistemas de IA introducidos en el mercado y utilizados en la UE sean seguros y respeten los derechos fundamentales. En ese sentido, aporta multitud de definiciones (a las que hemos recurrido en el segundo epígrafe de este capítulo) y distingue entre cuatro tipos de sistemas de IA en atención a su nivel de riesgo: sistemas de IA prohibidos, de alto riesgo, de riesgo limitado y de riesgo mínimo. En el grupo de alto riesgo (anexo III PRIA) se encuentran los relacionados con el ámbito laboral, es decir, los destinados a utilizarse para: (i) Contratación o selección de personas físicas, anunciar puestos vacantes, clasificar y filtrar solicitudes o evaluar a candidatos en el transcurso de entrevistas o pruebas; (ii) Tomar decisiones relativas a la promoción y resolución de relaciones contractuales de índole laboral, a la asignación de tareas y al seguimiento y evaluación del rendimiento y la conducta de las personas en el marco de dichas relaciones; (iii) Acceso a prestaciones públicas, por ejemplo, de Seguridad Social.

Para los sistemas de IA de alto riesgo se establecen una serie de requisitos que deben cumplir, así como distintas obligaciones para los proveedores (fabricantes) y usuarios (empleadores) de dichos sistemas: (i) establecimiento de un sistema de gestión de riesgos (art. 9); (ii) empleo de prácticas adecuadas de gobernanza y gestión de datos (art. 10); (iii) preparación y actualización de documentación técnica para evaluar que el sistema de IA cumple con todos los requisitos (art. 11); (iv) diseño de sistemas con capacidad de registro automático de eventos que garanticen la trazabilidad de su funcionamiento (art. 12); (v) garantía de transparencia e información a los usuarios sobre el fabricante y las características, capacidades y limitaciones del sistema (art. 13);

(vi) garantía de que el sistema puede ser vigilado de forma efectiva por personas físicas para prevenir o minimizar riesgos (art. 14); (vii) nivel adecuado de precisión, solidez y ciberseguridad (art. 15).

De este modo, la responsabilidad puede derivarse del propio fabricante, del empresario o de una empresa subcontratada que utiliza el sistema de IA (por ejemplo, una ETT o una consultora de RRHH), por no evaluar el sistema o los resultados del mismo tras su uso en el ámbito empresarial[58].

En la PRIA no se prevé la intervención de los representantes de los trabajadores por lo que puede decirse que nuestra normativa superará en ese sentido a la comunitaria, al menos si no se producen cambios antes de su entrada en vigor.

5.2. La Propuesta de Directiva sobre trabajo en plataformas digitales

La PDPD tiene como objetivo mejorar las condiciones laborales de las personas que realizan trabajo en plataformas garantizando la correcta determinación de su situación laboral, promoviendo la transparencia, la equidad y la rendición de cuentas en la gestión algorítmica en el contexto del trabajo en plataformas, mejorando su transparencia (art. 1.1).

La PDPD establece una presunción de laboralidad del trabajo prestado a través de plataformas digitales más extensa que la prevista en la DA 23ª ET. Por ese motivo, en caso de que finalmente entre en vigor sin cambios, España deberá proceder a su trasposición. En todo caso, se indica que la determinación de la existencia de una relación laboral deberá guiarse principalmente por los hechos relacionados con la ejecución real del trabajo, teniendo en cuenta también el uso de algoritmos en la organización del trabajo en plataformas (art. 2.2).

Queda patente la importancia de los sistemas de IA en la PDPD porque contiene todo un capítulo dedicado a la gestión algorítmica. Así,

---

[58] «Esto exige, a todas luces, una labor de adaptación, actualización y también de creación en el ámbito de la responsabilidad, principalmente, administrativa y civil», ALAMEDA CASTILLO, María Teresa: «Reclutamiento tecnológico. Sobre…», op. cit., pp. 44-47.

se distingue entre dos tipos de sistemas automatizados (supervisión y toma de decisiones) estableciéndose distintas obligaciones de información para las plataformas respecto de sus trabajadores (art. 6).

En primer lugar, deben informar del uso de sistemas automatizados de supervisión destinados a hacer un seguimiento, supervisar o evaluar por medios electrónicos la ejecución del trabajo realizado. Esta información comprenderá: (i) que tales sistemas estén en uso o en proceso de introducción; (ii) las categorías de acciones controladas, supervisadas o evaluadas por tales sistemas, incluida la evaluación por el destinatario del servicio.

En segundo lugar, deben informar del uso de sistemas automatizados de toma o apoyo de decisiones que afecten significativamente a las condiciones de trabajo, en particular al acceso a las tareas asignadas, a los ingresos, a la seguridad y salud en el trabajo, al tiempo de trabajo, a la promoción y a la situación contractual, incluida la restricción, suspensión o cancelación de la cuenta del trabajador. Esta información comprenderá: (i) que tales sistemas estén en uso o en proceso de introducción; (ii) las categorías de decisiones adoptadas o apoyadas por tales sistemas; (iii) los principales parámetros que tienen en cuenta y la importancia relativa de dichos parámetros en la toma de decisiones automatizada, incluida la forma en la que los datos personales o el comportamiento del trabajador influyen en las decisiones; (iv) los motivos de las decisiones de restringir, suspender o cancelar la cuenta del trabajador, de denegar la remuneración por el trabajo realizado, o de cualquier decisión sobre la situación contractual del trabajador o que tenga efectos similares.

La información debe facilitarse por escrito, de forma accesible, concisa, transparente e inteligible, a más tardar el primer día de trabajo, así como en caso de cambios sustanciales y en cualquier momento a petición de los trabajadores (art. 6.3).

Respecto a estos sistemas automatizados, se establecen diferentes garantías: (i) supervisión y evaluación periódica del impacto que tienen en las condiciones de trabajo las decisiones individuales adoptadas o apoyadas por los sistemas automatizados (art. 7.1); (ii) evaluación de los riesgos de dichos sistemas para la seguridad y la salud de los trabajadores (incluyendo psicosociales, ergonómicos y de accidentes laborales) así como introducción de medidas preventivas y de protección adecuadas (art. 7.2); (iii) prohibición de tratamiento de datos personales que no estén intrínsecamente relacionados con la ejecución del contrato de trabajo y que no sean estrictamente necesarios para ello, como salud, estado emocional o psicológico del trabajador, conversaciones privadas y datos externos a la jornada laboral (art. 6.5); (iv) prohibición de uso de sistemas de supervisión y toma de decisiones de manera que se ejerza una presión indebida sobre los trabajadores y se ponga en riesgo su salud física y mental (art. 7.2); (v) supervisión humana de los sistemas automatizados (art. 7.3); (vi) derecho individual de acceso a una persona de contacto designada por la plataforma digital para debatir y aclarar los hechos, circunstancias y motivos que hayan conducido a una decisión automatizada que haya afectado significativamente a las condiciones laborales (art. 8.1).

La PDPD, a diferencia de la PRIA, sí que establece derechos de información y consulta para los representantes de los trabajadores de plataformas. Así, la información relativa a los sistemas automatizados debe ponerse a disposición de dichos representantes cuando lo soliciten (art. 6.4). También se garantiza el derecho a la información y consulta sobre las decisiones que puedan conducir a la introducción de los sistemas automatizados de supervisión y toma de decisiones o a cambios sustanciales en su uso (art. 9.1).

6. CONCLUSIONES

Se evidencia el aumento de los sistemas de IA en las diferentes áreas empresariales, no siempre referidas a la gestión de RRHH (contratación, organización, retribución, evaluación del desempeño, promoción profesional, etc.) pero sí con conexión a la misma. Por ejemplo, los sistemas de IA que organizan la producción en las plataformas digitales de reparto tienen directa influencia en las condiciones laborales de las personas trabajadoras (salario, horario, etc.) Por lo tanto, las cifras que arroja el INE deben examinarse de forma amplia pues parece que la influencia de estas tecnologías en los derechos de los trabajadores es superior a lo que en un principio se podría pensar.

La Ley 12/2021 supone un primer paso para poner orden y regular el uso de algoritmos y sistemas de IA en el ámbito laboral de la empresa, más allá de lo dispuesto en la normativa sobre protección de datos, en espera de normativa comunitaria como el futuro Reglamento o Ley de Inteligencia Artificial y la Directiva sobre condiciones laborales en el trabajo en plataformas digitales. En este capítulo se han analizado los preceptos TIC clave de esta segunda en materia de IA y los aspectos laborales de la primera. Creemos que las definiciones contenidas en la PRIA podrían modificarse antes de que se apruebe un texto definitivo, a raíz de los vertiginosos cambios sufridos en estas tecnologías. Por otro lado, no descartamos que finalmente se incluya un derecho de información y consulta a los representantes de los trabajadores, algo en lo que la PDPD ha incidido.

En nuestra opinión, la IA ganará peso en la negociación colectiva tras la Ley 12/2021 y podemos pronosticar también un ejercicio creciente del nuevo derecho de información de los representantes de los trabajadores.

En primer lugar, porque está aumentando el uso de estas tecnologías informáticas. En segundo lugar, los datos del INE también muestran un destacado protagonismo de las empresas con más de 50 empleados[59], es decir, donde se cuenta con representación de trabajadores vía comité de empresa. Además, si bien el menor uso de la IA se produce en el área de gestión de RRHH y la contratación, no es menos cierto que el uso en el área de producción (el mayor según el INE) puede afectar directamente a las condiciones de los trabajadores como se ha demostrado en el caso de las plataformas digitales de reparto. En tercer lugar, si bien se establece un nuevo derecho colectivo a conocer los parámetros, reglas e instrucciones de los algoritmos y sistemas de IA, se han dejado fuera de cobertura aspectos como conocimiento de los datos y resultados del uso de estas tecnologías, el alcance temporal del derecho, la posibilidad de supervisión humana a través de un órgano paritario, etc.

Finalmente, los sistemas de IA suponen una amenaza real para los derechos fundamentales de las personas trabajadoras, especialmente de las que buscan empleo, estas últimas tradicionalmente desprotegidas por las dificultades para probar ilicitudes y la dejación tanto de las autoridades públicas como de las organizaciones sindicales. La

---

[59]   Encuesta sobre el uso de TIC y del comercio electrónico en las empresas (Año 2020-Primer trimestre de 2021).

opacidad de esta tecnología, la dificultad de relacionar los datos recopilados con las decisiones finales y una no siempre clara identificación de las responsabilidades entre fabricante y usuario, exigen una normativa adecuada en constante evolución, si fuera preciso. Mientras esto no ocurra, se deberá seguir aplicando la normativa antidiscriminatoria y la de protección de datos de carácter personal.

Capítulo IV
La normatividad del tiempo en el trabajo a distancia[1]

Esther Guerrero Vizuete[2]
*Profesora Lectora Serra Húnter de Derecho del Trabajo
y de la Seguridad Social
Universitat Rovira i Virgili*

1. INTRODUCCIÓN

El nacimiento del teletrabajo se sitúa en la década de los 70 configurándose como una posible solución a la crisis del petróleo que amenazaba con dificultar los desplazamientos a los centros de trabajo. Desde entonces, su utilización ha sido minoritaria si bien su mayor desarrollo se ha producido a nivel mundial a raíz de una imprevista emergencia sanitaria en la que, sin periodo de adaptación alguno, las nuevas tecnologías han copado buena parte de las relaciones laborales y, también, sociales. A *priori*, no es posible determinar en qué medida permanecerá[3], pero lo que sí parece indudable es el cambio

---

[1] Este trabajo se ha elaborado en el marco del proyecto de investigación RTI2018-097947-B-I00 concedido por el Ministerio de Ciencia, Innovación y Universidades que lleva por título "Nuevas tecnologías, cambios organizativos y trabajo: una visión multidisciplinar". IPs: Ana María Romero Burillo y Josep Moreno Gené.

[2] La autora es miembro del grupo de investigación consolidado Territorio, Ciudadanía y Sostenibilidad (2021 SGR 00162). Orcid: 0000-0001-9710-4823.

[3] El Informe Infoempleo Adecco (2020, p.47) señala que, excluidas las empresas cuya naturaleza no permite el trabajo a distancia, el 51,7% de las empresas dicen que no facilitarán a sus empleados la posibilidad de trabajar en remoto una vez termine la crisis sanitaria siendo un 57,6% los trabajadores que quieren teletrabajar. Por su parte, el Banco de España estima que el 30,6% de los trabajadores podrían trabajar desde su domicilio. Por características laborales, los asalariados con contrato indefinido y los empleados que trabajan en empresas de más de 50 trabajadores son los que tendrían más margen para aumentar su potencial de teletrabajo. ANGHEL, Brindusa; COZZOLINO, Marianela y LACUESTA, Aitor: "El teletrabajo en España", Artículos Analíticos 2/2020, Banco de España, 2020, pp. 13-14.

que se ha producido en el modelo de organización productiva, al mostrarnos que muchos trabajos eran formalmente presenciales, pero materialmente virtuales, y que podían mantenerse unos niveles óptimos de productividad sin necesidad de desplazamientos físicos.

Las ventajas de trabajar a distancia se han señalado casi con la misma intensidad que sus inconvenientes[4], existiendo un consenso generalizado que tiende a considerar como fórmula óptima una partición del tiempo de trabajo que transita entre el domicilio de la persona trabajadora y el centro de trabajo. En otras palabras, se viene a considerar que un cierto equilibrio entre presencialidad y virtualidad permite una mayor satisfacción de los intereses de las partes. Esta combinación de espacios en los que prestar servicios impone una adecuada delimitación del tiempo de trabajo evitando las consecuencias negativas ya advertidas, entre otras, la permanente conexión y la invasión de los tiempos de descanso de los teletrabajadores, destruyendo "de manera pacífica y silenciosa, incluso con la connivencia del propio afectado, algo que a la clase trabajadora y a sus representantes costó años de lucha" convirtiendo al teletrabajador en "el nuevo esclavo tecnológico del siglo XXI"[5].

El trabajo a distancia se integraba en el Estatuto de los Trabajadores (ET) dentro de la sección referida a las modalidades del contrato de trabajo, siendo escasa la atención que a esta forma de trabajar le había prestado el legislador. No es hasta la reforma laboral de 2012, que tuvo como eje central la flexibilización de las relaciones laborales, cuando se produjo el primer cambio significativo en la ordenación del trabajo a distancia, modificando su concepto para dar entrada al trabajo realizado haciendo un uso intensivo de las nuevas tecnologías[6]. Posteriormente, en 2020, la crisis sanitaria reveló la importancia del

---

[4]   Una enumeración en MARTÍN-POZUELO LÓPEZ, Ángela: "Una aproximación al concepto, modalidades y principales ventajas e inconvenientes" del teletrabajo en *El Teletrabajo*, Sala Franco (Dir.), Tirant lo Blanch, 1ª ed., Valencia, 2020, pp. 27-37.

[5]   MELLA MÉNDEZ, Lourdes: "Nuevas tecnologías y nuevos retos para la conciliación y la salud de los trabajadores", Trabajo y Derecho, núm. 17, 2016, pp. 2 y 3 del formato electrónico.

[6]   En la primera versión del proyecto de Ley de medidas urgentes para la reforma del mercado de trabajo (junio, 2020) se configuraba el trabajo a distancia como un sistema de organización flexible y eficiente del trabajo para permitir una

teletrabajo como fórmula de organización empresarial, pasando a primer plano la necesidad de su ordenación suficiente, transversal y equilibrada en aspectos tan importantes como los tiempos máximos de trabajo, los tiempos mínimos de descanso o la distribución flexible del tiempo de trabajo. Ello condujo a la supresión, en lugar de modificación[7], de la regulación contenida en el artículo 13 ET, configurando la Ley 10/2021 de 9 de julio, de trabajo a distancia, un conjunto de disposiciones aplicables a aquellas prestaciones que, de forma consensuada entre las partes, se desarrollan en el domicilio del trabajador o en el lugar elegido por este haciendo un uso intensivo de las nuevas tecnologías. Se establece así una importante distinción entre el teletrabajo y el *working from house* que se había utilizado hasta ese momento como defensa preventiva de la salud pública[8], haciendo pivotar su contenido sobre una serie de previsiones que tratan de evitar "situaciones de desprotección, desigualdad y desconocimiento de derechos básicos dada la situación de asimetría y el espacio y medios particulares en los que se desarrolla el trabajo a distancia"[9].

Pese a la importancia de su contenido, la Ley 10/2021 sitúa el trabajo a distancia y el teletrabajo extramuros de la norma laboral básica[10], siendo calificada, en línea con lo dicho de su predecesor, el

---

mejor armonización de las personas y una mejor organización del trabajo en las organizaciones.

[7] Crítica Martin Valverde que en lugar de realizar una reforma parcial del artículo 13 ET el legislador haya optado por la abolición o supresión de la normativa precedente. Su única explicación plausible "sería la voluntad del Gobierno de romper con una concepción del teletrabajo que consideraba o bien de signo opuesto a la que había decidido implantar, o al menos radicalmente incompatible con la misma". MARTÍN VALVERDE, Antonio: "Aportaciones, reiteraciones y confusiones de la nueva regulación del Teletrabajo" en *Los desafíos del Derecho del Trabajo ante el cambio social y económico*, Libro Homenaje a Federico Durán López, Sáez Lara, Navarro Nieto y Gómez Caballero (coordinadores), Iustel, Madrid, 2021, p. 95

[8] ROMAGNOLI, Umberto: "Hacia la normalización el trabajo a distancia", Revista de Derecho Social, núm. 93, 2021, p. 17. Téngase en cuenta que la Disposición Adicional 3ª de la Ley 10/2021 excluye de su ámbito de aplicación al trabajo a distancia implantado excepcionalmente en aplicación del artículo 5 del Real Decreto-Ley 8/2020 de 17 de marzo.

[9] Apartado VII. Exposición de motivos de la Ley 10/2021.

[10] Se interroga Martín Valverde si está justificado que una modalidad de actividad laboral cada vez más frecuente en la práctica de las empresas se deslocalice del

Real Decreto Ley 28/2020 de 22 de septiembre [11], como una norma de mínimos, poco novedosa, que no justifica las prisas del legislador[12], restrictiva en la delimitación de su ámbito subjetivo y en la que se echa en falta un mayor sosiego para su elaboración[13]. Se encuentra estructurada en torno a cuatro capítulos en los que se definen I) su ámbito subjetivo, II) el instrumento formal a través del cual se implementará esta modalidad de trabajo, III) los derechos que se reconocen al trabajador y IV) las facultades atribuidas al empresario, ciñéndose el presente estudio a las previsiones que con relación al tiempo de trabajo se contienen en la misma, al ser este un elemento determinante de la vida profesional de las personas.

2. LA INCIDENCIA DEL TIEMPO EN EL TRABAJO A DISTANCIA

La determinación cuantitativa del tiempo de trabajo es una cuestión compleja. En la actual regulación del trabajo a distancia son reiteradas las conexiones entre el elemento temporal y el carácter que imprime a la propia prestación de servicios. No en vano, el trabajo

---

Estatuto de los Trabajadores. MARTIN VALVERDE, Antonio: "Aportaciones, reiteraciones y confusiones...", *op. cit.* 95

[11] Entre otros, RON LATAS, Ricardo P.: "Los derechos colectivos de las personas que trabajan a distancia", Revista de Derecho Social núm. 15, 2021, p.23.

[12] "Antes del Real Decreto-Ley 28/2020 ya existía un marco regulador del trabajo a distancia. No había, por tanto, una laguna legal ni los trabajadores a distancia estaban desprotegidos", THIBAULT ARANDA, Xavier: "Toda crisis trae su oportunidad: el trabajo a distancia", Trabajo y Derecho 12/2020, Monográfico, p. 3 del formato electrónico. En el mismo sentido, TUDELA CAMBRONERO, Gregorio: Trabajo a distancia y teletrabajo: sobre urgencias, vigencias y concurrencias" en *Los desafíos del Derecho del Trabajo ante el cambio social y económico*, Libro Homenaje a Federico Durán López, Sáez Lara, Navarro Nieto y Gómez Caballero (coordinadores), Iustel, Madrid, 2021, p. 222.

[13] El texto normativo nada dice respecto al trabajo autónomo a distancia," pese a que exista, y en no pocas ocasiones, pueda dar lugar a verdaderas zonas grises, cuando a la aparición de falsos autónomos, lo que puede ser también fuente de riesgos laborales, como consecuencia de la precariedad de las condiciones laborales". ARRIETA IDIAKEZ, Francisco J.: "Teletrabajo y prevención de riesgos laborales: un reto jurídico a desarrollar más allá de la actual legislación post Covid-19", Revista General de Derecho del Trabajo y de la Seguridad Social núm. 59, 2021, p. 348.

a distancia contiene, como ninguna otra forma de organización del trabajo, altas dosis de flexibilidad que inciden directamente sobre el tiempo de prestación, pero también sobre la vida privada del trabajador y la necesaria tutela de su seguridad y salud. Tanto el Acuerdo Marco europeo sobre Teletrabajo (AMET, 2002) como el Acuerdo Marco europeo sobre digitalización (2020) identifican la gestión del tiempo de trabajo por la persona teletrabajadora como un ámbito en el que es preciso tener en cuenta las peculiaridades de esta forma de organización productiva, dado que gobernar su tiempo de trabajo no es otra cosa que "adecuar su vida familiar y social al tiempo laboral"[14].

El tiempo y el lugar de trabajo se entrelazan en la propia identificación del trabajo a distancia, concebido como una forma de organización del trabajo o de realización de la actividad laboral prestada de forma regular, durante toda la jornada o parte de ella, en el domicilio de la persona trabajadora o en otro lugar elegido por la misma.

2.1. *La regularidad y voluntariedad del trabajo a distancia*

Frente a la redacción anterior que utilizaba el término "preponderante" para delimitar la existencia de un trabajo a distancia, ahora se calificará como tal aquella prestación subordinada que regularmente se desarrolle fuera del centro de trabajo y en el lugar previamente determinado por la persona trabajadora. Se cuantifica esa regularidad en un mínimo del treinta por ciento de la jornada de trabajo en un periodo de tres meses, o el porcentaje proporcional equivalente en función de la duración del contrato, aun cuando se permite que ese porcentaje pueda ser minorado por la negociación colectiva. La deficiente redacción ha llevado a la doctrina a interpretar su sentido, señalando que la expresión "porcentaje proporcional" no alude al treinta por ciento sino al periodo de referencia de tres meses[15]. Esto supone que,

---

[14] Cita de Cruz Villalón en FALGUERA BARÓ, Miquel A.: Jornada y Horario: flexibilidad contractual del empresario, Thomson Reuters, Valladolid,2016, p. 24.

[15] BELTRÁN DE HEREDIA RUÍZ, Ignasi: "Breves notas. ¿cómo puede determinarse la regularidad del trabajo a distancia de un contrato temporal según el RDLey 28/2020?, en Una mirada crítica a las relaciones laborales, 6 de octubre de 2020, https://ignasibeltran.com/.

con carácter general y para una jornada de trabajo estándar, quien desarrolle menos de doce horas semanales de su tiempo de trabajo en remoto no quedará sometido a las previsiones de la Ley 10/2021, pasando a integrarse en el colectivo de personas trabajadoras a distancia o teletrabajadoras ocasionales, desprovistas de garantías, con el previsible aumento del llamado trabajo a distancia informal. Un límite que plantea numerosas dudas interpretativas[16]. Frente a la regla general, se excepcionan los contratos con menores y los contratos formativos, respecto de los que debe garantizarse, como mínimo, un porcentaje del cincuenta por ciento.

Téngase en cuenta que la permanente conectividad puede inducir a la realización de un teletrabajo adicional o suplementario que junto a ese otro ocasional generará unas prolongaciones del tiempo de trabajo que no siempre se visibilizarán. Es por ello por lo que no estaría de más que los convenios colectivos, haciendo uso de la potestad que les confiere la Disposición Adicional 1ª (DA1ª), contemplasen reducciones en el porcentaje de jornada teletrabajable, expandiendo así el ámbito subjetivo de la norma.

Rasgo esencial del trabajo a distancia es que debe ser prestado de forma voluntaria lo que se manifiesta en su aceptación por ambas partes. Al regularse el trabajo a distancia como una forma de organización, no se configura como un derecho de la persona trabajadora,

---

[16] Durán López advierte que "el real decreto-ley está plagado de deficiencias técnicas y contradicciones" y generará un efecto barrera pues "si hasta el 29% de trabajo a distancia exime de aplicar toda esta pesada regulación, y a partir del 30% se despliegan todos los efectos previstos por la ley, parece que el incentivo para no alcanzar este último porcentaje es determinante". DURÁN LÓPEZ, Federico: "Trabajo a distancia: vino nuevo en odres viejos", Perspectivas (28.09.2020) disponible en https://www.garrigues.com/es_ES/noticia/trabajo-distancia-vino-nuevo-odres-viejos.

Por su parte, Fernández Orrico señala que "no se entiende en qué consiste que la jornada sea proporcional a la duración del contrato pues una cosa es la jornada y otra la duración del contrato", y sin que se especifique "a qué periodo de referencia de tres meses se refiere", avanzando habrá "dificultades de aplicación, habida cuenta de la dificultad de interpretar lo que la norma entiende [sobre] cuando es regular el trabajo". ORRICO FERNÁNDEZ, Francisco J.: "Trabajo a distancia: cuestiones pendientes y propuestas de mejora (Real Decreto-Ley 28/2020 de 22 de septiembre), Revista General de Derecho del Trabajo y de la Seguridad Social núm. 58, 2021, p. 227-228.

teniendo la potestad de solicitar la realización del trabajo a distancia, y pudiendo, por tanto, ser aceptada o rechazada su propuesta por parte del empresario, ya sea porque su puesto de trabajo no es compatible con el trabajo a distancia o porque la empresa no haya previsto esta forma de prestación. Incluso cuando el recurso a esta forma de trabajar tiene su causa en la necesidad de conciliación del solicitante (art.34.8 ET) nos encontramos ante una expectativa de derecho, cuyo reconocimiento está sujeto a la ponderación de condiciones de razonabilidad y proporcionalidad[17], siendo necesario el desarrollo de un proceso negociador de mínimos para que las partes alcancen una conclusión razonable sobre la necesidad de la persona trabajadora y las posibilidades del servicio que presta[18]. No obstante, el llamamiento a la negociación colectiva en orden a la regulación de su ejercicio, junto al posible sometimiento de las discrepancias *inter partes* a la jurisdicción social, previstos ambos en el artículo 34.8 ET, abren la posibilidad de que la prestación a distancia pueda ser impuesta por uno u otro camino sin el consentimiento del empresario[19].

La literalidad del precepto señala que esa voluntariedad debe materializarse en un acuerdo, por escrito, que podrá formar parte del contrato de trabajo inicial o realizarse como un acuerdo autónomo en un momento posterior, remitiendo una copia a la representación legal de trabajadores. La ley 10/2021 quiere destacar la importancia del elemento temporal, y de ahí que incluya entre las condiciones de trabajo que necesariamente deben integrar ese acuerdo de trabajo a distancia dos referencias explícitas: por un lado, la indicación del horario de trabajo, y dentro de él, en su caso, las reglas de disponibilidad (art. 7.c); por otro, para el supuesto de que el trabajo a distancia se realice en alternancia, deberá indicarse el porcentaje y la distribución entre el trabajo presencial y el trabajo a distancia (art. 7.d), sin perjui-

---

[17] STSJ de Madrid (Sala de lo social) núm. 203/2021 de 22 de marzo, Rec. 639/2020.

[18] STSJ de Aragón (Sala de lo social) núm. 565/2021 de 21 de septiembre, Rec. 538/2021.

[19] SANGUINETI RAYMOND, Wilfredo: "Teletrabajo y tecnologías digitales en la nueva ley de trabajo a distancia" en *Los nuevos derechos digitales laborales de las personas trabajadoras en España*, Baz Rodríguez (director), Wolters Kluwer, Madrid, 2021, p.251. En este sentido *vid.* SJS nº1 Guadalajara (Castilla La Mancha) 184/2020 de 13 de octubre, ECLI:ES: JSO:2020:4140.

cio de la regulación recogida al respecto en los convenios o acuerdos colectivos[20] a los que se faculta para establecer contenidos adicionales (DA1ª.1). Una previsión que refleja el juego de remisiones al que recurre el legislador, dando entrada a la negociación colectiva para una posible ampliación o delimitación de las condiciones que deben figurar en el mencionado acuerdo, que, dicho sea de paso, recoge las principales de esta forma de prestación, y "resultan totalmente necesarias para dotar de la mayor seguridad jurídica posible a las partes contratantes en el desarrollo de esta forma de trabajar"[21].

A continuación, se dispone que ese contenido, incluido el relativo al porcentaje de presencialidad, son modificables previo acuerdo de las partes (art. 8). Un acuerdo que se impone al señalarse que "la modificación de las condiciones establecidas.... deberá ser objeto de acuerdo..." y que también debe formalizarse por escrito antes de su aplicación poniéndose en conocimiento de la representación legal de las personas trabajadoras. Quizá, queriendo el legislador reafirmar que el cambio de las condiciones pactadas escapa al poder de dirección y organización del empresario, excluyendo su modificación por la vía unilateral del artículo 41 ET, introduce una previsión de trascendencia dado que a su tenor permite anteponer la autonomía individual a la colectiva. En este sentido, si el convenio enumerase los gastos que pueden ser objeto de compensación o estableciese el porcentaje necesario para ser calificada la prestación como trabajo a distancia y como tales se reflejasen en el correspondiente acuerdo, bastaría la voluntad modificativa de las partes para dejar sin efecto dichas previsiones. Estamos, como señala TUDELA CAMBRONERO, ante una individualización de las relaciones de trabajo a distancia[22],

---

20 "invocación genérica y ampliada del artículo 3 ET, debiéndose entender que cualquier producto negocial y cualquier nivel de negociación resulta apto para regular las cuestiones delegadas por la norma. A diferencia de la atribución competencial que el ET establece por niveles negociales según materias, llamando unas veces al convenio sectorial y casi siempre asegurando la prioridad aplicativa del empresarial[...]. CAMBRONERO TUDELA, Gregorio: "Trabajo a distancia y Teletrabajo: sobre urgencias, vigencias y concurrencias", *op.cit.* 227.

21 ROMERO BURILLO, Ana M.: El marco regulador del teletrabajo, Atelier, Barcelona, 2021, p. 107.

22 CAMBRONERO TUDELA, Gregorio: "Trabajo a distancia y Teletrabajo: sobre urgencias, vigencias y concurrencias", *op.cit.* 228. En opinión de Jurado Segovia,

que permite anteponer la autonomía individual con el consiguiente riesgo de vulneración del carácter normativo que tienen los pactos sustanciales del convenio colectivo. Una previsión que podría haber sido corregida en el trámite parlamentario, al objeto de distinguir o diferenciar en función de la concreta condición[23] o atendiendo al origen convencional o paccionado de la misma.

Otra previsión sobre una posible modificación en las condiciones pactadas se recoge en el artículo 4.2, poniendo especial énfasis en proteger a la persona trabajadora a distancia frente a aquellas circunstancias exógenas que puedan interferir en el desempeño de su prestación. En este sentido se indica que, si se viera afectada por dificultades, ya sean técnicas o de otro carácter no imputable a la misma, que le impidiese el desarrollo de su prestación, no podrá sufrir perjuicio alguno o conllevar una modificación en las condiciones de trabajo pactadas, en particular en materia de tiempo de trabajo o de retribución. Una previsión que limita el margen de maniobra que la empresa pueda tener para superar aquellas dificultades, técnicas o de otro tipo, de cierta gravedad que le impidan el normal desarrollo de su actividad, como puede ser una caída prolongada de la conexión por sobrecarga, pues, "una cosa es que el trabajador no sufra ningún perjuicio económico como consecuencia de la falta de ocupación efectiva[...] que es lo que impone el artículo 30 ET, y otra diferente que la empresa no pueda revisar la planificación del trabajo para sortear esas dificultades"[24]. Esta exclusión de las potestades organizativas del empresario, marginando mecanismos de flexibilidad interna, "lleva a revestir de

esta alusión al acuerdo modificativo, junto con lo previsto en otros preceptos del RD-Ley, redunda en una suerte de blindaje de las condiciones recogidas en el acuerdo individual de trabajo a distancia no predicables en los mismos términos del contrato de trabajo en general. JURADO SEGOVIA, Ángel: "Algunos aspectos relevantes y/o críticos de la nueva regulación del trabajo a distancia desde la perspectiva empresarial", Revista de Derecho Vlex, núm.197, 2020.

23 "Lo más razonable es distinguir o diferenciar en función de la concreta condición" al no ser lo mismo, por ejemplo, pretender reducir el porcentaje de presencialidad que aumentarlo dadas las implicaciones que conlleva sobre la disposición del domicilio del trabajador, debiendo aplicarse, en este último caso, "el régimen legal ordinario". THIBAULT ARANDA, Xavier: "Toda crisis trae su oportunidad", op.cit. 11.

24 THIBAULT ARANDA, Xavier: "Toda crisis trae su oportunidad: el trabajo a distancia", op.cit. 11.

una rigidez inconveniente y, en cierta forma contraproducente a esta forma de trabajar, y podría desincentivar el recurso a modalidades de trabajo en remoto"[25].

La concreción de este derecho a no ser perjudicado cuando se producen desconexiones que impiden el desarrollo de la prestación se está efectuando por vía judicial. Así, se ha considerado que la obligación empresarial de facilitar los medios para el desarrollo del trabajo a distancia conlleva que cualquier funcionamiento defectuoso de los mismos deba ser imputable al empleador, y el hecho de que los contratos de suministros (electricidad, internet…) sean realizados formalmente por la persona trabajadora no ha de implicar una exoneración por parte del empleador de su obligación de dar ocupación a la persona trabajadora, sin perjuicio de las acciones que pueda ejercitar frente al responsable del suministro por los gastos salariales que haya satisfecho por el defectuoso funcionamiento del mismo[26].

Debe tenerse en cuenta que forma parte del contenido mínimo del acuerdo de trabajo a distancia el procedimiento que la persona trabajadora debe seguir en el caso de que se produzcan dificultades técnicas que impidan el normal desarrollo del trabajo a distancia (art. 7.i). El legislador tiene en mente únicamente la falta de prestación debida a impedimentos de carácter técnico, obviando otras circunstancias, no imputables a ninguna de las partes, que puedan imposibilitar el desarrollo de su prestación. Si el artículo 4.2 ha ido más allá, garantizando la ausencia de cualquier perjuicio, en particular en materia de tiempo de trabajo o de retribución, como consecuencia de dificultades técnicas u otras no imputables a la persona trabajadora, no hubiera estado de más que la indicación del procedimiento a seguir abarcase a esas otras posibles circunstancias.

2.2. Delimitación del horario de trabajo y de las reglas de disponibilidad como contenido mínimo del acuerdo de trabajo a distancia

Comúnmente aceptada es la definición de tiempo de trabajo como todo periodo durante el cual la persona trabajadora permanezca en el

---

25 ROMERO BURILLO, Ana M.: El marco regulador del teletrabajo, op. cit., p. 109.
26 SAN (Sala de lo Social) núm. 104/2021 de 10 de mayo, ECLI:ES:AN:2021:1855.

trabajo, a disposición del empresario y en ejercicio de sus funciones, de conformidad con las legislaciones y/o prácticas nacionales[27]; una noción que como ya ha puesto de manifiesto la doctrina[28], no se ajusta bien sobre todo a estas prestaciones que están dominadas por las tecnologías, correspondiendo a la empresa el establecimiento de las pautas necesarias para garantizar el cumplimiento de los límites de jornada y descansos.

La tendencia a la prolongación de las jornadas de trabajo, como contrapartida de una mal entendida flexibilidad en el trabajo a distancia, trata de ser corregida en la ley con una doble exigencia relativa, por un lado, a la delimitación del horario de trabajo y por otro, a la consignación de las reglas de disponibilidad. La finalidad perseguida no puede ser otra que la concreción de los tiempos de trabajo en garantía del derecho al descanso necesario y a una adecuada protección de la seguridad en el trabajo (art. 40.2 CE) aun cuando "exigir en todos los casos el establecimiento de un horario de trabajo predeterminado seguramente resulte simplista y limitador"[29].

Mientras que la jornada es el tiempo efectivo al que se compromete la persona trabajadora en cómputo anual, el horario no es otra cosa que su distribución diaria[30], fijando el momento de inicio y de finalización del trabajo diario debido, delimitando así la vinculación temporal de la persona trabajadora al poder de dirección del empresario[31]. El tiempo que exceda de esos límites es tiempo de descanso, si bien "este sistema binario descarta otras categorías intermedias (tiempo de espera, tareas preparatorias...), obligando a determinar si toda unidad cronológica pertenece a una u otra modalidad"[32].

---

[27] Directiva 2003/88/CE del Parlamento europeo y del Consejo de 4 de noviembre, relativa a determinados aspectos de la ordenación del tiempo de trabajo, DOUE de 18.11.2003, artículo 2.

[28] IGARTÚA MIRÓ, María Teresa: Ordenación flexible del tiempo de trabajo: jornada y horario, Tirant lo Blanch, Valencia, 2018, p.339.

[29] SANGUINETI RAYMOND, Wilfredo: "Teletrabajo y tecnologías digitales en la nueva ley de trabajo a distancia", opus cit., p. 260.

[30] FALGUERA BARÓ, Miquel A.: Jornada y horario: flexibilidad contractual del empresario, op. cit. 134.

[31] MARTÍNEZ YÁÑEZ, Nora M.: "El régimen jurídico de la disponibilidad horaria", Aranzadi Thomson Reuters, Navarra, 2011, p.49.

[32] LLORENS ESPADA, Julens: "Los tiempos de disponibilidad, su cómputo como de trabajo efectivo y su regulación en la negociación colectiva", Revista Lan Harremanak, núm. 44, 2020, p. 141.

El horario de trabajo será determinado por las partes, debiéndose indicar las interrupciones y descansos que se podrán producir en la ejecución diaria de la prestación. Advierta el lector una diferente regulación respecto a esta materia entre el trabajo presencial y el trabajo a distancia. En el primero la determinación del horario de trabajo es una potestad que corresponde al empresario, el cual es aceptado por la persona trabajadora, por lo que una vez establecido no puede ser modificado sin acudir al procedimiento de modificación sustancial de condiciones de trabajo previsto en el artículo 41 ET; en el segundo, la norma requiere de un consenso y su inclusión en el acuerdo individual de trabajo a distancia, sin que, como hemos señalado anteriormente, su modificación pueda realizarse unilateralmente por el empresario, quedando excluida la vía del artículo 41 ET. Se establecería así una suerte de blindaje que haría que la persona trabajadora a distancia fuese, paradójicamente, menos flexible que la persona trabajadora presencial[33].

La gestión del tiempo de trabajo que tiene el trabajador o trabajadora a distancia está interconectada a los pactos de disponibilidad. De ahí la exigencia legal de su concreción. Estamos ante lapsos de tiempo en los que la persona trabajadora debe estar obligatoriamente prestando servicios de modo que puede disponer del tiempo de trabajo restante, el cual será estructurado de acuerdo con sus necesidades. Un reflejo de la flexibilidad que se predica de esta forma de organización y que, posteriormente, es reiterada en el artículo 13 al consagrarse el derecho de la persona trabajadora a distancia al horario flexible. Estamos, en definitiva, ante una disponibilidad de la organización de su tiempo de trabajo, que tal y como indica la cláusula 9 del Acuerdo Marco europeo sobre teletrabajo, no es óbice a que sea pactada con el fin de acomodar el tiempo de prestación de la persona trabajadora a las concretas necesidades organizativas de la empresa.

2.3. La fijación del porcentaje y la distribución entre el trabajo a distancia y el trabajo presencial

Esta previsión es consecuencia de las distintas posibilidades que se plantean en la realización del trabajo a distancia. Así, junto a un

---

[33]   THIBAULT ARANDA, Xavier: "Toda crisis trae su oportunidad", *op.cit.*, *p*.10.

trabajo realizado completamente a distancia, pueden pactarse otros márgenes temporales distribuidos entre la presencialidad física en el centro de trabajo y la presencia virtual en otro lugar previamente determinado por la persona trabajadora. Recordemos que la norma sitúa el mínimo del trabajo a distancia en un 30% de la jornada por lo que, si se acuerdan otros tiempos de trabajo en esta modalidad, también deben quedar reflejados en el acuerdo individual de trabajo a distancia.

En esta fijación del tiempo de trabajo a distancia las partes no son completamente libres, dado que la DA1ª.2 atribuye a la negociación colectiva la potestad de fijar una jornada mínima presencial. Se habilita así a la autonomía colectiva para que, en atención a la especificidad de la actividad o las circunstancias de su desarrollo, pueda establecer límites a la virtualidad que eviten el aislamiento profesional de la persona trabajadora.

Junto al porcentaje de trabajo a distancia pactado, es necesario indicar en qué medida se distribuye entre el trabajo a distancia y el trabajo presencial. La finalidad de esta exigencia, indicativa de que la norma se sitúa en un modelo híbrido de trabajo a distancia, puede no tener otro objetivo que una clara separación entre ambas formas de prestación a efectos de conciliación, de compensación de gastos, abono de complementos vinculados a la presencialidad, suministro de equipos y herramientas etc. Sin embargo, dependiendo de la actividad que se desarrolle, una separación estricta puede no ser posible debiendo "aceptarse una mención genérica en materia de distribución que permita fórmulas flexibles de distribución del tiempo de trabajo a lo largo del tiempo y en función de cambiantes necesidades"[34], en las que la persona trabajadora tenga un cierto margen de decisión con el fin de adecuar esa distribución en función de sus circunstancias familiares y/o personales. Asimismo, deberían evitarse previsiones convencionales o contractuales en las que se recogiese con cierta amplitud la supeditación del trabajo a cambios sobrevenidos en interés de la empresa, dada su incidencia sobre la planificación personal, es-

---

[34] GÓMEZ ABELLEIRA, Francisco J.: La nueva regulación del trabajo a distancia, Tirant lo Blanch, Valencia, 2020, p. 60. Considera el autor que aquí la norma esta imbuida de un espíritu excesivamente rígido y reglamentista.

pecialmente para el colectivo femenino[35]. Una cuestión íntimamente relacionada con la distribución irregular de la jornada, una de las más amplias herramientas de flexibilización reconocidas al empresario, y que pasamos a analizar a continuación.

2.4. *Distribución irregular de la jornada y su incidencia en el trabajo a distancia*

La aplicación de las normas sobre tiempo de trabajo previstas en el ET tiene, en el ámbito del trabajo a distancia, una especial relevancia en lo relativo a la potestad empresarial de distribuir irregularmente la jornada de trabajo. Estamos ante una herramienta que otorga flexibilidad en orden a conseguir una mayor productividad y competitividad empresariales, si bien, y como contrapartida, merma la planificación que el trabajador o la trabajadora pueden realizar sobre su tiempo de no trabajo.

El tiempo de trabajo se estructura, con carácter general y salvo previsión inferior en convenio o contrato, en torno a una jornada de trabajo de cuarenta horas semanales distribuidas en cinco días de trabajo, y a un horario que determina el momento de inicio y finalización de una jornada diaria que no puede ser superior a nueve horas de trabajo efectivo. Sin embargo, tanto en relación a la jornada como al horario, el ET admite que se modifique el tiempo en el que la persona trabajadora debe prestar servicios. La distribución de la jornada ordinaria de trabajo puede ser regular o irregular, implicando es este último caso, alteraciones al alza o a la baja, sobre las cuarenta horas semanales[36].

Esa distribución irregular de la jornada puede venir recogida en convenio colectivo o, en su defecto, en acuerdo de empresa, disponiéndose, no obstante, que, a falta de previsión negociada, el empresa-

---

[35] Para un estudio de la incidencia del trabajo a distancia con perspectiva de género *vid.* MORENO GENÉ, Josep: El auge de las nuevas tecnologías en el trabajo tras la COVID-19 y su impacto de género, en *Managing the future. Challenges and proposals for post-pandemic society*, publicaciones URV, 2021, disponible en http://llibres.urv.cat/index.php/purv/catalog/view/481/500/1117-3

[36] STSJ Cantabria núm.314/2018 de 25 de abril, Rec. 143/2018. ECLI:ES: TSJ-CANT: 2018:103.

rio pueda distribuir de manera irregular a lo largo del año el diez por ciento de la jornada de trabajo [37], sin que el ET exija la concurrencia de una causa que justifique su utilización, produciéndose así una doble transgresión de los márgenes contenidos en la Directiva 2003/88[38]. Esto último no significa, como en reiteradas ocasiones ha establecido nuestra jurisprudencia, que el empresario "pueda hacer uso de esta facultad a su capricho, arbitrariamente o de manera irregular, como en general, no puede hacerlo con ninguna de las facultades en que se vertebra el poder de dirección de la actividad laboral"[39].

La distribución irregular de la jornada de trabajo a la que alude el ET constituye un concepto jurídico indeterminado. Siguiendo a IGARTÚA MIRÓ, entendemos que "distribuir irregularmente la jornada significa alterar el quantum para un módulo temporal determinado"; una "distribución que tiene implicaciones sobre el horario, conllevando una regulación no fija del mismo, de modo que varía, de forma prevista o no, el momento de comienzo y finalización de la prestación debida"[40]. Si partimos de que el trabajo a distancia permite una organización flexible del tiempo de trabajo y una mayor conciliación de la vida laboral y familiar/personal, es indudable que el ejercicio de la distribución irregular tiene incidencia en la planificación personal de los trabajadores y las trabajadoras a distancia.

La doctrina se muestra crítica[41] al no contemplar el legislador restricción alguna en su aplicación al trabajo a distancia, dada las mayo-

---

[37] En defecto de previsión convencional, el acuerdo de la empresa con los representantes de los trabajadores no es necesario si el porcentaje de distribución irregular a aplicar por la empresa no supera el 10%. STS núm. 1043/2021 de 20 de octubre, Rec. 128/2021. ECLI:ES:TS: 2021:3918.

[38] La Directiva comunitaria condiciona por un lado las irregularidades de la jornada a la concurrencia de razones objetivas, técnicas o de organización y por otro, el art. 19 contempla en todo momento, que las irregularidades de jornada sean acordadas colectivamente. BASTERRA HERNÁNDEZ, Miguel: "Tiempo de trabajo y tiempo de descanso", Tirant lo Blanch, Valencia, 2020, p.112.

[39] Por todas, STS 15 de diciembre de 1998, Rec. 1162/1998.

[40] IGARTÚA MIRÓ, María Teresa: "Ordenación flexible del tiempo de trabajo: jornada y horario", *op. cit.*, p. 88.

[41] *Vid.* GORELLI HERNÁNDEZ, Juan: "El derecho al descanso y las nuevas formas de trabajo en la era digital: ¿un derecho en peligro?, en *Innovación tecnológica, cambio social y sistema de relaciones laborales*, Monereo Pérez, Vila Tierno, Expósito y Perán Quesada (Dirs.), Comares, Granada, 2021, p. 512;

res prolongaciones de jornadas que se pueden producir en esta modalidad de organización del trabajo. Si existe previsión convencional o acuerdo de empresa sobre la realización de una jornada ordinaria de trabajo efectivo superior a 9 horas diarias[42], el límite máximo de la jornada puede llegar a situarse en las 12 horas, al actuar el descanso entre jornadas como tope insoslayable, y sin que se haya previsto una jornada máxima semanal (límite sí previsto en la Directiva 2003/88 y situado en las 48 horas semanales). Todo ello puede conducir a jornadas extenuantes que ponen en peligro la salud laboral de las personas trabajadoras a distancia comprometiendo su derecho al descanso. El tecnoestrés, la fatiga informática y la fatiga postural están directamente vinculadas a la hiperconectividad que trae consigo las nuevas tecnologías, siendo necesario, quizá en este ámbito más que en ningún otro, una racionalización del tiempo de trabajo que evite la invasión, reiterada y/o prolongada, de los tiempos de descanso y ocio.

Estamos ante una facultad de distribución irregular que, en defecto de pacto colectivo, se confiere al empresario y ante la que el *ius resistentiae de* la persona trabajadora tiene poco margen de actuación. En opinión de GORELLI HERNÁNDEZ, cabría aplicar

---

[42] IGARTÚA MIRÓ, María Teresa: "La flexibilización del tiempo de trabajo", Trabajo y Derecho núm. 12, 2021, p. 4 del formato electrónico.
Discutida es, en el supuesto de distribución irregular de la jornada decidida unilateralmente por el empresario, la determinación del *quantum* diario de trabajo efectivo. El artículo 34.2 ET señala como límites el respeto a los periodos mínimos de descanso diario y semanal si bien el artículo 34.3 ET requiere de acuerdo colectivo para sobrepasar las 9 horas diarias de trabajo efectivo. Al respecto, *vid.* LÓPEZ ÁLVAREZ, M. José: "Distribución irregular de la jornada de trabajo", Francis Lefebvre, Madrid, 2015, p. 35, quien se inclina por considerar que la distribución irregular que lleve a cabo el empresario no podrá traspasar el límite diario de 9 horas de trabajo; en opinión de BASTERRA HERNÁNDEZ, Miguel: "Tiempo de trabajo y tiempo de descanso", *opus cit.*, p. 78, se trata de un límite inquebrantable para la autonomía individual en el contrato de trabajo; en el mismo sentido, IGARTÚA MIRÓ, Teresa: "Ordenación flexible del tiempo de trabajo: jornada y horario", *op.cit.* p.108.
En sentido contrario, FALGUERA BARÓ, Miquel A.: "Jornada y horario: flexibilidad contractual del empresario", *op.cit.* p.266, al entender que "los límites legales remiten al régimen de "descansos" (las doce horas diarias y el día y medio de descanso semanal, es decir, conforme la Directiva base el tiempo de "no trabajo"), sin que el art. 34.3 tenga esa condición, sino que opera como período máximo de jornada (entendida como "trabajo efectivo")".

analógicamente el artículo 12.5.f ET en aquellos casos en los que el empresario impone unos horarios de trabajo que vulneran los límites de jornada, por lo que la persona trabajadora a distancia en ejercicio de su *ius resistentiae* no tendría que cumplir[43]. Asimismo, cabría entender justificada la negativa del trabajador o trabajadora a cumplir con la distribución irregular de la jornada cuando, tratándose de una distribución dinámica, aleatoria o incierta[44], el empresario no cumple con el plazo de preaviso obligatorio. El ET cifra, con el carácter de mínimo, un preaviso de cinco días no siendo admisible su reducción convencional, dado que su finalidad es hacer compatibles las necesidades productivas y organizativas de la empresa con la vida personal y familiar de las y los trabajadores. De ahí que el Tribunal Supremo niegue el ajuste a derecho de la cláusula convencional que reduzca a veinticuatro horas el plazo de preaviso, al indicar que la previsión estatutaria contiene una norma de derecho necesario relativo que permite su mejora, pero no su empeoramiento[45].

Por último, téngase en cuenta que la potestad conferida al empresario *ex* artículo 34.2 ET no es la única que puede tener especial incidencia en la jornada diaria de la persona trabajadora a distancia. Atendiendo al régimen jurídico de las horas extraordinarias, su compensación con tiempo de descanso en los cuatro meses siguientes a su realización permite ampliar, por otra vía, el tiempo de trabajo

---

[43] GORELLI HERNÁNDEZ, Juan: "El derecho al descanso y las nuevas formas de trabajo en la era digital...", *op. cit.*, p. 512.

[44] Entiéndase por tal aquella "que permite al empresario ampliar o reducir la jornada en cualquier momento en función de las necesidades que surjan, sin que exista una planificación previa". LÓPEZ ÁLVAREZ, M. José: "Distribución irregular de la jornada de trabajo", *op.cit.*, p.13.

[45] STS de 16 de abril de 2014. Rec. 183/2013. ECLI:ES:TS: 2014:1963. En el mismo sentido, la SAN de 1 de diciembre de 2021, Rec. 280/2020 señala que la fijación de un plazo de 48 horas para que la empresa comunique cambios de horario por incidencias no previsibles supone una vulneración el art. 34.2 ET al no respetarse el preaviso mínimo de 5 días establecido. Gorelli Hernández señala que "es posible detectar algunas sentencias que admiten la posibilidad de una reducción del plazo de preaviso cuando el trabajador acepta voluntariamente la alteración de la jornada", lo que supone para el autor una manifestación de "los efectos negativos que puede tener la recuperación de la soberanía del trabajador sobre su tiempo de trabajo". GORELLI HERNÁNDEZ, Juan: "El derecho al descanso y las nuevas formas de trabajo en la era digital...", *op. cit.* p. 514.

efectivo. Una flexibilización del tiempo de trabajo diario de mayor alcance que la distribución irregular de la jornada al poder superarse las nueve horas de la jornada ordinaria diaria mediante la realización de horas extraordinarias sin necesidad de pacto o acuerdo colectivo; un consenso que, en caso de distribución irregular, sí que deviene en necesario para superar el tiempo ordinario de trabajo efectivo como hemos señalado anteriormente.

Teniendo en cuenta que la tendencia a prolongar la jornada de trabajo en el trabajo a distancia, especialmente en el teletrabajo, es una realidad constatada y dada la incidencia que ello puede tener en el equilibrio de la vida personal y familiar, no hubiera estado de más que el legislador hubiera introducido una previsión dirigida a reducir la posible acumulación de opciones flexibilizadoras, limitando el actual solapamiento que permiten los ajustes de jornada en favor del empresario[46].

3. LA ORGANIZACIÓN DEL TIEMPO DE TRABAJO: EL DERECHO AL HORARIO FLEXIBLE DE LA PERSONA TRABAJADORA A DISTANCIA

El horario flexible, en cuanto instrumento vinculado a la ordenación del tiempo de trabajo, favorece la integración laboral, especialmente del colectivo femenino, al combatir la rigidez de los horarios fijos convencionales y permitir la compatibilización del trabajo con las responsabilidades familiares[47].

La mayor autonomía que facilita el trabajo a distancia y el teletrabajo sobre el tiempo de trabajo permite a la persona trabajadora estructurar sus tiempos vitales, de modo que tanto el laboral como el familiar o de ocio presenten un adecuado equilibrio. A conseguir este objetivo se dirige el artículo 13 cuando reconoce un derecho al horario flexible remitiéndose a los términos que se fijen en el acuerdo

---

[46] IGARTÚA MIRÓ, Teresa: "La flexibilización del tiempo de trabajo", *op.cit.* p.4 del formato electrónico; en el mismo sentido, BASTERRA HERNÁNDEZ, Miguel: "Tiempo de trabajo y tiempo de descanso", *op. cit.* p. 130.

[47] RODRÍGUEZ GONZÁLEZ, Sarai: "Tiempo de trabajo y vida privada", Comares, Granada, 2016, p. 198.

individual de trabajo. Adviértase por el lector que, ya en su propio título, el legislador deja claro que no estamos ante un derecho absoluto o incondicionado de la persona trabajadora; antes, al contrario, se trata de un derecho sometido al juego del acuerdo de voluntades.

El mencionado precepto dispone que de conformidad con los términos establecidos en el acuerdo de trabajo a distancia y la negociación colectiva, respetando los tiempos de disponibilidad obligatoria y la normativa sobre tiempo de trabajo y descanso, la persona que desarrolla trabajo a distancia podrá flexibilizar el horario de prestación de servicios establecido. De este modo, ese derecho de flexibilización de su horario de trabajo tiene como límites, por un lado, la normativa estatutaria sobre tiempo de trabajo y descanso y las reglas de disponibilidad obligatoria a las que nos hemos referido anteriormente, y por otro, debe someterse a lo pactado en el acuerdo individual y en la negociación colectiva. La alusión a estos parámetros supone que "no es admisible confundir flexibilidad con la inexistencia de horario"[48], puesto que el horario que se aplicará será el ordinario de la empresa. Ello conduce a atisbar que sus márgenes de actuación pueden ser nulos si no se previó esa flexibilidad[49]; piénsese en aquellos supuestos en los que el horario de la empresa, por razones productivas, tenga que ser un horario cerrado o fijo. Asimismo, la referencia al respecto de la normativa sobre tiempo de trabajo y descanso supone una llamada de atención dirigida en esta ocasión al trabajador o trabajadora a distancia con el fin de evitar que, los propios mecanismos de tutela que se disponen para la defensa de sus intereses, paradójicamente, resulten incumplidos por ellos mismos, convirtiéndose la persona trabajadora en su peor tirana[50].

---

[48]   GORELLI HERNÁNDEZ, Juan: "El derecho al descanso y las nuevas tecnologías de trabajo en la era digital... op.cit, p. 541.

[49]   SANGUINETI RAYMOND, Wilfredo: "Teletrabajo y tecnologías digitales en la nueva ley de trabajo a distancia", op. cit., p. 261.

[50]   MONEREO PÉREZ, José L. y GORELLI HERNÁNDEZ, Juan: "Tiempo de trabajo y ciclos vitales. Estudio crítico del modelo normativo", Comares, Granada, 2009, p. 175 y 193. Trujillo Pons señala que no es el trabajo en sí lo que causa el estrés laboral sino la personalidad de la persona trabajadora, existiendo personas con trastorno obsesivo-compulsivo que están acostumbradas a trabajar al cien por cien. TRUJILLO PONS, Francisco: "La "desconexión digital" en el ámbito laboral", Tirant lo Blanch, Valencia, 2020, p. 26.

El reconocimiento del derecho a un horario flexible supone "una gestión del tiempo de trabajo más individualizable en el funcionamiento de la empresa"[51], dejando un cierto margen a la persona trabajadora para que acomode el tiempo de trabajo debido a las particularidades de su vida familiar y personal. Téngase en cuenta que las nuevas formas de trabajar, asentadas sobre la base de las nuevas tecnologías, se están alejando de las formas clásicas de retribución por unidad de tiempo, utilizando en mayor medida la retribución a proyecto o por objetivos previamente definidos[52]. En estos casos, el tiempo de trabajo como elemento central del contrato de trabajo pasa a un segundo plano, siendo la persona trabajadora el que lo gestiona directamente. De ahí que la doctrina se pregunte, dadas las exigencias que con relación al tiempo de trabajo se han de consignar en el acuerdo individual de trabajo a distancia, si la norma no estaría dificultando un cierto nivel de autogestión por parte de los y las trabajadoras a distancia, al tiempo que no considera otros posibles sistemas de medición alternativos a la unidad de tiempo[53], perpetuando viejos esquemas de presentismo[54].

Estamos ante un derecho ejercitable con independencia de la duración de la jornada, sin que sea óbice, por tanto, el disfrute por la persona trabajadora de una reducción de jornada por razones familiares[55]. Son distintas las modalidades de horario flexible utilizables sin

---

[51] PÉREZ DE LOS COBOS, Francisco y MONREAL BRINGSVAERD, E.: "La regulación de la jornada de trabajo en el Estatuto de los Trabajadores", Revista del Ministerio de Trabajo y Asuntos Sociales núm. 58, 2005, p 73.

[52] La primera versión del anteproyecto de Ley de Trabajo a distancia (20.06.20) señalaba en su exposición de motivos que "la aplicación de la fórmula de la retribución por unidad de obra no puede derivar en la exigencia de resultados que no se pueden alcanzar dentro del tiempo establecido para ello, riesgo que es particularmente elevado en el trabajo a distancia [...] En consecuencia, aunque el establecimiento de retribuciones conforme a resultados es una posibilidad legítima, es necesario que se garantice una retribución mínima en atención al tiempo trabajado.

[53] SANGUINETI RAYMOND, Wilfredo: "Teletrabajo y tecnologías digitales en la nueva ley...", op.cit. p. 259 y p. 262.

[54] "La autogestión del tiempo de trabajo es clave en el teletrabajo y no puede suponer viejos esquemas de presentismo, virtual o telemático, en perjuicio de una mejor ordenación, distribución y duración de la jornada de trabajo". CAIRÓS BARETO, Dulce M.: "Tiempo de trabajo, digitalización y teletrabajo", Trabajo y Derecho, núm. 13, 2021, p. 3.

[55] STSJ Madrid de 14 de diciembre de 2017 (Rec. 410/2017).

que el artículo 13 se refiera a ninguna de ellas dejando amplia libertad a las partes para su elección. La negociación colectiva contiene ejemplos muy diversos, bien fijando una horquilla amplia de inicio y consiguiente finalización de la jornada con un tiempo obligatorio de presencia[56], o pudiendo ampliar la hora de entrada los viernes para finalizar a las 15h[57], estableciendo una demora en la entrada respecto al horario asignado de 30 minutos que debe ser recuperada en la misma jornada[58], admitiendo solo la flexibilidad en la hora de entrada y limitando la salida antes de una hora determinada[59] o disponiendo de una bolsa de diez días de teletrabajo ocasional al año para situaciones imprevistas[60].

4. EL DERECHO A LA ADAPTACIÓN EN LA FORMA DE PRESTACIÓN CON FINES DE CONCILIACIÓN Y CORRESPONSABILIDAD

La Ley 10/2021 tiene presente que la conciliación y corresponsabilidad constituyen una prolongación del derecho constitucional a la igualdad[61], de ahí que reserve uno de los apartados (art. 4.5) para reiterar que todas las personas trabajadoras, presenciales o a distancia, tienen los mismos derechos en materia de conciliación y corresponsabilidad, mencionando específicamente, el derecho a la adaptación de la jornada regulado en el artículo 34.8 ET.

---

[56] El convenio colectivo de Nestlé Global Services Spain, SL señala una hora de entrada entre 7:30 y 10:00 h de la mañana y de salida entre 16:00 y 19:30 h de la tarde, respectivamente, respetando siempre el tiempo de obligada presencia en el puesto de trabajo, que es de 10:00 a 16:00 h. Código de convenio núm.08102702012019, Boletín Oficial de la Provincia de Barcelona de 5 de agosto de 2019.

[57] Convenio colectivo de la empresa Unilever Foods España S.A. (División Agra), Código convenio n°.48000042011981, Boletín Oficial de Bizkaia núm.186 de 27 de septiembre de 2021.

[58] Convenio colectivo del Grupo Axa, Código convenio núm. 90006353011984, BOE núm. 244 de 10 de octubre de 2017.

[59] Convenio colectivo del Grupo mercantil ISS, código de Convenio n.° 90100143012013, BOE núm. 69 de 22 de marzo de 2021.

[60] Modificación del Convenio colectivo de Orange España Comunicaciones Fijas SLU, Código de convenio núm. 90103482012019, BOE núm. 13 de 15 de enero de 2022.

[61] RUÍZ-RICO RUÍZ, Catalina: "El derecho constitucional a conciliar la vida laboral, familiar y personal", Tirant lo Blanch, Valencia, 2012, p.32

La referencia a este precepto estatutario puede ser objeto de una doble lectura según quien sea el destinatario de su contenido: por un lado, respecto de las personas trabajadoras presenciales, se recoge un derecho a la conciliación mediante la adaptación de la forma de prestación que será vehiculado a través del trabajo a distancia[62]. En este supuesto nos encontraremos ante una novación contractual que requerirá de la suscripción del acuerdo individual de trabajo a distancia entre las partes; y por otro, respecto de las personas trabajadoras que realizan su prestación a distancia, en cuyo caso la conciliación debe facilitarse a través de cualquiera de los derechos ya reconocidos, si bien únicamente menciona de forma expresa la adaptación de su jornada con el fin de que su trabajo no interfiera en la vida personal y familiar, descartándose "por errónea, la idea de que el tiempo de trabajo y el tiempo de cuidado pueden ser simultáneos"[63].

La adaptación de la jornada en la ordenación del tiempo de trabajo y en la forma de prestarlo, es, de entre todas las fórmulas posibles, la que mejor equilibra la vida laboral y familiar y más beneficia a la persona trabajadora, imponiendo el derecho de presencia frente al elenco de los que favorecen la ausencia.

4.1. Conciliación y corresponsabilidad en la prestación de servicios presencial

El contenido del artículo 34.8 ET facilita el equilibrio entre vida laboral y familiar asentado en una idea-fuerza: conciliar no es traba-

---

[62] La redacción final de la Ley 10/2021 tiene en este ámbito una menor extensión de la inicialmente prevista. El anteproyecto de ley, en su primera versión de 20.06.20, recogía un derecho al trabajo a distancia ocasional por fuerza mayor familiar ejercitable en caso de enfermedad o accidente de un familiar hasta el segundo grado por consanguinidad, o de cónyuge o pareja de hecho, pudiendo el convenio o acuerdo de empresa ampliar los supuestos justificativos de ejercicio de este derecho. En esta circunstancia se podría realizar hasta un máximo del 60% de la jornada ordinaria, si ello fuera técnica y razonablemente posible.

[63] LÓPEZ ÁLVAREZ, María José: "Trabajo a distancia, conciliación familiar y corresponsabilidad" en *Teletrabajo y conciliación en contexto de la COVID-19. Nuevos retos en el marco de la prevención de la violencia de género y la calidad de vida de las mujeres (PEVG2020)*, León Llorente (editora), Thomson Reuters Aranzadi, Navarra, 2020, p. 114

jar menos, es trabajar de diferente forma; de ahí que se potencie, no un derecho a la ausencia como reiteradamente ha criticado la doctrina[64], sino a través de un derecho de presencia como es la adaptación de la duración y distribución de la jornada y el tránsito hacia una prestación de servicios a distancia que permita compatibilizar responsabilidades familiares y laborales[65]. Este cambio en la forma de prestación de servicios para facilitar la permanencia de los/las progenitoras y cuidadoras se sitúa entre los objetivos de la Directiva 2019/1158 (UE) del Consejo, de 20 de junio de 2019, relativa a la conciliación de la vida familiar y la vida profesional de los progenitores y los cuidadores, y cuyo articulado sitúa entre las fórmulas de trabajo flexible la adaptación de los modelos de trabajo acogiéndose al trabajo a distancia. Esta previsión va más allá de la búsqueda de fórmulas facilitadoras de la conciliación basadas en el tiempo de trabajo, puesto que posibilita un cambio de modalidad contractual.

Entrando en el análisis de su contenido, debe señalarse en primer término que el ET no configura un verdadero derecho subjetivo sino más bien una expectativa de derecho al señalar que las personas trabajadoras tiene el derecho a solicitar la adaptación en la forma de prestación, incluida la prestación de su trabajo a distancia. Como elementos delimitadores se exigen que se trate de una adaptación razonable y proporcionada con relación a las necesidades de la persona trabajadora y las necesidades organizativas o productivas de la em-

---

[64] RODRÍGUEZ COPÉ, María Luisa: "Igualdad, conciliación, corresponsabilidad y flexibilidad: ejes claves para la gestión del mercado de trabajo actual" en *Igualdad de género en el trabajo: estrategias y propuestas*, Sáez Lara (coord.), Laborum, Murcia, 2016, pp. 77-78; RODRÍGUEZ GONZÁLEZ, Sarai: "Tiempo de trabajo y vida privada", *op. cit.*, pp. 21-24; PÉREZ DEL RÍO, Teresa: "La normativa interna sobre derechos de conciliación: la corresponsabilidad" en *Conciliación de la vida familiar y laboral y corresponsabilidad entre sexos*, Cabeza Pereiro y Fernández Docampo (Dirs.), Tirant lo Blanch, Valencia, 2011, p. 57.

[65] Romero Burillo señala que "estudios recientes han puesto en evidencia que los días de teletrabajo permiten a las personas trabajadoras cumplir mejor sus roles mientras prestan sus servicios desde casa y generan menos conflictos entre el trabajo y el hogar" si bien alerta que la mayor utilización del teletrabajo por la mujeres "dará lugar a un escenario propicio para volver a un reparto de las tareas domésticas y familiares que estábamos en vías de superar", ROMERO BURILLO, Ana María: "El marco regulador del teletrabajo", Atelier, Barcelona, 2021, pp. 147-149.

presa. De este modo, no se reconoce un derecho absoluto e incondicionado a la adaptación ni tampoco subordinado a las necesidades empresariales; es, en definitiva, un derecho a solicitar una adaptación en la forma de prestar el trabajo en la que deben ponderarse tanto las circunstancias de la persona trabajadora como los requerimientos organizativos o productivos de la empresa[66].

Se reconoce así "una suerte de flexibilidad interna a la *inversa*, no ya en manos de los empleadores sino de los trabajadores"[67], que facilita la atención de las necesidades personales y familiares sin detrimento del desarrollo profesional. Adviértase por el lector en relación a los sujetos que pueden motivar esa necesidad conciliatoria, que el legislador solo hace referencia expresa a los hijos o hijas menores de doce años por lo que cualquier otra necesidad familiar queda ampliamente incluida, al no exigirse ni un determinado grado de parentesco (como sucede en el artículo 37.6 ET para el cuidado directo de un familiar), ni ningún otro requisito (que no desempeñe una actividad retribuida) o circunstancia fáctica (por ejemplo, que persona cuidadora y sujeto cuidado sean convivientes).

En atención al objeto del presente trabajo, de las distintas posibilidades a que alude el artículo 34.8 ET nos centraremos únicamente en el aspecto relativo a la solicitud de cambio de la forma de prestación mediante el trabajo a distancia con fines de conciliación[68]. El procedimiento que debe seguirse queda remitido en primer término, a la

---

66 SJS Logroño 229/2020 de 10 de diciembre. ECLI:ES: JSO: 2020:6565. En el mismo sentido, la SJS Madrid 448/2021 de 20 de diciembre señala que el trabajador no tiene una potestad ilimitada para diseñar su jornada de trabajo debiendo negociar con el empleador y hacerlo ambos de buena fe.

67 CHARRO BAENA, Pilar: "La incidencia de la LOI en la ordenación del tiempo de trabajo: reducciones y permisos" en *Trabajo, género e igualdad. Un estudio jurídico-laboral tras diez años de la aprobación de la LO 3/2007 para la Igualdad efectiva de mujeres y hombres*, Romero Burillo (directora y coordinadora) – Rodríguez Orgaz (coordinadora), Thomson Reuters Aranzadi, Navarra, 2018, p. 68

68 Igartúa Miró critica que "pese a los avances en el reconocimiento del derecho, la flexibilización no se descausaliza" habiendo optado el legislador por ceñirla "a las razones familiares que son las que el trabajador debe acreditar quizás en el entendimiento de que la defensa de otros intereses de la vida privada ligados al libre desarrollo de la personalidad tiene una entrada forzada en el principio de conciliación". IGARTÚA MIRÓ, María Teresa: "La flexibilización del tiempo de trabajo", *op.cit.*, p. 8 del formato electrónico.

negociación colectiva siendo en su seno donde se fijarán los términos de su ejercicio; en su defecto, será necesario la apertura de un periodo de negociación entre la empresa y la persona solicitante durante un máximo de treinta días. A su conclusión, la empresa comunicará por escrito su decisión, pudiendo ser aceptada, proponiendo otra alternativa acorde a las necesidades conciliatorias manifestadas por la persona trabajadora o pudiendo ser rechazada, debiendo, en este último caso, indicar las razones objetivas en las que funda su negativa. Las eventuales discrepancias serán resueltas en vía judicial a través del procedimiento previsto en el artículo 139 de la Ley 36/2011, de 10 de octubre, reguladora de la Jurisdicción Social (en adelante, LRJS). En este *iter* procedimental que se diseña la solución última del conflicto se deja en manos de la jurisdicción social si bien se hubiera podido definir en la norma otras vías de solución *inter partes* evitando la excesiva judicialización de los conflictos[69].

Consecuente con esa remisión expresa, es el convenio colectivo el que debe entrar a regular el ejercicio de este derecho a adaptar la forma de prestación para atender las responsabilidades familiares y laborales. Esto significa que si el convenio admite el tránsito hacia un trabajo a distancia con fines conciliatorios el empresario tendría que aceptarlo sin manifestar oposición por su parte. Nos hallaríamos, por tanto, ante una quiebra de la voluntariedad del trabajo a distancia proclamada en el artículo 5 que requerirá la firma de un acuerdo indi-

---

[69] A ello alude Ron Latas indicando que "la norma social está obligada a proporcionar a los sujetos del contrato de trabajo cierta seguridad jurídica que les permita resolver el conflicto en el seno de la propia empresa, sin necesidad de recurrir al auxilio de los tribunales laborales como resultado de la desidia legislativa". RON LATAS, Ricardo P.: "Los derechos colectivos de las personas que trabajan a distancia", *op.cit.* p. 24.
Por otro lado, Lousada Arochena señala que inicialmente "el artículo 139 LRJS se configuró como un proceso de gestión si bien las posteriores ampliaciones de su ámbito y objeto así como la posibilidad de acumular la tutela indemnizatoria [...] *(le han conferido)* [...] connotaciones propias de la tutela de derechos fundamentales, lo que se debe valorar de manera positiva pues se sitúa en esa tendencia de otorgar a los derechos de conciliación de la vida familiar y laboral el carácter de auténticos derechos fundamentales". LOUSADA AROCHENA, José F.: "Reducción de jornada y la adaptación del trabajo por motivos de conciliación en la doctrina judicial", Trabajo y Derecho núm.70, 2020, p. 6 del formato electrónico.

vidual en el que se refleje, entre otros aspectos, cómo se llevará a cabo la eventual reversibilidad de la situación. No olvidemos que el cambio solicitado tiene un carácter temporal, reconociéndole el artículo 34.8 ET a la persona trabajadora un derecho a solicitar el regreso a su modalidad contractual anterior una vez concluido el periodo acordado, o antes si el cambio de las circunstancias que motivaron la solicitud de adaptación así lo justificase.

Que sea la negociación colectiva quien deba, con carácter preferente, abordar la regulación del ejercicio de este derecho es consecuente con el conocimiento que a nivel sectorial o de empresa puede tener sobre las necesidades existentes y la problemática concreta que implicaría la introducción del trabajo a distancia en su actividad. No obstante, no son muchos los convenios que entran a regular esta cuestión[70], por lo que la necesidad de acuerdo entre empresa y persona trabajadora viene a ser el cauce habitual de ejercicio de este derecho. En este plano secundario, el deber empresarial no se circunscribe a una mera negociación pasiva con el solicitante. Todo lo contrario, se impone un deber de buena fe, que implica la necesaria propuesta de ofertas y contrapropuestas reales[71], para llegar a un consenso con el que "se consiga la mayor productividad posible con la mayor conciliación posible"[72], sin que tampoco deba entenderse reconocido a la persona trabajadora un derecho de modificación unilateral, especialmente en aquellos supuestos en los que la modalidad de trabajo a distancia acordada en la empresa no se extiende a todos los días laborables[73].

---

[70] López Álvarez señala que la mayoría se limitan a referencias genéricas que reproduce la literalidad del ET, indicando como excepción destacable el VII Convenio colectivo Repsol S.A. de 6 de julio de 2018. LÓPEZ ÁLVAREZ, María José: "Trabajo a distancia, conciliación familiar y corresponsabilidad", *op. cit.*, p. 111.

[71] SJS Madrid 448/2021 de 20 de diciembre, Rec. 1169/2021. ECLI:ES: JSO: 2021:6563.

[72] LOUSADA AROCHENA, José F.: "Reducción de jornada y la adaptación del trabajo por motivos de conciliación en la doctrina judicial", *op.cit.*, p. 1 del formato electrónico.

[73] La trabajadora solicitaba la adaptación de su prestación de servicios a la modalidad de teletrabajo durante los 5 días de la semana, rechazándose su pretensión al tener que acogerse a las modalidades de teletrabajo previstas en el Acuerdo de Teletrabajo existente en la empresa y que no contempla el trabajo a distancia

En el ejercicio de este derecho se impone un deber de acreditar la razón o razones que motivan la petición de transformación de la prestación con base en la conciliación[74]. En este sentido, cuando lo que se solicita con fines conciliatorios es la prestación de servicios en régimen de trabajo a distancia, se parte de un análisis de la situación laboral de la persona trabajadora, teniéndose en cuenta las funciones desarrolladas[75], las específicas características de su desempeño[76], y su conexión con los cambios organizativos o productivos que la prestación de servicios a distancia implicaría para la empresa, extremos que también deben ser acreditados por esta. Transcurrido el plazo señalado de treinta días la empresa aceptará el cambio en los términos planteados, propondrá una alternativa o rechazará de forma justificada y por escrito la solicitud de la persona trabajadora. En este último supuesto, deberá aportar datos que demuestren los inconvenientes que se producirían en la reorganización de su sistema de trabajo[77] debiendo ser las razones esgrimidas objetivas (no meramente hipotéticas, sino reales y constatables), atendibles (han de responder a motivos lícitos, que guarden relación lógica con lo que se pida por la persona trabajadora, y ajenos a cualquier móvil discriminatorio) y de cierta entidad (aunque no desproporcionados e inasumibles)[78].

Del texto estatutario se desprende que la empresa debe ofrecer una respuesta expresa a la solicitud de conciliación formulada por la per-

---

durante todos los días de la semana. SJS Madrid (núm. 31) 448/2021 de 20 de diciembre. Proc. 1169/2021

[74] Así se deniega la prestación del trabajo en la modalidad a distancia a una trabajadora que solicitó realizarlo en una franja horaria en la que sus dos hijos se encuentran escolarizados. SJS Logroño 229/2020 de 10 de diciembre. ECLI:ES: JSO: 2020:6565.

[75] Trabajadora contratada como jefa de compras, debiendo supervisar y seleccionar más de mil referencias de tejidos de distintos proveedores lo cual exige acudir al centro de trabajo al menos dos días a la semana, frente a la solicitud de la trabajadora de teletrabajar los días. STSJ Madrid 723/2021 de 16 de noviembre, Rec. 3441/2021. ECLI:ES: TSJM: 2021:13229.

[76] Asistencia telefónica a personas mayores en situación de discapacidad o dependencia que exigiría, en determinadas circunstancias, ser auxiliado por otro teleasistente en la atención a los usuarios. STSJ Andalucía 914/2021 de 26 de mayo, Rec. 176/2021. ECLI:ES: TSJAND: 2021:9131.

[77] STSJ Madrid 3697/ 2020 de 20 de julio.

[78] STSJ Islas Canarias (Santa Cruz de Tenerife) 817/2020 de 12 de noviembre, Rec. 449/2020.

sona trabajadora, de ahí que, si una vez recibida no abre un periodo individual de negociación, ese silencio deberá entenderse en sentido positivo considerándose que la infracción del precepto estatutario trae consigo la aceptación íntegra de la pretensión, so pena de vaciar de contenido la previsión legal[79]. Si hubiera llevado a cabo el periodo individual de negociación pero tras él no comunicase su decisión, deberá entenderse igualmente estimada la solicitud de conciliación, si bien en aras de la seguridad jurídica, lo más conveniente es que la persona trabajadora acuda a la vía judicial asumiendo el órgano judicial, ante la inactividad empresarial, la prevalencia del derecho de adaptación que a la persona trabajadora le reconoce el artículo 34.8 ET[80], limitándose a evaluar la razonabilidad de la petición formulada[81].

La negativa o disconformidad empresarial a adaptar la forma de prestación de servicios por razones de conciliación, permite a la persona trabajadora acudir a la vía judicial en el plazo de 20 días desde la recepción de dicha comunicación, tramitándose de forma preferente y urgente a través de un procedimiento en el que ambas partes deben llevar sus respectivas propuestas y alternativas de concreción a los actos de conciliación previa al juicio y al propio juicio (art. 139.1.b LRJS). La sentencia favorable a la persona trabajadora, que deberá dictarse en el plazo de tres días desde la conclusión del juicio, supondrá la obligatoria aceptación por el empresario de la realización del trabajo a distancia. Nos situaríamos, así, ante una nueva quiebra en la voluntariedad que preside esta forma de prestación, al serle impuesta al empresario en base a una justificada necesidad de conciliar intereses profesionales y familiares por parte de la persona trabajadora.

---

[79] Señala la sala que "tratándose de una medida conciliadora de la vida familiar y laboral, el legislador ha introducido expresamente un cauce formal en defecto del que pudiera estar previsto en convenio colectivo a fin de vehicular las solicitudes que los trabajadores pudieran plantear, aquilatando esa previa ponderación de intereses entre las partes a través de un trámite negociador con el evidente propósito de que al procedimiento judicial solo lleguen las "discrepancias" entre las partes. STSJ Asturias 621/2021 de 23 de marzo, Rec. 425/2021.

[80] LÓPEZ BALAGUER, Mercedes: "El derecho a la adaptación de jornada y forma de trabajo por conciliación de la vida laboral y familiar tras el RDL 6/2019", Revista de Trabajo y Seguridad Social, CEF núm. 437-438, 2019, p. 118.

[81] RODRÍGUEZ PASTOR, Guillermo: "Adaptación de la jornada de trabajo o en la forma de prestar el trabajo por razones de conciliación", Tirant lo Blanch, Valencia, 2020, pp. 82.

4.2. Conciliación y corresponsabilidad en la prestación de servicios a distancia

El art. 4.5 Ley 10/2021 al garantizar que las personas trabajadoras a distancia tienen los mismos derechos que las personas trabajadoras presenciales, lo que hace es subrayar que la empresa no puede denegarles "el ejercicio de otros derechos de conciliación, como permisos, reducciones o adaptaciones de jornada, sobre la base de que la prestación de trabajo ya se está realizando a distancia"[82], si bien en el texto legal tan solo se menciona el derecho de adaptación de la jornada, pudiéndose entender en el sentido de que confiere un *plus* de flexibilidad, respecto al derecho recogido en el artículo 13 antes analizado, en atención al presupuesto que sustenta la solicitud de la persona trabajadora.

Se trata de un derecho con un contenido complejo[83] en cuyo ejercicio se deben ponderar las necesidades de la persona trabajadora y las necesidades organizativas o productivas de la empresa y la razonabilidad de la adaptación propuesta. En este sentido, la adaptación, en cualquiera de las modalidades por la que se opte, no debe conllevar una notable distorsión en la organización de la empresa[84] si bien las razones que lleven al empresario a desestimarlas no deben tener únicamente como base la ausencia de una regulación legal o convencional. Asimismo, debe tenerse en cuenta que la conciliación de la vida laboral y familiar tiene un marcado componente de género, por lo que el trabajo a distancia, como forma de prestar servicios, presenta indudables ventajas, pero también sombras[85].

---

[82] LÓPEZ ÁLVAREZ, María José: "Trabajo a distancia, conciliación familiar y corresponsabilidad", *op. cit.*, p. 114

[83] Recoge la autora el debate doctrinal existente acerca del alcance de este derecho, en el que se oscila entre su reconocimiento como derecho subjetivo o como derecho a la modulación del tiempo de trabajo, pero condicionado al acuerdo. IGARTÚA MIRÓ, María Teresa: "Ordenación flexible del tiempo de trabajo…", *op. cit.*, p. 257-268.

[84] Esto sucede cuando la trabajadora solicita una modificación de su horario que implica la modificación del horario o el turno de otros tres trabajadores en semanas alternas (STSJ Cataluña 3634/2021 de 7 de julio, Rec.398/2021).

[85] Así lo advierte Moreno Gené, al señalar "La implantación del teletrabajo puede suponer un impulso decisivo para el acceso y la permanencia de la mujer en el mercado de trabajo….Ahora bien, estas mayores facultades en la organización,

Son diversos los instrumentos a los que pueden recurrir las personas trabajadoras a distancia cuando necesiten compatibilizar labores de atención y cuidado con la prestación laboral. Sin ánimo de ser exhaustivos, y partiendo de la premisa de que nos hallamos ante un derecho cuyo ejercicio admite diversas formas de concreción, la adaptación puede consistir en una modificación del horario[86], una concreción de jornada[87], un cambio de turno[88], una conversión de la jornada en continuada o un cambio en la organización de los descansos[89], así como la reducción de jornada con pérdida proporcional de la correspondiente retribución, entre otros.

Hemos señalado anteriormente que el trabajo a distancia facilita el acomodo de la prestación de servicios a las necesidades de la persona trabajadora. La corresponsabilidad impone una asunción equilibrada de las responsabilidades familiares, si bien, no actúa como elemento decisor a la hora de aceptar o no las modificaciones propuestas por la persona trabajadora, hecho que sería totalmente disfuncional al erigir

---

gestión y prestación de trabajo que comportan las nuevas tecnologías conllevan también importantes riesgos, que no son otros que todas estas mayores posibilidades de conciliación de la vida personal, familiar y laboral sean empleadas mayoritariamente, por no decir de un modo exclusivo, por las mujeres trabajadoras y no por los hombres, consolidándose de este modo la asunción de la mayor carga de las responsabilidades familiares —cuidado de hijos, personas dependientes, cuidado del hogar, etcétera— por parte de las mujeres, más predispuestas por razones sociales y culturales al disfrute de modelos laborales flexibles con vocación conciliadora y, por extensión, la tradicional segregación y discriminación por razón de género que sufre este colectivo —efecto *boomerang*—". MORENO GENÉ, Josep: "El auge de las nuevas tecnologías en el trabajo tras la COVID-19 y su impacto de género", *op. cit.* p. 71.

[86] La trabajadora solicitaba prestar sus servicios en horario de mañana en lugar de en horario de tarde por el mismo número de horas y en los mismos días. STSJ Asturias 621/2021 de 23 de marzo, Rec.425/2021.

[87] La petición se centraba en la conversión de la jornada exclusivamente de mañana, eludiendo el sistema de turnos. STSJ Islas Canarias (Santa Cruz de Tenerife) 817/2020 de 12 de noviembre, Rec. 449/2020.

[88] Consistente en pasar de una prestación de servicios en turnos de mañana, tarde y noche, que también se realiza los sábados, domingos y festivos, a trabajar únicamente de lunes a viernes en el turno de mañana o en turnos de mañana y tarde. STSJ Asturias 146/2021 de 26 de enero. Rec.1769/2020.

[89] Solicitando la trabajadora la libranza de los fines de semana alternos y festivos. SSTSJ Galicia 2692/2021 de 30 de junio. Rec.706/2021.

a la empresa en guardián de la corresponsabilidad[90]. Nuestra jurisprudencia viene estableciendo que en la valoración sobre la necesidad de adaptación de la jornada no es posible entrar a analizar cómo se organiza a nivel familiar el cuidado del sujeto causante[91] aunque encontramos pronunciamientos discrepantes en los que se resalta que la conciliación que se pretenda ha de ser corresponsable, debiendo valorarse la situación de ambos progenitores[92].

Su ejercicio está sometido a los mismos requerimientos que hemos señalado anteriormente para la adaptación de la forma de prestación de servicios y, en general, para la efectividad de la conciliación perseguida en el artículo 34.8 ET. Recordemos que la adaptación tendrá un carácter temporal, pudiendo la persona trabajadora solicitar el regreso a su jornada una vez concluido el periodo acordado o antes de su finalización cuando esté justificado por un cambio en las circunstancias que motivaron la solicitud de adaptación.

5. EL CONTROL DEL TIEMPO DE TRABAJO: LA OBLIGATORIEDAD DEL REGISTRO DE LA JORNADA LABORAL

La realización de un horario flexible en el trabajo a distancia no impide el necesario registro por la empresa del tiempo de trabajo. Siguiendo la regulación ya contenida en el artículo 34.9 ET, la Ley 10/2021 reitera esta obligación empresarial al recoger en su artículo

---

90 LOUSADA AROCHENA, José F.: "Reducción de jornada y adaptación del trabajo...", *op. cit.*, p. 9 del formato electrónico.

91 "Se trata de un derecho personalísimo de la trabajadora [...]. Por ello nada tiene que acreditar en relación a si su marido tiene más fácil conciliar o no. Tampoco nada tiene que acreditar a si los abuelos están disponibles o no". STSJ Galicia de 28 de mayo de 2019. Rec. 1492/2019.

92 "En el caso concreto la parte actora no ha ofrecido dato fáctico alguno sobre la situación laboral o de otro tipo de su cónyuge y madre del hijo menor" (SJS Pamplona (núm.2) 334/2019 de 20 de noviembre. Proc. 685/2019); "La actora no ha alegado, ni puede hacerlo, que en su caso concurra una situación de imposible cuidado de los menores [...] y ello por cuanto su esposo y padre de los menores solo trabaja en los momentos indicados [...] por lo que existe disponibilidad completa por su parte. (SJS Zaragoza (núm.4) 268/2019 de 10 de septiembre, Rec. 597/2019).

14 el derecho de la persona trabajadora a distancia a un registro horario adecuado que refleje fielmente el tiempo dedicado a la actividad, sin perjuicio de la flexibilidad horaria que se haya podido pactar. Si bien puede resultar innecesaria la reiteración sobre el registro horario, al estar recogido este deber empresarial con carácter general en el artículo 34.9 ET, debemos entender que su finalidad se dirige a "poner de relieve la importancia de su aplicación en consonancia con las especiales características que tiene el tiempo de trabajo en la modalidad de trabajo a distancia"[93].

La redacción final del precepto omitió la inclusión en el registro de "los tramos de actividad, el tiempo de activación y desactivación de los equipos, así como, en su caso, el tiempo dedicado a la preparación y realización de las tareas de cada una de las fases del ciclo de procesamiento y entrega"[94], elementos temporales presentes en el anteproyecto de ley y cuya consideración como tiempo de trabajo efectivo en el trabajo presencial es de más fácil cómputo que en el trabajo a distancia. En consecuencia, el artículo 34.9 ET solo hace referencia al registro del horario concreto de inicio y finalización de la jornada[95]. Se contrae la obligación, por tanto, a la constatación del comienzo y conclusión de la jornada si bien la expresión "entre otros" deja abierta la puerta a la introducción de esos otros tiempos necesarios para el buen desarrollo de la prestación sin predeterminar cuáles serán objeto de ese registro, en línea con ese carácter genérico que preside el texto legal.

La parca regulación de la obligación empresarial de registro contenida en el artículo 34.9 ET llevó tanto al Ministerio de Trabajo

---

[93] ROMERO BURILLO, Ana M.: "El marco regulador del teletrabajo", *op. cit.*, p.115.

[94] En opinión de Thibault Aranda, el cambio en la redacción final obedecería a la consideración de que ese registro más detallado supondría una carga añadida para las empresas y no serviría para conjurar el peligro de manipulación. THIBAULT ARANDA, Xavier: "Toda crisis trae su oportunidad", *op. cit.* p. 13.

[95] Una regulación que es criticada por Igartúa Miró, al estar "caracterizada por cierta rigidez y pretensión de homogeneidad que resulta llamativa en una norma que parte de la constatación de situaciones de "flexibilidad horaria" más o menos generalizadas que no cuestiona ni prejuzga". IGARTÚA MIRÓ, María Teresa: "La flexibilización del tiempo de trabajo", *op. cit.* p. 16 del formato electrónico.

como a la Inspección de Trabajo a elaborar sendos documentos que arrojasen un poco de seguridad en el cumplimiento de esta obligación por parte de los empresarios y guiasen la actuación inspectora, respectivamente. De este modo, en la Guía sobre el registro de jornada[96] se indica que el registro diario de la jornada no constituye un obstáculo "a la organización del trabajo a través de fórmulas de flexibilidad del tiempo de trabajo y de distribución irregular de la jornada, incluido el trabajo a distancia o teletrabajo y los horarios flexibles", de modo que "el hecho de que un registro horario diario compute excesos de jornada no se interpretará como trabajo extraordinario o por encima del pactado si, analizados los registros de los restantes días del mes, queda acreditado el cumplimiento de la jornada mensual ordinaria". En la misma línea el Criterio Técnico de la Inspección de Trabajo alude a que "la lectura que se haga del registro a la hora de determinar el posible incumplimiento de determinados límites en materia de tiempo de trabajo deberá hacerse de forma integral, considerando todas las posibilidades que permite el ordenamiento laboral en materia de distribución del tiempo de trabajo"[97].

El registro horario también permite una lectura del tiempo de trabajo en una doble dirección. Por un lado, facilita al empresario optimizar los tiempos, aumentando la eficiencia y productividad[98] del trabajador o trabajadora a distancia, y corregir aquellos desequilibrios derivados de una carga de trabajo excesiva. No olvidemos que el derecho a una adecuada protección en materia de seguridad y salud en el trabajo conlleva la necesaria evaluación de riesgos en el trabajo a distancia, debiendo tenerse en cuenta, en particular, la distribución de jornada, los tiempos de disponibilidad y la garantía de los descansos y desconexiones durante la jornada (art. 16 Ley 10/2021).

---

[96] Puede consultarse en https://www.mites.gob.es/ficheros/ministerio/GuiaRegistroJornada.pdf, p.2-3.

[97] Criterio Técnico 101/2019 sobre actuación de la Inspección de Trabajo y Seguridad Social en materia de registro de jornada (10 de junio de 2019), p. 8. https://www.mites.gob.es/itss/ITSS/ITSS_Descargas/Atencion_ciudadano/Criterios_tecnicos/CT_101_2019.pdf

[98] GOÑI SEIN, José L.: "El impacto de las nuevas tecnologías disruptivas sobre los derechos de privacidad (intimidad y extimidad) del trabajador", Revista de Derecho Social núm. 93, 2021, p.26.

Por otro lado, el registro de los tiempos de activación y desconexión de la persona trabajadora conllevará también una vigilancia empresarial del cumplimiento de las obligaciones laborales, abriéndose la puerta hacia un control intrusivo que puede lesionar el derecho a la privacidad de las personas trabajadoras[99] especialmente cuando se utilicen controles biométricos para el registro de la jornada[100]. Así lo puso de manifiesto el Tribunal Supremo al analizar la necesidad o no de registro de la jornada diaria efectiva en una empresa del sector financiero señalando que "la creación de este registro implica un aumento del control empresarial de la prestación de servicios y un tratamiento de los datos obtenidos, máxime en los supuestos de jornada flexible....que pueden suponer una injerencia indebida de la empresa en la intimidad y libertad del trabajador, así como en otros derechos fundamentales que tutela nuestra Constitución"[101]. En definitiva, la facultad empresarial de verificación del cumplimiento por la persona trabajadora de sus obligaciones y deberes laborales a que alude el ar-

---

[99] Sirva de ejemplo el escáner de mano utilizado en los almacenes de Amazon, aparentemente, para registrar la finalización de tareas y coordinar la organización del trabajo si bien también permite monitorear el desempeño laboral de cada trabajador; o el plan de seguimiento del personal puesto en marcha por Barclays en su sede de Londres mediante un software que registra el tiempo que los empleados pasan en sus escritorios y controlar las pausas para ir al baño. El sistema también hace sugerencias a los empleados que están retrasados en el cumplimiento de sus objetivos. EUROFOUND: "Employee monitoring and surveillance: the challenges of digitalization", Publications Office of the Union European, Luxemburgo, 2020, pp.31-32.

[100] Para un estudio del uso de los controles biométricos en el ámbito laboral *vid.* RODRÍGUEZ-PIÑERO ROYO, Miguel: "Registro de jornada mediante controles biométricos: un caso de incoherencia en el Derecho del Trabajo Digital" en *Vigilancia y control en el derecho del Trabajo digital*, Rodríguez-Piñero Royo y Todolí Signes (Dirs.), Thomson Reuters Aranzadi, 2020.

[101] STS 246/2017 de 23 de marzo, Rec. 81/2016, F.J. 5°. En esta sentencia el Tribunal Supremo estima el recurso interpuesto contra la sentencia de la Audiencia Nacional 207/2015 de 4 de diciembre en la que se condenaba a la empresa a establecer un registro diario de la jornada efectiva de trabajo, eximiéndola de tal obligación. Posteriormente el TJUE en su sentencia de 14 de mayo de 2019, Asunto C-55/18, zanja la cuestión al determinar que la implantación de un sistema objetivo, fiable y accesible que permita computar la jornada laboral realizada por cada trabajador forma parte de la obligación general que incumbe a los Estados miembros y a los empresarios [...]de constituir una organización y los medios necesarios para proteger la seguridad y la salud de los trabajadores".

tículo 22 de la Ley 10/2021, hace necesaria la adopción por parte de las empresas de una política de teletrabajo que delimite los medios de control y los registros de jornada, para evitar reclamaciones no solo en relación con el exceso de jornada, sino por vulneración de derechos vinculados a la seguridad y salud laborales[102].

Debe tenerse en cuenta que el registro horario puede también poner de manifiesto conductas de adicción al trabajo que, en caso de no ser detectadas por la empresa, pudiera dar lugar a enfermedades de carácter psicosocial. Muestra de ello, es la tecnoadicción, entendida como un tipo de tecnoestrés específico, caracterizada por el trabajo excesivo debido fundamentalmente a una irresistible necesidad o impulso de trabajar constantemente[103], llevando el presentismo laboral, en este caso digital, de la persona trabajadora hasta límites que pueden poner en peligro su salud. Una adecuada organización del trabajo unida a una efectiva política de desconexión, en los términos que expondremos más adelante, constituyen adecuados instrumentos de prevención de éste y otros riesgos psicosociales vinculados al uso de las nuevas tecnologías en el trabajo, aunque la norma podría haber sido más expeditiva[104]. Un ejemplo de adicción al trabajo, aunque no referido al uso de las tecnologías de la información y la comunicación pero sí extrapolable, es el referido en la STSJ Cataluña de 26 de noviembre de 2018 en la que se califica de procedente el despido de un trabajador, que ejercía funciones de gerente de tienda, y obligaba a sus subordinados a iniciar su jornada de trabajo antes del horario establecido sin fichar, calificando de mejores trabajadores a los que lo

---

[102] CUADROS GARRIDO, María Elisa: "Trabajadores tecnológicos y empresas digitales", Thomson Reuters Aranzadi, Navarra, 2018, p. 439.

[103] Nota Técnica de Prevención núm. 759 elaborada por el Instituto Nacional de Seguridad e Higiene en el Trabajo, 2007. En ella también se indica que, aunque la adicción al trabajo se ha investigado principalmente con relación a variables personales, existen toda una serie de características laborales específicas en el entorno laboral que pueden ser origen del daño laboral de adicción al trabajo.

[104] En este sentido, Montoya Medina apunta a que el legislador podría haber reforzado el poder disciplinario del empresario en aquellos supuestos de flagrante transgresión por parte del trabajador de los límites de jornada. MONTOYA MEDINA, David: "Teletrabajo y prevención de riesgos laborales", Revista Española de Derecho del Trabajo núm. 243, 202, p. 52.

hacían respecto de los que se negaban a comenzar antes del horario asignado[105].

Respecto de la organización y documentación del registro horario, se alude al acuerdo a través de la negociación colectiva[106] o acuerdo de empresa, y en defecto de ambos, será el empresario el que decida cómo se llevará a cabo, previa consulta a los representantes de las personas trabajadoras. Una previsión que, siguiendo en la línea de mínimos de la ley, remite al pacto colectivo como herramienta de concreción, siendo en su defecto el empresario, previa consulta a la representación legal si existe[107], el que determinará la forma, los medios y el alcance que tendrá el registro horario. Advierta el lector que la norma alude únicamente a la previa consulta, no existiendo, por tanto, un deber de negociar la forma concreta cómo se organizará el registro horario. El artículo 64.1 ET define la consulta como el intercambio de opiniones y la apertura de un diálogo entre el empresario y el comité de empresa sobre una cuestión determinada, incluyendo, en su caso, la emisión de un informe previo por parte de este.

---

[105] STSJ Madrid 6225/2018 de 26 de noviembre, Rec. 4640/2018. ECLI:ES: TSJ-CAT: 2018:10854. En el caso enjuiciado se señala que la empresa dispone de unas normas básicas de registro de los tiempos de trabajo de todos los empleados de la tienda, que regulan el registro de tiempos de trabajo y registra cada minuto de tiempo trabajador y descansos, empleando para ello un detallado procedimiento informático denominado Procedimiento de Tiempos Positivos de Tienda (PZE), en base a cuyos datos se determinan las retribuciones correspondientes, se controlan las ausencias y se calcula la productividad. El seguimiento, control e informe de dichos procedimientos corresponde al Gerente de la tienda.

[106] Es posible encontrar ejemplos en los que la indicación de la forma cómo se llevará a cabo el registro horario se define con una gran amplitud. Así el Convenio colectivo de la empresa Primark Tiendas SLU señala que cuando se establezcan sistemas de horario flexible o de teletrabajo, la cuantificación de la jornada ejecutada podrá efectuarse por los mismos (trabajadores)dando cuenta mensual a la Dirección de la empresa, quien deberá constar su certeza, a los efectos de lo dispuesto en el párrafo anterior (verificación y control e la ejecución de la jornada anual pactada). Código de Convenio n.º 90018062012010, BOE núm. 212 de 4 de septiembre de 2021.

[107] La ausencia de representantes legales de los trabajadores en la empresa o la falta de regulación en el convenio colectivo de referencia puede llevar a problemas de determinación o concreción del sistema de registro. CAIRÓS BARETO, Dulce M.: "Tiempo de trabajo, digitalización y teletrabajo", *op. cit.* p. 14.

La persona trabajadora, especialmente en el supuesto de que trabaje a distancia, se vuelve transparente por lo que el empresario deberá indicar el sistema por el que se opte y asegurarse de que los datos que de la misma se obtengan sean "acorde(s) con la finalidad principal, que es controlar simplemente el cumplimiento de la jornada laboral"[108]. Asimismo, debe tratarse de un registro objetivo y fiable, términos a los que alude el Tribunal de Justicia de la Unión Europea[109], sin que se desvirtúen por el hecho de que sea la persona trabajadora quién declare diariamente a través de una aplicación informática, o excepcionalmente mediante hojas escritas, el tiempo diario efectivamente trabajado[110]. En este sentido, "si la empresa ha establecido unas pautas claras sobre tiempo de trabajo respetuosas con la regulación legal y convencional[...] y si además establece, de acuerdo con el trabajador, instrumentos de declaración y control del tiempo de trabajo a distancia, sería posible admitir que una conducta del trabajador en el interior de su domicilio en vulneración de dichas pautas y omitiendo los instrumentos de control empresarial pudiera dar lugar a exceptuar el pago de las correspondientes horas y su cómputo como tiempo de trabajo"[111].

Por último, establecido por la empresa un sistema de control horario, la falta de conexión o de acceso a las herramientas de la empresa se equipararán a las ausencias al trabajo sin causa justificada, pudien-

---

[108] GARCÍA COCA, Olga: "El registro de la jornada laboral y la privacidad de los trabajadores" en *Vigilancia y control en el derecho del Trabajo digital*, Rodríguez-Piñero Royo y Todolí Signes (Dirs.), Thomson Reuters Aranzadi, 2020, p. 346. Critica la autora que "el único criterio para instalar sistemas de registro es el de la promoción de la fiabilidad y veracidad, por lo que parece que no hay límites a la hora de seleccionar el mecanismo de control...", p. 350.

[109] En su considerando 56 señala que "un sistema que permita computar la jornada laboral diaria realizada por los trabajadores ofrece a estos un medio particularmente eficaz para acceder de manera sencilla a datos objetivos y fiables relativos a la duración efectiva del trabajo que han realizado y, por lo tanto, puede facilitar tanto el que los trabajadores prueben que se han vulnerado los derechos que les confieren los artículos 3, 5 y 6, letra b), de la Directiva 2003/88 [...], como el que las autoridades y los tribunales nacionales competentes controlen que se respetan efectivamente esos derechos. STJUE de 14 de mayo de 2019, Asunto C-55/18.

[110] SAN 116/2020 de 9 de diciembre, ECLI:ES:AN:2020:3596.

[111] STSJ Castilla y León 198/2106 de 3 de febrero de 2016, Rec. 2229/2015. ECLI:ES: TSJCL: 2016:281.

do desencadenar el despido de la persona trabajadora, al entenderse que se incurre en un fraude en la gestión encomendada al no desarrollar las funciones desde su domicilio[112].

6. EL DERECHO A LA DESCONEXIÓN DIGITAL

La conectividad facilita la dilución de fronteras entre la vida laboral y la personal haciendo necesario trazar diques que garanticen la efectiva separación entre tiempo de trabajo y tiempo de libre disposición. Las tecnologías de la información favorecen la atención de las necesidades empresariales en cualquier momento y en cualquier lugar, mediante breves, o no tan breves, periodos de tiempo que se sitúan fuera del horario laboral de la persona trabajadora. Tiempos de no trabajo que se transforman en trabajo efectivo, trabajo suplementario[113], pero que raramente son posteriormente recuperados mediante un descanso compensatorio o computados a efectos retributivos. La doctrina científica, en opinión generalizada, subraya que la conectividad fuerza a la persona trabajadora a estar disponible permanentemente, existiendo el riesgo de *"vivir la relación de trabajo en un modo siempre activo"* y de que el trabajador o la trabajadora *"se vuelva progresivamente propenso a la productividad atemporal"*[114].

Estrés, trastornos del sueño, ansiedad, dolencias musculoesqueléticas son algunos de los riesgos que el uso (y abuso) de las herramientas digitales con fines laborales pueden producir. A ellos debemos sumar la devaluación de las condiciones de trabajo y la ruptura del equilibrio entre la vida privada y la profesional. La creciente importancia de las

---

[112] STSJ Madrid 731/2021 de 16 de diciembre de 2021, Rec. 509/2021, ECLI:ES: TSJM: 2021:14473.

[113] Se trata de un tiempo de trabajo que se desarrolla más allá del tiempo convenido y que el trabajador asume informalmente. El autor recoge una propuesta de distinción realizada por Bologna y Ludicone que apuesta por distinguir entre el trabajo a distancia "sustitutivo" del trabajo presencial y el teletrabajo "adicional" que es aquel que "excede la normal prestación de trabajo en la sede". SANGUINETI RAYMOND, Wilfredo: "Teletrabajo y tecnologías digitales en la nueva ley…", *op.cit.*, p. 239.

[114] GOÑI SEIN, José L.: "El impacto de las nuevas tecnologías sobre los derechos de privacidad…", *op. cit.* 33. La cursiva es cita de MASSIMINI, M.

nuevas tecnologías en el ámbito de las relaciones laborales ha impulsado la elaboración de una norma comunitaria que regule la incidencia que aquellas tienen sobre las prestaciones de servicios y la salud y el bienestar de las personas trabajadoras. La propuesta de Directiva sobre el derecho a la desconexión[115] reconoce que las herramientas digitales permiten una mayor libertad, independencia y flexibilidad en la organización del trabajo, pero también advierte de la necesidad de poner límites para evitar daños en la salud física y mental de las personas trabajadoras, así como en su vida laboral y familiar.

Sobre estas consideraciones, la propuesta de Directiva delimita su ámbito objetivo de forma amplia excluyendo, por un lado, la realización de actividades o comunicaciones laborales fuera del tiempo de trabajo ya sea a través de llamadas telefónicas, mensajes electrónicos, *WhatsApp*, SMS, etc.; y por otro, reconociendo el derecho de la persona trabajadora a apagar las herramientas de trabajo digitales. De este modo, frente al deber empresarial de no interacción con la persona trabajadora fuera de su horario de trabajo se le reconoce a esta un papel activo, consistente en tomar la iniciativa para dar por finalizado su tiempo de trabajo diario, sin que esta actitud le pueda suponer el despido u otras consecuencias desfavorables por parte del empresario. Para la efectividad del derecho a la desconexión digital desde esta perspectiva, deviene imperativo llevar a cabo acciones de sensibilización y de formación de las personas trabajadoras al respecto.

En línea con esta propuesta comunitaria, aunque anterior en el tiempo, debemos señalar la Ley Orgánica 3/2018 de 5 de diciembre, de Protección de datos y garantías de derechos digitales (en adelante, LOPDGDD). Esta norma parte de una realidad incontrovertible como es que gran parte de nuestra actividad profesional, económica y privada se desarrolla en la Red; de ahí que, entre sus preceptos, recoja el derecho a la desconexión en el ámbito digital situándolo en el marco del derecho a la intimidad en el uso de dispositivos digitales. El artículo 88 de la LOPDGDD sitúa a los trabajadores y empleados públicos como titulares del derecho a la desconexión digital, con el fin

---

[115] Resolución del Parlamento Europeo, de 21 de enero de 2021con recomendaciones destinadas a la Comisión sobre el derecho a la desconexión (2019/2181 (INL)).

de garantizar, fuera del tiempo de trabajo legal o convencionalmente establecido, el respeto de su tiempo de descanso, permisos y vacaciones, así como de su intimidad personal y familiar. En cuanto a su delimitación se remite a la negociación colectiva o en su defecto al acuerdo de empresa, previendo la elaboración a nivel de empresa, previa audiencia de los representantes de las personas trabajadoras, de una política interna en la que se definirán las modalidades de ejercicio del derecho a la desconexión, las acciones de formación y sensibilización del personal para un uso razonable de las herramientas tecnológicas que evite el riesgo de fatiga informática. Por último, se pone especial énfasis en la preservación de este derecho en los supuestos de realización de trabajo a distancia con carácter total o parcial[116].

La regulación del trabajo a distancia no podía pasar de puntillas sobre este derecho, máxime teniendo en cuenta la incidencia que tiene en esta forma de prestación de servicios, de ahí que la Ley 10/2021, en su artículo 18 apartado 1°, disponga que las personas que trabajan a distancia, particularmente en teletrabajo, tienen derecho a la desconexión digital fuera de su horario de trabajo en los términos establecidos en el artículo 88 de la LOPDGDD. A continuación, alude al deber empresarial de limitar el uso de los medios tecnológicos de comunicación empresarial y de trabajo durante los periodos de descanso, reiterando el cumplimiento de la normativa legal o convencional referida a la duración de la jornada; una obligación que quedará reflejada en la política interna que en materia de desconexión debe ser elaborada previa audiencia de la representación legal de personas trabajadoras. Poco más aporta a la regulación de este derecho, siendo criticado por su falta de concreción al no exigirse más que la audiencia a la representación legal, sin necesidad de alcanzar un acuerdo[117] y

---

[116]   La DF13ª de la LOPDGDD añadió el artículo 20 bis al ET por el que se incorporan en nuestra norma laboral básica estos derechos de los trabajadores a la intimidad en relación con el entorno digital y la desconexión.

[117]   VELASCO LOZANO, Javier: "Desconexión digital: más allá de la (escasa) normativa española. Propuesta de Directiva del Parlamento Europeo e instrucciones prácticas para el respeto de este derecho", Revista de Derecho Laboral Vlex núm.2, 2021, p.53. Una crítica a la ambigüedad que preside el reconocimiento de este derecho si bien reconociendo la relevancia jurídica de su avance en MORATO GARCÍA, Rosa M.: "Desconexión digital y registro de la jornada laboral ante el auge del teletrabajo" en *Los nuevos derechos digitales laborales de*

el protagonismo que concede a la regulación colectiva a quien faculta para introducir posibles circunstancias extraordinarias que modulen el ejercicio de este derecho (DA 1ª) como analizaremos seguidamente.

La desconexión digital puede ser definida como el derecho de la persona trabajadora a la inconexión tanto respecto de los medios tecnológicos que facilitan la comunicación con la empresa como de los que permiten el desarrollo de la prestación en aquellos tiempos privativos de no trabajo. Se garantiza así que ese derecho al descanso se materialice a través de un ejercicio neutro, sin interferencias que impidan el aislamiento del trabajador o trabajadora de sus obligaciones laborales. Nótese que la no disponibilidad de la persona trabajadora se debe predicar tanto de aquellos instrumentos que favorecen la comunicación, la interacción virtual en el ámbito de la empresa, entendida en un sentido amplio, ya se trate del empleador, compañeros de trabajo, clientes o terceros vinculados a la misma, como de aquellos medios que habilitan la continuidad de la prestación de servicios más allá de la jornada de trabajo establecida. Esta es la finalidad perseguida, de ahí que la doctrina cuestione la ubicación de este derecho (está situado entre los relacionados con el uso de los medios tecnológicos) en lugar de su inclusión entre los derechos con repercusión en el tiempo de trabajo, al no ser más que "un perfeccionamiento —modulado y adaptado necesariamente en respuesta al necesario ajuste a la tecnología— del derecho clásico al descanso"[118]. Opinión que compartimos plenamente.

Correlativo al derecho a la desconexión de la persona trabajadora es el deber del empresario de garantizarlo. Para ello, la Ley 10/2021 alude a una doble limitación: por un lado, se debe evitar la comunicación empresarial y, por otro, se deben poner límites a las comunicaciones de trabajo. Esta distinción pretende hacer responsables de la no invasión del tiempo de descanso de la persona trabajadora no solo al

---

las personas trabajadoras en España, Baz Rodríguez (director), Wolters Kluwer, Madrid, 2021, pp. 278-280.

[118] MORENO ROMERO, Francisca: "Tiempo de (Tele) trabajo y descansos" en Innovación tecnológica, cambio social y sistema de relaciones laborales, Monereo Pérez, Vila Tierno, Expósito y Perán Quesada (Dirs.), Comares, Granada, 2021, p.717. En el mismo sentido, IGARTÚA MIRÓ, María Teresa: "La flexibilización del tiempo de trabajo", op.cit., p.14 del formato electrónico.

empresario, cuyas órdenes, instrucciones, consultas o requerimientos deben ser realizados dentro de la jornada de trabajo, sino también a compañeros de trabajo, clientes, proveedores o terceros que contacten con finalidades laborales fuera del horario de trabajo establecido o formulen consultas o peticiones en tiempos próximos a la finalización de la jornada y para cuya atención sea preciso ampliar su duración, sobrepasándola. No obstante, su configuración como un mero deber empresarial, es visto como un indicio más de la escasa atención prestada en la ordenación de este derecho, debiéndose haber apostado por introducir una "clara y enérgica prohibición de entablar contacto con el propio trabajador fuera de su jornada de trabajo"[119]. Nótese que la norma no prevé una sanción específica en caso de incumplimiento empresarial de este deber de no contactar con la persona trabajadora, pudiéndose englobar entre las infracciones graves relativas a la transgresión de las normas y límites legales y pactados en relación con el tiempo de trabajo[120].

Hasta la fecha no son muchos los pronunciamientos judiciales que tenemos referidos al contenido y alcance de la desconexión digital. El eje sobre el que pivota el ejercicio de este derecho es el tiempo de descanso, señalándose que la orden empresarial de realización del trabajo efectivo y retribuido fuera del horario normal excluye la aplicación del derecho de desconexión digital, porque no estamos ante un tiempo de descanso de la persona trabajadora que debe ser respetado sino ante un tiempo de trabajo efectivo[121]. De este modo, el derecho de la persona trabajadora a mantener inactivos sus dispositivos o medios de comunicación, sin que se reciban mensajes de la empresa o de sus compañeros de trabajo por razones laborales, solo operará en aquellos tiempos de descanso previamente definidos como tales. Una prohibición, no referida al derecho que comentamos, pero sí conectada al

---

[119] SANGUINETI RAYMOND, Wilfredo: "Teletrabajo y tecnologías digitales en la nueva ley....", *op. cit.*, p. 262.

[120] Real Decreto Legislativo 5/2000 de 4 de agosto, por el que se aprueba el texto refundido de la Ley de Infracciones y Sanciones en el Orden Social (LISOS) (artículo 7).

[121] En esta sentencia se discute si la formación online que impone la empresa fuera del horario normal afecta al derecho al descanso y a la desconexión digital. STSJ Madrid 962/2020 de 4 de noviembre, Rec. 430/2020. ECLI:ES: TSJM: 2020:10055.

mismo en cuanto constituye la antesala de su ejercicio, es la relativa a la comunicación por parte de la persona trabajadora de su número de teléfono y correo electrónico. En 2015, el Tribunal Supremo consideró contrario a la normativa de protección de datos la obligatoria aceptación por parte de la persona trabajadora de una cláusula contractual por la que se le obligaba a comunicar su número de teléfono y correo electrónico aun cuando "la utilización de los mismos por la empresa se [hubiese] limitado a una concreta cuestión laboral"[122].

Se encomienda a la negociación colectiva el establecimiento de los medios y medidas adecuadas para garantizar el ejercicio efectivo del derecho a la desconexión. Más allá de una regulación concreta y efectiva son varios los convenios que muestran algunos ejemplos de regulación de este derecho. En ellos se reconoce a las personas trabajadoras el derecho a no responder a ninguna comunicación, sea cual fuese el medio utilizado, una vez finalizada la jornada laboral[123], recogiéndose el compromiso de las personas trabajadoras de evitar en la medida de lo posible, el empleo de los medios informáticos y tecnológicos fuera de la jornada laboral establecida[124]; un derecho que se hace extensible a los periodos de vacaciones, días de asuntos propios, libranzas, permisos, incapacidades, y excedencias[125]; en algunos convenios se indica que no estamos ante una obligación por lo que quienes realicen comunicaciones fuera del horario establecido podrán hacerlo con total libertad[126]; y otros contienen, simplemente, una declaración de buenas intenciones pero sin indicar medidas concretas[127]. Conocedores de esta necesidad, tanto el sindicato Unión General de Trabajadores (UGT) como Comisiones Obreras (CCOO) incluyen en-

---

[122] STS de 21 de septiembre de 2015, Rec. 259/2014. ECLI:ES:TS: 2015:4086.

[123] Convenio colectivo de Plataforma Comercial de Retail SA (BOE núm.230 de 25 de septiembre de 2021

[124] Anexo 3. Acuerdo de medidas para la desconexión digital. Convenio colectivo de Telefónica Ingeniería de seguridad SAU (BOE núm.6 de 07.01.2020).

[125] Anexo I Protocolo de actuación para la Desconexión Digital. Convenio colectivo de empresa Ahorramás S.A. (BOE núm. 208 de 01.08.2020).

[126] Medida novena del Anexo XIII Acuerdo de Desconexión Digital. II Convenio colectivo Empresas vinculadas a Telefónica España SAU, Telefónica Móviles España SAU y Telefónica Soluciones de Informática y Comunicaciones SAU (BOE núm. 273 de 13.11.2019).

[127] Convenio colectivo de Heineken (BOE núm. 288 de 2 de diciembre de 2021.

tre sus propuestas de cara a la próxima negociación del V Acuerdo por el Empleo y la Negociación Colectiva, una mayor implicación de la negociación colectiva en la fijación de los mecanismos que garanticen la desconexión digital fuera del horario laboral.

Quizá esta laxitud convencional se debe a la preferencia por un marco negocial más centrado en el ámbito y en las necesidades de cada empresa. Esta posibilidad, ya prevista en el art. 88.3 LOPDG-DD, se transcribe literalmente en la Ley 10/2021 sin una adaptación previa a su especifico ámbito de aplicación. El resultado es que se indica en el artículo 18.2 que "en particular se preservará el derecho a la desconexión digital en los supuestos de realización total o parcial del trabajo a distancia" cuando precisamente a tal fin se dirige dicho precepto integrado en la Ley de Trabajo a distancia. Al margen de esta defectuosa redacción normativa, el texto legal faculta a la empresa, previa audiencia de la representación legal, para fijar la determinación de la política de desconexión en su ámbito. Una regulación interna en la que se definirán aspectos tales como las modalidades de ejercicio del derecho a la desconexión, las acciones de formación y las de sensibilización del personal sobre el uso razonable de las herramientas digitales que eviten riesgos para su salud y cuya efectividad dependerá, en buena medida, de la voluntad de las personas trabajadoras siendo preciso que la política interna defina "con meridiana claridad la modalidad de ejercicio del derecho a la desconexión" para que estén mejor informadas en orden al ejercicio de su derecho[128].

Paso previo a la configuración de los mecanismos que garanticen la efectividad de la desconexión es la fijación de un adecuado equilibrio entre el volumen de trabajo y tiempo de realización, evitando que una carga de trabajo excesiva favorezca la prolongación suplementaria de la jornada de trabajo. La necesidad de este equilibrio se pone de manifiesto en el artículo 16 al indicar que la evaluación de riesgos deberá tener en cuenta los factores psicosociales y ergonómicos que pueden afectar a la salud laboral, y la planificación de la actividad

---

[128] TRUJILLO PONS, Francisco: "La "desconexión digital" en el ámbito laboral", *op. cit.* p. 25. En opinión de Goñi Sein la regulación legal sin concreción de una "política interna" hace que estemos ante un derecho carente de contenido eficaz. GOÑI SEIN, José L.: "El impacto de las nuevas tecnologías disruptivas...", *op. cit.*, p. 49.

preventiva del trabajo a distancia prestando atención, en particular, a la distribución de la jornada, los tiempos de disponibilidad y la garantía de los descansos y desconexiones durante la jornada.

Sobre la elaboración de la política interna dos cuestiones deben ser destacadas. La primera, es que se le imprime un carácter obligatorio siendo la empresa la deudora de este deber, tomando como referencia las disposiciones contenidas en el respectivo convenio colectivo aplicable, si las contiene. Tratándose de una exigencia que está vigente desde diciembre de 2018 puede afirmarse que existe un incumplimiento más bien generalizado de la misma. La segunda cuestión que destacar es el amplio margen de actuación del que se dota a la empresa en su delimitación. A diferencia de otros ámbitos en los que se exige un acuerdo entre empresa y representantes de los trabajadores, con relación a este instrumento complementario básico para la garantía del derecho al descanso y la ordenación del tiempo de trabajo en el ámbito de las nuevas tecnologías, tan solo se exige la previa audiencia con la representación legal. No se instituye un deber de negociar, tan solo de oír a los representantes de los trabajadores. Una audiencia que, a falta de representación unitaria o sindical en la empresa, se dirigirá directamente a las personas trabajadoras de la misma, sin que la norma contenga una previsión al respecto o una remisión a las reglas del artículo 41.4 ET.

La Ley 10/2021 atribuye a la negociación colectiva el establecimiento de los medios y medidas adecuadas para garantizar el ejercicio efectivo del derecho y, al mismo tiempo, le confiere también la posibilidad de introducir excepciones a la efectividad de la desconexión digital; concretamente, señala en su DA1ª que aquella podrá regular "las posibles circunstancias extraordinarias de modulación del derecho a la desconexión". Una previsión criticable por el esquizofrénico juego de remisiones[129], la admisión de supuestos de conexión cuasi-permanentes[130] y por la amplitud con la que está siendo acogida por los convenios colectivos. En este sentido, encontramos ejemplos en los que

---

[129] SANGUINETI RAYMOND, Wilfredo: "Teletrabajo y tecnologías digitales...", *op, cit.*, p. 263.

[130] MORATO GARCÍA, Rosa M.: "Desconexión digital y registro de la jornada laboral...", *op.cit.*, p.288. En opinión de la aurora esta excepcionalidad del derecho "producirá como consecuencia una inversión en la consideración jurídica

junto a situaciones de fuerza mayor, se alude a otras que supongan un grave, inminente o evidente perjuicio empresarial o del negocio[131], o puedan suponer un grave riesgo hacia las personas o un potencial perjuicio empresarial hacia el negocio[132] siendo pocos los que contienen una previa definición de qué se entiende por urgente necesidad[133]; en otros convenios se amplía de forma significativa los supuestos en los podrá operar la excepción del derecho a la desconexión indicándose aquellos que puedan ocasionar un perjuicio económico, patrimonial, de distribución, para la imagen comercial o reputación profesional de la empresa y/o riesgo para el cliente[134]. Todas estas previsiones van acompañadas de la indicación del procedimiento a seguir por la empresa (en general, contacto telefónico con la persona trabajadora informándole de la situación de necesidad y de la urgencia de su respuesta) y de su consideración como tiempo de trabajo efectivo.

En ocasiones no se alude a circunstancias o situaciones de la empresa, sino que se excepciona del derecho a la desconexión digital a determinadas categorías de personas trabajadoras por el hecho de trabajar con clientes y/o proveedores internacionales en cuyos países exista diferencia horaria respecto a España[135] o bien se trate de personas trabajadoras que permanezcan a disposición de la Compañía y perciban, por ello, un complemento de «disponibilidad» u otro de similar naturaleza[136]. Este pacto es el que se erige en el principal obstá-

---

del tiempo de trabajo, validando una extensión del mismo hacia los periodos de descanso".

131 II Convenio colectivo Empresas vinculadas a Telefónica España SAU, Telefónica Móviles España SAU y Telefónica Soluciones de Informática y Comunicaciones SAU (BOE nº 273 de 13.11.2019).

132 Convenio colectivo Financiera El Corte Inglés EFC S.A., (BOE núm. 106 de 06.05.2021).

133 Como excepción, sirva de ejemplo el Convenio colectivo de Bofrost SAU (BOE núm. 311 de 28.12.2021) en el indica que "se entiende por urgente necesidad aquella que habitualmente puede resolverse mediante una instrucción o directriz clara, que se puede transmitir mediante una llamada o mensaje corto, y que evita una previsible o probable implicación significativamente mayor de recursos corporativos a posteriori, en caso de no ser atajada o resuelta de forma temprana".

134 Política de desconexión digital. Convenio colectivo de Placas de Piezas y Componentes de Recambio SA (BOE núm.239 de 06.10.2021).

135 Convenio colectivo de Bofrost SAU (BOE núm. 311 de 28.12.2021).

136 "en el entendimiento de que, durante el tiempo de atención continuada en régimen de localización, la persona trabajadora tendrá la obligación de atender

culo a la desconexión, particularmente, cuando se trata de situaciones en las que la persona trabajadora debe estar localizable y en situación de activación inmediata si así se le requiere por la empresa.

6.1. *La limitación del tiempo de descanso a través de los pactos de disponibilidad*

La disponibilidad horaria de la persona trabajadora pactada con el empresario modula de forma importante el efectivo derecho a la desconexión que se reconoce en la Ley 10/2021, al condicionar el tiempo de ocio y el tiempo de no trabajo, necesario para su recuperación fisiológica, así como el desarrollo de sus relaciones sociales y familiares. Estamos ante una intromisión del empresario y una limitación de la plena autonomía de la persona trabajadora al ceder soberanía sobre el tiempo de descanso[137]. No se trata de aquellos supuestos a los que nos hemos referido anteriormente, en los que el exceso de jornada es promovido unilateralmente por el propio trabajador o trabajadora haciendo que el derecho a la desconexión pierda toda su eficacia[138], sino ante tiempos en los que la persona trabajadora se compromete a estar conectada y prestar servicios si es requerida por la empresa para ello.

Los pactos de disponibilidad tienen una evidente incidencia sobre los tiempos de descanso y sobre el adecuado equilibrio entre vida laboral y familiar. Sin embargo, no toda disponibilidad "digital" tendría los mismos efectos sobre el tiempo de no trabajo-descanso adquiriendo especial relevancia el tiempo de respuesta que se reclame a la persona trabajadora. En este sentido, el tiempo de descanso no queda afectado con la misma intensidad cuando la exigencia de dis-

---

las comunicaciones de Telefónica, de conformidad a las normas que regulen el correspondiente régimen de disponibilidad en cada una de las Empresas". II Convenio colectivo Empresas vinculadas a Telefónica España SAU, Telefónica Móviles España SAU y Telefónica Soluciones de Informática y Comunicaciones SAU (BOE núm. 273 de 13.11.2019).

[137] GORELLI HERNÁNDEZ, Juan: "El derecho al descanso y las nuevas formas de trabajo…", *op. cit.* p.514

[138] MONTOYA MEDINA, David: "Teletrabajo y prevención de riesgos laborales", *op. cit.*, p. 50.

ponibilidad demande una respuesta en un breve periodo de tiempo de aquella otra en la que se dé un margen más amplio para proceder a la re-conexión.

El concepto de tiempo de trabajo comúnmente aceptado se integra por tres elementos: permanencia de la persona trabajadora en el lugar de trabajo; estar a disposición del empresario y estar en el ejercicio de su actividad y funciones. El TJUE a propósito de las guardias o la atención continuada en régimen de localización, señaló que estamos ante un tiempo de trabajo cuando la mera presencia en el lugar de trabajo es obligatoria y la persona trabajadora no puede ausentarse del mismo, estando disponible para prestar servicios si es requerida[139], teniendo una especial incidencia cuando ese lugar es el domicilio de la persona trabajadora y está obligada a responder a las convocatorias de su empresario en un plazo de ocho minutos restringiéndose considerablemente la posibilidad de realizar otras actividades[140].

La ampliación del tiempo de trabajo mediante el pacto de disponibilidad produce una merma del derecho al descanso con especial incidencia sobre la protección de la salud de la persona trabajadora. Unos riesgos que son particularmente importantes cuando nos situamos en el ámbito del trabajo a distancia, especialmente en régimen de teletrabajo, y las partes aceptan que, dentro del periodo de guardia, solo las horas de trabajo efectivo tendrán esa consideración a efectos de su retribución. La STSJ Madrid de 8 de julio de 2020 es relevante en este sentido al exponer la situación del trabajador que había pactado, además de su jornada presencial en el lugar de trabajo, una prestación adicional en régimen de teletrabajo consistente en una semana de disponibilidad permanente de 24 horas, considerándose como tiempo de trabajo no los periodos de disponibilidad en régimen de teletrabajo, sino solamente los de prestación efectiva de servicios en teletrabajo

---

[139] STJCE de 3 de octubre de 2000, Asunto SIMAP, C-303/98, EU:C:2000:528. En esta sentencia se distingue entre aquellas guardias de disponibilidad en las que es obligatoria la permanencia en un lugar determinado de aquellas otras en las que la persona trabajadora debe estar localizable, pero sin presencia física en el lugar determinado, pues en esta circunstancia "pueden organizar su tiempo libre con menos limitaciones y dedicarse a asuntos personales.". (apartado 50).

[140] STJUE de 21 de febrero de 2018, Asunto Matzak, C-518/15, ECLI:EU-:C:2018:82.

cuando fuese requerido para ello. La falta de reclamación por la persona trabajadora de la consideración del tiempo de disponibilidad en régimen de teletrabajo como periodo de trabajo impidió al Tribunal entrar a valorar esa situación si bien apunta en su fundamentación jurídica que la disponibilidad pactada permite "organizar un sistema de contratación flexible (*zero hour contract*) en el que el trabajador estaría conectado y a disposición de la empresa, incluso de forma permanente cualquier día de la semana a cualquier hora [....] *siendo evidente que un régimen de tal tipo pugna con el artículo 88 de la Ley Orgánica 3/2018...*"[141].

La redacción de la Ley 10/22021, con su inalterado texto respecto del Real Decreto Ley 28/2020, en la que deja en manos de la negociación colectiva y de la política interna de la empresa la concreción de los extremos más importantes del derecho a la desconexión, ha supuesto una oportunidad perdida para identificar y precisar los tiempos de descanso, poniendo límites a una desorbitada gestión flexible del tiempo de trabajo en el ámbito del trabajo a distancia, dado que si el baluarte de esta forma de trabajo es la auto-organización por la persona trabajadora sobre la gestión de su tiempo de trabajo, esa "soberanía" bien puede decirse que es más pretendida que real[142].

---

[141] STSJ Madrid 628/2020 de 8 de julio, Rec. 19/2020. ECLI:ES: TSJM: 2020:7899.

[142] "Ante la falta de aplicación de los referentes normativos en materia de jornada de trabajo, la consecuencia es que la prolongación del tiempo de trabajo se convierte en una regla del trabajo en el sector". RODRÍGUEZ FERNÁNDEZ, Mª Luz y PÉREZ DEL PRADO, Daniel: "Economía digital: su impacto sobre las condiciones de trabajo y empleo. Estudio de caso sobre dos empresas de base tecnológica", Informe realizado para Fundación para el Diálogo Social, 2017, p. 10

Capítulo V
El impacto de las tecnologías digitales sobre los riesgos laborales de los trabajadores en Europa

Alejandro Pizzi
Universitat de València

Raúl Payá Castiblanque[1]
Universitat de València.

1. IMPACTO DE LA ECONOMÍA DIGITAL SOBRE EL MERCADO LABORAL

El uso de tecnologías digitales, tanto para la fabricación de productos a través de sistemas robóticos, la inteligencia artificial o "el internet industrial", como su uso para la prestación de servicios por medio plataformas digitales, el uso del aprendizaje algorítmico o la "gig economy", han producido una serie de grandes transformaciones en el mundo del trabajo que definiremos como Cuarta Revolución Industrial (Fernández-Macías, 2017).

La Cuarta Revolución Industrial implica un proceso de difusión del uso de tecnologías digitales en todos los sectores y áreas de la economía. La mayoría de las tecnologías asociadas con la Cuarta Revolución Industrial tienen su origen en la Tercera Revolución Industrial, basada en la microelectrónica. Las notables mejoras en la rapidez de los procesamientos de datos permiten desarrollos como el "internet

---

[1]   Su participación en la investigación de este capítulo es financiada con las ayudas postdoctorales Margarita Salas de la convocatoria de ayudas para la recualificación del sistema universitario español del Ministerio de Universidades del Gobierno de España, financiadas por la Unión Europea, NextGenerationEU.

de las cosas", la inteligencia artificial, la computación cuántica, la impresión en tres dimensiones, etc. Es decir, para algunas perspectivas la economía se está "desmaterializando" (Haskel y Westlake 2017), en el sentido de que el núcleo de la producción ya no se basa estratégicamente en fabricar y vender "mercancías". Por el contrario, el corazón de la actividad económica consiste en producir y vender "servicios". Las empresas conciben sus productos como parte de un conjunto más amplio de servicios que ofrecer. Y esos servicios, a su vez, se pueden analizar, subcontratar y distribuir por todo el mundo en combinaciones específicas (Hofheinz, 2018).

En este sentido, la información organizada en "datos" es una de las "materias primas" principales a partir de las cuales las empresas desarrollan nuevos servicios y obtienen rentas. Específicamente, la posibilidad de combinar datos de distintas fuentes constituye un recurso diferencial para incrementar las oportunidades económicas de las empresas. Las plataformas de Internet se han convertido en negocios globales. Y la inteligencia artificial ofrece la posibilidad de automatizar un creciente número de trabajos a partir de los datos combinados que aportan dichas plataformas (Hofheinz 2016).

Sin embargo, hasta el momento dicha revolución tecnológica parece no evidenciar un cambio significativo en la productividad del trabajo. En un análisis para el Reino Unido, Estados Unidos y Canadá, Millar y Sunderland (2016) afirman que en un período en el que no solo se están introduciendo muchas tecnologías nuevas, sino que más empresas y países se integran a las cadenas de valor globales, y los trabajadores tienen un nivel educativo más alto que nunca, sigue siendo sorprendente que el crecimiento de la productividad no esté aumentando. Al respecto, los datos de la OCDE muestran que en Estados Unidos, Canadá y Reino Unido el crecimiento de la productividad se ha desacelerado desde principios del siglo XXI.

Las nuevas tecnologías requieren cambios organizacionales esenciales para aprovechar sus oportunidades potenciales. Por ejemplo, Freeman y Soete (1987) ya argumentaron en los años '80 que los nuevos cambios tecnológicos requieren el desarrollo de nuevas habilidades y el aprendizaje de los trabajadores, como condición para que aquéllos produzcan efectos de eficiencia. Es decir, dado que las nuevas tecnologías no registran actualmente un gran salto de productividad, no parece que impliquen una amenaza acuciante sobre el empleo.

La introducción de las nuevas tecnologías produce, sin embargo, ventajas para las empresas innovadoras. La innovación ofrece unas rentas que se basan en la protección de los derechos de propiedad intelectual, o en el secreto empresarial, lo que permite a la empresa innovadora fijar precios muy por encima de los costes marginales, y ello le permite obtener rentas extraordinarias. Sin embargo, esas ganancias deben considerarse temporales. Luego de un tiempo, los competidores a menudo adquieren y explotan el conocimiento detrás de la innovación. Como resultado, la competencia implica la aparición continua de nuevas empresas innovadoras que socavan las rentas extraordinarias iniciales, generadas por las empresas innovadoras. De esta forma se produce un proceso de "destrucción creativa", tal como famosamente lo describe Schumpeter. El proceso de digitalización incrementa la dimensión del proceso de "destrucción creativa", porque el requisito de inversión de capitales iniciales para el desarrollo de los softwares de programación, que constituyen el núcleo de la innovación digital, es mucho menor que para otros tipos de actividades innovadoras, como aquellas que requieren instalaciones especiales para desarrollar innovaciones tecnológicas (Guellec y Paunov, 2017). La economía de apps incluye una gama completa de actividades económicas, desde la venta de aplicaciones y los ingresos por publicidad hasta los dispositivos de hardware, diseñadas para ejecutarse para aplicaciones móviles (Neufeind, O`Reilly y Ranft, 2018). Además, la digitalización permite llegar a los mercados globales de manera inmediata.

Por último, la digitalización ha aumentado la fluidez de los mercados y la facilidad de entrada, así como la dependencia de las plataformas digitales globales, que permiten la interacción digital directa entre productores y consumidores. Asimismo, la coordinación económica a través de apps facilita casi cualquier tipo de interacción en la que una parte vende y otra compra productos o servicios en áreas tan diversas como el empleo, las finanzas, la realización de viajes, la publicidad, la medicina, entretenimiento y ocio.

En comparación con las tecnologías de propósito general de la tercera revolución industrial (Bresnahan y Trajtenberg 1992), las plataformas de la cuarta revolución industrial parecen intrínsecamente más monopolísticas, lo que reflejaría el surgimiento de una nueva forma de capitalismo monopolista digital (Soete, 2018).

Esto es así porque la innovación digital genera mayores rentas del poder de mercado y economías de escala que la innovación manufacturera tradicional (Guellec y Paunov, 2017). Además, la innovación digital es más riesgosa porque los mercados son más inestables y ofrece menos seguridades relativas a los inversores, dado que incluso los productos de las empresas competidoras pueden apoderarse rápidamente de todo el mercado con mayores probabilidades que en los sectores convencionales de la economía. Por ello, la inestabilidad de los mercados de productos digitales exige que los inversores financieros de este tipo de empresas asuman primas de riesgo altas, y por lo tanto pretendan obtener una mayor rentabilidad. De esta forma, las rentas del mercado son acumuladas, principalmente, por los inversores y los altos directivos, y en mucha menor medida por los trabajadores promedio, lo que aumenta la desigualdad de ingresos entre directivos e inversores, por un lado, y trabajadores, por otro.

Desde un punto de vista sociológico se pueden estudiar dichas transformaciones a través de una mirada *macro contextual* para analizar el impacto de la economía digital sobre la evolución del empleo, por un lado, y desde una perspectiva *micro contextual* estudiando las condiciones de trabajo de las personas que trabajan en la economía digital, por otro. Los debates relacionados con la dimensión macro contextual se centran en estimar el desempleo tecnológico que puede ocasionar la robotización y automatización de la economía. En este sentido, hay sectores pesimistas que estiman que la robotización va a producir un elevado desempleo tecnológico, como planteaba el estudio realizado por Frey y Osborne (2013), según el cual el 47% de los empleos de Estados Unidos tenían un potencial elevado de automatización y, por ello, la digitalización sustituirá el trabajo humano y en una o dos décadas se perderían millones de empleos. Para el medio laboral español se estima que el riesgo de automatización vendría a afectar al 36% de la población activa (Doménech, et al., 2018). Con objeto de mitigar sus efectos se debate sobre la posibilidad de establecer un "salario tecnológico" para las personas sustituidas por las máquinas o un sistema de "cotización de los robots" con objeto de mantener el sistema de pensiones (Eurofound, 2018), e incluso, de "Sindicalismo 4.0" en el cual los sindicatos participen en la transición tecnológica anticipándose a la perdida de los empleos o para negociar la mejor redistribución de las ganancias productivas obtenidas de las máquinas (Lahera-Sánchez, Negro y Tovar, 2019).

Existen otras perspectivas más optimistas que apuntan hacia la digitalización de tareas específicas de los puestos de trabajo y no tanto a la sustitución del factor humano (Arntz, Gregory y Zierhan, 2016). Desde esta perspectiva, entre el 14 al 25 por ciento de los puestos de trabajo contienen un 70% de tareas rutinarias que pueden ser sustituidas por sistemas automatizados (McKinsey Global Institute, 2017), y por ello, se habla de "perdedores" y "ganadores" (Lahera-Sánchez, 2019), dado que los trabajos rutinarios de cuello azul van a ser sustituidos por tareas de supervisión, vigilancia y control por trabajadores con mayor cualificación. Para el caso específico español, los estudios realizados por Miguélez-Lobo, et. al., (2018), concluyeron que la transición en España será relativamente larga por diversos factores. Por un lado, el coste laboral unitario del factor trabajo seguirá siendo por mucho tiempo inferior al coste de una elevada robotización y digitalización de las empresas y, por otro lado, la elevada tercerización y especialización productiva en el sector servicios hace que las competencias emocionales y relacionales sean capital esencial del servicio y, por ello, se ralentizará la robotización. De hecho, según los datos de la tercera encuesta europea de empresas sobre riesgos nuevos y emergentes (ESENER 3) realizada en 2019 por la Agencia Europea para la Seguridad y la Salud en el Trabajo (EU-OSHA, 2019), tan solo el 4,3% de las empresas españolas disponían de robots que interaccionan con trabajadores, siendo ligeramente superior a la media europea situada en un 3,7% (Gráfico 1), lo que vendría a demostrar el relativamente moderado impacto actual de la robotización de la economía en el mercado laboral tanto nacional como europeo. En este sentido, a nivel europeo en algunos países nórdicos y bálticos se registran los niveles más elevados de empresas que utilizan robots que interactúan con trabajadores. Por el contrario, en algunos países del este europeo se registra la proporción más baja.

Gráfica 1: Porcentaje de centros de trabajo europeos que usan robots

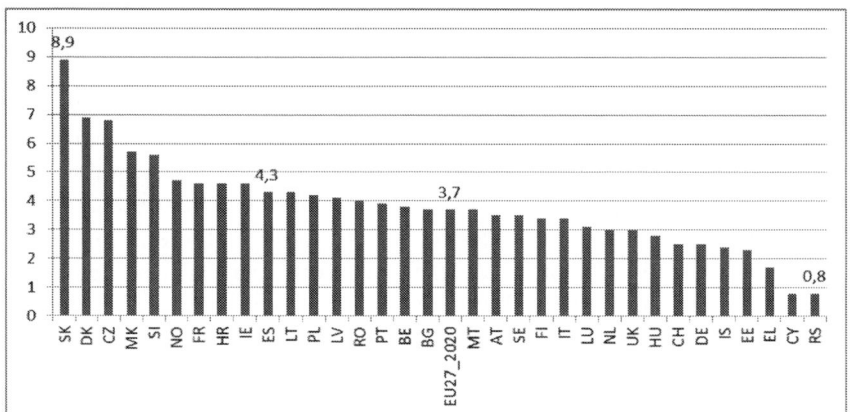

Fuente: tercera encuesta europea de empresas sobre riesgos nuevos
y emergentes (ESENER 3) (EU-OSHA, 2019).

2. IMPACTO DE LA ECONOMÍA DIGITAL SOBRE LAS CONDICIONES DE TRABAJO Y LOS RIESGOS LABORALES

Pese al interés que suscitan dichos debates, el presente capítulo se centra en la dimensión micro contextual relacionada con las condiciones de trabajo y los riesgos laborales a los que se encuentran sometidos los trabajadores que utilizan tecnologías digitales. En este sentido, en la literatura previa se han identificado posiciones diferenciadas sobre el impacto de las nuevas tecnologías en las condiciones de trabajo. Por un lado, existen argumentos que defienden que la digitalización puede favorecer una mayor flexibilidad y autonomía en la organización del tiempo de trabajo, el enriquecimiento de los puestos y la eliminación de riesgos tradicionales de seguridad e higiene industrial (Valsamis, et al, 2015). Sin embargo, por otro lado, diversos autores apuntan a una mayor precarización de las condiciones de trabajo, en la medida que la digitalización puede favorecer la intensificación y aceleración de los ritmos de producción, la pérdida de autonomía y privacidad como consecuencia de nuevos sistemas de vigilancia y control o la dislocación del tiempo de trabajo en términos de plena disponibilidad de los y las trabajadores/as a los requerimientos empresariales (Aloisi, 2016; De Stefano, 2016; Huws,2014; Meil y Kirov, 2017). Por su parte, en un informe desarrollado por la EU-OSHA que lleva por título "Previsión de riesgos nuevos y emergentes para la seguridad y la salud en el trabajo asociados a la digitalización en 2025" (EU-OSHA, 2018), se manifiesta que el incremento de los ritmos de producción, los nuevos sistemas de supervisión, la disponibilidad absoluta y la gestión del trabajo de las personas mediante algoritmos, estarían provocando la emergencia de factores de riesgo psicosocial que derivan en un repunte de las patologías psicosomáticas, tales como, el estrés, la ansiedad crónica o la depresión. Asimismo, el informe también apunta a un posible incremento de los riesgos ergonómicos (movimientos repetitivos, posturas forzadas, etc.), causados por las interfaces persona-máquina y el crecimiento del trabajo en línea y móvil. En la siguiente sección estudiaremos con más detalle los desafíos y oportunidades en materia de seguridad y salud laboral que pueden surgir con la digitalización y robotización de la economía.

2.1. Oportunidades y desafíos en la utilización de robots, equipos y dispositivos

En cuanto a la *exposición a sustancias químicas*, la utilización de la robotización, la automatización o el uso de la realidad virtual, pueden ayudar a reducir la exposición de los trabajadores a sustancias peligrosas, tales como los agentes biológicos o los patógenos. Por ejemplo, en la agricultura de precisión se utilizan robots automáticos para suministrar los pesticidas y herbicidas con precisión, lo que evita la exposición de los agricultores. Además, el uso de sensores inteligentes incorporados en dispositivos portátiles podría servir para controlar los niveles de exposición de los agricultores a las sustancias tóxicas (Katwala, 2017). No obstante, las nuevas tecnologías también pueden generar desafíos en materia de seguridad y salud laboral, como la impresión 3D y 4D y la bio-impresión, debido al aumento de la exposición a materiales químicamente más complejos cuyos peligros aún no se conocen por completo (EU-OSHA,2018).

Por lo que refiere a la *exposición a peligros físicos*, el uso de robots, los vehículos autónomos o los drones, pueden ayudar a que los empleados no tengan que trabajar en espacios inseguros (espacios confinados, trabajo en alturas, etc.) (Busick, 2016). Sin embargo, las mismas tecnologías, como los robots colaborativos o los exoesqueletos biónicos, pueden ser fuente de atrapamientos, impactos, ruidos o vibraciones (Knowledge and Work, 2017; Steijn, et al., 2016), aunque sus efectos pueden ser mitigados con la utilización de sensores que regulen las velocidades y fuerzas de los robots (Boagey, 2016). A todo ello, cabría añadir que los riesgos para la seguridad también pueden afectar a los trabajadores que no usan directamente los robots pero comparten espacio en el centro de trabajo, como por ejemplo, el uso de láseres, fuentes de radiación o electrodos de soldadura (Steijn et al., 2016).

En materia de *riesgos ergonómicos*, los robots autónomos móviles o exoesqueletos pueden ayudar a reducir la manipulación manual de cargar y el agotamiento físico, lo que podría permitir a los trabajadores de mayor edad continuar en su puesto de trabajo o mejorar el acceso al empleo a personas con discapacidad (Burgess, 2016). Además, se podrían incorporar sensores en la ropa de los trabajadores para advertirles cuando estuvieran en posturas forzadas dañinas para su salud (Katwala, 2017). No obstante, el abuso de los robots o exoesqueletos podría suponer una amenaza para la condición física de los trabajadores, como por ejemplo, la erosión de la densidad muscular/ósea o flexibilidad articular (EU-OSHA, 2018). Asimismo, los robots deben ser controlados y monitorizados de forma remota a través de pantallas de visualización de datos, lo que puede generar sedentarismo y riesgos para la salud (posturas forzadas, enfermedades cardiovasculares, obesidad, accidentes cerebrovasculares, diabetes o ansiedad (Knowledge and Work, 2017; Wilmot et al., 2012). No obstante, las nuevas interfaces hombre-máquina, como el reconocimiento de voz, el control de gestos o el seguimiento ocular, también podrían permitir a los trabajadores utilizar tecnologías interactivas mientras están físicamente activos o, al menos, de pie en lugar de sentados (Horton et al., 2018). Por su parte, los dispositivos móviles de mano (ordenadores portátiles, tabletas, móviles, etc.) si se usan de manera prolongada pueden provocar lesiones en las extremidades superiores, el cuello o la espalda (IFA, 2017).

Por lo que refiere a los *riesgos de tipo psicosocial*, los trabajadores que trabajan en colaboración con robots, pueden verse expuestos a *elevadas exigencias cuantitativas* debido a que las máquinas no entienden que las personas no pueden trabajar a máxima eficiencia todo el tiempo, imponiéndose ritmos de trabajo muy elevados (Steijn et al., 2016). Además, los trabajadores podrían estar expuestos a *elevadas demandas cognitivas* debido a que probablemente deban supervisar diversos procesos de trabajo en lugares de trabajo diferentes (EU-OSHA, 2018). Por su parte, en el caso de uso de algoritmos de aprendizaje profundo, puede ocurrir que los trabajadores no entiendan el funcionamiento del sistema y les resulte difícil interactuar con los robots, lo que puede ocasionar estrés y ansiedad al no entender bien lo que está sucediendo (Pega and Marketforce, 2018). A todo ello, cabría añadir que el uso de dispositivos de realidad virtual, puede producir la pérdida de conciencia del entorno real al trabajador, incluso algún tiempo después de su utilización, lo que puede provocar efectos sobre su salud mental (Hiesboeck, 2016)

Las formas de organización y gestión del trabajo también pueden suponer una mayor exposición a riesgos psicosociales. En este sentido las tecnologías digitales portátiles permiten a las personas *trabajar en cualquier lugar y en cualquier momento*, lo que puede reducir el espacio liminal entre el trabajo y la vida privada afectando a su salud mental (Mandl et al., 2015; Messenger et al., 2017; Redmond y Mokhtarian, 2001). Dichas tecnologías portátiles pueden generar la necesidad real o percibida de estar disponible todos los días durante todas las horas día (24/7), lo que podría generar estrés laboral y/o agotamiento (Unum, 2014), ansiedad si se separa del dispositivo o si deja de funcionar (adicción digital) (Elmore, 2014) o problemas del sueño debido al uso de los dispositivos móviles justo antes de dormir (Volpi, 2012).

Otro factor que podría suponer el incremento de los riesgos psicosociales en la *organización y el contenido del trabajo* es el uso de métodos de gestión digitalizados (gestión algorítmica), en la medida en que los trabajadores pueden perder el control del contenido y programación del trabajo y los ritmos de producción, suponiendo un mayor estrés laboral, la pérdida de bienestar y el incremento de las ausencias por enfermedad (HSE, 2017). Estos algoritmos son capaces de recopilar información de la productividad del trabajador y puede ser usada para tomar decisiones en materia de gestión laboral (recompensar, penalizar e incluso, despedir) (Moore, 2018). El hecho de que los trabajadores sean informados en tiempo real de su desempeño, del de sus compañeros y el de las propias máquinas, puede generar tanto, conductas inseguras debido a la presión existente sobre el rendimiento, como ansiedad, baja autoestima y miedo a perder el empleo (Pega and Marketforce, 2018).

El incremento del uso de tecnologías digitales en la economía supone que algunas *habilidades y competencias* tengan poca vigencia según el ritmo de cambio tecnológico y ello, hace que los trabajadores deban ser capaces formándose constantemente y aprender nuevas técnicas de producción (WEF, 2016). La necesidad de reciclado constante de las habilidades y competencias puede provocar efectos ambivalentes en la salud de los trabajadores. Por un lado, aquellos trabajadores que dispongan de más recursos (inteligencia cognitiva) para el aprendizaje podrán desarrollar nuevas habilidades que les ayuden a emprender trabajos enriquecedores y desafiantes. Pero, por otro lado, los trabajadores también pueden sufrir estrés laboral cuando no disponen de los recursos necesarios para hacer frente a las necesidades de aprendizaje (HSE, 2017). Las propias tecnologías digitales pueden llegar a producir efectos contradictorios por diversas razones. En primer lugar, tal y como hemos expuesto, el uso incipiente de tecnologías provoca necesidades de aprendizaje, pero sin embargo, su uso también puede conducir a simplificar y estandarizar tareas complejas, lo que puede desmotivar a los trabajadores al efectuar trabajos monótonos y poco cualificados (Dellot y Wallace-Stephens, 2017). En segundo lugar, el uso de dispositivos de monitoreo constante y en tiempo real de la productividad puede hacer que los trabajadores no quieran cooperar con sus compañeros, lo que puede llegar a suponer una barrera para la transferencia del conocimiento (EU-OSHA, 2018).

2.2. *Impacto de las plataformas digitales sobre los riesgos psicosociales*

Tras analizar los desafíos y oportunidades en materia preventiva que pueden surgir con la digitalización y robotización de la economía, dedicamos la presente sección al análisis monográfico del impacto del uso de las plataformas digitales sobre la seguridad y salud laboral, debido a las condiciones de trabajo precarias y las graves consecuencias para la salud psicosocial a las que se encuentran sometidos los trabajadores de plataformas. En este sentido, recientemente Bérastégui (2021) ha realizado un metaanálisis sistemático de diferentes estudios empíricos sobre los efectos de las plataformas digitales, hallando tres grupos de condiciones de trabajo disfuncionales (aislamiento físico y social, transitoriedad laboral y gestión algorítmica) (figura 1) causantes de la emergencia de riesgos psicosociales y patologías psicosomáticas.

Figura 1. Riesgos psicosociales en la economía digital

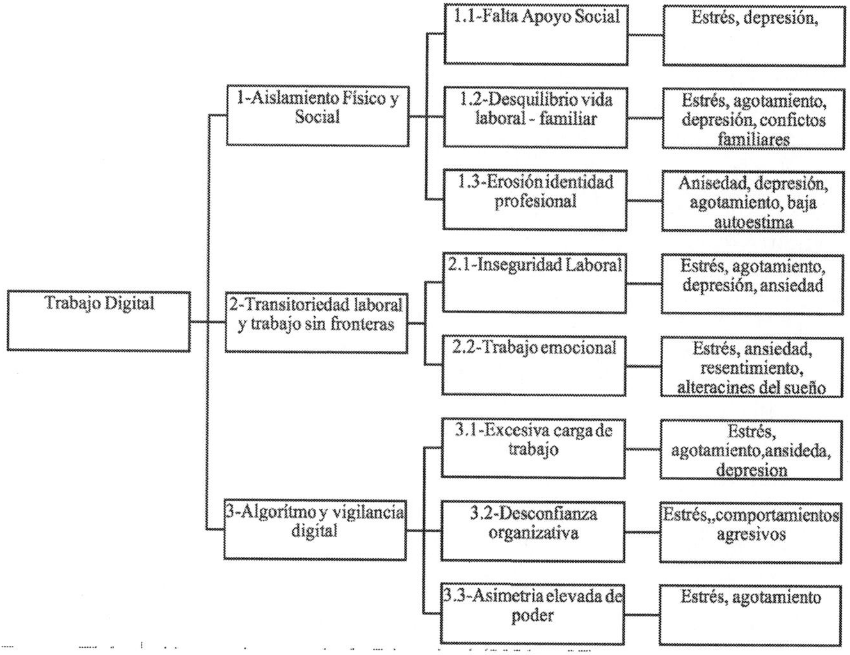

Fuente: Elaboración propia a través de Bérastégui (2021, p.87)

Por lo que se refiere a la primera dimensión, el *aislamiento físico y social* (1) derivado de la economía digital genera tres tipos de riesgo psicosocial. El primero se relaciona con los sentimientos de *bajo apoyo social* (1.1.) de los supervisores, compañeros y la organización (Marshall et al., 2007). En la economía digital los trabajadores en muchas ocasiones no comparten físicamente un mismo espacio y la gestión logarítmica de los recursos humanos hace que sea muy difícil desarrollar relaciones cálidas con la dirección de la empresa (Vayre y Pignault, 2014) y los trabajadores tienen dificultades para compartir sus preocupaciones con el resto de compañeros (Tran y Sokas, 2017; Vendramin y Valenduc, 2018). La carencia de reciprocidad puede llevar hacia la desconfianza y prácticas irrespetuosas provocando efectos perjudiciales sobre el bienestar emocional (Labianca y Brass 2006) y niveles más elevados de depresión (Oksanen et al., 2010). En segundo lugar, el aislamiento físico disloca los tiempos de trabajo y diluye los límites entre las esferas productiva y reproductiva, lo que conduce al incremento de horas extraordinarias y los conflictos familiares (Jostell y Hemlin, 2018; Tremblay y Thomsin, 2012), con el riesgo de provocar estrés, depresión y agotamiento (Amstad et al., 2011). La digitalización fomenta precisamente trabajar en cualquier lugar y en cualquier momento (Williams et al., 2019) y el poder de las empresas digitales incrementa el número de horas dedicadas al trabajo invisible, como, por ejemplo, buscar el propio trabajo o reprocesar trabajos devueltos o rechazados, lo que impulsa el *desequilibrio entre la vida familiar y laboral* (1.2.) (Huws et al., 2017; Martin et al., 2016). Por último, el aislamiento social erosiona la *identidad profesional* (1.3) de los trabajadores digitales debido a que, por un lado, carecen de mentores profesionales y modelos a seguir que les guíen la acción (Grugulis y Stoyanova, 2011) y, por otro, provoca que, en muchas ocasiones, se realicen trabajos de poca significancia y los objetivos de los trabajadores no vayan más allá de cubrir las necesidades económicas (Supiot, 2019), lo que puede generar ansiedad, agotamiento emocional y aburrimiento (Morgeson et al., 2013; Shantz et al., 2016).

La segunda dimensión vendría a relacionarse con la *intensificación y el trabajo sin límites* (2). Las ventajas competitivas de las empresas digitales provienen de cómo hacen el trabajo y no tanto de lo que hacen, ya que, aspectos tales como el reparto a domicilio o la gestión por proyectos profesionales, son trabajos que ya existían previamente (Constantiou et al., 2017). En este sentido, las empresas utilizan las tecnologías como estrategias de flexibilización con objeto de que el trabajador digital, supuestamente, elija cuánto, cuándo y con quién desea trabajar, lo que les sitúa en un "espacio liminal" entre ocupaciones y autogestionar su propia carrera profesional (Ibarra y Obodaru, 2016). Sin embargo, la realidad muestra que la posibilidad de que los trabajadores autogestionen su propia carrera es muy limitada, debido a que la gestión logarítmica pone de manifiesto la cosmética de la flexibilización, en la medida en que el trabajador digital no tiene la posibilidad real de elegir cuándo y dónde trabajar ya que, de hacerlo quedaría relegado de las primeras posiciones del logaritmo y este dejaría de asignarle nuevos trabajos o proyectos, obligándolo a trabajar sin límites e intensificar su ritmo de trabajo si desea seguir trabajando en el futuro con la plataforma (Kost et al., 2020). A todo ello, cabría añadir que las empresas digitales no brindan los recursos ni las oportunidades necesarias para el desarrollo profesional de sus trabajadores (de Groen et al., 2018; Moore, 2018). Al final, la economía digital ofrece contratos de cero horas trasladando el riesgo de inactividad a los trabajadores (de Stefano, 2016; Fabrellas, 2019; Graham et al., 2017; Moore, 2018) y haciéndoles responsables de su sustento financiero y carrera profesional (Codagnone et al., 2016; Farrell y Greig, 2017; Spreitzer et al., 2017), lo que les produce una elevada *inseguridad laboral* (2.1) que provoca niveles elevados de depresión, ansiedad y consumo de hipnosedantes. La combinación de una elevada inestabilidad laboral con el control y evaluación constante del rendimiento por parte del algoritmo, hace que los trabajadores digitales tiendan a *esconder sus emociones* (2.2) a cambio de ser bien puntuados (Gandini, 2019; Glöss et al., 2016; Raval y Dourish, 2016; Rosenblat y Stark, 2016), lo que deriva en niveles más elevados de estrés, ansiedad, trastornos del sueño y resentimiento (Lim et al., 2016; Sohn et al., 2018).

El último factor disfuncional sería el uso del propio *algoritmo como estrategia de vigilancia y control* (3). A los efectos negativos que acabamos de analizar, cabe añadir que la elevada inseguridad y precariedad laboral deriva en un incremento de la carga de trabajo cuantitativa y cognitiva, dado que obliga a los trabajadores digitales a controlar diversas fuentes de información al mismo tiempo para poder optar a que el algoritmo los seleccione, como también a trabajar simultáneamente para varias compañías y así poder cubrir sus necesidades económicas (Poutanen et al., 2019; Taylor, 2020; Williams, 2020). Además, el hecho de que la designación, monitoreo y evaluación del rendimiento estén respaldados por algoritmos rompe el *contrato psicológico y genera desconfianza entre los trabajadores* (3.2) por falta de criterios de justicia social al deshumanizar las relaciones laborales (Gleim et al., 2019; Laplante y Silberman, 2016; Malhotra,

2020; McInnis et al., 2016; Ryan, 2019). Por ejemplo, el algoritmo puede asignar los trabajos a un perfil determinado de trabajadores (hombres, blancos, jóvenes, etc.) discriminando al resto. Por último, los niveles elevados de gestión logarítmica hacen que los trabajadores digitales, normalmente contratados como falsos autónomos, tengan escasas oportunidades de resistir a la autoridad de la compañía y pocas posibilidades de participar en los procesos de toma de decisiones, colocándoles en una posición más débil que la de los trabajadores tradicionales, lo que, a su vez, vendría a reforzar *la asimetría de poder en las relaciones laborales* (3.3.) (Al-Ani y Stumpp, 2016; Chan y Humphreys, 2018; Dazzi, 2019; Kinder et al., 2019; Moore y Joyce, 2019). Dicha asimetría deriva en prácticas empresariales abusivas y exceso de trabajo, lo que provoca niveles de estrés elevados (Benach et al., 2007; Brooker y Eakin, 2001; Vives et al., 2010), privación del sueño y agotamiento (Amable et al., 2001; Wood et al., 2019).

En su estudio, Bérastégui (2021, (p.88) concluye que las investigaciones desarrolladas se centran mayoritariamente en aspectos concretos de la economía digital, pero faltan análisis empíricos que estudien las interrelaciones de los diferentes tipos de trabajo digital con los factores de riesgos laboral y que supere la dimensión individual del trabajador. Por todo ello, nos planteamos como objetivo empírico en el presente capítulo el estudio del efecto del uso de diferentes tecnologías digitales sobre las condiciones de trabajo y los factores de riesgo laboral.

3. DISEÑO METODOLÓGICO

Para desarrollar el objetivo de esta investigación se ha realizado un estudio transversal a través de la explotación de los microdatos de la tercera Encuesta Europea de Empresas sobre Riesgos Nuevos y Emergentes (ESENER-3) elaborada por la Agencia Europea para la Seguridad y la Salud en el Trabajo (EU-OSHA, 2019). La ESENER-3 se llevó a cabo en la primavera y el verano de 2019 en empresas con cinco o más trabajadores tanto privadas como públicas de todos los sectores de actividad económica, excepto los hogares (NACE T) y las organizaciones extraterritoriales (NACE U). La encuesta fue realizada en 45.420 establecimientos en 33 países europeos, siendo encuestado "la persona que mejor conoce la salud y la seguridad en el establecimiento". Los datos se recogieron mediante entrevistas telefónicas asistidas por ordenador. La población muetral fue diseñada mediante ponderación según el tejido productivo empresarial de cada país, oscilando entre los 450 centros de trabajo encuestados en Malta hasta los 2.250 en Francia, Alemania, Italia, Polonia, España y el Reino Unido. La encuesta presenta un nivel de confianza del 95,5% (dos sigmas) y un error muestral de ± 1,77%, por lo que permite validar los resultados estadísticos hallados en el presente estudio.

El cuestionario fue elaborado por un equipo de expertos en el diseño de encuestas y en materia de seguridad y salud laboral (especialmente en riesgos psicosociales), junto con el personal de EU-OSHA, y explora en detalle cuatro áreas: (1) el enfoque de gestión de la seguridad y salud laboral en el centro de trabajo; (2) cómo se abordan los riesgos nuevos y emergentes de origen psicosociales; (3) los factores que impulsan o debilitan la gestión de la prevención en el centro de trabajo; y (4) cómo se gestiona en la práctica la participación de los trabajadores en la gestión de la seguridad y salud laboral. A diferencia de las dos primeras encuestas ESENER, la tercera oleada incluye por primera vez, los riesgos potenciales para la salud relacionados con la digitalización de la economía en el segundo grupo o bloque de preguntas, lo que nos permite conocer las asociaciones entre el uso de las tecnologías digitales con los distintos tipos de riesgos laborales.

Para llevar a cabo el análisis utilizamos como variables dependientes los distintos tipos de riesgos o problemas asociados con el uso de tecnologías digitales, que están incluidos en la muestra. Dichas variables son las siguientes: el "aumento de la intensidad del trabajo o de la presión del tiempo", la "sobrecarga de información" para los trabajadores; el hecho de "permanecer sentados durante mucho tiempo", la realización de "movimientos repetitivos", la "necesidad de formación continua para mantener actualizadas las competencias", la "mayor flexibilidad para los empleados en cuanto al lugar de trabajo y al horario laboral", la "superposición de los límites entre el trabajo y la vida personal", y el "miedo a perder el empleo".

Dichos riesgos o problemas los relacionamos con el tipo de tecnología digital utilizada por las empresas. Las tecnologías que registra la encuesta son las siguientes: el "uso de robots que interactúan con trabajadores", el "uso de ordenadores fijos en los lugares de trabajo", el "uso de dispositivos portátiles en los lugares de trabajo", el "uso de máquinas digitales que determinan el contenido y/o ritmos de trabajo", el "uso de máquinas digitales fijas que monitorean el rendimiento de los trabajadores", y el "uso de dispositivos portátiles integrados que monitorean el rendimiento de los trabajadores". Al mismo tiempo, utilizamos como variables de control el sector de actividad en el que operan las empresas (a través de una variable que registra el sector mediante la codificación NACE) y el tamaño de la empresa (entre "5 y 9"; "10 y 49"; "50 y 249"; y "250 o más" trabajadores). De esta manera, llevamos a cabo tablas de contingencia para observar una primera aproximación a la relación entre riesgos/problemas para los trabajadores, y tipo de tecnología digital utilizada. Luego, aplicamos regresiones logísticas binomiales para obtener las probabilidades relativas (*odd ratios*) de encontrar cada uno de estos riesgos, según la utilización de tales tecnologías (respecto a las empresas que no utilizan dichas tecnologías), y las controlamos a través de las variables del sector de actividad y tamaño de empresa. De esta forma, evitamos que los resultados se encuentren sesgados por dichas variables de control. Los resultados los presentamos en diferentes tablas, según el tipo de tecnología utilizada por las empresas.

4. RESULTADOS

El Gráfico 1 nos indica la proporción de empresas, en el conjunto de países que integran la muestra, que utilizan distintos tipos de tecnologías digitales. A nivel agregado, en primer lugar, la gran mayoría de empresas y centros de trabajo utilizan ordenadores fijos y portátiles (más del 80%). Estos dispositivos tecnológicos son ampliamente los más utilizados, si consideramos de forma conjunta los distintos sectores y tamaños de empresas. En segundo lugar, la proporción de empresas o centros de trabajo que utilizan máquinas electrónicas y/o digitales que determinan el contenido y/o ritmo de trabajo es casi una quinta parte del total (18,3%). En tercer lugar, el porcentaje de empresas que utilizan máquinas que controlan el rendimiento de los trabajadores, por un lado, y de empresas que utilizan dispositivos portátiles como relojes inteligentes, gafas de datos, sensores que monitorean el desempeño de los trabajadores, etc., por otro lado, es del 13,5% en ambos casos. Por último, la proporción de empresas que utilizan robots que interactúan con los trabajadores es del 7%. Es decir, podemos observar que el uso de ordenadores constituye una práctica transversal a todos los sectores y tamaños de empresas, mientras que otras tecnologías digitales más específicas presentan una distribución distinta.

Gráfico 1. Tecnologías utilizadas en empresas y centros de trabajo

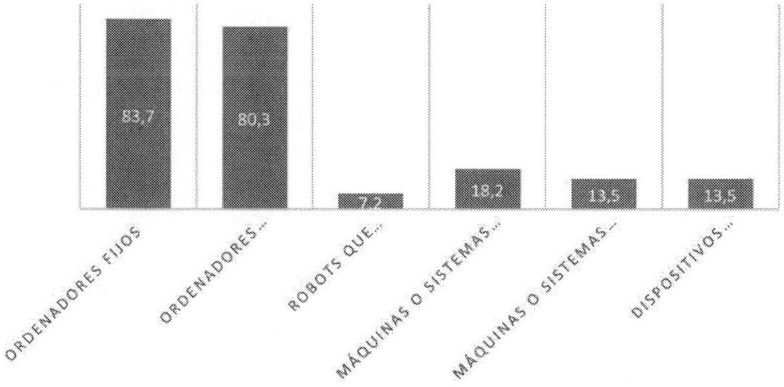

Fuente: elaboración propia sobre la base de ESENER 3 (EU-OSHA, 2019)

La utilización habitual de estas diferentes tecnologías digitales produce distintos tipos de efectos sobre la productividad, la organización del trabajo, así como también sobre los riesgos laborales de los trabajadores y problemas de gestión para las empresas.

Con relación a los riesgos que el uso de dichas tecnologías comporta para los trabajadores, la encuesta ESENER 2019 ha detectado los siguientes. En primer lugar, el 62% de las empresas señala un mayor incremento o intensificación del ritmo de trabajo, y más de la mitad de las empresas (52%) señala que las tecnologías digitales comportan una mayor sobrecarga de información que deben gestionar los trabajadores. Ambos aspectos implican, potencialmente, un incremento de las situaciones de estrés laboral. En segundo lugar, el hecho de permanecer durante muchas horas sentado/a (lo señala el 63,5% de las empresas) y realizar movimientos repetitivos (en el 58,5% de las empresas), comportan riesgos relacionados con el desgaste físico que supone trabajar con ciertas tecnologías de manera continua. En tercer lugar, el 78% de las empresas menciona que las tecnologías digitales utilizadas suponen la necesidad de formación continua para mantener competencias actualizadas de los/as trabajadores/as. Este porcentaje tan elevado indica que constituye una demanda transversal a sectores, tamaños de empresas y países. En cuarto lugar, la proporción de empresas que indican que las tecnologías productivas requieren de una mayor flexibilidad en términos de lugar de trabajo y tiempo de trabajo es de 68,30%. En quinto lugar, la mitad de las empresas (50,7%) detecta el riesgo de superposición o conflicto entre el tiempo de trabajo y el tiempo dedicado a la vida personal y familiar de los trabajadores. Por último, casi un cuarto de empresas (23,5%), indica que las tecnologías digitales utilizadas suponen un riesgo de pérdida de empleo.

Gráfico 2. Riesgos de los trabajadores vinculados con el uso de tecnologías digitales en empresas y centros de trabajo

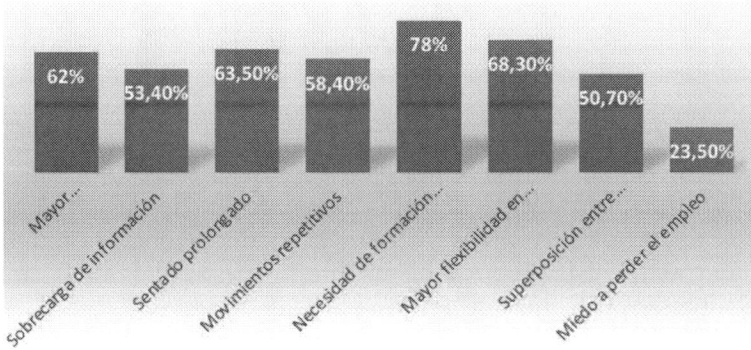

Fuente: elaboración propia sobre la base de ESENER 3 (EU-OSHA, 2019)

Los datos disponibles nos permiten observar la distribución de riesgos vinculados con el uso de nuevas tecnologías digitales en las empresas y centros de trabajo. Los riesgos o problemas laborales de los trabajadores que se vinculan con el uso de estas tecnologías utilizadas por las empresas se pueden evaluar a través de diferentes técnicas. Al respecto, hemos elaborado una serie de tablas en las que registramos el impacto diferencial de cada tipo de riesgo laboral vinculado con el uso de tecnologías digitales. En cada tabla hemos tenido en cuenta una tecnología digital específica, y hemos evaluado la frecuencia con que ocurren dichos riesgos laborales en función de si utilizan o no tales tecnologías. Asimismo, a través de regresiones logísticas binomiales, hemos calculado las probabilidades relativas (*odd ratios*) de ocurrencia o presencia de tales riesgos para los trabajadores de las empresas que las utilizan, en relación con las empresas que no las utilizan.

Así, con respecto al uso de tecnologías digitales, el 62% de las empresas dicen que existen riesgos de mayor intensificación del tiempo y/o ritmos de trabajo; el 53,4% indica que existen riesgos de que los trabajadores sufran sobrecarga de información; el 63,5% de las empresas dicen que los trabajadores están sujetos a sentados prolongados (con los problemas posturales que conlleva); el 58,4% dice que sí existen riesgos originados en movimientos repetitivos; el 78% de las empresas manifiesta que los trabajadores necesitan participar de procesos de formación continua para utilizar dichas tecnologías digitales. Además, la mitad (50,7%) indica que el uso de las tecnologías digitales puede ocasionar superposiciones y conflictos entre la vida laboral y personal de los trabajadores. Por último, casi una cuarta parte de las empresas (23,5%) indica que el uso de las nuevas tecnologías comporta mayores riesgos de desempleo.

A continuación, una vez presentados los resultados agregados, analizamos cuánto influye cada tipo específico de tecnología digital (entre los que se indican en el Gráfico 1) sobre dichos riesgos para los trabajadores.

Tabla 1. Impacto del uso de Robots que interactúan con trabajadores, sobre los factores de riesgo laboral

	Centro de trabajo que Sí utilizan robots	Centros de trabajo que No utilizan robots		
	N° (%)	N° (%)	Chi-Cuadrado de Wald	Odd ratio ajustada
Aumento de la intensidad del trabajo o de la presión del tiempo	705 (70,6)	6662 (62,8)	0,604	-
Sobrecarga de información	567 (56,5)	5812 (54,4)	0,604	-
Estar sentado durante mucho tiempo	648 (64,3)	7159 (66,2)	0,094	-
Movimientos repetitivos	690 (67,9)	6410 (59,5)	0.459	-
Necesidad de formación continua para mantener actualizadas las competencias	881 (86,9)	8540 (79,1)	0.000	1,59
Más flexibilidad para los empleados en cuanto al lugar de trabajo y al horario laboral	768 (76,1)	7325 (68,3)	0.024	1,24
Difusión de los límites entre el trabajo y la vida privada	557 (55,9)	5458 (51,2)	0,934	-
Miedo a perder el empleo	319 (31,8)	2551 (23,5)	0.053	-

Fuente: elaboración propia sobre la base de ESENER 3 (EU-OSHA,2019)

De esta forma, en la Tabla 1 podemos ver los distintos tipos de riesgos o efectos vinculados con el hecho de que las empresas utilicen, o no, robots que interactúen con los trabajadores. Es una tecnología que utiliza el 7,2% de las empresas. Las tablas bivariadas indican que el "aumento de la intensidad o ritmos de trabajo" resulta un poco mayor entre trabajadores de empresas que sí utilizan robots, en relación con las que no los utilizan (70,6% y 62,8% respectivamente). Algo similar ocurre con la sobrecarga de información (56,5% y 54,4%) y realizar movimientos repetitivos (68% y 59,4%). Sin embargo, si consideramos las probabilidades relativas, ajustadas por el tamaño de las empresas y el sector de actividad, observamos que no se producen diferencias significativas entre quienes utilizan robots y quienes no los usan en el proceso productivo. Es decir, el efecto específico de dicha tecnología, una vez controlado el sesgo del sector de actividad y tamaño, no resulta significativo con relación a dichos riesgos o efectos. No obstante, sí resulta significativo el efecto específico del uso de robots que interactúan con trabajadores con respecto a la necesidad de formación continua para mantener actualizadas las competencias, y con respecto a la necesidad de que los trabajadores acepten una mayor flexibilidad con relación al lugar de trabajo y al horario. En concreto, las empresas que sí utilizan robots provocan 1,6 veces más necesidad de formación continua entre los trabajadores que las empresas que no utilizan robots y ello, podría provocar situaciones de estrés laboral entre las personas que disponen de menos recursos para el aprendizaje y el reciclado constante de competencias (HSE, 2017). Asimismo, el uso de robots provocan 1,24 veces más necesidad de flexibilidad para los empleados que quienes no los utilizan. El hecho de que los robots pueden ser programados y controlados por control remoto puede favorecer a que los/as trabajadores/as deban estar disponibles en cualquier momento y en cualquier lugar para resolver las incidencias que requieran su atención, lo que puede afectar a su bienestar y salud mental (Mandl et al., 2015; Messenger et al., 2017). Por último, aunque en las tablas bivariadas aparezcan diferencias porcentuales, el análisis multivariante nos muestra que el uso de robots no influye sobre la superposición de la vida personal y familiar, ni provoca un riesgo específico adicional de perder el empleo.

En la Tabla 2 vemos los riesgos y problemas derivados del uso de máquinas con tecnología digital que determinan el contenido y/o ritmo de trabajo.

Tabla 2. Impacto de las máquinas digitales que determinan el contenido/ ritmo de trabajo sobre los factores de riesgo laboral

	Centros de trabajo que SÍ utilizan máquinas que imponen el ritmo de trabajo	Centros que NO utilizan máquinas que determinan el contenido/ ritmo de trabajo		
	N° (%)	N° (%)	Chi-Cuadrado de Wald	Odd ratio ajustada
Aumento de la intensidad del trabajo o de la presión del tiempo	1934 (72,6)	5410 (60,7)	0.000	1,48
Sobrecarga de información	1519 (57,0)	4840 (53,9)	0.033	1,12
Estar sentado durante mucho tiempo	1740 (64,7)	6039 (66,4)	0.029	0,89
Movimientos repetitivos	1875 (69,6)	5199 (57,4)	0.000	1,37
Necesidad de formación continua para mantener actualizadas las competencias	2293 (85,1)	7097 (78,2)	0.000	1,41
Más flexibilidad para los empleados en cuanto al lugar de trabajo y al horario laboral	2038 (75,9)	6026 (66,8)	0.000	1,41
Difusión de los límites entre el trabajo y la vida privada	1467 (55,0)	4530 (75,5)	0.001	1,19
Miedo a perder el empleo	785 (29,3)	2046 (22,7)	0.000	1,27

Fuente: elaboración propia sobre la base de ESENER-3 (EU-OSHA, 2019)

El uso de máquinas digitales que determinan el contenido o ritmo de trabajo de los empleados se utilizan en el 18,2% de las empresas, e influye sobre todos los tipos de riesgos que estamos analizando. Los mayores impactos del uso de estas tecnologías digitales se observan en el aumento de la intensidad del trabajo o la presión del tiempo (casi 1,5 veces más entre las que utilizan respecto a las empresas que no la utilizan), la necesidad de formación continua y la necesidad de mayor flexibilidad laboral (estos riesgos se presentan 1,4 veces más entre las que sí utilizan máquinas de control del trabajo). También el hecho de utilizar robots incrementa el riesgo de quedar sujeto a movimientos repetitivos (1,37 veces más), de sufrir despidos (1,27 veces más), y de superponer la vida personal y laboral (1,2 veces más, respecto de quienes no usan máquinas de control del trabajo). Por último, el riesgo de permanecer sentado durante períodos prolongados es menor entre los trabajadores de empresas que utilizan estas tecnologías, respecto de quienes no las usan (1,12 veces menos). Los resultados obtenidos vendrían a coincidir con los estudios previos, en la medida en que, por un lado, las máquinas que determinan el contenido/ritmo de producción tienen un impacto diferencial en la intensificación del trabajo y los riesgos ergonómicos (movimientos repetitivos) dado que no entienden que las personas no pueden trabajar a máxima eficiencia todo el tiempo, imponiéndose ritmos de trabajo muy elevados (Steijn et al., 2016) y, por otro lado, suelen incorporar dispositivos de gestión algorítmica que recopilan datos de productividad en tiempo real, lo que podría llegar a explicar el aumento de la inseguridad laboral entre los trabajadores por temor a ser despedidos (Moore, 2018).

En la Tabla 3 se observa el impacto de las máquinas digitales que controlan el rendimiento de los trabajadores. Estas tecnologías están presentes en el 13,5% de las empresas. Las tablas bivariadas indican que el uso de esta tecnología influye en todos los riesgos, con la excepción de estar sentado durante mucho tiempo. Con relación a este último efecto, no se registran diferencias significativas entre quienes usan estas máquinas y quienes no.

Tabla 3. Impacto de las máquinas digitales que controlan el rendimiento de los trabajadores sobre los factores de riesgo laboral

	Centros que SÍ utilizan máquinas que controlan el rendimiento	Centros que NO utilizan máquinas que controlan el rendimiento		
	Nº (%)	Nº (%)	Chi-Cuadrado de Wald	Odd ratio ajustada
Aumento de la intensidad del trabajo o de la presión del tiempo	1622 (74,1)	5723 (60,9)	0.000	1,70
Sobrecarga de información	1291 (58,8)	5071 (53,6)	0.000	1,30
Estar sentado durante mucho tiempo	1446 (65,1)	6337 (66,2)	0.242	-
Movimientos repetitivos	1524 (68,7)	5555 (58,3)	0.000	1,43
Necesidad de formación continua para mantener actualizadas las competencias	1856 (83,8)	7538 (78,8)	0.000	1,33
Más flexibilidad para los empleados en cuanto al lugar de trabajo y al horario laboral	1660 (75,1)	6401 (67,4)	0.000	1,33
Difusión de los límites entre el trabajo y la vida privada	1282 (58,6)	4718 (49,9)	0.000	1,47
Miedo a perder el empleo	692 (31,4)	2141 (22,5)	0.000	1,55

Fuente: elaboración propia sobre la base de ESENER 3 *(EU-OSHA, 2019)*

En concreto, los mayores riesgos que produce el uso de estas tecnologías son aquellos relacionados con el aumento de la intensidad del trabajo, y el miedo a perder el empleo (1,7 y 1,55 veces más en relación a los que no las utilizan). En segundo lugar, la superposición entre el trabajo y la vida personal, así como los movimientos repetitivos, son mayores (1,47 y 1,43 veces más) entre los que utilizan estas máquinas que quienes no. En tercer lugar, las exigencias de mayor flexibilidad, la necesidad de mantener competencias actualizadas, y la sobrecarga de información, constituyen riesgos que se encuentran 1,3 veces más presentes entre empresas que sí usan estas tecnologías que entre las que no las usan. Los resultados obtenidos, vendrían a potenciar las interpretaciones realizadas para el caso anterior (Tabla 2), en la medida en que la utilización de maquinaria digital para definir o monitorear el trabajo presenta incluso mayor impacto que aquellas que imponen el ritmo de producción, dado que se ven incrementadas las probabilidades de que las personas trabajadoras sufran mayor intensificación del trabajo y inseguridad laboral. Así pues, podemos concluir, que la gestión algorítmica utilizada para monitorear la productividad de los/as trabajadores/as es uno de los factores que mayor impacto tienen sobre la emergencia de los riesgos laborales de tipo ergonómico y psicosocial.

En la Tabla 4 vemos el impacto del uso de dispositivos portátiles integrados sobre los riesgos para los trabajadores. Constituye un tipo de tecnología que está presente, aproximadamente, en el 13,5% de las empresas. Si bien vemos que existen diferencias en las tablas bivariadas, la mayoría de ellas no resultan significativas en un análisis multivariado, ajustado por sector y tamaño de empresa.

Tabla 4. Impacto del uso de dispositivos portátiles integrados (relojes inteligentes, gafas de datos u otros sensores) sobre los factores de riesgo laboral

	Centros que SÍ utilizan dispositivos integrados	Centros que NO utilizan dispositivos integrados		
	N° (%)	N° (%)	Chi-Cuadrado de Wald	Odd ratio ajustada
Aumento de la intensidad del trabajo o de la presión del tiempo	870 (67,2)	6484 (62,9)	0.158	-
Sobrecarga de información	746 (57,3)	5623 (54,2)	0.381	-
Estar sentado durante mucho tiempo	859 (65,5)	6936 (66,1)	0,102	-
Movimientos repetitivos	852 (64,8)	6242 (59,7)	0.726	-
Necesidad de formación continua para mantener actualizadas las competencias	1093 (83,1)	8317 (79,4)	0,172	-
Más flexibilidad para los empleados en cuanto al lugar de trabajo y al horario laboral	1011 (77,1)	7070 (67,8)	0.001	1,40
Difusión de los límites entre el trabajo y la vida privada	756 (58,2)	5252 (50,7)	0.000	1,30
Miedo a perder el empleo	364 (27,9)	2470 (23,7)	0,765	-

Fuente: elaboración propia sobre la base de ESENER 3 (EU-OSHA, 2019).

La utilización de dispositivos integrados e inteligentes afecta a la necesidad de una mayor flexibilidad laboral, por un lado (1,4 veces más que quienes no usan dicha tecnología), y a la superposición entre la vida personal y laboral (1,3 veces más). Los demás tipos de riesgos no parecen superiores entre quienes usan estas tecnologías respecto a quienes no las usan. Es decir, dichos dispositivos afectan fundamentalmente a la flexibilidad laboral (mayores adaptaciones horarias y mayor superposición entre la vida laboral y personal). Así pues, mientras que las máquinas provocan intensificación de los ritmos de producción e inseguridad laboral (tablas 2 y 3), las tecnologías portátiles impactan en mayor medida sobre los elementos de flexibilización laboral, dado que pueden ser transportadas con facilidad e incluso sostenidas por las propias personas, lo que puede reducir el espacio liminal entre el trabajo y la vida privada afectando a su salud mental (Mandl et al., 2015; Messenger et al., 2017; Redmond y Mokhtarian, 2001).

En la Tabla 5 vemos el impacto que tiene el uso de dispositivos portátiles. El 80% de las empresas afirma que los trabajadores utilizan dispositivos portátiles. Las tablas bivariadas indican que el uso de dichos dispositivos afecta a todos los riesgos, excepto el hecho de realizar movimientos repetitivos y el riesgo de perder el empleo.

Tabla 5. Impacto del uso de dispositivos portátiles (tabletas, smartphones, etc.) sobre los factores de riesgo laboral

	Centros que SÍ utilizan dispositivos portátiles	Centros que NO utilizan dispositivos portátiles		
	Nº (%)	Nº (%)	Chi-Cuadrado de Wald	Odd ratio ajustada
Aumento de la intensidad del trabajo o de la presión del tiempo	6831 (63,8)	549 (58,8)	0.06	-
Sobrecarga de información	5948 (55,2)	445 (47,2)	0.000	1,27
Estar sentado durante mucho tiempo	7274 (66,8)	550 (58,0)	0.005	1,21
Movimientos repetitivos	6543 (60,2)	578 (61,0)	0.414	-

	Centros que SÍ utilizan dispositivos portátiles	Centros que NO utilizan dispositivos portátiles		
	N^o (%)	N^o (%)	Chi-Cuadrado de Wald	Odd ratio ajustada
Necesidad de formación continua para mantener actualizadas las competencias	8732 (80,2)	711 (74,8)	0.01	1,20
Más flexibilidad para los empleados en cuanto al lugar de trabajo y al horario laboral	7520 (69,5)	588 (62,1)	0.001	1,27
Difusión de los límites entre el trabajo y la vida privada	5614 (52,2)	411 (43,8)	0.001	1,26
Miedo a perder el empleo	2639 (24,4)	209 (22,1)	0.957	-

Fuente: elaboración propia sobre la base de ESENER 3 (EU-OSHA, 2019)

Sin embargo, una vez ajustadas las probabilidades relativas, observamos que realmente el uso de dispositivos portátiles en el trabajo incrementa la sobrecarga de información, el hecho de estar sentado mucho tiempo, mayores exigencias de flexibilidad y riesgo de despido, así como la necesidad de incrementar la formación continua. En todos estos aspectos, quienes usan dispositivos portátiles presentan 1,2 veces más probabilidades de experimentar estas exigencias y riesgos, respecto de quienes no los utilizan. Es decir, el uso de estas tecnologías impactan sobre riesgos ergonómicos y mentales (sobrecarga de información y malas posturas). Asimismo, coincidiendo con los dispositivos portátiles integrados (relojes inteligentes, gafas de datos u otros sensores), el uso tabletas o smartphones, también afecta a la necesidad de flexibilidad de los/as trabajadores/as (flexibilidad de tiempo de trabajo y superposición del tiempo de trabajo con la vida personal).

Por último, en la Tabla 6 vemos el efecto del uso de ordenadores fijos en las empresas y centros de trabajo. Cerca del 80% de las empresas utiliza esta tecnología.

Tabla 6. Impacto del uso de ordenadores fijos sobre los factores de riesgo laboral

	Centros que SÍ utilizan ordenadores personales	Centros que NO utilizan ordenadores personales		
	N° (%)	N° (%)	Chi-Cuadrado de Wald	Odd ratio ajustada
Aumento de la intensidad del trabajo o de la presión del tiempo	6792 (63,6)	584 (61,2)	0.06	-
Sobrecarga de información	5917 (55,1)	471 (48,8)	0.000	1,28
Estar sentado durante mucho tiempo	7337 (67,5)	483 (49,6)	0.000	2,1
Movimientos repetitivos	6551 (60,5)	566 (58,3)	0.181	-
Necesidad de formación continua para mantener actualizadas las competencias	8684 (80,0)	750 (77,3)	0.008	1,24
Más flexibilidad para los empleados en cuanto al lugar de trabajo y al horario laboral	7422 (68,8)	679 (70,0)	0.915	-
Difusión de los límites entre el trabajo y la vida privada	5482 (51,2)	536 (55,8)	0.156	-
Miedo a perder el empleo	2620 (24,3)	227 (23,5)	0.636	-

Fuente: elaboración propia sobre la base de ESENER 3 (EU-OSHA, 2019).

Específicamente, los efectos del uso de dicha tecnología consisten, principalmente, en mantenerse sentado durante mucho tiempo (2 veces más que quienes no las utilizan). Además, también influye sobre una mayor intensificación del trabajo (1,3 veces más) y una mayor necesidad de formación continua para los trabajadores (1,24 veces más). El análisis multivariante indica que, para estimar la probabilidad de que se presenten los demás riesgos, no es relevante tener en cuenta el uso de esta tecnología. Es decir, el uso continuo de ordenadores fijos en el lugar de trabajo impacta sobre el esfuerzo mental y físico (sobrecarga de información y malas posturas), y sobre la necesidad de formación para mantener actualizadas las competencias de los trabajadores de modo tal que puedan utilizar estos recursos tecnológicos.

5. COMENTARIOS FINALES

En la revolución digital de las primeras décadas del siglo XXI parece estar ocurriendo un proceso similar a los acontecidos en otras etapas históricas previas del desarrollo económico global. Como señalamos en el marco teórico de este capítulo, la evidencia empírica de la desaparición de habilidades necesarias vinculadas con trabajos tradicionales, como consecuencia de la introducción de nuevas tecnologías (digitales en este caso), no ha provocado el abrupto crecimiento de las tasas de paro, aunque existe un debate sobre sus perspectivas futuras. Ello resulta coherente con los resultados encontrados en nuestro análisis, dado que el temor de perder el empleo existe con más probabilidad en aquellas empresas que utilizan máquinas digitales para definir las características del trabajo o monitorear a los trabajadores, pero permanece ausente en empresas que utilizan las demás tecnologías consideradas. Por ejemplo, el uso de tecnologías digitalizadas en áreas de sanidad y educación resulta ilustrativo. La utilización de robots para levantar pacientes en un hospital, dada la complejidad técnica que implica, requiere de una elevada interacción con trabajadores para garantizar la seguridad física de los pacientes. Por su parte, en el ámbito de la educación, el uso de la inteligencia artificial para evaluar exámenes de estudiantes también requiere la interacción con personal docente, sin la cual no resulta posible hasta el momento. Ambas constituyen ilustraciones de una complementariedad entre digitalización y trabajo humano.

Por último, hace tiempo que existe un gran consenso en las ciencias sociales con respecto a que la educación ya no es una etapa de la vida que se pueda establecer con anterioridad a la inserción laboral, sino que requiere de una actualización constante dada el cambio permanente de las tecnologías. Por eso los/las trabajadores/as necesitan (y necesitarán), cada vez más, tener acceso a la educación y la formación de manera continua a lo largo de su vida laboral. El equilibrio entre el trabajo y la vida laboral se está reemplazando por una nueva ecuación entre el trabajo, la vida personal y la educación (formación) continua, que se combinan y recombinan a lo largo de la vida laboral de las personas. Esto es coherente con los resultados encontrados, dado que las necesidades de formación se asocian con casi todas las tecnologías digitales utilizadas (a excepción del uso de dispositivos portátiles para controlar el rendimiento de los trabajadores).

En definitiva, los análisis estadísticos realizados en la presente investigación pueden ayudar a explicar diversas tendencias. Por un lado, las nuevas tecnologías (robots, máquinas que imponen ritmos de trabajo y usan algoritmos para monitorizar la productividad) tienen un mayor impacto sobre los riesgos psicosociales y ergonómicos que las tradicionales (ordenadores fijos o tablets). En este sentido, la mayoría de los factores de riesgo laboral se han asociado de manera significativa con el uso de nuevas tecnologías, mientras que sus relaciones han sido menos frecuentes en las empresas que no utilizan tecnologías digitales. Por otro lado, se observa una cierta diferenciación entre el tipo de tecnología utilizada y el efecto que produce sobre los riesgos o problemas para los trabajadores. Mientras que las máquinas que imponen ritmos de producción y monitorean el rendimiento presentan un efecto perjudicial sobre la intensificación del trabajo, los movimientos repetitivos y la inseguridad laboral; las tecnologías portátiles (gafas inteligentes, sensores, tablets, portátiles) afectan en mayor medida a los elementos de flexibilización laboral (trabajar en cualquier lugar y en cualquier momento y, eliminar los límites entre el trabajo y la vida privada) y los ordenadores fijos afectan más a las posturas forzadas y estilos de vida sedentarios.

De esta forma, este capítulo constituye una primera aproximación al análisis de los riesgos laborales específicos asociados con el uso de determinadas tecnologías digitales, y constituye una relevante línea de investigación dadas las firmes tendencias que registra la economía global hacia un uso intensivo y extensivo de dichas tecnologías.

6. BIBLIOGRAFÍA

Al-Ani, A., y Stumpp, S. (2016). Rebalancing interests and power structures on crowdworking platforms. *Internet Policy Review*, 5 (2), 1-19. Doi: 10.14763 / 2016.2.415

Aloisi, A. (2016). Commoditized Workers. Case Study Research on Labour Law Issues Arising from a Set of 'On-Demand/Gig Economy' Platforms. *Comparative Labor Law & Policy Journal*, 37(3), 620-653. doi: http://dx.doi.org/10.2139/ssrn.2637485

Amable, B., Ernst, E., y Palombarini, S. (2001). *How do financial markets affect industrial relations: an institutional complementary approach.* Paris: CEPREMAP mimeo. Recuperado de: http://citeseerx.ist.psu.edu/viewdoc/download?doi=10.1.1.199.8918&rep=rep1&type=pdf

Amstad, F., Meier, L., Fasel, U., Elfering, A., y Semmer N. (2011). A meta-analysis of work-family conflict and various outcomes with a special emphasis on cross-domain versus Página 516 de 589 matching-domain relations. *Journal of Occupational Health Psychology*, 16 (2), 151–169. Doi: https://doi.org/10.1037/a0022170

Arntz, M., Gregory, T. y Zierahn, U. (2016). *The Risk of Automation for Jobs in OECD Countries: A Comparative Analysis.* París: OECD Social, Employment and Migration Working Papers,No. 189, OECD Publishing. doi: https://doi.org/10.1787/5jlz9h56dvq7-en

Benach, J., Muntaner, C., y Santana, V. (2007). *Employment conditions and health inequalities: final report to the WHO Commission on social determinants of health.* Geneva: WHO. Recuperado de: https://www.who.int/social_determinants/publications/employmentconditions/en/

Bérastégui, P. (2021). *Exposure to psychosocial risk factors in the gig economy: a systematic review.* Bruselas: ETUI. Recuperado de: https://www.etui.org/sites/default/files/2021-02/Exposure%20to%20psychosocial%20risk%20factors%20in%20the%20gig%20econ omy-a%20systematic%20review-2021.pdf

Boagey, R. (2016). *Hand in hand', Professional Engineering.* Recuperado de: http://www.imeche.org/news/news-article/hand-in-hand

Bresnahan, T. y Trajtenberg, M. (1992), *General Purpose Technologies 'Engines of Growth'?.* NBER Working Paper 4148. Cambridge, MA: National Bureau of Economic Research.

Brooker, A., y Eakin, J. (2001). Gender, class, work-related stress and health: toward a powercentred approach. *Journal of Community & Applied Social Psychology*, 11 (2), 97-109. Doi: https://doi.org/10.1002/casp.620

Burgess, M. (2016). *Watch Panasonic's power-lifting exoskeletons in action.* Wired. Recuperado de: http://www.wired.co.uk/article/panasonic-robot-suit-exoskeleton

Busick, J. (2016). *Drones take flight — Can they make your workplace safer?.* EHS Daily Advisor. Recuperado de: from http://ehsdailyadvisor.blr.com/2016/08/drones-take-flight-canmake-workplace-safer/

Chan, N.K., y Humphreys, L. (2018). Mediatization of social space and the case of Uber drivers. *Media and Communication,* 6 (2), 29-38. Doi: http://dx.doi.org/10.17645/mac.v6i2.1316

Codagnone, C., Abadie, F., y Biagi, F. (2016). *The future of work in the ⊠sharing economy': market efficiency and equitable opportunities or unfair precarisation?.* Sevilla: Institute for Prospective Technological Studies. Recuperado de: https://ec.europa.eu/jrc/en/publication/eur-scientific-and-technical-researchreports/future-work-sharing-economy-market-efficiency-and-equitable-opportunities-orunfair

Constantiou, I., Marton, A., y Tuunainen V.K. (2017). Four models of sharing economy platforms. *MIS Quarterly Executive,* 16 (4), 231-251

Dellot, B., y Wallace-Stephens, F.(2017). *How will automation change the nature of work?.* Royal Society for the Encouragement of Arts, Manufactures and Commerce. Recuperado de: https://medium.com/@thersa/how-will-automation-change-the-nature-of-work-f5df09608eea

Elmore, T., (2014). *Nomophobia: A rising trend in students.* Psychology Today. Recuperado de: https://www.psychologytoday.com/blog/artificial-maturity/201409/nomophobia-rising-trendin-students

EU-OSHA. (2018). *Foresight on new and emerging occupational safety and health risks associated with digitalisation by 2025.* Luxemburgo: Publications Office of the European Union. Recuperado de https://osha.europa.eu/en/publications/foresight-new-and-emerging-occupationalsafety-and-health-risks-associated

EU-OSHA (2019). *Third European Survey of Enterprises on New and Emerging Risks (ESENER 3).* Recuperado de: https://osha.europa.eu/en/publications/third-european-survey-enterprises-new-and-emerging-risks-esener-3

Eurofound (2018). *Game changing technologies. Exploring the impact on production processes and work.* Luxemburgo: Oficina de Publicaciones de la Unión Europea. Recuperado de: https://www.eurofound.europa.eu/sites/default/files/ef_publication/field_ef_document/fomeef18001en.pdf

Dazzi, D. (2019). Gig economy in Europe. *Italian Labour Law E-Journal,* 12 (2), 67-122. Doi: https://doi.org/10.6092/issn.1561-8048/9925

De Stefano, V. (2016). *The rise of the «justin-time workforce»: On-demand work, crowdwork and labour protection in the «gig-economy»*. Ginebra, Suiza: ILO, Conditions of Work and Employment Series, n° 71. Recuperado de https://www.ilo.org/wcmsp5/groups/public/---ed_protect/---protrav/---travail/documents/publication/wcms_443267.pdf

Doménech, R., García, J.R., Montáñez, M., y Neut, A. (2018). *¿Cuán vulnerable es el empleo en España a la revolución digital?*. BBVA Research: Observatorio Económico. Recuperado de: https://www.bbvaresearch. com/publicaciones/cuan-vulnerable-es-el-empleo-en-espana-a-la-revolucion-digital/

Fabrellas, A.G. (2019). The zero-hour contract in platform work: should we ban it or embrace it?, R*evista de Internet, Derecho y Politic*a, 28 (1), 1-15. Doi: http://dx.doi.org/10.7238/issn.1699-8154

Farrell, D., y Greig F. (2016). *Paychecks, paydays, and the online platform economy: big data on income volatility.* Washington, DC: JPMorgan Chase & Co Institute.

Fernández-Macías, E. (2017). *Automation, digitisation and platforms: implications for work and employment. Concept Paper.* Dublín: Eurofound. Recuperado de: https://www.eurofound.europa.eu/sites/default/files/ef_publication/field_ef_document/ef18002en.pdf

Freeman, C. y Soete, L. (1987). *Technical Change and Full Employment.* London: Basil Blackwell.

Frey, O.B., y Osborne, M.A. (2013). *The Future of Employment: How Susceptible are Jobs to Computerization?*. Oxford, UK: Oxford Martin School, University of Oxford. Recuperado de: https://www.oxfordmartin.ox.ac. uk/downloads/academic/The_Future_of_Employment.pdf?link=mktw

Gandini,A.(2019).Labourprocesstheoryandthegigeconomy.*HumanRelations*,72 (6), 1039–1056. Doi: https://doi.org/10.1177%2F0018726718790002

Gleim, M.R., Johnson, C.M., y Lawson, S.J. (2019). Sharers and sellers: a multi-group examination of gig economy workers' perceptions. *Journal of Business Research*, 98 (1), 142-152. Doi : https://doi.org/10.1016/j. jbusres.2019.01.041

Glöss, M., McGregor, M., y Brown, B. (2016). *Designing for labour: Uber and the ondemand mobile workforce.* Proceedings of the 2016 CHI Conference on Human Factors in Computing Systems. Doi : https://doi. org/10.1145/2858036.2858476

Graham, M., Hjorth, I., y Lehdonvirta, V. (2017). Digital labour and development: impacts of global digital labour platforms and the gig economy on worker livelihoods. T*ransfer: European Review of Labour and Research*, 23 (2), 135-162. Doi: https://doi.org/10.1177%2F1024258916687250

Grugulis, I., y Stoyanova, D. (2011). Skill and performance. *British Journal of Industrial Relations*, 49 (3), 515-536. Doi: https://doi.org/10.1111/j.1467-8543.2010.00779.x

Groen, P.W., Kilhoffer, Z., Lenaerts, K., y Mandl, I. (2018). *Digital age: employment and working conditions of selected types of platform work*. Luxembourg: Publications Office of the European Union. Recuperado de: https://www.eurofound.europa.eu/sites/default/files/ef_publication/field_ef_document/e f18001en.pdf

Guellec, D. y Paunov, C. (2017), *Digital Innovation and the Distribution of Income*, NBER Working Paper 23987 Cambridge, MA: National Bureau of Economic Research.

Haskel, J. y Westlake, S. (2017). Capitalism without capital. The rise of intangible economy. Princeton: Princeton University Press.

HSE (2017). *Tackling work-related stress using the Management Standards approach: A step-by-step workbook*. Recuperado de: http://www.hse.gov.uk/pubns/wbk01.htm

Hiesboeck, M. (2016). *Are we facing a deluge of VR-induced disorders?*. Digital Doughnut. Recuperado de: https://www.digitaldoughnut.com/articles/2016/april/are-we-facing-a-delugeof-vr-induced-disorders

Hofheinz, P. (2018). *Value creation in the data-driven economy*. En Neufeind, M.; O'Reilly, J.; y Ranft, J. (2018). "Work in the digital age. Challenges of the fourth industrial revolution". London: Rowman & Littlefield International Ltd. (pags.89-102).

Hofheinz, P. (2016). *Artificial Intelligence and Machine Learning: Challenge and Opportunity*, Brussels: Lisbon Council.

Horton, J., Cameron, A., Devaraj, D., Hanson, R.T., y Hajkowicz, S.A. (2018). *Workplace safety futures: The impact of emerging technologies and platforms on work health and safety and workers*. Compensation over the next 20 years, Commonwealth Scientific and Industrial Research Organisation, Canberra. Recuperado de: https://s23705.pcdn.co/wpcontent/uploads/2018/04/WorkPlace-Safety-Futures.pdf

Huws, U. (2014). *Labor in the Digital Global Economy. The Cibertariat Comes of Age*. Nueva York, EEUU: Monthly Review Press

Huws, U., Spencer, N.H., Syrdal, D.S., y Holts, K. (2017). *Work in the European gig economy: research results from the UK, Sweden, Germany, Austria, the Netherlands, Switzerland and Italy*. Brussels: Foundation for European Progressive Studies. Doi: https://uhra.herts.ac.uk/bitstream/handle/2299/19922/Huws_U._Spencer_N.H._Syrdal_D.S._Holt_K._2017_.pdf?sequence=2

Ibarra, H., y Obodaru, O. (2016). Betwixt and between identities: liminal experience in contemporary careers. *Research in Organizational Behavior*, 36 (1), 47-64. Doi: https://doi.org/10.1016/j.riob.2016.11.003

IFA (2017). *It's all about people: Priorities for tomorrow's occupational safety and health.* Recuperado de: http://www.dguv.de/ifa/fachinfos/arbeiten-4.0/risikobeobachtung/index-2.jsp

Jostell, D., y Hemlin, S. (2018). After hours teleworking and boundary management: effects on work-family conflict. *Work*, 60 (3), 475-483. Doi: https://doi.org/10.3233/wor-182748

Kinder, E., Jarrahi, M.H., y Sutherland, W. (2019). *Gig platforms, tensions, alliances and ecosystems: an actor-network perspective.* Proceedings of the ACM on HumanComputer Interaction. Doi: https://doi.org/10.1145/335931

Katwala, A., (2017). *Making factories safer with VR, smart clothes and robots.* Professional Engineering. Recuperado de: http://www.imeche.org/news/news-article/making-factories-saferwith-vr-smart-clothes-and-robots

Kost, D., Fieseler, C., y Wong, S.I. (2020). Boundaryless careers in the gig economy: an oxymoron?. *Human Resource Management Journal*, 30 (1), 100-113. Doi: https://doi.org/10.1111/1748-8583.12265

Knowledge at Work (2017). *The future of safety in the digital age.* Recuperado de: https://www.ulehssustainability.com/blog/workplacesafety/the-future-of-safety-in-the-digitalage/#sthash.wLZxN6ig.dpbs

Lahera-Sánchez, A. (2019). Digitalización, robotización, trabajo y vida: cartografías, debates y prácticas. *Cuadernos De Relaciones Laborales*, 37(2), 249-273. Doi: https://doi.org/10.5209/crla.66037

Lahera-Sánchez, A., Negro, A., y Tovar, F.J. (2019). Sindicalismo 4.0 y negociación tecnológica: Por un diseño integrador de los procesos de digitalización y robotización. En *Congreso Interuniversitario sobre el Futuro del Trabajo, Organización Internacional del Trabajo.* Sevilla: Facultad de Ciencias del Trabajo de la Universidad de Sevilla.

Labianca, G., y Brass, D.J. (2006). Exploring the social ledger: negative relationships and negative asymmetry in social networks in organizations. *Academy of Management Review*, 31 (3), 596-614. Doi: https://doi.org/10.5465/amr.2006.21318920

LaPlante, R., y Silberman, M.S. (2016). *Building trust in crowd worker forums: worker ownership, governance, and work outcomes. Paper presented at the Weaving Relations of Trust in CrowdWork: Transparency and Reputation Across Platforms.* Hannover. Recuperado de: https://www.eurofound.europa.eu/data/platformeconomy/records/

building-trust-in-crowd-worker-forums-worker-ownershipgovernance-and-work-outcomes

Lim, S.S., Lee, W., Hong, K., Jeung, D., Chang, S.J., y Yoon, J.H. (2016). Facing complaining customer and suppressed emotion at worksite related to sleep disturbance in Korea. *Journal of Korean Medical Science,* 31 (11), 1696-1702. Doi: https://dx.doi.org/10.3346%2Fjkms.2016.31.11.1696

Malhotra, A. (2020). Making the one-sided gig economy really two-sided: implications for future of work. En S. Nambisan, K. Lyytinen, y Y. Yoo (eds.), *Handbook of digital innovation* (pp. 228-250). Cheltenham; Edward Elgar

Mandl, I., Curtarelli, M., Riso, S., Vargas, O., y Gerogiannis, E. (2015). *New forms of employment, Eurofound.* Recuperado de: http://www.eurofound.europa.eu/sites/default/files/ef_publication/field_ef_document/ef1461en.pdf

Marshall, G., Michaels, C., y Mulki, J. (2007). Workplace isolation: exploring the construct and its measurement. *Psychology and Marketing*, 24 (3), 195-223. Doi: https://doi.org/10.1002/mar.20158

Martin, D., O'Neill, J., Gupta, N., y Hanrahan, B.V. (2016). Turking in a global labour market. *Computer Supported Cooperative Work*, 25 (1), 39-77. Doi: https://doi.org/10.1007/s10606-015-9241-6

McInnis, B., Cosley, D., Nam, C., y Leshed, G. (2016). *Taking a hit: designing around rejection, mistrust, risk, and workers' experiences in Amazon Mechanical Turk.* Conference on Human Factors in Computing Systems. Doi: https://doi.org/10.1145/2858036.2858539

McKinsey Global Institute (2017). *A Future That Works: Automation, Employment, and Productivity.* McKinsey & Company. Recuperado de: https://www.mckinsey.com/~/media/mckinsey/featured%20insights/Digital%20Disruption/Harnessing%20automation%20for%20a%20future%20that%20works/MGI-A-future-that-works-Executive-summary.ashx

Meil, P., y Kirov, V. (2017). *Policy Implications of Virtual Work. Cham.* Alemania: Palgrave MacMillan

Messenger, J., Vargas Llave, O., Gschwind, L., Boehmer, S., Vermeylen, G., y Wilkens, M. (2017). *Working anytime, anywhere: The effects on the world of work.* Eurofound and ILO. Recuperado de: Available at https://www.eurofound.europa.eu/publications/report/2017/working-anytime-anywhere-theeffects-on-the-world-of-work

Miguelez-Lobo, F. (2018). *La revolución digital en España. Impacto y Retos sobre el Mercado de Trabajo y el Bienestar.* Recuperado de: https://ddd.uab.cat/pub/caplli/2018/190329/LA_REVOLUCION_DIGITAL_EN_ESPANA_def.pdf

Millar, J. and D. Sutherland (2016), *Unleashing Private Sector Productivity in the United States*, OECD Economics Department Working Paper

Moore, P.V. (2018). *The threat of physical and psychosocial violence and harassment in digitalized work*. Geneva: ILO. Recuperado de: https://www.ilo.org/wcmsp5/groups/public/--ed_dialogue/---actrav/documents/publication/wcms_617062.pdf

Moore, P.V., y Joyce, S. (2019). Black box or hidden abode? The expansion and exposure of platform work managerialism. *Review of International Political Economy*, 27 (4), 926–948. Doi: https://doi.org/10.1080/09692 290.2019.1627569

Morgeson, F.P., Garza, A.S., y Campion M.A. (2013). Work design. EN N.W. Schmitt y S. Highhouse (eds.), *Handbook of psychology* (pp.525-559). Hoboken: Wiley

Neufeind, M.; O'Reilly, J.; y Ranft, J. (2018). Work in the digital age. Challenges of the fourth industrial revolution. London: Rowman & Littlefield International Ltd.

Oksanen, T., Kuovonen, A., Vahtera, J., Virtanen, M., y Kivimaki M. (2010). Prospective study of workplace social capital and depression: are vertical and horizontal components equally important. *Journal of Epidemiology Community and Health*,64 (8), 684-689.doi: http://dx.doi.org/10.1136/jech.2008.086074

Pega and Marketforce (2018). T*he future of work*. Recuperado de: https://www1.pega.com/system/files/resources/2018-07/Future-of-Work-Report.pdf

Poutanen, S., Kovalainen, A., y Rouvinen, P. (eds.) (2019). *Digital work and the platform economy: understanding tasks, skills and capabilities in the new era*. New York: Routledge

Raval, N., y Dourish P. (2016). *Standing out from the crowd: emotional labor, body labor, and temporal labor in ridesharing*. Paper presented at the 19th ACM Conference on Computer Supported Cooperative Work. San Francisco. Recuperado de: http://www.dourish.com/publications/2016/StandingOutFromTheCrowd-cscw2016.pdf

Redmond, L.S., y Mokhtarian, P.L. (2001). The positive utility of the commute: Modeling ideal commute time and relative desired commute amount. *Transportation*, 28(2):179-205.

Rosenblat, A., y Stark L. (2016). Algorithmic labor and information asymmetries: a case study of Uber's drivers. *International Journal of Communication*, 10 (1), 3758-3784. Recuperado de: https://ijoc.org/index.php/ijoc/article/view/4892/1739

Ryan, P. (2019). *Trust and distrust in digital economies.* New York: Routledge

Shantz, A., Alfes, K., y Latham, G.P. (2016). The buffering effect of perceived organizational support on the relationship between work engagement and behavioral outcomes. *Human Resource Management,* 55 (1), 25-38. Doi: https://doi.org/10.1002/hrm.21653

Soete, L. (2018). "The destructive creation of employment in the digital age". En Neufeind, M.; O'Reilly, J.; y Ranft, J.: Work in the digital age. Challenges of the fourth industrial revolution. London: Rowman & Littlefield International Ltd.

Sohn, B.K., Park, S.M., Park, I.J., Hwang, J.Y., Choi, J.S., Lee, J.Y., y Jung H.Y. (2018). The relationship between emotional labor and job stress among hospital workers. *Journal of Korean Medical Science,* 33 (39): e246. https://doi.org/10.3346/jkms.2018.33.e246

Spreitzer, G.M., Cameron, L. y Garrett, L. (2017). Alternative work arrangements: two images of the new world of work. *Annual Review of Organizational Psychology and Organizational Behavior,* 4 (1), 473-499. Doi: https://doi.org/10.1146/annurevorgpsych-032516-113332

Steijn, W., Luiijf, E., y van der Beek, D. (2016). *Emergent risk to workplace safety as a result of the use of robots in the work place, TNO Report R11488, TNO* (Netherlands Organisation for Applied Scientific Research). Recuperado de: https://repository.tudelft.nl/view/tno/uuid:-94d6e198-4249-40b8-80c0-2d73f7b2e92a/

Supiot, A. (2019). *Le travail n'est pas une marchandise : contenu et sens du travail au XXIe siècle.* Paris: Collège de France. Doi: https://doi.org/10.4000/books.cdf.7029

Taylor, M. (2020). *Good work: the Taylor review of modern working practices.* London: Department for Business, Energy & Industrial Strategy

Tran, M., y Sokas, R.K. (2017). The gig economy and contingent work: an occupational health assessment. *Journal of Occupational and Environmental Medicine,* 59 (4), 63-66. Doi: https://dx.doi.org/10.1097%2F-JOM.0000000000000977

Tremblay, D., y Thomsin, L. (2012). Telework and mobile working: analysis of its benefits and drawbacks. *International Journal of Work Innovation,* 1 (1), 100-113. Doi: https://doi.org/10.1504/IJWI.2012.047995

Unum (2014). *The future workplace.* Recuperado de: http://www.unum.co.uk/hr/the-future-workplace

Valsamis, D., De Coen, A., Vanoeteren, V., y Van Der Becken, W. (2015). *Employment and Digital Skills. Aspects of the Digital Single Market*

Strategy. Bruselas, Bélgica: European Parliament. Recuperado de http://www.europarl.europa.eu/RegData/etudes/STUD/2015/569967/IPOL_STU(2015)569967_EN.pdf

Vayre, E., y Pignault, A. (2014). A systemic approach to interpersonal relationships and activities among French teleworkers. *New Technology, Work and Employment*, 29(2), 177-192. Doi: https://doi.org/10.1111/ntwe.12032

Vendramin, P. y Valenduc, G. (2018). Gigabits et microjobs : l'expansion des petits boulots dans l'économie digitale. En M. Somers (ed.) *Vorm geven aan digitale tijden*. (pp. 78–95). Antwerpen, Minerva. Recuperado de: https://dial.uclouvain.be/pr/boreal/en/object/boreal%3A197719

Vives, A., Amable, M., Ferrer, M., Moncada, S., Llorens, C., Muntaner, C., Benavides, F.G., y Benach, J. (2010). The Employment Precariousness Scale (EPRES): psychometric properties of a new tool for epidemiological studies among waged and salaried workers. *Occupational and Environmental Medicine*, 67 (8), 548-555. Doi: https://doi.org/10.1136/oem.2009.048967

Volpi, D. (2012). *Heavy technology use linked to fatigue, stress and depression in young adults*. Huffpost. Recuperado de: http://www.huffingtonpost.com/david-volpi-md-pcfacs/technology-depression_b_1723625.html

WEF (2016) T*he future of jobs: Employment, skills and workforce strategy for the fourth industrial revolution — Global Challenge Insight Report*. Available at https://www.weforum.org/reports/the-future-of-jobs

Williams, A.C., Mark, G., Milland, K., Lank, E., y Law, E. (2019). *The perpetual work life of crowdworkers: how tooling practices increase fragmentation in crowdwork*. Proceedings of the ACM on Human-Computer Interaction. Doi: https://doi.org/10.1145/3359126

Williams, M. (2020). *Coronavirus class divide: the jobs most at risk of contracting and dying from Covid-19*. The Conversation. Recuperado de: https://theconversation.com/coronavirus-class-divide-the-jobs-most-at-risk-ofcontracting-and-dying-from-covid-19-138857

Wilmot, E., Edwardson, C., Achana, F., Davies, M., Gorely, T., Gray L., Khunti, K., Yates, T., y Biddle, S. J. H. (2012). Sedentary time in adults and the association with diabetes, cardiovascular disease and death: Systematic review and meta-analysis. *Diabetologia*, 55(11): 2895-2905

Wood, A., Graham, M., Lehdonvirta, V., y Hjorth I. (2019). Good gig, bad gig: autonomy and algorithmic control in the global gig economy. *Work, Employment and Society*, 33 (1), 56-75. Doi: https://doi.org/10.1177%2F0950017018785616

Capítulo VI
Teletrabajo ¿solución o problema? Las dos caras de la misma moneda. Salud laboral y riesgos psicosociales

María José Serrano-Fernández
Profesora Asociada en el Departamento de Psicología.
Universitat Rovira i Virgili, Tarragona.

Jordi Assens-Serra
Profesor Titular en el Departamento de Estrategia,
Liderazgo y Personas.
EADA Business School, Barcelona.

Maria Boada-Cuerva
Profesora Colaboradora en Economía y Empresa.
Universitat Oberta de Catalunya, Barcelona

Joan Boada-Grau
Catedrático de Universidad en el Departamento de Psicología.
Universitat Rovira i Virgili, Tarragona

1. INTRODUCCIÓN

El teletrabajo constituye una modalidad laboral alternativa donde el trabajo se realiza desde un lugar externo a la oficina o la organización. Para ello, en la actualidad, hacemos uso de las tecnologías de información y comunicación (TIC). Aunque estas tecnologías son relativamente recientes, el término "teletrabajo" fue introducido por Nilles a mediados de la década de los 70 (Nilles, 1975), en aquella época los ordenadores eran una utopía y en las oficinas se trabajaba haciendo uso de máquinas de escribir, fotocopiadoras y como mucho en alguna oficina se podía encontrar algún fax.

En los años 70, la crisis del petróleo en EEUU hizo necesaria la reducción de su consumo, por lo que, si uno de cada siete trabajadores se quedaba en casa, la necesidad de importar tanto petróleo disminuiría y fue en ese momento cuando el teletrabajo comenzó a popularizarse, en seguida se hizo evidente que esta flexibilidad podría ser beneficiosa tanto para la organización como para los empleados (Tavares, 2017). En aquella época, los medios con los que ahora contamos eran totalmente inimaginables, recordemos que los ordenadores personales comenzaron a extenderse en los años 80 e internet no existió hasta la década de los 90. Fue a partir de los años ochenta, cuando coincidiendo con la llegada de los primeros ordenadores a la sociedad, se crean las denominadas primeras oficinas.

Llegada la década de los 90, se incrementó el uso de ordenadores, portátiles, teléfonos móviles y software sofisticado de telecomunicaciones que favoreció que el teletrabajo se convirtiese en una herramienta de trabajo cotidiana que, desde ese momento, no ha parado de crecer de la mano de la tecnología favoreciendo que el teletrabajo se constituya como una forma de trabajo flexible cada vez más frecuente. Esta flexibilidad laboral favorece que los trabajadores ganen autonomía reduciendo las limitaciones laborales y puedan mejorar aspectos de su vida familiar, social y laboral (Tavares, 2017).

En España, el teletrabajo ha ido creciendo de una manera moderada, según la Encuesta de Población Activa realizada por el Instituto Nacional de Estadística en el año 2019, las personas que trabajaban desde casa normalmente (o más de la mitad de los días) eran un 4,8% y las que lo hacían ocasionalmente, eran el 3,5%. Porcentajes mucho más bajos que los encontrados en otros países de la Unión europea como era el caso de Países Bajos (14,0%), Finlandia (13,3%) y Luxemburgo (11,0%). Entre los trabajadores por cuenta propia, la diferencia aún era mayor, encontrando los siguientes porcentajes: Finlandia (46,4%), Países Bajos (44,5%) y Austria (43,6%) mientras que en España apenas se superaba el 15%. Además, en casi todos los países de la UE, se encontró que había más mujeres (6,1%) que hombres (5,5%) que trabajan desde casa (INE, 2020).

Con motivo de la crisis provocada por la pandemia del Covid-19 y la declaración del estado de alarma en marzo del 2020, muchas empresas y trabajadores tuvieron que cambiar su manera de trabajar pasando de la presencialidad a realizar el trabajo desde casa, este cambio supone un antes y un después en la historia del teletrabajo tanto en nuestro país como a nivel mundial. En esos momentos el teletrabajo se mostró como una alternativa eficaz para poder mantener la actividad económica y los empleos durante la crisis sanitaria y el confinamiento que se produjo a raíz de esta. Durante el segundo semestre del 2020, el 43,4 % de los establecimientos mantuvieron el teletrabajo, además de que un 46,5 % de los negocios relató un nivel de actividad superior o similar al que tenían antes de la crisis sanitaria (INE, 2021).

Las profesiones que dependen del trabajo con el ordenador, los teléfonos y las telecomunicaciones son aquellas candidatas al teletrabajo, por lo que encontramos algunas profesiones con unas determinadas características que les hacen más adecuadas para realizarse mediante esta modalidad, ente ellas Tavares (2017) recoge las siguientes:

- Las basadas en la información y el ordenador.
- Las que permiten crear, procesar y difundir información, dando lugar a resultados medibles, como informes escritos, estadísticas, etc.
- Las que requieren un alto nivel de concentración.
- Las que implican un alto grado de autonomía.
- Las que se pueden planificar con anticipación y realizar en diferentes momentos del día.

Si tenemos en cuenta que teletrabajar significa trabajar fuera de las dependencias de la organización, nos podemos encontrar diferentes modalidades de teletrabajo, que van a depender de diversos factores como pueden ser el tiempo de contratación y tipo de contrato, la ubicación donde se desarrolla el teletrabajo (casa, telecentro, mixta), si el trabajador es subordinado o trabaja por cuenta ajena, etc.

Es importante remarcar que el teletrabajo constituye una buena opción laboral para aquellas personas que, por algún problema o situación personal, no puedan asistir físicamente a su lugar de trabajo habitual, también lo es para aquellos que viven lejos o en otros países. La transferencia de información y las reuniones virtuales permiten la toma de decisiones por parte de los líderes de las empresas maximizando los procesos productivos (Santillán-Marroquín, 2020).

2. COVID-19 Y TELETRABAJO

En diciembre del 2019 en la ciudad de Wuhan (China), se detectó el primer caso conocido de un nuevo coronavirus (Wang et al., 2020). Los coronavirus, son unos virus que pueden infectar el sistema respiratorio, hepático, nervioso central y gastrointestinal, al nuevo coronavirus se le llamó SARS-CoV-2 y a la enfermedad que provoca Covid-19 (*Coronavirus Disease 2019*). En los casos más críticos pueden aparecer complicaciones que pueden producir la muerte de la persona afectada (Palacios et al., 2021).

A partir de este primer caso en China comenzaron a aparecer personas infectadas de SARS-CoV-2 en todos los países del mundo con consecuencias catastróficas de muertes y pérdidas económicas incalculables. Al principio de esta situación se desconocía el método de propagación del virus y debido a ello la población mundial tuvo que confinarse para evitar el contacto entre personas, fue en este momento en el que las empresas tuvieron que decidir, lo más urgentemente posible, la implementación del teletrabajo y la selección de aquellos puestos que requerían realizarse de manera presencial, para lo cual se incrementaron los turnos de manera que coincidiesen el mínimo número de personas posibles en la empresa, los transportes públicos, etc. (Santillán-Marroquín, 2020).

Los dirigentes mundiales a consecuencia de esta emergencia sanitaria motivaron a las empresas para que los trabajadores trabajasen desde casa, ya que esta era la manera de prevenir contagios, en esos momentos se produjo de manera improvisada y con muy poca planificación un gran incremento del teletrabajo. Peiró y Soler advirtieron que para que el teletrabajo sea eficaz es necesaria una reorganización y adaptación de los sistemas y procesos de trabajo, así como el aprendizaje, por parte de los trabajadores que no están familiarizados con esta modalidad (Peiró & Soler, 2020). Pasar de una modalidad a otra sin esta planificación, sin la adaptación de los puestos de trabajo, sin que los trabajadores dominen los programas y sistemas a emplear, puede ocasionar riesgos ergonómicos y psicosociales importantes de los que vamos a hablar a lo largo de este capítulo.

3. EL EFECTO DEL TELETRABAJO EN LAS EMPRESAS Y LOS EQUIPOS DE TRABAJO.

El teletrabajo, constituye una realidad que ha venido para quedarse con nosotros, cada vez hay más cargos susceptibles de desarrollarse en esta modalidad, los trabajadores se van especializando, las comunicaciones cada vez son mejores y además se van extendiendo a aquellas partes del territorio donde antes no llegaban, y poco a poco, la mentalidad de muchas empresas empiezan a ver el teletrabajo como una buena opción que permite el ahorro de costos en infraestructura y la optimización del tiempo y de las jornadas de trabajo (Santillán-Marroquín, 2020). Uno de los principales miedos que había sobre el traslado del trabajo fuera de las dependencias de la empresa y, en la mayoría de las ocasiones, trasladándose a los domicilios particulares de los trabajadores, era el hecho de pensar que no puede haber vigilancia física sobre el trabajador, en este aspecto la tecnología nos dice lo contrario permitiendo que, en la mayoría de los casos, haya un mayor control sobre los servicios prestados por el teletrabajador. Además, se hace indispensable que se utilicen medios informáticos y telemáticos (Ereñaga de Jesús, 2019; Ramírez, 2004).

A nivel empresarial, el teletrabajo, puede ser visto como algo positivo o negativo, ello va a depender de las circunstancias de la empresa, entre ellas la principal es que la empresa tenga los requisitos esenciales para que pueda implantarse este tipo de trabajo, por lo que va a ser necesario que a nivel tecnológico el trabajo pueda llevarse a cabo de una forma descentralizada (Peralta Beltrán et al., 2019). La jornada laboral no ha de variar de la que el trabajador tenía cuando el trabajo era presencial, por lo que ambas partes deben acordar las actividades que se han de realizar y los tiempos de trabajo, así como el producto que se espera por parte del teletrabajador (Santillán-Marroquín, 2020).

Las ventajas de implantar el sistema de Teletrabajo en las empresas pueden ser (Gestión, 2020; Santillán-Marroquín, 2020):

— Reducción de la infraestructura (ahorro en alquileres y mantenimiento de oficinas).

— Reducción de gastos, debido a que el trabajador asume ciertos gastos al estar fuera de la infraestructura de la empresa (luz, agua, internet…). Los costos ocasionados por un teletrabajador suponen un 50% menos de los que ocasiona un trabajador presencial.

– Se reducen también los recursos para controlar a los trabajadores (horarios, etc.).

– Se aprovechan más los puestos de trabajo.

– Mejora de los plazos de cumplimiento y entrega.

– Disminuye el absentismo laboral.

– Disminuyen los conflictos entre trabajadores, mejorando el clima laboral y la convivencia entre empleados.

– Menor posibilidad de contaminación en el caso de empresas que trabajen con materias peligrosas o de infección por Covid-19.

– Facilidad de expansión, por la facilidad de tener trabajadores en diversos puntos geográficos.

– Más acceso a profesionales y talentos.

Pero no todo lo que encontramos son ventajas, también podemos encontrar efectos negativos producidos por esta modalidad laboral (Santillán-Marroquín, 2020), como es el caso de:

– Pérdida de liderazgo o jerarquías, ello no tiene porqué ser siempre una desventaja, sino que puede ser positivo en situaciones de atención al cliente o de toma de decisiones rápidas.

– Pérdida de la confidencialidad, algunos trabajadores pueden acceder de una forma no ética a las bases de datos de la empresa.

– Pérdida del sentido de pertenencia a la empresa.

– Menor socialización y participación del trabajador en los eventos de la empresa debidos al aislamiento.

Al teletrabajar muchos de los empleados no se conocen, ello unido al sedentarismo y otras variables, de las que hablaremos más adelante, pueden afectar la salud de los trabajadores, por lo que es muy recomendable alternar teletrabajo con trabajo presencial, de esta manera fomentamos el trabajo en equipo y se ayuda a los empleados a mantener una mejor salud (Gestión, 2020).

A lo anterior, podemos añadir que:

– Es un medio de trabajo muy independiente que utilizado de una manera incorrecta puede interferir en la consecución de los objetivos de la organización (Santillán-Marroquín, 2020).

– El aprendizaje como equipos de trabajo involuciona (Santillán-Marroquín, 2020)

– Hace que la comunicación y la delegación sea horizontal y coordinada por lo que las estructuras organizacionales tradicionales, los líderes y las jerarquías tienden a desaparecer (de Vries et al., 2019; Santillán-Marroquín, 2020).

4. BENEFICIOS DEL TELETRABAJO EN LOS TRABAJADORES

Dado que el teletrabajo tiene tantas ventajas para las empresas, encontramos que cada vez más empresas adoptan la modalidad de teletrabajo como una posibilidad de algunos días a la semana, o incluso como una modalidad total, ello se traduce en ventajas para los trabajadores siendo estas las siguientes (Gestión, 2020):

– El trabajador reduce (o elimina en el caso de teletrabajar solamente) los gastos en los desplazamientos (Santillán-Marroquín, 2020).

– Reduce el estrés de horarios y desplazamientos.

– Tiene mayor autonomía, movilidad y flexibilidad. Estos factores afectan negativamente la sobrecarga del trabajo, el conflicto trabajo-familia y la ambigüedad de rol (Adams-Cortez et al., 2020).

– Se incrementan sus oportunidades laborales.

– Facilita la conciliación de vida laboral y familiar (Santillán-Marroquín, 2020).

– Hay una mayor especialización (Arellano, 2018)

– Las personas con alguna discapacidad pueden integrarse mejor laboralmente (Santillán-Marroquín, 2020).

– Los trabajadores pueden elegir su entorno laboral.

– Hay un mayor acceso a la información, favoreciendo el acceso a la educación a través de la tecnología (Gestión, 2020; Santillán-Marroquín, 2020).

- Se incrementa la satisfacción laboral, la dedicación y el compromiso.
- Hay un mayor acceso a la formación (posibilidad de e-learning).
- Se incrementa la calidad de vida familiar y una mejor organización del tiempo libre (Hau & Todescat, 2018; Santillán-Marroquín, 2020).

5. CARACTERÍSTICAS DE PERSONALIDAD DE LOS TELETRABAJADORES.

Teletrabajar requiere por parte del trabajador una serie de características personales (Pyöriä, 2011), por lo que no todas las personas estarían preparadas para poder desarrollar este tipo de trabajo (Tavares, 2017). Aunque no se dispone de un perfil consensuado para realizar teletrabajo (Hau & Todescat, 2018), podríamos considerar que para poder desarrollar con éxito el teletrabajo se requiere:

- Tener capacidad para automotivarse para establecer rutinas y cumplir con los plazos (Tavares, 2017).
- Ser una persona orientada a la consecución de resultados (Franco-Jaramillo & Restrepo-Bustamante, 2011).
- Tener confianza, las personas son responsables de hacer el trabajo en la misma medida que si estuvieran siendo supervisadas en su lugar de trabajo, por ello, la confianza mutua es un elemento esencial de contexto de teletrabajo (Tavares, 2017).
- Gestionarse adecuadamente el tiempo y tener habilidades organizativas. La mayoría de los teletrabajadores se van a encontrar con demandas o controles diarios, por lo que tienen que ser capaces de programar y organizar su trabajo para cumplir con los plazos (Franco-Jaramillo & Restrepo-Bustamante, 2011; Tavares, 2017).
- Alto nivel de conocimientos y habilidades laborales, que le permitan resolver los problemas con los que se encuentre de manera independiente (Tavares, 2017).
- Tener un alto grado de desempeño o un desempeño sólido, aunque se podría dar el caso de que algún trabajador oriente-se a los compañeros de trabajo (Tavares, 2017).

- Independencia y confianza: debido a que hay menos supervisión y menos retroalimentación por parte de supervisores y compañeros, los teletrabajadores han de tener la capacidad de tomar decisiones por sí mismos (Tavares, 2017).
- Capacidad para conciliar la vida profesional y personal en un mismo espacio (Hau & Todescat, 2018).
- Sentirse cómodo con la soledad, las personas con menos necesidad de interacción social se adaptan bien al teletrabajo (Tavares, 2017).
- Capacidad de concentración, ha de estar altamente enfocado y ser capaz de manejar las posibles distracciones que se le presenten (Hau & Todescat, 2018; Tavares, 2017).
- Tener buenas habilidades de comunicación, esto es debido a la dificultad de mantenerse en contacto con superiores y compañeros de trabajo (Franco-Jaramillo & Restrepo-Bustamante, 2011; Tavares, 2017).

6. SALUD LABORAL Y RIESGOS PSICOSOCIALES

Llegados a este punto, creemos importante hacer una reflexión sobre la resolución de la Organización Internacional del Trabajo que en 1970 ya hacía hincapié en que el trabajo no sólo debe respetar la vida y la salud de los trabajadores, dejarles tiempo libre para el descanso y el ocio, sino que además también debía permitirles servir a la sociedad y conseguir su autorrealización mediante el desarrollo de sus capacidades personales. Con el cambio tecnológico, el teletrabajo ha acabado invadiendo muchas vidas e incluso difuminando los límites entre el mundo laboral y el familiar. Siendo esto último uno de los mayores retos con los que los teletrabajadores se han encontrado durante la pandemia del Covid-19 (OIT, 2020).

Según la Organización mundial de la Salud y la Organización Internacional del Trabajo (OIT), se consideran riesgos psicosociales a aquellas situaciones o contextos con una clara probabilidad de dañar la salud física, social o mental del trabajador de forma importante, de manera que estos riesgos afecten al bienestar de los trabajadores.

Teletrabajar requiere el uso de las tecnologías de la información y las comunicaciones, siendo un trabajo que se realiza mayormente a distancia, fuera de las instalaciones de la empresa lo que ha ocasionado ventajas y riesgos para los trabajadores. Según la revisión realizada por Rubbini (2012) los trabajadores son más vulnerables a los siguientes riesgos psicosociales:

- Sobrecarga de trabajo. Las personas que teletrabajan a menudo se sienten sobrepasadas por el trabajo, sienten que se les pide más de lo que hacían presencialmente y ello produce un aumento de la tensión, sobrecarga laboral, y la aparición de estrés y burnout (Pinto & Muñoz, 2020).

- Ambigüedad y Conflicto de rol. En ocasiones el trabajador carece de información clara sobre su rol mientras trabaja desde casa (Ayyagari et al., 2011).

- Tiempo de trabajo poco definido. No fijarse rutinas y horarios de trabajo puede propiciar que los ritmos biológicos de los trabajadores se vean afectados.

- Exceso de exigencias psicológicas. Provenientes del uso de TICs que puede tener como consecuencia una mala adaptación (emocional, cognitiva y/o conductual) a cualquier medio informático.

- Ausencia de relaciones interpersonales. El aislamiento producido por la esta modalidad de trabajo propicia la falta de relaciones (Arellano, 2018).

- Ausencia de liderazgo. Se detectan carencias de supervisión (Rubbini, 2012). Los enfoques de liderazgo orientados a las relaciones se muestran beneficiosos e incluso necesarios en un entorno de teletrabajo, los líderes de equipos virtuales son importantes, ya que dichos líderes pueden reducir la pérdida percibida de conexión al lograr comunicaciones de alta calidad y confianza (de Vries et al., 2019).

- Conflictos familia-trabajo. Las demandas familiares interfieren en el correcto desarrollo de la jornada laboral con más intensidad al estar desarrollándose desde casa ya que en ocasiones se realizan tareas de casa, se atiende a los niños y se trabaja al mismo tiempo (Arellano, 2018; Golden, 2012; OIT, 2020).

- Otro de los riesgos que encontramos es la telepresión, o sentimiento de preocupación por responder lo más rápidamente posible a las comunicaciones que llegan desde el trabajo de manera electrónica, ello produce efectos sobre la calidad del sueño y produce burnout y ausentismo (Barber & Santuzzi, 2015; Pinto & Muñoz, 2020).

Así nos encontramos con que el entorno laboral puede no ser el más apto para realizar teletrabajo, que el teletrabajador pueda convertirse en sedentario, que pueda sentirse solo debido al poco o nulo contacto social, que los horarios sea muy extensos e incluyan los fines de semana y que pueda ocasionar conflictos dentro del entorno familiar (Santillán-Marroquín, 2020).

7. CONSECUENCIAS PARA LA SALUD

El teletrabajo tiene un gran impacto en la salud laboral, por lo que todos los agentes implicados deben ser conscientes de ello y tomar las medidas preventivas adecuadas para evitar las consecuencias que este pueda ocasionar en la salud física y mental de los teletrabajadores (Cockburnn & Hurtado, 2021).

Algunos de los riesgos que pueden afectar a la salud musculoesquelética y mental de los trabajadores son el sedentarismo, la soledad, la falta de ejercicio físico, los limites poco establecidos entre trabajo y vida, estrés, etc. A continuación, vamos a exponer algunas de las consecuencias más habituales de manera más detallada.

7.1. Problemas musculoesqueléticos y oculares

La mayoría de problemas musculoesqueléticos que se están produciendo a causa del teletrabajo son debidos a no tener un mobiliario ergonómico, es imprescindible tener en cuenta que los objetivos de la ergonomía son promover la salud, el bienestar, reducir los accidentes y mejorar la productividad de las empresas (Apud & Meyer, 2003) y que entre ellos se encuentran la reducción del absentismo, de esfuerzos y de posiciones innecesarias que puedan generar fatiga, además de tener en cuenta las condiciones y la calidad de vida en el trabajo. Así que en lo referente al teletrabajo, podemos encontrar problemas producidos por las condiciones ambientales del lugar donde se está produciendo el teletrabajo, entre ellas podemos destacar una mala ubicación física del puesto de trabajo, tener un mal equipamiento o un equipamiento poco ergonómico, no tener en cuenta cuestiones como la luz, la temperatura, etc. (Rubbini, 2012), que pudieran dar lugar a problemas de visión, musculares, etc.

Principalmente se ha observado un incremento de patologías relacionadas con unas malas condiciones ergonómicas, así como por el hecho de permanecer estático durante largos periodos de tiempo entre ellos, se han encontrado problemas oculares como ojos secos y mala salud visual, lumbalgias y otros problemas musculo esqueléticos (Rappaccioli et al., 2021). Trabajar muchas horas en el ordenador, generalmente en casa se asocia con una postura estática, donde se producen movimientos repetitivos, posiciones extremas del antebrazo y muñeca, además de largos periodos de trabajo continuo sin descanso. Se trata de conductas de riesgo que contribuyen al desarrollo de problemas musculoesqueléticos en cuello, hombros, muñecas, manos y regiones lumbares (Serrano-Fernández et al., 2019). Además, al no socializar con los compañeros, los teletrabajadores no realizan descansos y la realización de pausas son muy importantes para que se produzca la relajación musculoesquelética, por lo que estos trabajadores pasan largas horas sentados sin los descansos adecuados (Crawford et al., 2011; Sang et al., 2010; Tavares, 2017), además de los problemas producidos por tener unas malas condiciones ergonómicas (García-Salirrosas et al., 2020).

Por otro lado, permanecer durante muchas horas ante una pantalla hace que disminuya la frecuencia de parpadeo a 6-7 veces por minuto cuando lo normal es parpadear entre 10-15 veces por minuto. Esta reducción causa una alta evaporación de las lágrimas y un bajo flujo lagrimal produciendo fatiga ocular y ojos secos, lo que acaba traduciéndose en una alteración funcional del lagrimal que se manifiesta con síntomas como ardor, sensación de tener algo dentro del ojo, ojos rojos, irritación conjuntival, lagrimeo, pesadez en los párpados y visión borrosa con dificultad para enfocar objetos lejanos (Boyd & Muffman, 2020). Al final de este capítulo el lector encontrará algunas recomendaciones que pueden ayudar a los teletrabajadores a mejorar su salud visual.

7.2. Trastornos emocionales y psicológicos

Los teletrabajadores habitualmente no establecen una relación social de trabajo con sus compañeros. Encontrarse fuera de su lugar habitual de trabajo, además de las largas horas de trabajo puede inducir sentimientos de soledad y aislamiento (Bailey & Kurland, 2002; Grant et al., 2013; Mann & Holdsworth, 2003), por ese motivo, se ha sugerido que los teletrabajadores deberían pasar al menos el 20% de su tiempo de trabajo en la oficina para prevenir esos sentimientos de aislamiento (Arellano, 2018; Sierra Benítez, 2011).

La ausencia de relaciones interpersonales y falta de liderazgo, pueden llevar a los trabajadores a tener un bajo *sentido de pertenencia con la organización*. Por lo que la modalidad de teletrabajo que permite que el trabajador realice sus funciones fuera de las instalaciones de la empresa dos o tres veces a la semana ayudaría a mantener el contacto con los compañeros facilitando que no se pierda el sentido de pertenencia con la organización y reduciendo los sentimientos de soledad (Ortega, 2017).

Los trastornos emocionales y psicológicos con los que nos podemos encontrar son ansiedad, irritabilidad, estados depresivos, etc., estos pueden ser debidos al aislamiento y a la fatiga mental, y puede motivar que el trabajador tome decisiones erróneas, así como padecer fatiga física y/o mental y alteraciones conductuales (Rubbini, 2012).

7.3. Tensión y estrés

Si bien para algunos teletrabajadores, el poder conciliar la vida personal y la laboral, el poder distribuir su tiempo laboral permitiéndoles una flexibilidad que les permitan cumplir con sus responsabilidades se traduce en una reducción del estrés (Romero & Castro, 2021). Para otros, las características del teletrabajo les puede llevar a padecer tensión y estrés, esto puede ser debido tanto a la sobrecarga de trabajo como al déficit del mismo (Barrera Diaz et al., 2019; Rubbini, 2012). En la actualidad conocemos la relación entre el estrés y diversas enfermedades cardiovasculares (López-González et al., 2021), la diabetes tipo 2 (Konradt et al., 2003) y los problemas emocionales entre ellos la depresión (Barrera Diaz et al., 2019).

En este contexto, nos encontramos con que los factores estresantes producen cambios tanto a nivel fisiológico como psicológico. Pudiendo considerar, que en los teletrabajadores hay factores estresantes derivados tanto de demandas laborales como de demandas no laborales y que ambas pueden estar afectándoles a la hora de trabajar. Entre ellas podemos citar las tareas laborales, los plazos, las características de los equipos, las normas de la organización, las condiciones espacio temporales y físicas, situaciones que se puedan estar dando en el lugar de trabajo, etc. (Tavares, 2017).

7.4. Tecnoestrés

Otro tipo de estrés con el que nos podemos encontrar es aquel producido por el uso de las TICs en general además de las que se relacionan específicamente con el teletrabajo que se debe desarrollar (Alonso & Cifre, 2002; Vicente-Herrero et al., 2018). El problema del uso de las TICs es que requiere una adaptación continua a los nuevos programas, equipos, sistemas y se encuentra relacionado con las características de personalidad del trabajador, así como con su formación en esta área, por lo que nos encontramos que los teletrabajadores deben realizar un sobreesfuerzo que les permita adaptarse continuamente a la situación, de ahí nace el concepto de tecnoestrés (Salanova et al., 1999; Salanova & Nadal, 2003).

Podríamos considerar el tecnoestrés como el resultado de un proceso perceptivo de desajuste entre los recursos personales y las demandas, este se manifiesta a través de síntomas afectivos o ansiedad además de desarrollar actitudes negativas hacia las TICs (Salanova, 2003; Salazar-Concha et al., 2020), constituyendo un problema de adaptación del trabajador cuando no puede acostumbrarse a ellas.

El tecnoestrés se caracteriza por tres dimensiones (Dias Pocinho & Costa Garcia, 2009): (1) síntomas afectivos (ansiedad y fatiga) que se relaciona con la alta activación fisiológica del organismo, (2) desarrollo de actitudes negativas hacia las TIC (escepticismo) y (3) pensamientos negativos sobre sus propias capacidades y competencias en la utilización de las TIC (ineficacia) (Ragu-Nathan et al., 2008).

Así, nos encontramos con que los factores tecnológicos producen tensión, y esta afecta a los resultados del trabajo además de provocar agotamiento laboral. Por ese motivo, las organizaciones deben ayudar a sus empleados a afrontar esa situación de estrés, ya que la tensión ocasionada por el teletrabajo se encuentra muy relacionada con los conflictos entre el trabajo y la familia, así como con estrategias de afrontamiento inadecuadas (Gaudioso et al., 2017).

7.5. Agotamiento y burnout

Las personas que teletrabajan son más vulnerables al agotamiento por el hecho de permanecer física, emocional y mentalmente en una situación de alta demanda (Moore, 2000). El estrés unido a las cargas familiares, el sedentarismo y la falta de relaciones sociales lleva a la persona a empezar a notar algunas señales que nos indican que está entrando en una fase de agotamiento, entre ellas podemos encontrar: descenso del rendimiento, cambios de humor, desmotivación, insomnio, dolores corporales, etc.

Nos encontramos ante una espiral donde la situación se puede ir complicando a medida que se mantiene en el tiempo, ello nos puede llevar a padecer el síndrome de estar quemado *"Burnout"* siendo este un síndrome tridimensional, cuyas dimensiones son (Maslach et al., 1996):

- Agotamiento, como un componente del estrés ante la incapacidad de afrontar el trabajo.
- Cinismo, la despersonalización se asocia con la aparición de sentimientos negativos sobre los clientes.
- Baja realización personal, relacionado con la evaluación negativa de uno mismo y los sentimientos de insatisfacción con el resultado de su trabajo.

Los teletrabajadores pueden padecer estos estados de *burnout* de la misma manera en que lo hacen los trabajadores presenciales (Suárez, 2017). Se ha observado que, a raíz del confinamiento y la situación emergente de teletrabajo, surgida a raíz del mismo, nos encontramos con trabajadores constantemente conectados y trabajando fuera de horas de trabajo, por lo que ello les llevará a disminuir su productividad y a aumentar los problemas de salud y el *burnout* (Correa, 2021).

7.6. Workaholism

Cuando hablamos de adicción al trabajo o Workaholism (Oates, 1968), nos referimos a aquellas personas que necesitan trabajar constantemente, y la materialización de esta necesidad les lleva al límite de afectar a sus relaciones sociales, su felicidad y su salud mental (Serrano-Fernández et al., 2016). Los adictos al trabajo sienten una presión interna que les hace sentir culpables si no están haciendo su trabajo (Spence & Robbins, 1992), además muestran varios comportamientos característicos como es el caso de (Serrano-Fernández et al., 2016):

a. Pasar demasiado tiempo en el trabajo con las actividades intrínsecas que esto implica, las repercusiones negativas para sus relaciones sociales, familiares y su tiempo libre. (Scott et al., 1997). Por ejemplo, se ha considerado que los adictos al trabajo trabajan al menos cincuenta horas a la semana (Ersoy-Kart, 2006).

b. Tener demasiadas expectativas en su trabajo, más allá de los requisitos reales del mismo y de sus propias necesidades económicas (Scott et al., 1997).

c. Dedicar más energía para trabajar de la estrictamente necesaria (Andreassen et al., 2007).

d. Mostrar una persistencia y una frecuencia en su trabajo que les hace pensar en trabajar incluso cuando no están en el trabajo (Scott et al., 1997).

Todo ello, se agrava cuando hablamos de teletrabajo, esto es debido a que la accesibilidad e inmediatez del puesto del trabajo, así como la sobrecarga laboral puede favorecerlo en ciertas personas que tienen predisposición al Workaholism y favorece también la aparición de trastornos emocionales (Serrano-Fernández et al., 2021). De hecho, hay evidencias de que ser adicto al trabajo podría llevar a un uso intensivo de smartphones (Spagnoli et al., 2019).

7.7. Sedentarismo y obesidad

Teletrabajar fomenta el sedentarismo, cosa que hoy en día sabemos que constituye un factor nocivo de riesgo que favorece o agrava el riesgo de enfermedades diversas como es el caso de la hipertensión, la diabetes, las afecciones intestinales, los problemas gástricos, renales y óseos y el estrés, además de facilitar el deterioro del funcionamiento cotidiano e impedir que la persona se beneficie de las experiencias diarias (López-González et al., 2021; Medina Paredes et al., 2021).

Si no fuera suficiente, nos encontramos con que el sedentarismo unido a los desórdenes en los horarios y tiempos de comidas, produce un mayor riesgo de desarrollar obesidad (Arce Espinoza & Rojas Sáurez, 2020; de Vries et al., 2019; López et al., 2014).

Estudios como el de Franch-Llasat et al. (2021) plantean casos de trombosis debida a la inmovilidad producida en el periodo de confinamiento derivado de la Covid-19, encontrando casos de pacientes jóvenes que presentaban trombosis y que referían haber estado sentados más de ocho horas al día de media en las últimas semanas (algunos de ellos más de seis), aunque ninguno de ellos refería haber permanecido más de dos horas seguidas sin levantarse. Estos largos periodos de sedentarismo son equiparables a los tiempos que permanecen sentados las personas que realizan teletrabajo, por lo que debemos de tener muy presente que la inmovilidad puede asociarse con un empeoramiento de la circulación venosa y el consecuente aumento del riesgo a eventos trombóticos como tromboembolia pulmonar, trombosis profunda o Ictus. Por lo que en casos de teletrabajo deberemos tener presentes estas graves enfermedades para poder prevenirlas realizando ejercicio en casa (Franch-Llasat et al., 2021).

7.8. *Otras afectaciones*

Tavares (2017) recoge otros problemas de salud asociados con la flexibilidad laboral, en ellos nos incluyen trastornos metabólicos, cardiovasculares y gastrointestinales. Entre los trastornos metabólicos incluyen hipertensión, colesterol alto y niveles más altos de azúcar en sangre en ayunas (Costa, 2010; Thomas & Ganster, 1995). También encontramos que las situaciones generadoras de estrés y el aislamiento han sido asociadas con un aumento de las tasas de abuso y dependencia de sustancias como el alcohol, el tabaco y otro tipo de drogas (García-Álvarez et al., 2020).

Por otro lado, podemos encontrarnos también con dificultades para conciliar el sueño que son debidas a la exposición a la luz azul que producen los dispositivos electrónicos y que afecta al ritmo circadiano, esto se produce porque esta luz es similar a la que percibimos de fuentes naturales como el sol, siendo esta la que nos estimula y nos despierta, por lo que un exceso de exposición en horas nocturnas puede generar dificultad para conciliar el sueño (Rappaccioli et al., 2021).

8. TELETRABAJO Y CONCILIACIÓN DEL TRABAJO CON LA FAMILIA

La familia y el trabajo son dimensiones que generan desarrollo y satisfacción en la vida de las personas (Álvarez & Gómez, 2011). Por un lado, encontramos que la familia es una dimensión donde sus miembros asumen diferentes roles a los que no pueden renunciar fácilmente y por el otro, el trabajo constituye aquella otra dimensión donde sacamos a relucir nuestros conocimientos y nuestra experiencia. Podemos encontrar una relación muy compleja entre ambas que puede ser positiva si las actividades y las experiencias de ambos roles consiguen un balance satisfactorio entre ellas, por lo que se consideraría beneficioso para estas dos dimensiones, y negativa si la realización de uno de estos roles interfiere u obstaculiza la ejecución del otro, ya que ello genera tensión y disminuye la satisfacción y el bienestar percibido (Feldman et al., 2008). Esto último se ha visto incrementado durante la crisis del Covid-19, donde muchas familias tuvieron que teletrabajar mientras sus hijos asistían a clases virtuales en las que debían de ser supervisados y ayudados tecnológicamente por sus padres, mientras estos últimos debían continuar con su jornada laboral además de realizar tareas como limpiar, cocinar, etc. que además se vieron incrementadas por el hecho de permanecer en el hogar más tiempo, y a ello le sumamos el esfuerzo añadido de que el estrés y la ansiedad no invadiese sus vidas.

En general, según la OIT, en Europa, las mujeres tienden a teletrabajar desde casa algo más que los hombres. Esto podría deberse a que las mujeres usan el teletrabajo como estrategia para combinar el trabajo, familia y responsabilidades personales (García-Izquierdo, 2021; Hau & Todescat, 2018). Por lo que el género a la hora de teletrabajar es un factor importante tanto para el propio trabajador como para el empresario, ello se debe a que puede estar determinado por los modelos de trabajo, de roles de género y de vida familiar específicos de cada país (García-Izquierdo, 2021).

Aunque poco a poco la situación en España va cambiando, todavía en el año 2020 las mujeres invierten el doble de horas que los hombres en trabajos no remunerados, como es el caso del cuidado de hijos, de personas dependientes o la realización de las tareas domésticas (Padilla, 2020). Este desajuste del reparto de obligaciones cobra especial interés a la hora de buscar estrategias que ayuden a minimizar el riesgo que pueda suponer el trabajo en el balance familia-trabajo.

Si bien podría parecer que el teletrabajo podría ayudar a que las familias se organicen mejor, López et al. (2014) encontraron que las mujeres tenían menos predisposición a teletrabajar que los hombres, esto se debe a que aunque el teletrabajo parece una buena alternativa para la conciliación laboral trabajar desde el domicilio puede ser más estresante para las mujeres que para los hombres, esto puede ser debido a que aún no se realiza una división equitativa de las tareas domésticas siendo las mujeres quienes realizan una mayor proporción de ellas (Goñi-Legaz et al., 2010), aunque poco a poco esta tendencia va variando el nivel de interferencia del teletrabajo se muestra superior en mujeres teletrabajadoras que en hombres. En este sentido, Higgins et al. (2014) encontraron que la eliminación de los límites temporales y físicos que separan los dominios de trabajo y familia en la modalidad de teletrabajo daba como resultado niveles superiores de interferencia entre el trabajo y la familia.

A pesar de ello, Hau y Todescat (2018) encontraron que la mayoría de teletrabajadores estaba formada por mujeres, casadas y con hijos que veían de esta forma de teletrabajo una oportunidad de conciliación. La crisis generada por el Covid-19 supuso también un agravamiento de las desigualdades de género, y esto no sólo ocurrió durante el confinamiento sino que continua ocurriendo durante la recuperación posterior (Cajica & Criado, 2020; ONU, 2020).

9. PREVENCIÓN DE RIESGOS LABORALES EN TELETRABAJO

Los principales riesgos laborales que se detectan son los ergonómicos, psicosociales y la dificultad en la separación trabajo-familia (Vicente-Herrero et al., 2018).

9.1. Medidas preventivas generales

El Ministerio de Trabajo y Asuntos Sociales (2004) propuso las siguientes medidas preventivas para teletrabajar:

1. Destinar un lugar con el espacio necesario para el mobiliario de trabajo, luz natural y que pueda quedar aislada del resto de la vivienda para poder evitar interrupciones, así como la confidencialidad de la información manejada.

2. Que en dicho lugar se eviten los ruidos que provengan tanto del exterior (tráfico, vecinos) como del propio inmueble (niños, etc.). El nivel de sonoridad no debe exceder los 55dBA en trabajos que requieran concentración.

3. El teletrabajo exige estar mucho tiempo delante de una pantalla lo que puede llevar a padecer fatiga visual, este problema disminuye con una adecuada iluminación de la zona de trabajo, se recomienda la luz natural, pero para evitar sus variaciones hay que complementarla con luz artificial.

4. En el trabajo con ordenador, este debe de estar situado de manera que la iluminación incida lateralmente en la pantalla, nunca de frente ni detrás del usuario ya que ello ocasiona molestos reflejos.

5. Elegir el mobiliario de forma que sea lo más ergonómico posible i con superficie mate para evitar los reflejos que producen deslumbramientos.

6. Evitar que los cables queden en zonas de paso o colgando de la mesa de trabajo, para ello deberemos pasarlos junto a las paredes.

7. Controlar el ritmo de trabajo planificando horarios, pausas y plazos de entrega, esto evitará un exceso de dedicación que puede dar lugar a una sobrecarga laboral o, incluso, adicción al trabajo.

8. La fatiga física y mental es un problema habitual en personas realizan trabajos continuos con ordenadores, para evitarla se deben hacer pausas de 10-15 minutos cada dos horas de trabajo. Los descansos cortos y frecuentes son mejores ya que impiden que la persona se fatigue, una vez fatigada es más difícil que se recupere.

9. Realizar reuniones periódicas con compañeros u otras personas relacionadas con el trabajo para reforzar la función social minimizando el riesgo de aislamiento. También se recomienda establecer canales ágiles que ayuden a solucionar problemas en tiempo breves.

10. Designar horas concretas del día o de la semana para atender las demandas de la empresa o de los clientes, de esta manera podrá organizar mejor su tiempo eliminado interrupciones que interfieran en el trabajo.

11. Separar la familia del trabajo, ya que la familia suele ser objeto de tensión laboral cuando ambos se encuentran unidos físicamente sin disponer del apoyo social que el trabajador encuentra en una empresa (compañeros, sindicatos, etc.).

Por otro lado, desde la Agencia Europea para la Seguridad y la Salud en el Trabajo (EU-OSHA) se recomienda que, para reducir el presentismo remoto, la empresa recuerde a los trabajadores la necesidad de desconectarse después del horario laboral, además desde la empresa se debe facilitar el acceso de forma remota a todas las aplicaciones que los trabajadores necesiten para realizar su trabajo (Cockburnn & Hurtado, 2021), dicha asociación recomienda seguir la guía, que a raíz de la crisis del Covid-19, el Instituto Nacional de Seguridad y Salud en el Trabajo publicó dando recomendaciones para el empleador (INSST, 2020) en ella se hace énfasis de que el empleador conozca, empatice, proteja y se comunique con los trabajadores, estas recomendaciones que han sido realizadas en el contexto de la pandemia creemos importante extrapolarlas a todas las situaciones de teletrabajo ya que con ello se evitarían muchos de las situaciones y problemas derivadas de él y de las que hemos hablado a lo largo de este trabajo.

Desde la Organización internacional del Trabajo (OIT, 2020), se recomienda que la empresa transmita a los trabajadores pautas como:

— La necesidad de planificar diariamente de la jornada.

— La realización de actividades y el ejercicio físico.

— El reconocimiento y aceptación de las emociones, animando a buscar apoyo profesional en caso de necesidad.

A lo que podemos añadir que los trabajadores deben contar con el apoyo de las personas que conviven con ellos para que respeten sus espacios de trabajo.

9.2. Prevención de problemas oculares

Para aliviar los ojos y cuidar la visión, algunos autores nos recomiendan lo siguiente (Boyd & Muffman, 2020; Piedrahita et al., 2020):

- Parpadear, se debe realizar tanto como sea posible, ya que de esta forma evitaremos que se reseque la superficie del ojo. El trabajador puede ponerse una nota en la pantalla que le recuerde hacerlo.

- Lubricar los ojos mediante la utilización de lágrimas artificiales, o utilizar un humidificador si el trabajador permanece en un entorno seco. Beber agua para hidratarse.

- Tener elementos agradables o afectivos en la decoración que sugieran ser mirados, así se varía en enfoque y se evita la fatiga visual.

- Seguir la regla "20-20-20" lo que significa realizar cambiar el punto de fijación cada veinte minutos durante 20 segundo mirando un objeto que esté a 20 pies (6 metros).

- Tener un puesto fijo de trabajo con una postura correcta. Levantarse si es posible cada 30 minutos ya que ninguna postura sostenida en el tiempo es buena.

- Utilizar gafas podría ayudar a reducir el cansancio ocular.

- Ajustar el brillo y el contraste de la pantalla, si esta última brilla más que el entorno los ojos deberán esforzarse más, se recomienda que el brillo esté nivelado con la luz circundante y se incremente el contraste para reducir la fatiga ocular.

- Reducir el deslumbramiento situando la pantalla perpendicular a la ventana y evitar la visión directa de la luz artificial.

- Vigilar la posición frente a la pantalla, se recomienza estar sentado a 25 pulgadas de la pantalla (aprox. La longitud del brazo), además de que la pantalla debe de estar situada de manera que los ojos miren ligeramente hacia abajo.

9.3. Facilitar las relaciones sociales en teletrabajo

Los trabajadores necesitan sentirse reconocidos por parte de sus compañeros, sentirse parte de un colectivo, comunicarse y cooperar con otros para transmitir conocimientos y seguir aprendiendo, así no ser objeto de injusticias y recibir el apoyo social de jefes y compañeros (Rubbini, 2018).

Algunas acciones que la empresa puede realizar para que los trabajadores sientan que la empresa se preocupa por ellos son:

- Disponer de canales y herramientas que permita la comunicación grupal.
- Intentar conformar equipos de trabajo con empleados de la misma localidad.
- Realizar un seguimiento continuo de la dinámica interna del equipo.
- Convocar a los trabajadores a encuentros presenciales periódicos que ayuden al conocimiento mutuo y a crear una relación de confianza entre compañeros cubriendo los costos del encuentro.
- Tener líderes que valoren a las buenas personas por encima de las de difícil trato.
- Evitar interesarse sólo por los empleados cuando baja la su productividad.
- Preocuparse por aquellos empleados que no asisten a los encuentros presenciales.
- Realizar un seguimiento de la dinámica interna del equipo para evitar desvinculaciones.

9.4. Desconexión digital

El derecho a la desconexión digital no es algo nuevo, sino que a medida que la tecnología e internet avanzaban dándonos la oportunidad de permanecer cada vez más tiempo conectados, se han ido observando efectos negativos relacionados con la privacidad, la salud y sobre todo con la dificultad de trazar una línea divisoria entre trabajo y descanso, y por lo tanto con la dificultad de trazar la frontera entre el trabajo y la vida personal. Esta falta de límites puede producir riesgos físicos y psicosociales como son el tecnoestrés, la fatiga o el burnout (Pérez Campos, 2021).

La adopción de medidas urgentes durante la declaración del estado de alarma a causa de la crisis del Covid-19 recomendó priorizar el teletrabajo, en aquellos casos que fuese posible, para preservar la salud de los trabajadores, lo que ha permitido observar que la flexibilidad que el teletrabajo permite ofrece a las empresas y a las administraciones una extensión de la jornada laboral que dificulta el derecho a la desconexión digital con la correspondiente afectación de la salud de los trabajadores (Pérez Campos, 2021).

Riesgos para los trabajadores que justifican el derecho a la desconexión digital:

– Saturación por exceso de información, además de que estar constantemente conectado produce interrupciones que afectan negativamente a la atención, la concentración y a la eficacia del trabajo (Pérez Campos, 2021).

– Fatiga informática (Aragüez, 2018).

– Hiperconexión, que nos puede producir estrés, adicción al trabajo, sedentarismo, etc.

– Conflictos familiares, debido a que la vida personal y profesional se mezcla y ya no se produce la tan preciada conciliación (Pérez Campos, 2021).

– Necesidad de comunicación permanente entre empresa y trabajador que dificulta el derecho a la desconexión (Serrano Argüeso, 2019).

El derecho a la desconexión digital de los trabajadores aún no se encuentra definido por la normativa reguladora del teletrabajo, por lo que según (Pérez Campos, 2021) resulta necesaria la transición hacia una nueva cultura del trabajo digital que obligue al empresario a adoptar una política interna para que los medios digitales sean utilizados de manera razonable de forma que garantice la salud, el descanso y la vida personal de los trabajadores.

Los teletrabajadores deben ser conscientes de estos riesgos y tomar medidas por ellos mismos, si anteriormente hemos hablado de la necesidad de marcarse una jornada laboral con los horarios para pausas, comidas, etc., ahora además de esas medidas recomendamos tener en cuenta, una vez acabada la jornada laboral, los siguientes puntos:

1. Relativizar, frenarse ante la inercia de contestar fuera del horario laboral si consideramos que puede esperar.

2. Aplazar, desconectar o racionar el uso de los dispositivos móviles, los cuales sólo miraremos si conocemos que hemos de dar respuesta a algo importante.

3. Priorizar, seguir una planificación estricta pero flexible colocando en primera posición aquellos asuntos que sean primordiales.

4. Optimizar el tiempo evitando distracciones, así se evitará que quede trabajo pendiente.

5. Desconectar mentalmente del trabajo, lo que supone que a partir de determinada hora dejaremos de hablar de temas del trabajo.

6. Desconectar avisos y alarmas para evitar avisos de mensajes, correos o llamadas laborales fuera de tu horario laboral.

10. REFERENCIAS BIBLIOGRÁFICAS

Adams-Cortez, K., Araya-Guzmán, S., & Salazar-Concha, C. (2020). Modelamiento de Ecuaciones Estructurales aplicado al Ámbito del Teletrabajo. La Autonomía, Factores Estresantes y Agotamiento de Teletrabajo. In *Proceedings of the 36th International Business Information Management Association (IBIMA)*. https://www.researchgate.net/publication/349038720_Modelamiento_de_Ecuaciones_Estructurales_aplicado_al_Ambito_del_Teletrabajo_La_Autonomia_Factores_Estresantes_y_Agotamiento_de_Teletrabajo

Alonso, M. B., & Cifre, E. (2002). Teletrabajo y Salud: Un nuevo reto para la psicología. *Papeles Del Psicólogo*, *83*, 55–61.

Álvarez, R. A., & Gómez, I. C. (2011). Conflicto trabajo-familia, en mujeres profesionales que trabajan en la modalidad de empleo. *Pensamiento Psicológico*, *9*(16), 89–106. https://doi.org/10.11144/167

Andreassen, C. S., Ursin, H., & Eriksen, H. R. (2007). The relationship between strong motivation to work, 'workaholism' and health. *Psychology and Health*, *22*, 615–629. https://doi.org/10.1080/14768320600941814

Apud, E., & Meyer, F. (2003). La importancia de la ergonomía para los profesionales de la salud. *Ciencia y Enfermería*, *9*(1), 15–20. https://doi.org/10.4067/s0717-95532003000100003

Aragüez, L. (2018). El impacto de las nuevas tecnologías de la información y de la comunicación en el tiempo de trabajo: una especial referencia a la desconexión digital. In J. M.-M. Boto (Ed.), *El derecho del trabajo español ante el Tribunal de Justicia: problemas y Soluciones* (p. 202). Cinca.

Arce Espinoza, L., & Rojas Sáurez, K. (2020). Actividad física y tiempos de comida en teletrabajadores y funcionarios presenciales de una universidad estatal de Costa Rica. *UNED Research Journal*, 12(2), e3143. https://doi.org/10.22458/urj.v12i2.3143

Arellano, G. (2018). *Estado del Arte sobre Legislación Laboral y su Aplicación al Teletrabajo*. Universidad Gabriela Hurtado.

Ayyagari, R., Grover, V., & Purvis, R. (2011). Technostress: Technological antecedents and implications. *MIS Quarterly: Management Information Systems*, 35(4), 831–858. https://doi.org/10.2307/41409963

Bailey, D. E., & Kurland, N. B. (2002). A review of telework research: Findings, new directions, and lessons for the study of modern work. In *Journal of Organizational Behavior* (Vol. 23, Issue SPEC. ISS., pp. 383–400). John Wiley & Sons, Ltd. https://doi.org/10.1002/job.144

Barber, L. K., & Santuzzi, A. M. (2015). Please respond ASAP: Workplace telepressure and employee recovery. *Journal of Occupational Health Psychology*, 20(2), 172–189. https://doi.org/10.1037/a0038278

Barrera Diaz, L. F., Casas Marroquín, M. C., & Lizarralde Vargas, A. Y. (2019). *Manual de prevención de riesgos psicosociales en teletrabajadores*. https://repository.ucatolica.edu.co/handle/10983/23937

Boyd, K., & Muffman, J. M. (2020). Las computadoras, los dispositivos digitales y la fatiga ocular. *American Academy of Ophthalmology*. https://www.aao.org/salud-ocular/consejos/uso-de-la-computadora-y-la-fatiga-visual

Cajica, M., & Criado, L. (2020). *Reflexiones sobre las repercusiones del teletrabajo para las mujeres y su vinculación con la sociedad de la información | Revista de Derechos Humanos*. Revista de Derechos Humanos. https://revistas.fcu.edu.uy/index.php/DDHH/article/view/1835

Cockburnn, W., & Hurtado, M. (2021). Perspectiva europea sobre los riesgos laborales en el ámbito del teletrabajo. *Archivos de Prevención de Riesgos Laborales*, 24, 8–11. https://archivosdeprevencion.eu/index.php/aprl/article/view/119/77

Correa, T. (2021). Crisis mundial de Covid-19 y teletrabajo: la nueva normalidad para las relaciones laborales. *Revista Internacional y Comparada de Relaciones Laborales y Derecho Del Empleo*, 9(1), 352–376. http://ejcls.adapt.it/index.php/rlde_adapt/article/view/956/1177

Costa, G. (2010). Shift work and health: Current problems and preventive actions. *Safety and Health at Work*, *1*(2), 112–123. https://doi.org/10.5491/SHAW.2010.1.2.112

Crawford, J. O., MacCalman, L., & Jackson, C. A. (2011). The health and well-being of remote and mobile workers. *Occupational Medicine*, *61*(6), 385–394. https://doi.org/10.1093/occmed/kqr071

de Vries, H., Tummers, L., & Bekkers, V. (2019). The Benefits of Teleworking in the Public Sector: Reality or Rhetoric? *Review of Public Personnel Administration*, *39*(4), 570–593. https://doi.org/10.1177/0734371X18760124

Dias Pocinho, M., & Costa Garcia, J. (2009). Psychosocial impact of information and communication technologies (ICT): Technostress, physical damage and professional satisfaction. *Acta Colombiana de Psicologia*, *11*(2), 127–139. https://go.gale.com/ps/i.do?id=GALE%7CA350792634&sid=googleScholar&v=2.1&it=r&linkaccess=abs&issn=19099711&p=AONE&sw=w

Ereñaga de Jesús, N. (2019). El control del tiempo de trabajo en el teletrabajo: una visión desde la negociación colectiva de la Comunidad Autónoma del País Vasco I. *Revista Internacional y Comparada de Relaciones Laborales y Derecho Del Empleo*, *7*, 192–206.

Ersoy-Kart, M. (2006). Reliability and validity of the Workaholism battery (Work-BAT): Turkish form. *Social Behavior and Personality: An International Journal*, *33*(6), 609–618. https://doi.org/10.2224/sbp.2005.33.6.609

Feldman, L., Vivas, E., Lugli, Z., Zaragoza, J., & Gómez O, V. (2008). Relaciones trabajo-familia y salud en mujeres trabajadoras. *Salud Pública de México*, *50*(6), 482–489. https://doi.org/10.1590/s0036-36342008000600009

Franch-Llasat, D., Mayor-Vázquez, E., Pedregosa-Díaz, J., Herrero-Redondo, M., Ortin-Font, X., & Roche-Campo, F. (2021). e-Thrombosis in the COVID-19 era: collateral effects of confinement. *Medicina Intensiva*, *45*(2), 122–124. https://doi.org/10.1016/j.medin.2020.08.003

Franco-Jaramillo, A., & Restrepo-Bustamante, F. A. (2011). El perfil del teletrabajador y su incidencia en el éxito laboral. *Revista Virtual Universidad Católica Del Norte*, *33*, 1–6. https://doi.org/10.35575/rvucn.n33a1

García-Álvarez, L., De La Fuente-Tomás, L., Sáiz, P. A., García-Portilla, P., Bobes, J., & De La Fuente-Tomas, L. (2020). ¿Se observarán cambios en el consumo de alcohol y tabaco durante el confinamiento por COVID-19? [Will changes in alcohol and tobacco use be seen during the COVID-19 lockdown?]. *Adicciones*, *32*(2), 85–89. https://doi.org/10.1016/j

García-Izquierdo, A. L. (2021). Género y Salud en el teletrabajo. *Seminario Internacional Contra La Violencia de Género*. https://www.researchgate.net/publication/349028357_Genero_y_salud_en_el_teletrabajo

García-Salirrosas, E. E., Sánchez-Poma, R. A., García-Salirrosas, E. E., & Sánchez-Poma, R. A. (2020). Prevalencia de trastornos musculoesqueléticos en docentes universitarios que realizan teletrabajo en tiempos de COVID-19. *Anales de La Facultad de Medicina, 81*(3), 301–307. https://doi.org/10.15381/ANALES.V81I3.18841

Gaudioso, F., Turel, O., & Galimberti, C. (2017). The mediating roles of strain facets and coping strategies in translating techno-stressors into adverse job outcomes. *Computers in Human Behavior, 69*, 189–196. https://doi.org/10.1016/j.chb.2016.12.041

Gestión. (2020). *¿En qué consiste el teletrabajo?* https://www.gestion.org/en-que-consiste-el-teletrabajo/

Golden, T. D. (2012). Altering the Effects of Work and Family Conflict on Exhaustion: Telework During Traditional and Nontraditional Work Hours. *Journal of Business and Psychology, 27*(3), 255–269. https://doi.org/10.1007/s10869-011-9247-0

Goñi-Legaz, S., Ollo-López, A., & Bayo-Moriones, A. (2010). The Division of Household Labor in Spanish Dual Earner Couples: Testing Three Theories. *Sex Roles, 63*(7–8), 515–529. https://doi.org/10.1007/s11199-010-9840-0

Grant, C. A., Wallace, L. M., & Spurgeon, P. C. (2013). An exploration of the psychological factors affecting remote e-worker's job effectiveness, well-being and work-life balance. *Employee Relations, 35*(5), 527–546. https://doi.org/10.1108/ER-08-2012-0059

Hau, F., & Todescat, M. (2018). O teletrabalho na percepção dos teletrabalhadores e seus gestores: vantagens e desvantagens em um estudo de caso. *Navus-Revista de Gestão e Tecnologia, 8*(3), 37–52. https://doi.org/10.22279/navus.2018.v8n3.p37-52.601

Higgins, C., Duxbury, L., & Julien, M. (2014). The relationship between work arrangements and work-family conflict. *Work, 48*(1), 69–81. https://doi.org/10.3233/WOR-141859

INE. (2020). El teletrabajo en España y la UE antes de la COVID-19. *Boletín Informativo Del Instituto Nacional de Estadística*, 3–4. https://www.ine.es/ss/Satellite?L=es_ES&c=INECifrasINE_C&cid=1259952649680&p=1254735116567&pagename=ProductosYServicios%2FINECifrasINE_C%2FPYSDetalleCifrasINE

INE. (2021). *Indicador de Confianza Empresarial (ICE) Módulo de Opinión sobre el Impacto de la COVID-19.* https://www.ine.es/daco/daco42/ice/ice_mod_covid_0121.pdf

INSHT. (2004). El Teletrabajo. Medidas Preventivas. *ErgaFP, 38*, 3–4. www.orp2004.com

INSST. (2020). *Prevención de riesgos psicosociales en situación de trabajo a distancia debida al Covid-19. Recomendaciones para el empleador.* https://www.insst.es/documents/94886/712882/Riesgos+psicosociales+y+-trabajo+a+distancia+por+Covid-19.+Recomendaciones+para+el+empleador.pdf/70cb49b6-6e47-49d1-8f3c-29c36e5a0d0f

Konradt, U., Hertel, G., & Schmook, R. (2003). Quality of management by objectives, task-related stressors, and non-task-related stressors as predictors of stress and job satisfaction among teleworkers. *European Journal of Work and Organizational Psychology, 12*(1), 61–79. https://doi.org/10.1080/13594320344000020

López-González, Á. A., Vicente-Herrero, M. T., Capdevila-García, L. M., Ramírez-Iñiguez de la Torre, M. V., Riutord-Fe, B., & Riutord-Fe, N. (2021). Determinación del nivel de riesgo cardiovascular en teleoperadores españoles: variables asociadas. *Revista Peruana de Investigación En Salud, 5*(2), 106–112. https://doi.org/10.35839/repis.5.2.907

López, N. W., Pérez-Simon, M. C., Nagham-Ngwessitcheu, E. G., & Vázquez-Ubago, M. (2014). Teletrabajo, un enfoque desde la perspectiva de la salud laboral. *Medicina y Seguridad Del Trabajo, 60*(236), 587–599. https://doi.org/10.4321/s0465-546x2014000300009

Mann, S., & Holdsworth, L. (2003). The psychological impact of teleworking: Stress, emotions and health. *New Technology, Work and Employment, 18*(3), 196–211. https://doi.org/10.1111/1468-005X.00121

Maslach, C., Jackson, S., & Leiter, M. P. (1996). *Maslach Burnout Inventory Manual [Paperback].* California Consulting Psychological Press.

Medina Paredes, S. V., Flores Robalino, R. G., Villalba Garzón, G. A., & Barrera Cueva, J. del C. (2021). Identificación de problemas de salud como efecto del sedentarismo: Un estudio con personas dedicadas a la docencia durante la pandemia covid19. *ConcienciaDigital, 4*(1.2), 457–469. https://doi.org/10.33262/concienciadigital.v4i1.2.1612

Moore, J. E. (2000). One road to turnover: An examination of work exhaustion in technology professionals. *MIS Quarterly: Management Information Systems, 24*(1), 141–168. https://doi.org/10.2307/3250982

Nilles, J. M. (1975). Telecommunications and Organizational Decentralization. *IEEE Transactions on Communications, 23*(10), 1142–1147. https://doi.org/10.1109/TCOM.1975.1092687

Oates, W. E. (1968). On being a "Workaholic". *Pastoral Psychology, 19*, 16–20. https://link.springer.com/content/pdf/10.1007/BF01785472.pdf

OIT. (2020). El teletrabajo durante la pandemia de COVID-19 y después de ella Guía práctica. In *Oficina Internacional del Trabajo y la Fundación Europea* (Vol. 1). www.ilo.org/publns.

ONU. (2020). *Covid-19 En América Latina Y El Caribe: Cómo Incorporar a Las Mujeres Y La Igualdad De Género En La Gestión De La Respuesta a La Crisis*. 37(2017), 1–3. https://lac.unwomen.org/es/digiteca/publicaciones/2020/03/covid-como-incorporar-a-las-mujeres-y-la-igualdad-de-genero-en-la-gestion-de-respuesta

Ortega, L. F. (2017). *Teletrabajo: Una Opción Para la Mejora de los Beneficios de las Organizaciones y de los Empleados* [Universidad Santo Tomas (Bogotá)]. https://repository.usta.edu.co/handle/11634/2880

Palacios, M., Santos, E., Velázquez, M. A., & León, M. (2021). COVID-19, una emergencia de salud pública mundial. *Revista Clínica Española*, *221*(1), 55–61. https://doi.org/10.1016/j.rce.2020.03.001

Peiró, J., & Soler, A. (2020). El impulso al teletrabajo durante el covid-19 y los retos que plantea. *IvieLAB*, 1–10. https://www.senacyt.gob.pa/wp-content/uploads/2020/06/Guía-para-el-Manejo-del-Estrés-Laboral.pdf

Peralta Beltrán, A. R., Bilous, A., Flores Ramos, C. R., & Bombón Escobar, C. F. (2019). El impacto del teletrabajo y la administración de empresas. *Recimundo*, *4*(1), 326–335. https://doi.org/10.26820/recimundo/4.(1).enero.2020.326-335

Pérez Campos, A. I. (2021). Teletrabajo y derecho a la desconexión digital. *Relaciones Laborales y Derecho Del Empleo*, *9*, 1.

Piedrahita, L., Rodríguez, R., & Pattini, A. (2020). *Ergonomía Visual en el marco del Teletrabajo*. https://www.intramed.net/UserFiles/2020/files/ergonomia-visual-en-el-marco-del-teletrabajo.pdf

Pinto, A., & Muñoz, G. (2020). Teletrabajo: productividad y bienestar en tiempos de crisis. *Universidad Adolfo Ibáñez*, *1*, 10. https://noticias.uai.cl/assets/uploads/2020/05/05-pinto-y-munoz_2020_teletrabajo_final.pdf

Pyöriä, P. (2011). Managing telework: Risks, fears and rules. *Management Research Review*, *34*(4), 386–399. https://doi.org/10.1108/01409171111117843

Ragu-Nathan, T. S., Tarafdar, M., Ragu-Nathan, B. S., & Tu, Q. (2008). The consequences of technostress for end users in organizations: Conceptual development and validation. *Information Systems Research*, *19*(4), 417–433. https://doi.org/10.1287/isre.1070.0165

Ramírez, P. (2004). El Teletrabajo y su sujeción a la Ley Orgánica del Trabajo y su sujeción a la Ley del Trabajo Venezolana. In *Revista Derecho y Tecnología*. http://www.teleworkmirti.org/handbook/spagnolo/confree.

Rappaccioli, R., Hernández, F., & Zamora, A. (2021). Repercusiones en la salud a causa del teletrabajo. *Revista Medica Sinergia*, *6*(2), e641. https://doi.org/10.31434/rms.v6i2.641

Romero, G. A., & Castro, Y. C. (2021). *Niveles de estrés por el teletrabajo en administrativos de la Universidad Cooperativa de Colombia* [Univesidad Cooperativa de Colombia]. https://repository.ucc.edu.co/bitstream/20.500.12494/33096/1/2021_niveles_estres_teletrabajo.pdf

Rubbini, N. (2012). Los riesgos psicosociales en el trabajo. In *VII Jornadas de Sociología de la UNLP, 5 al 7 de diciembre de 2012*. http://www.memoria.fahce.unlp.edu.ar/trab_eventos/ev.2237/ev.2237.pdf

Rubbini, N. (2018). *Organizaciones que implementan Teletrabajo: Recomendaciones para Facilitar Las Relaciones Sociales Satisfactorias en el Trabajo* [Universidad Nacional de la Plata]. http://sedici.unlp.edu.ar/handle/10915/75357

Salanova, M. (2003). Trabajando con tecnologías y afrontando el tecnoestrés: El rol de las creencias de eficacia [Working with technologies and coping with technostress: The role of efficacy beliefs]. *Revista de Psicología Del Trabajo y de Las Organizaciones*, 19(3), 225–246. http://search.ebscohost.com/login.aspx?direct=true&db=psyh&AN=2004-15963-001&lang=fr&site=ehost-live

Salanova, M., Cifre, E., & Martín, P. (1999). El proceso de 'Tecnoestrés' y estrategias para su prevención. (II). *Academia.Edu*, 4–12. https://www.academia.edu/download/3455848/seccionTecTextCompl.pdf

Salanova, M., & Nadal, M. A. (2003). Sobre el concepto y medida del tecnoestrés: una revisión. *Jornades de Foment de La Investigació. Universitat Jaume I*. http://repositori.uji.es/xmlui/handle/10234/79668

Salazar-Concha, C., Ficapal-Cusí, P., & Boada-Grau, J. (2020). Tecnoestrés. Evolución del concepto y sus principales consecuencias. *Teuken Bidikay-Revista Latinoamericana de Investigación En Organizaciones, Ambiente y Sociedad*, 11(17), 165–180. https://doi.org/10.33571/teuken.v11n17a9

Sang, K., Gyi, D., & Haslam, C. (2010). Musculoskeletal symptoms in pharmaceutical sales representatives. *Occupational Medicine*, 60(2), 108–114. https://doi.org/10.1093/occmed/kqp145

Santillán-Marroquín, W. (2020). El teletrabajo en el COVID-19. *CienciAmérica*, 9(2), 65. https://doi.org/10.33210/ca.v9i2.289

Scott, K. S., Moore, K. S., & Miceli, M. P. (1997). An exploration of the meaning and consequences of workaholism. *Human Relations*, 50(3), 287–314. https://doi.org/10.1177/001872679705000304

Serrano-Fernández, M. J., Boada-Grau, J., Boada-Cuerva, M., & Vigil-Colet, A. (2021). Work addiction as a predictor of anxiety and depression. *Work*, 68(3), 779–788. https://doi.org/10.3233/WOR-203411

Serrano-Fernández, M. J., Boada-Grau, J., Gil-Ripoll, C., & Vigil-Colet, A. (2016). Estudio predictivo de las variables antecedentes de la adicción al trabajo. *Psicothema*, *28*, 401–406. https://doi.org/10.7334/psicothema2015.345

Serrano-Fernández, M. J., Boada-Grau, J., Robert-Sentís, L., & Vigil-Colet, A. (2019). Predictive variables for musculoskeletal problems in professional drivers. *Journal of Transport and Health*, *14*, 100576. https://doi.org/10.1016/j.jth.2019.100576

Serrano Argüeso, M. (2019). Always on. Propuestas para. *Relaciones Laborales y Derecho Del Empleo*, *7*(2), 164–191.

Sierra Benítez, E. M. (2011). *El contenido de la relación laboral en el teletrabajo*. Publicaciones CES de Andalucía.

Spagnoli, P., Balducci, C., Fabbri, M., Molinaro, D., & Barbato, G. (2019). Workaholism, intensive smartphone use, and the sleep-wake cycle: A multiple mediation analysis. *International Journal of Environmental Research and Public Health*, *16*(19). https://doi.org/10.3390/ijerph16193517

Spence, J. T., & Robbins, A. S. (1992). Workaholism: Definition, Measurement, and Preliminary Results. *Journal of Personality Assessment*, *58*, 160–178. https://doi.org/10.1207/s15327752jpa5801_15

Suárez, A. S. (2017). Subjective Well-being (Sb) and Burnout Syndrome (BnS): Correlational Analysis Teleworkers Education Sector. *Procedia-Social and Behavioral Sciences*, *237*, 1012–1018. https://doi.org/10.1016/j.sbspro.2017.02.144

Tavares, A. I. (2017). Telework and health effects review. *International Journal of Healthcare*, *3*(2), 30. https://doi.org/10.5430/ijh.v3n2p30

Thomas, L. T., & Ganster, D. C. (1995). Impact of Family-Supportive Work Variables on Work-Family Conflict and Strain: A Control Perspective. *Journal of Applied Psychology*, *80*(1), 6–15. https://doi.org/10.1037/0021-9010.80.1.6

Vicente-Herrero, M. T., Torres-Alberich, J. I., Torres-Vicente, A., Ramirez-Iñiguez de la Torre, M. V., & Capdevila-García, L. (2018). El teletrabajo en salud laboral. *CES Derecho*, *9*(2), 287–297. https://doi.org/10.21615/cesder.9.2.6

Wang, C., Pan, R., Wan, X., Tan, Y., Xu, L., McIntyre, R. S., Choo, F. N., Tran, B., Ho, R., Sharma, V. K., & Ho, C. (2020). A longitudinal study on the mental health of general population during the COVID-19 epidemic in China. *Brain, Behavior, and Immunity*, *87*, 40–48. https://doi.org/10.1016/j.bbi.2020.04.028

Capítulo VII
La regulación del teletrabajo en la negociación colectiva[1]

Ana María Romero Burillo[2]
*Profesora Titular de Universidad de Derecho del Trabajo
y de la Seguridad Social
Universidad de Lleida*

1. PRESENTACIÓN DEL TEMA

La aprobación de la Ley 10/2021, de 9 de julio, de trabajo a distancia[3] (en adelante LTD), ha supuesto, sin ningún género de dudas, un cambio radical en el tratamiento legal que, hasta ese momento, dispensaba nuestro ordenamiento jurídico-laboral al trabajo a distancia, en general, y, al teletrabajo, en particular.

Efectivamente, hasta la crisis sanitaria de la COVID-19, la regulación legal del teletrabajo se limitaba a la previsión contenida en el art. 13 ET, un precepto que, pese a los intentos reformadores llevados a cabo en la Ley 3/2012, de 6 de julio de 2012, de medidas urgentes para la Reforma del Mercado Laboral[4], se manifestaba insuficiente, tanto por la poca concreción de los aspectos regulados por el precepto estatutario, como también por las lagunas normativas que, a nuestro parecer, se apreciaban sobre aspectos de especial relevancia para la regulación de esta forma de trabajar. A este respecto, cabe recordar

---

[1] Este trabajo se ha elaborado en el marco del proyecto de investigación RTI2018-097947-B-I00, concedido por el Ministerio de Ciencia, Innovación y Universidades que lleva por título "Nuevas tecnologías, cambios organizativos y trabajo: una visión multidisciplinar".

[2] La autora es miembro del grupo de investigación consolidado reconocido por la Generalitat de Catalunya "Social and Business Research Laboratory" (SBRLab). Ref. 2021 SGR 00460.

[3] BOE de 10 de julio de 2021.

[4] BOE de 7 de julio de 2012.

que el art. 13 ET ni tan siquiera hacía mención expresa al teletrabajo y tampoco se contenía referencia alguna a cuestiones de especial transcendencia para el mismo como son la regulación de los equipos de trabajo, la ordenación del tiempo de trabajo o el despliegue de los poderes empresariales en general y, especialmente, los referidos a la vigilancia y control y al respeto a la privacidad de la persona teletrabajadora[5].

La emergencia sanitaria derivada de la COVID-19, que comportó el paso al teletrabajo "como fórmula cuasi obligada allí donde (era) factible, para evitar reducciones de empleo"[6], vino a confirmar la insuficiencia del marco regulador existente sobre esta forma de trabajar, lo cual hacía presagiar que más pronto que tarde el Gobierno abordaría la tarea de legislar esta materia, sobre todo tras constatarse la

[5]   Para un estudio del contenido del art. 13 ET tras la Reforma Laboral de 2012 vid., entre otros, GALLARDO MOYA, Rosario: "El trabajo a distancia. ¿Un trabajo con garantías?" en BAYLOS GRAU, Antonio (Dir.): *Políticas de austeridad y crisis en las relaciones laborales: la reforma de 2012*, Bomarzo, Albacete, 2012; GARCÍA ROMERO, Belén: *El Teletrabajo*, Civitas Thomson Reuters, Madrid, 2012; LÓPEZ TERRADA, Eva: *Las modalidades de contratación en la Reforma Laboral de 2012*, Tirant lo Blanch, Valencia, 2012; MELLA MÉNDEZ, Lourdes (Dir.): *El teletrabajo en España: aspectos teórico-prácticos de interés*, Wolters Kluwers España, S.A., Madrid, 2017; MELLA MÉNDEZ, Lourdes y VILLALBA SÁNCHEZ, Alicia (Coords.): *Trabajo a distancia y teletrabajo. Estudios sobre su régimen jurídico en el derecho español y comparado*, Thomson Reuters Aranzadi, Cizur Menor (Navarra), 2015; MUÑOZ RUIZ, Ana Belén: "Trabajo a distancia" en GARCÍA-PERROTE ESCARTÍN, Ignacio y MERCADER UGUINA, Jesús R. (Dirs.): *Reforma Laboral 2012*, Lex Nova, Valladolid, 2012.; ROMERO BURILLO, Ana Mª.: *El marco regulador del teletrabajo*, Atelier, Barcelona, 2021; ROMERO BURILLO, Ana Mª.: "Del contrato de trabajo a domicilio al trabajo a distancia" en AAVV.: *El Estatuto de los Trabajadores. 40 años después*, Ministerio de Trabajo y Economía Social, Madrid, 2020; SEMPERE NAVARRO, Antonio V. y MARTÍN JIMENEZ, Rodrigo: *Claves de la Reforma Laboral 2012*, Thomson Reuters Aranzadi, Cizur Menor (Navarra), 2012; SIERRA BENÍTEZ, Esperanza Macarena: "La nueva regulación del trabajo a distancia", *Revista Internacional y Comparada de Relaciones Laborales y Derecho del Empleo*, vol. 1, núm.1, 2013.

[6]   Vid. CRUZ VILLALÓN, Jesús: "Teletrabajo y coronavirus: de la emergencia a la permanencia", *Derecho de las Relaciones Laborales*, núm. 4, 2020, pág. 408 y RODRÍGUEZ ESCANCIANO, Susana: "Luces y sombras del teletrabajo a domicilio en una nueva economía "de bajo contacto", *Revista Española de Derecho del Trabajo*, núm. 233, 2020, pág. 192.

prolongación de la situación de emergencia sanitaria producida por la incertidumbre de la evolución de la pandemia y, consecuentemente, el mantenimiento de muchas de las medidas adoptadas durante el estado de alarma de 2020 lo que, a la postre, ha favorecido la consolidación del trabajo a distancia y, más concretamente, del teletrabajo, como forma de trabajar permanente en las empresas, si bien, en la mayoría de casos, se ha optado por un sistema mixto de trabajo que combina el trabajo presencial y el trabajo en remoto (*blended working*).

En la medida que el teletrabajo se ha ido configurando progresivamente como una fórmula ordinaria de prestación de servicios en las empresas, ello ha permitido tomar conciencia de que nos encontramos frente a "un proceso irreversible de reorganización del trabajo en el conjunto de los sectores productivos y actividades profesionales, que incide sobre la generalidad de la población asalariada"[7], ante el cual la norma no puede mantenerse ajena, haciéndose imprescindible su participación.

En este sentido, por lo que respecta al teletrabajo, la respuesta legislativa ante este proceso transformador tuvo su concreción, primero, con la adopción del RD-ley 28/2020, de 22 de septiembre, de trabajo a distancia (en adelante RD-ley 28/2020)[8] y, unos meses más tarde, con la aprobación de la actual Ley 10/2021, de 9 de julio, de trabajo a distancia, que viene a confirmar en prácticamente su totalidad el contenido del RD-ley 28/2020.

De esta manera, después de muchos años de espera, la regulación sobre el teletrabajo se hace realidad, la cual además adquiere una relevancia especial en la medida en que, tal y como se indica en la propia Exposición de Motivos de la norma, su contenido es fruto de la concertación social, de un dilatado proceso de reflexión y debate compartidos entre Gobierno, Patronal y Sindicatos más representativos[9]. Ahora bien, la importancia de la LTD no sólo viene dada por el hecho de que se trata de una norma surgida del diálogo social que ofrece una regulación básica para cualquiera que sea el sector profesional donde se

---

7   Vid. CRUZ VILLALÓN, Jesús: "Presentación" en AAVV.: *Teletrabajo y Negociación Colectiva*, Ministerio de Trabajo y Economía Social, Madrid, 2022, pág. 12.

8   BOE de 23 de septiembre de 2020.

9   Vid. Apartado IV de la Exposición de Motivos de la Ley 10/2021.

quiera implantar el teletrabajo como modalidad de trabajo a distancia, sino porque, a nuestro parecer, en la nueva regulación la negociación colectiva pasa a ocupar un papel protagonista, un papel largamente reclamado desde instancias doctrinales, pero que hasta el momento no había tenido una respuesta satisfactoria por parte del legislador[10].

A este respecto, de la lectura de la LTD se puede constatar que son numerosas las llamadas expresas que la norma realiza a la negociación colectiva para la concreción de aspectos básicos regulados por la misma, tales como la regulación del régimen de reversibilidad del teletrabajo (art. 5.3), la fijación del contenido del acuerdo de trabajo a distancia (art. 7), el establecimiento del procedimiento para el paso al teletrabajo y criterios de preferencia para su acceso (art. 8.3), la concreción de los sistemas de compensación de gastos (art.12.3), la fijación de sistemas de flexibilización horaria (art. 13), la adaptación del sistema de registro horario (art. 14), la regulación del uso personal de los equipos informáticos (art. 17.3), el establecimiento de un porcentaje diferente en el trabajo presencial de los contratos formativos o los puestos y funciones susceptibles de ser realizados en remoto (Disposición adicional primera), etcétera. Además, a todas estas llamadas hay que sumar la posibilidad de regular otras materias en las que de manera implícita también se hace partícipe a la negociación colectiva, como es el caso de la delimitación del ámbito de aplicación de la LTD (art. 1) o la remisión a los planes de igualdad en la aplicación de las reglas de teletrabajo para evitar la perpetuación de los roles y estereotipos de género y el fomento de la corresponsabilidad (art. 4.3).

Cabe indicar que el conjunto de llamadas que realiza la norma a la negociación colectiva, aunque resultan ser de diverso tipo, se articulan sobre la base de relaciones de supletoriedad y complementariedad, lo que presupone por hipótesis que para regular un mismo supuesto de hecho se precisa de la concurrencia conjunta o simultánea de un precepto legal y un precepto convencional, si bien con distinta intensidad[11].

---

10   Vid. CRUZ VILLALÓN, Jesús: "Teletrabajo y coronavirus…", cit. pág. 412 y RODRÍGUEZ ESCANCIANO, Susana: "Luces y sombras del teletrabajo…", cit. pág. 192.

11   Vid. GARCÍA-PERROTE ESCARTÍN, Ignacio y MERCADE UGUINA, Jesús R.: "La regulación del trabajo a distancia, un modelo en construcción", *Revista Española de Derecho del Trabajo*, núm. 237, 2020, pág. 17.

Este nuevo papel que la LTD reserva a la negociación colectiva no deja de tener su lógica si tenemos en cuenta la opción legislativa adoptada por el Gobierno para su elaboración, ya que la decidida voluntad de alcanzar un consenso en el contenido de la norma entre las partes negociadoras (gobierno, sindicatos y patronal) en muchos casos ha dado como resultado preceptos muy abiertos que necesitan del concurso de la negociación colectiva para su concreción, lo cual presenta algunas ventajas indudables, en tanto que el régimen resulta sumamente flexible y posibilita la adaptación de los amplios enunciados legales a las particularidades sectoriales o empresariales. Sin embargo, como bien indica la doctrina, también va a requerir de un compromiso firme de las partes negociadoras en esta materia, ya que de lo contrario el papel regulador se desplazará hacia el acuerdo individual y con ello, o se romperá el equilibrio entre las partes o se abrirán serios problemas de seguridad jurídica al incumbir a los tribunales la aportación de soluciones para los conflictos que se deriven de los principios genéricos contenidos en la norma legal[12].

En cuanto a la forma en que la norma se remite a la negociación colectiva, nos parece relevante indicar que la diversidad de "fórmulas" utilizadas plantea dudas sobre cuáles son los instrumentos colectivos que pueden utilizarse para regular el trabajo a distancia, en general, y, el teletrabajo, en particular. En este sentido, cabe recordar que a lo largo del texto normativo vamos a encontrar, en ocasiones, referencias genéricas a la "negociación colectiva" y, en otras, referencias al "convenio y acuerdos colectivos", lo cual puede llevar a diferentes interpretaciones de esta cuestión, una más amplia y extensiva, que lleva a considerar que la norma habilita la utilización de diversas manifestaciones de la autonomía colectiva, que incluye los convenios, sin restricción de su ámbito de aplicación, ni de su naturaleza jurídica, alcanzando también a los acuerdos de empresa[13], o bien, una

---

[12] Vid. GOERLICH PESET, José María: "El trabajo a distancia en la negociación colectiva: primeras experiencias tras su reforma legal", *Revista Internacional y Comparada de Relaciones Laborales y Derecho del Empleo*, vol. 9, núm. 2, 2021, pág. 8.

[13] Vid. GARCÍA RUBIO, Amparo: "El trabajo a distancia en el RDL 28/2020: concepto y fuentes reguladoras" en LÓPEZ BALAGUER, Mercedes (Dir.): *El trabajo a distancia en el RDL 28/2020*, Tirant lo Blanch, Valencia, 2021, págs. 83 y 84.

interpretación más restrictiva, que pasa por entender que la norma sólo se refiere a la negociación colectiva estatutaria, pudiéndose, en todo caso, dar cabida en algunas materias tanto a convenios como acuerdos de empresa[14], siendo el criterio a seguir en la elección del instrumento convencional en cada caso si la materia debe ser o no de aplicación a todas las personas trabajadoras de la empresa y si tiene trascendencia para ellas[15].

En todo caso, y al margen de estas valoraciones interpretativas, es evidente que el espacio que reserva la norma a la negociación colectiva es especialmente importante por dos motivos principales. En primer lugar, porque se rompe con el completo silencio que guardaba hasta ese momento el art. 13 ET y que, sin duda, suponía una disfunción con el papel central que juega la negociación colectiva en nuestro sistema de relaciones de trabajo y, en segundo lugar, porque la falta de referencia a la negociación colectiva dirigía irremediablemente la regulación hacia el pacto individual, el cual puede tener su lógica en un modelo organizativo donde el teletrabajo es la excepción, pero dicha lógica desaparece en la medida en que se vaya hacia un modelo generalizado del trabajo semipresencial. En este sentido, "una mínima homogeneidad en las condiciones de trabajo en la empresa y una mínima garantía de equilibrio de intereses, exige la colectivización de ciertos aspectos del régimen del teletrabajo, que sólo será viable en la medida en que el convenio colectivo cobre protagonismo"[16].

Una vez constatado el nuevo papel que la LTD reserva a la negociación colectiva, nos corresponde analizar la forma en que en la práctica se concreta la regulación del teletrabajo por medio de la norma convencional, aspecto al cual dedicaremos los siguientes apartados de este trabajo. Ahora bien, para tener un conocimiento completo del grado de participación que la negociación colectiva tiene en la regulación del teletrabajo nos parece necesario abordar previamente, aunque no de forma exhaustiva —partiendo de los estudios realiza-

14   Vid. TODOLÍ SIGNES, Adrián: "La regulación del trabajo a distancia", *Derecho de las Relaciones Laborales*, núm. 11, 2020, pág. 1498.

15   Vid. SALA FRANCO, Tomás: "La voluntariedad en el contrato a tiempo parcial y con acuerdo de trabajo a distancia", *Revista Española de Derecho del Trabajo*, núm. 235, 2020, pág. 54.

16   Vid. CRUZ VILLALÓN, Jesús: "Teletrabajo y coronavirus...", cit. pág. 412.

dos al respecto—, el tratamiento que hasta la aprobación de la LTD se realizaba del teletrabajo en los convenios colectivos. Sólo de esta forma consideramos posible valorar en su justa medida el impacto que la negociación colectiva tiene en la regulación del teletrabajo y, en consecuencia, la transcendencia que en este hecho tiene la aprobación de la LTD, realizando, a tal efecto, una comparativa entre la regulación convencional del teletrabajo antes y después de la aprobación de la LTD.

El estudio que se propone tiene, sin embargo, un hándicap importante, como es el hecho de la reciente aprobación de la LTD. Se cumple, al cierre de este trabajo, tan sólo un año y medio de vigencia de la ley, por lo que consideramos que todavía no ha transcurrido el tiempo suficiente para poder alcanzar conclusiones definitivas a este respecto. Para intentar suplir, en cierta forma, este inconveniente, el análisis se planteará tomando en consideración también el tiempo de vigencia del RD-ley 28/2020, en tanto que el contenido de esta norma se ha visto en su casi totalidad reproducida en la LTD. En todo caso, somos conscientes de que los resultados de este estudio nos permitirán tener una visión parcial de la cuestión analizada, pero pese a ello, entendemos que este trabajo nos permitirá conocer la tendencia reguladora que sobre el teletrabajo apunta la actual negociación colectiva y, de este modo, realizar una primera valoración sobre la misma de cara a su proyección futura.

2. EL TRATAMIENTO DEL TELETRABAJO EN LA NEGOCIACIÓN COLECTIVA CON ANTERIORIDAD A LA LEY 10/2021

2.1. *El marco regulador del teletrabajo y su incidencia sobre la negociación colectiva*

Tal y como se ha tenido oportunidad de mencionar en la presentación de este estudio, hasta el momento de aprobación de la LTD, el marco normativo interno de referencia con el que contaba la negociación colectiva para regular el teletrabajo se circunscribía a las previsiones contenidas en el art. 13 ET. No obstante, este precepto estatutario se vio complementado con la acción normativa supraestatal desarrollada sobre esta materia a finales del siglo XX y principios del presente siglo, tanto a nivel internacional, como, sobre todo, a nivel comunitario. A este respecto, cabe mencionar, por un lado, la normativa elaborada por la OIT sobre trabajo a domicilio, concretamente el Convenio Núm. 177 (1996)[17] y la Recomendación Núm. 184 (1996)[18] y, por otro lado, la aprobación del Acuerdo Marco Europeo sobre Teletrabajo el 16 de julio de 2002.

Pues bien, atendiendo a las referencias normativas que se acaban de indicar, en el análisis inicial que se realiza en este apartado sobre el marco regulador del teletrabajo se abordará, no sólo las pautas de actuación que ofrece la normativa interna para el desarrollo de la negociación colectiva en esta materia, sino que también se estudiará la normativa internacional de referencia, a fin de conocer el grado de influencia que la misma ha podido tener en el desarrollo y contenido de la negociación colectiva española sobre este ámbito de actuación.

2.1.1. La regulación supraestatal

A) La acción normativa de la OIT

Tal y como se acaba de indicar la acción normativa desarrollada por la OIT en materia de teletrabajo se circunscribe al Convenio Núm. 177 y la Recomendación Núm. 184 del año 1996. Si bien, cabe indicar que, en un principio, dichas normas no tienen un alcance aplicativo real y directo en nuestro ordenamiento jurídico interno por lo que respecta a la regulación del teletrabajo ya que, por un lado, ninguno de estos instrumentos va dirigido a regular el teletrabajo en concreto, sino que su interés se centra específicamente en el trabajo a domicilio y, por otro lado, el Convenio Núm. 177, hasta fechas muy

---

17 Convenio adoptado en Ginebra, en la 83ª reunión CIT, el 20 de junio de 1996. Su entrada en vigor se produjo el 22 de abril de 2000 y actualmente está actualizado y en vigor.

18 Recomendación adoptada en Ginebra, en la 83ª reunión CIT, el 20 de junio de 1996, la cual tiene carácter complementario del Convenio Núm. 177 y, actualmente, se encuentra en vigor.

recientes, concretamente el 25 de mayo de 2022, no había sido ratificado por España[19].

No obstante, por lo que respecta al carácter restrictivo del ámbito de aplicación que se desprende de los términos utilizados tanto en el Convenio como en la Recomendación y, que inicialmente lleva a concluir que nos encontramos ante normas que no son de aplicación al teletrabajo, la definición prevista en el art. 1 del Convenio Núm. 177 incorpora una serie de elementos definidores del trabajo a domicilio que, si bien no llevan a identificar expresamente al teletrabajo, son lo suficientemente amplios para permitir incluir algunas fórmulas de trabajo a distancia en general y, de teletrabajo en particular[20].

Por otra parte, aunque el Convenio Núm. 177 no haya sido ratificado por España hasta el año 2022, entendemos que su contenido puede ser igualmente de interés a la hora de valorar el papel que debe desarrollar la negociación colectiva en la regulación del teletrabajo. En especial si tenemos en cuenta la existencia de una ratificación de este Convenio por parte de la Comisión Europea, llevada a cabo mediante la Recomendación 188/370/CE, de 27 de mayo[21]. Y, aunque nos encontramos ante un acto comunitario jurídicamente no vinculante, no se puede perder de vista que, con su formulación, se expresa la clara voluntad de promover determinados comportamientos respecto de los Estados miembros de la Unión Europea, que en este caso consiste en alinear las políticas legislativas de dichos Estados con lo previsto en el Convenio de la OIT.

En cuanto al alcance de la Recomendación Núm. 184, cabe indicar que, junto al papel complementario que desarrolla del Convenio Núm. 177, el cual se recuerda expresamente en su Preámbulo al indicar que su objetivo es concretar determinados aspectos jurídicos

---

[19] Además de España, hasta el momento el Convenio Núm. 177 ha sido ratificado por 12 Estados: Albania, Antigua y Barbuda, Argentina, Bélgica, Bosnia y Herzegovina, Bulgaria, Eslovenia, Macedonia, Finlandia, Irlanda, Macedonia del Norte, Países Bajos y Tayikistán.

[20] En este mismo sentido se manifiestan, por ejemplo, SIERRA BENÍTEZ, Esperanza Macarena: "La nueva regulación...", cit. pág. 5 y USHAKOVA, Tatsiana: "El Derecho de la OIT para el trabajo a distancia: ¿una regulación superada o todavía aplicable?", *Revista Internacional y Comparada de Relaciones Laborales y Derecho del Empleo*, vol. 3, núm. 4, 2015, pág. 5.

[21] LCEur 1998/1763.

formulados genéricamente en el Convenio, lo cierto es que tampoco se debe olvidar que también se define como una recomendación intersubjetiva dirigida a otros sujetos de derecho internacional como son los Estados miembros de la OIT. De esta manera, la norma nos recuerda que su contenido no únicamente va dirigido a los Estados que hayan ratificado el Convenio, sino que recomienda también, con carácter general, a "todo miembro" a adoptar una serie de medias previstas en dicha norma[22]. Ciertamente, como ocurre con otras Recomendaciones de la OIT, no tiene carácter vinculante, pero no se puede perder de vista que su finalidad es influir en las pautas de comportamiento de los sujetos destinatarios de la misma y, de esa forma, conseguir la modificación de sus prácticas y legislaciones.

Pasando ya al análisis del contenido de estas dos normas internacionales referido a la negociación colectiva y, por lo que respecta al Convenio Núm. 177, interesa destacar el art. 5 del Convenio, ya que en dicho precepto se incluye expresamente a la negociación colectiva como una de las vías por medio de las cuales los Estados deben hacer efectiva las políticas nacionales en materia de trabajo a domicilio. En este sentido nos parece relevante que se haga expresa mención a la negociación colectiva entre los mecanismos que deben llevar a cabo la regulación del trabajo a domicilio, así como también que dicha mención se realice en plano de igualdad con respecto al resto de vías a las que se refiere el art. 5, lo cual nos lleva a interpretar que el papel a jugar por la negociación colectiva no se concibe ni mucho menos como de carácter menor o residual, aunque evidentemente deberá estar en consonancia con la posición que la norma autónoma ocupe en el sistema de fuentes interno de cada Estado. No se concreta, sin embargo, las condiciones de trabajo o materias sobre las que podrá o será conveniente que actúe la negociación colectiva, quedando, por tanto, a criterio de los Estados a través de la legislación interna y de los agentes sociales determinar los ámbitos en los que resultará más adecuado o necesario la acción negociadora.

---

[22] Vid. ESPÍN SÁEZ, Maravillas: "Los convenios de la OIT sobre el trabajo a domicilio y el trabajo a distancia", *Revista del Ministerio de Empleo y Seguridad Social*, núm. 112, 2017, pág. 126 y 127.

La generalidad con la que se expresa, en este punto, el Convenio Núm. 177 no debe sorprendernos ya que resulta una constante en la acción normativa de la OIT y debe ser debidamente contextualizada en el marco en el cual tiene lugar su aprobación. En este sentido, entre otras cuestiones, debe tenerse en cuenta el reto que supone en no pocas ocasiones para la OIT adoptar decisiones de una forma consensuada y que resulten significativas, tanto desde una perspectiva política, como jurídica, ya que no debe olvidarse la polarización de los intereses contrapuestos existentes en el seno de esta organización y que se encuentran representados no sólo por los diferentes Estados, sino también por las representaciones empresariales y de las personas trabajadoras que participan en dicho organismo.

En cuanto a la regulación prevista en la Recomendación Núm. 184, bajo la fórmula flexible que supone no imponer obligaciones sino "recomendar" a los Estados pautas de actuación en base a lo indicado en el Convenio Núm. 177, es posible identificar alguna concreción sobre el papel a desarrollar por la negociación colectiva en relación a algunas condiciones de trabajo. A este respecto, en el apartado V dedicado a los derechos de sindicación y negociación colectiva, en consonancia con el art 5 del Convenio Núm. 177 se establece que "deben adoptarse medidas destinadas a fomentar la negociación colectiva como medio para fijar las condiciones de empleo y trabajo" de las personas que desarrollan un trabajo a domicilio. Por tanto, se insiste en la adecuación de la negociación colectiva como mecanismo de regulación de esta forma de trabajar y en la necesidad de que los Estados promocionen su utilización. A esta referencia se añade la contenida en el Apartado VI sobre remuneración, en donde, en este caso, entendemos, se sitúa a la negociación colectiva como mecanismo preferente para la regulación de las tasas retributivas en los supuestos de trabajo a domicilio, lo cual resulta un acierto, en tanto que es la fórmula que resulta más idónea para la concreción de una materia tan sensible como la referida a los derechos económicos de la persona trabajadora. No obstante, encontramos a faltar alguna referencia expresa más a la negociación colectiva en otras condiciones de trabajo también ciertamente sensibles para las personas trabajadoras y en el que el convenio o acuerdo colectivo se viene manifestando la vía más idónea para su regulación. Este es el caso, a nuestro parecer, de la regulación de los tiempos de trabajo, sistemas de vigilancia y control o condiciones de aportación y uso de equipos de trabajo.

B) El Acuerdo Marco Europeo sobre Teletrabajo

Un segundo referente normativo de ámbito supraestatal a señalar sobre esta materia es el Acuerdo Marco Europeo sobre Teletrabajo, adoptado el 16 de julio de 2002 (en adelante AMET).

A este respecto, cabe indicar que, en el marco de la Unión Europea, el AMET supuso, en su momento, un paso normativo transcendental en esta materia dada la situación de "anomia reguladora" existente en los Estados miembros, especialmente en su vertiente legislativa, pero también en el ámbito convencional[23]. De hecho, es justamente esta razón una de las principales motivaciones que justifican la firma del AMET, a la cual se sumaron también el progresivo incremento de esta forma de trabajar en la sociedad de la información y la necesidad de evitar la negociación de las condiciones del teletrabajo en pactos individuales o en el propio contrato de trabajo sin ninguna referencial legal. De esta manera con el AMET se pretende dotar a escala europea a los Estados miembros de un marco general para las condiciones laborales de las personas teletrabajadoras, haciendo compatibles las necesidades de flexibilidad y seguridad comunes a empresas y personas trabajadoras en este tipo de relaciones laborales[24].

Atendiendo al objetivo de contar con ese referente normativo a nivel comunitario sobre teletrabajo, la técnica legislativa escogida es ciertamente novedosa, ya que el AMET es el primer Acuerdo alcanzado en virtud del proceso de negociación colectiva previsto en el art. 139.2 TUE. En este sentido, se trata de un Acuerdo adoptado por los interlocutores sociales a nivel europeo cuyo futuro desarrollo y puesta en funcionamiento queda en manos de los miembros de las partes signatarias en cada uno de los Estados miembros de acuerdo "con

---

[23]　Vid. SERRANO GARCÍA, Juana Mª.: "Tratamiento del teletrabajo en el Acuerdo Marco Europeo de 16 de julio de 2002", *Relaciones Laborales*, vol. II, 2002, pág. 444.

[24]　Vid. SALA FRANCO, Tomás: "La normativa internacional y comunitaria sobre el teletrabajo" en SALA FRANCO, Tomás (Dir.): *El Teletrabajo*, Tirant lo Blanch, Valencia, 2020, pág. 55.

los procedimientos y prácticas nacionales específica de empresarios y trabajadores"[25].

De este modo, se exime a los Estados miembros, tanto de la aplicación directa —como sucede en el caso del reglamento—, como de la elaboración de una norma de transposición del mismo —como ocurre en el caso de la directiva—, o en su caso de la modificación de la legislación nacional vigente para facilitar su ejecución, configurándose como una mera recomendación para los interlocutores sociales de los Estados miembros[26].

Sin duda se trata de una opción audaz ya que, pese a que el Acuerdo carece de fuerza normativa, las partes negociadoras se comprometen a su aplicación en un período máximo de tres años a través de sus organizaciones en cada Estado miembro.

Ahora bien, el carácter no vinculante que se predica del AMET no debe llevar a entender que no se haya tenido en cuenta a nivel interno de los Estados a efectos de regulación legal, ya que, de hecho, algunos de ellos, en su momento, optaron por la implementación del Acuerdo a través de técnicas de *hard law* por la vía de la negociación vinculante o la modificación de sus normas laborales, como es el caso de Italia, Bélgica, Francia, Suecia, Luxemburgo o Portugal, entre otros[27].

No es el caso de España, que optó por seguir la pauta marcada por el propio Acuerdo y llevar a cabo su introducción por vía convencional. De este modo, el AMET se incorporó en un Anexo al Acuerdo Interconfederal para la Negociación Colectiva (AINC) de 30 de enero de 2003[28], que las organizaciones firmantes asumieron en su totalidad y, cuyos criterios se han venido recogiendo en Acuerdos posteriores e incorporados en algunos de los sucesivos procesos de negociación de las empresas hasta el último Acuerdo adoptado hasta el momento, IV Acuerdo para el Empleo y la Negociación Colectiva para los años 2018. 2019 y 2020[29]. En tales acuerdos, los interlocutores sociales,

[25]   Vid. Cláusula 1 AMET.
[26]   Vid. MELLA MÉNDEZ, Lourdes: "Comentario general al Acuerdo Marco sobre teletrabajo", *Relaciones laborales*, núm. 1, 2003, pág. 24.
[27]   Vid. MUÑOZ RUIZ, Belén: "Trabajo...", cit. pág. 114 y 115.
[28]   BOE de 24 de febrero de 2003.
[29]   BOE de 18 de julio de 2018. En este Acuerdo, en su apartado primero, se indica que el contenido del III AINC se prorroga en sus propios términos, salvo en

tras reconocer el teletrabajo como un medio para modernizar la organización del trabajo, se mencionan algunos criterios que pueden ser utilizados por las empresas, las personas trabajadoras y sus representantes, como son: a) el carácter voluntario y reversible del teletrabajo para ambas partes contratantes; b) la igualdad de derechos legales y convencionales de las persona teletrabajadoras respecto a las personas trabajadoras comparables que prestan sus servicios de forma presencial; y, c) la conveniencia de que se regulen aspectos como la privacidad, la confidencialidad, la prevención de riesgos laborales, la formación, etcétera. En todo caso, cabe prever que en el próximo AINC se introduzcan algunos cambios al respecto como consecuencia de la aprobación de la Ley 10/2021, el cual se encuentra en estos momentos en proceso de negociación.

Pese a que, como acabamos de indicar, son los agentes sociales por medio de la negociación colectiva los que asumen el papel de incorporar el contenido del AMET a nivel normativo interno, a nuestro parecer es innegable la influencia que posteriormente dicho Acuerdo ha tenido en la regulación del trabajo a distancia, en general, y del teletrabajo, en particular. Dicha influencia, a la que nos referiremos más extensamente en apartados posteriores de este trabajo, se constata, primero, con la nueva regulación del trabajo a distancia del art. 13 introducida con motivo de la Reforma Laboral del 2012 y, posteriormente, con la aprobación del RD-ley 28/2020, de 22 de septiembre, de trabajo a distancia y de la Ley 10/2021, de 10 de julio, de trabajo a distancia.

En cuanto al contenido del AMET, un primer análisis general nos permite constatar que su contenido recoge muchas de las cuestiones que ya se habían señalado por la Comisión en sus Comunicaciones y suscitado en los Libros Verdes previos a la iniciativa legislativa que se concretará finalmente en la firma de este Acuerdo. De igual manera y, aunque de forma más limitada, tanto el Convenio Núm. 177, como la

---

aquellos contenidos que se opongan a lo suscrito en el IV Acuerdo y hasta su finalización. De este modo, continua vigente el compromiso asumido por los interlocutores sociales en el Capítulo IV, Apartado 4, en el que se hace referencia al teletrabajo y los criterios que pueden ser utilizados por las empresas y por la representación legal de las personas trabajadoras en futuros procesos de negociación.

Recomendación 184 de la OIT, han proporcionado un buen referente para las instituciones comunitarias y los agentes sociales en lo relativo a los importantes aspectos que se apuntan en las mismas, como es la búsqueda de la igualdad material entre las personas trabajadoras a domicilio y el resto de la plantilla de la empresa, la protección en materia de salud laboral, el derecho de formación, etcétera. Asimismo se constata como el Acuerdo incorpora la mayoría de las propuestas efectuadas por la Comisión en las fases de consultas a los interlocutores firmantes del pacto[30].

Pasando ya al estudio del contenido del AMET, la primera consideración a realizar hace referencia a su ámbito de aplicación, el cual aun ofreciendo una definición amplia, se circunscribe únicamente al ámbito del contrato de trabajo[31], estableciéndose como elementos caracterizadores del mismo la utilización de tecnologías de la información y su realización fuera de la empresa[32].

Por lo que respecta a la exclusión del ámbito de aplicación del AMET del teletrabajo autónomo, tal y como indica la doctrina, ello puede deberse a la falta de competencia objetiva de los agentes sociales, al no referirse a materias de contenido exclusivamente sociolaboral[33].

En cuanto a los dos elementos que se señalan como caracterizadores del teletrabajo cabe indicar, por un lado, que el uso que se predica de las TICs debe tener un carácter imprescindible y determinante para el desarrollo del trabajo y, por otro lado, que el modo indeterminado con el que se refiere la norma al lugar de prestación de servicios abre la posibilidad a muchas manifestaciones diferentes de teletrabajo, ta-

---

[30] Vid. SANTOS FERNÁNDEZ, Mª Dolores: "El Acuerdo Marco Europeo sobre Teletrabajo: negociación colectiva y teletrabajo. Dos realidades de dimensión comunitaria", *Trabajo*, núm. 14, 2004, págs. 54 a 60.

[31] La expresa referencia al contrato de trabajo, según indica la doctrina, trata de evitar que la dificultosa diferenciación entre trabajador autónomo y por cuenta ajena provoque un incremento incesante de "falsos autónomos", dado que el teletrabajo se puede prestar en ambos regímenes. De esta manera y a fin de evitar esa situación deja claro que esta forma de trabajar, pese a su distancia con respecto a las notas clásicas del trabajo por cuenta ajena, puede desenvolverse en el marco de un contrato de trabajo. Vid. SERRANO GARCÍA, Juana Mª: "Tratamiento del teletrabajo…", cit. pág. 446.

[32] Vid. Cláusula 2 del AMET.

[33] Vid. SANTOS FERNÁNDEZ, Mª. Dolores: "El Acuerdo Marco…", cit. pág. 67.

les como el teletrabajo a domicilio, el centro de teletrabajo comunitario, el teletrabajo nómada o itinerante e incluso el centro satélite teletrabajo[34].

En este punto se observa una divergencia entre el contenido del AMET y las propuestas que la Comisión realizó en las fases de consultas, ya que el Acuerdo, en aras de dotar a la definición de teletrabajo de la mayor amplitud posible, no recoge la clasificación del teletrabajo que la Comisión ofrecía en atención al lugar donde se desarrolla la prestación de servicios.

Partiendo de este marco de aplicación, el resto de clausulado del Acuerdo se centra en determinar el régimen jurídico del teletrabajo y que se entiende ha de adoptarse en el marco de un proceso negociador de carácter colectivo. De este modo, en primer lugar, la norma se detiene en la declaración del carácter voluntario del teletrabajo y, por tanto, se pone el acento en la necesidad de que el mismo sea libremente adoptado por ambas partes contratantes (Cláusula 3). En consecuencia, se entiende que teletrabajo no puede ser impuesto por la empresa, ni por la persona trabajadora, sino que ha de ser fruto del común acuerdo de las partes y, en caso de que la persona trabajadora renuncie a optar por él, dicha decisión no puede dar lugar a la extinción o modificación unilateral del contrato por parte de la empresa[35]. Ahora bien, convenimos con la doctrina que la paridad de las partes respecto a la toma de decisiones sobre el teletrabajo es mayor cuando éste es concertado una vez se encuentra ya vigente la relación laboral, ya que si esta manera de trabajar forma parte de las condiciones de trabajo iniciales el margen de actuación de la persona trabajadora se encuentra muy limitado, puesto que sólo le quedará aceptar o no el puesto de trabajo[36].

En segundo lugar, el AMET hace referencia a la posibilidad de reingreso en la empresa, pero no se reconoce un derecho de reversibilidad ya que se remite a lo establecido en pacto individual o colectivo. Por consiguiente, la reversibilidad garantizada en el Acuerdo está con-

---

34 Vid. MELLA MÉNDEZ, Lourdes: "Comentario general...", cit. pág. 27 y 28.
35 Vid. SIERRA BENÍTEZ, Esperanza Macarena: *El contenido de la relación laboral en el teletrabajo*, CES Andalucía, Sevilla, 2011, pág. 152 y 153.
36 Vid. MELLA MÉNDEZ, Lourdes: "Comentario general...", cit. pág. 28.

dicionada al pacto, en el que podrá delimitarse un período de tiempo dentro del cual cualquiera de las partes podría ejercer tal derecho, o bien concretar una serie de causas, cuya concurrencia podría justificar la decisión del cambio, sin período de tiempo prefijado[37]. En este punto, además, coincidimos con la doctrina en considerar que, de acuerdo con los términos con los que se expresa la norma, la reversibilidad está garantizada sólo a aquellas personas trabajadoras que inicialmente presten sus servicios en el interior de un centro de trabajo de la empresa y, que con posterioridad, pasen a realizarlos fuera de esos lugares habituales para la ejecución del trabajo, no siendo predicable este derecho cuando la persona trabajadora ha sido contratada desde el inicio bajo la fórmula del teletrabajo[38]. En todo caso, la afirmación anterior no impide que, si ambas partes están de acuerdo, la reversibilidad también pueda aplicarse en el caso del trabajo que nace ya a distancia[39].

Por otra parte, también en el marco de la regulación que hace el Acuerdo de la voluntariedad del teletrabajo, cabe señalar que la doctrina la ha calificado de incompleta en cuanto que la reversibilidad referida al teletrabajo cuando éste no se ha pactado inicialmente queda sometida no sólo al acuerdo individual sino también al acuerdo colectivo, cuando al tratarse de "una verdadera y propia novación contractual (...) debería exigir siempre el acuerdo individual entre empleador y teletrabajador"[40].

En tercer lugar, el AMET reproduce la obligación empresarial de entregar a la persona trabajadora toda la información escrita relevante, conforme a lo previsto en la Directiva 91/533/CEE[41], a la cual cabe añadir, en base a las características y peculiaridades de esta forma de

---

[37] Vid. SERRANO GARCÍA, Juana Mª: "Tratamiento del teletrabajo...", cit. pág. 447.

[38] Vid. PURCALLA BONILLA, Miguel Ángel: "El teletrabajo como sistema implantable en las organizaciones públicas: estado de la cuestión", *Revista de Derecho Social*, núm. 46, 2009, pág. 77 y SERRANO GARCÍA, Juana Mª: "Tratamiento del teletrabajo...", cit. pág. 447.

[39] Vid. MELLA MÉNDEZ, Lourdes: "Configuración general del trabajo...", cit. pág. 51.

[40] Vid. SALA FRANCO, Tomás: "La normativa internacional...", cit. pág. 59.

[41] Esta referencia normativa habrá que entender que se realiza a la Directiva UE 2019/1152 de 20 de junio de 2019, relativa a unas condiciones laborales transparentes y previsibles en la Unión Europea (DOCE de 11 de julio de 2019), a

trabajar, la obligación de informar sobre todas aquellas circunstancias que el resto de personas trabajadoras en la empresa puedan conocer directamente de la misma, tales como el departamento al que se adscribe, superiores inmediatos, etcétera. Nada se dice sobre la forma del contrato, si bien es unánime la opinión doctrinal sobre la conveniencia de su celebración por escrito a efectos de dotar de la máxima garantía jurídica a dicha prestación[42].

Nos parece sumamente importante la mención que se realiza en la Cláusula 3 del AMET al "status laboral" de la persona teletrabajadora, indicando expresamente que el paso al teletrabajo no afecta a su consideración como persona trabajadora ya que se trata únicamente de una modificación en la manera de trabajar. En este sentido, cabe recordar que desde siempre las personas trabajadoras externas han sido inducidas a verse como productoras independientes, algo que por sus peculiares características podría repetirse en el teletrabajo con la consiguiente falta de protección que aquello comporta a la persona trabajadora, por lo que entendemos que con esta referencia el AMET pretende poner coto a estas prácticas. Por tanto, el lugar desde el que se realiza la prestación no es relevante y la persona teletrabajadora será dependiente o autónoma según se realice en situación de subordinación o no[43].

La Cláusula 4 del AMET se centra en las condiciones de empleo, haciendo mención expresa al derecho de igualdad de trato de las personas teletrabajadoras respecto al resto de empleados y empleadas de la empresa. En este apartado se refleja, a nuestro parecer claramente, la influencia que sobre el Acuerdo tiene la normativa internacional y los trabajos previos realizados en la Comisión para la adopción del mismo, ya que el principio de igualdad también se recogía en las consultas de la Comisión y aparece de forma prioritaria en el Convenio de la OIT.

---

partir del 1 de agosto de 2022, fecha en la que la Directiva 91/533/CEE quedará derogada y será sustituida por la Directiva UE 2019/1152.

[42] Vid. por todos, THIBAULT ARANDA, Javier y JURADO SEGOVIA, Ángel: "Algunas consideraciones en torno al Acuerdo Marco Europeo sobre Teletrabajo", *Temas Laborales*, núm. 72, 2003, pág. 53.

[43] Ibid.

En este punto consideramos interesante señalar la referencia que se realiza al "trabajador comparable", fórmula que no resulta extraña en nuestro ordenamiento jurídico-laboral, ya que la encontramos también en la regulación del contrato a tiempo parcial (art. 12 ET) aunque, como acertadamente se apunta por parte de la doctrina, resulta sorprendente que no se haya pensado la forma de comprobar ese tratamiento igualitario en aquellos casos en los que no se cuenta en la empresa con un "trabajador comparable"[44].

En todo caso, la igualdad que debe regir en la fijación de las condiciones de empleo en el teletrabajo no impide que se puedan prever acuerdos complementarios específicos, ya sean de carácter individual o colectivo, dirigidos a responder adecuadamente a las especificidades o particularidades propias de esta forma de trabajar y, por tanto, esas soluciones "ad hoc" que se puedan establecer en el teletrabajo no podrán considerarse discriminatorias por el resto de personas trabajadoras, ya que con tales diferencias no se busca beneficiar injustificadamente a una parte de la plantilla de la empresa respecto a otra, sino abordar necesidades y problemas particulares para tratar por igual a todo el personal que trabaja en la empresa[45].

Otro aspecto que es objeto de regulación por el AMET es el referido a la protección de datos personales. La Cláusula 5 señala al empresario o a la empresaria como responsable de la adopción de las medidas necesarias para asegurar el correcto uso de los datos que se utilizan por parte de la persona trabajadora, al mismo tiempo que se hace mención al deber de diligencia exigida a la misma y los efectos sancionadores que pueden derivarse del incumplimiento de este deber.

Más concretamente en esta Cláusula, y por lo que a la parte empresarial se refiere, se incluye una doble obligación, por un lado, comparte con la persona trabajadora la responsabilidad en el tratamiento de los datos utilizados y procesados para fines profesionales, en tanto que le corresponde adoptar todas aquellas medidas que resulten necesarias para garantizar su protección[46] y, por otro lado, tiene que

---

44   Vid. MELLA MÉNDEZ, Lourdes: "Comentario general…", cit. pág. 33.
45   Ibid.
46   Vid. QUINTANILLA NAVARRO, Yolanda: "Teletrabajo: delimitación, negociación colectiva y conflictos", en SAN MARTÍN MAZZUCCONI, Carolina (Dir.):

realizar una labor informativa en orden a poner en conocimiento de la persona teletrabajadora las medidas adoptadas en la empresa para la protección de los datos utilizados y procesados, la legislación aplicable sobre la materia, así como también las sanciones previstas para el caso de incumplimiento de dicha normativa.

En cuanto a la parte trabajadora, el Acuerdo indica que debe dar cumplimiento a las normas existentes en materia de protección de datos y, en consecuencia, se debe evitar lo que se ha denominado la "promiscuidad informática", es decir, la utilización de los equipos informáticos por personas no autorizadas, respetando los procedimientos impuestos por la empresa y manteniendo la más absoluta reserva respecto a los datos e informaciones de la empresa[47].

Ahora bien, en tanto que el AMET antes de exigir diligencia a la persona teletrabajadora impone una serie de obligaciones a la parte empresarial en materia de protección de datos, sólo si se cumplen dichas obligaciones se podrán derivar responsabilidades para la persona teletrabajadora. Es decir, que la parte trabajadora estará obligada a actuar diligentemente y responder en caso de incumplimiento sólo si previamente la empresa ha adoptado las medidas oportunas con respecto a los medios informáticos, le ha informado de la legislación y normas de la empresa pertinentes a la protección de datos, de las restricciones en el uso de las herramientas o equipos informáticos y de las sanciones que se derivan del incumplimiento[48].

La Cláusula 6 aborda el establecimiento de las correspondientes medidas dirigidas a compatibilizar el ejercicio de las facultades empresariales y, concretamente, la vigilancia y control con los derechos de intimidad y privacidad de la persona trabajadora, aspecto que resulta especialmente sensible si pensamos en aquellos casos en los que el lugar de trabajo es el domicilio de ésta.

A este respecto resulta relevante observar como el AMET reconoce que una actividad laboral que se ejecuta fuera del centro de trabajo

Tecnologías de la información y la comunicación en las relaciones de trabajo, Eolas Ediciones, Madrid, 2014, pág. 367.

47   Vid. THIBAULT ARANDA, Javier y JURADO SEGOVIA, Ángel: "Algunas consideraciones…", cit. pág. 56.

48   Vid. SERRANO GARCÍA, Juana Mª: "Tratamiento del teletrabajo…", cit. pág. 450.

puede ser supervisada como si la persona que presta los servicios se encontrara en los locales de la empresa. Una vigilancia que, sin embargo, puede llegar a ser desmesurada y, por ello, se exige que para el caso en que se instale un sistema de vigilancia éste sea proporcional al objetivo perseguido y cumpla lo establecido por la normativa europea.

La Cláusula 7, referida al equipo de trabajo, establece como regla general que será la empresa la encargada de proveer, instalar y mantener el equipamiento necesario para desarrollar la correspondiente prestación de servicios, salvo acuerdo en contrario[49]. Se parte, por tanto, de la regla habitual en el trabajo por cuenta ajena, por lo que es la parte empresarial quien sigue siendo responsable de "proveer, instalar y mantener" los instrumentos o herramientas necesarias para la realización de teletrabajo.

Junto a esta obligación también corresponde a la empresa responder de los costes derivados del desarrollo del trabajo y por pérdida o daño al equipo. En relación a los costes derivados del desarrollo del trabajo, la norma se refiere a todos aquellos gastos directamente generados por esta forma concreta de trabajar, especialmente los relativos a la comunicación, pero siempre que el teletrabajo se preste de forma habitual. Se trata de gastos que, de prestarse el trabajo en las instalaciones de la empresa se asumirían pacíficamente —luz, calefacción, teléfono, etcétera—. A estos gastos, tal y como se indica en el Acuerdo, se deberán añadir los costes derivados por pérdida o daños al equipo y de los datos utilizados. En todo caso, tales obligaciones están obviamente ligadas al cuidado diligente del equipo y del uso responsable de los datos por parte de la persona trabajadora.

En relación a esta materia la regulación realizada por el AMET es algo más detallada que la contenida en la propuesta realizada por la Comisión, que se limitaba a atribuir a la empresa los gastos relativos a las instalaciones, mantenimiento y telecomunicaciones.

---

[49] La forma en que se establece esta regla general lleva a que se configure como una norma dispositiva, cuya aplicación se ha considerado que puede perjudicar a la persona trabajadora, al verse obligada a pactar o, mejor dicho, a aceptar condiciones en relación al equipamiento para evitar daños mayores como sería la pérdida del empleo. Vid. SERRANO GARCÍA, Juana Mª: "Tratamiento del teletrabajo...", cit. pág. 453.

Las medidas de seguridad y salud es otro de los apartados a los que presta atención el AMET (Cláusula 8), si bien la generalidad de los términos con los que se expresa deja muchos aspectos sin regular. Sobre esta materia se establece la obligación empresarial no sólo de informar de los riesgos laborales, sino de adoptar las medidas de protección necesarias y realizar un control de su cumplimiento, lo cual no deja de ser todo un reto si el lugar de trabajo es el domicilio u otra dependencia privada de la persona trabajadora a fin de que dicha acción empresarial no resulte una intromisión en su intimidad y privacidad. Por ello, precisamente, se hace mención expresa en el AMET, así como también al derecho de la persona trabajadora a solicitar visitas de inspección. Nos parece importante que en este apartado se haga mención a la participación de la representación de las personas trabajadoras, junto al empresario o a la empresaria y/o las autoridades competentes en la comprobación de la correcta aplicación de las disposiciones aplicables en materia de seguridad y salud laboral.

No obstante las consideraciones anteriores, el contenido de esta Cláusula, a nuestro parecer resulta decepcionante ya que si bien es ciertamente difícil realizar en una norma de estas características un tratamiento pormenorizado de todos los riesgos profesionales vinculados al teletrabajo, teniendo en cuenta las peculiaridades del mismo, sí que hubiera resultado de utilidad hacer mención al menos a los que de forma más habitual están presentes en esta forma de trabajar[50]. A este respecto, de la misma manera que en relación a los instrumentos de trabajo se hace mención a las pantallas de visualización, resulta sorprendente que un riesgo tan común y vinculado al lugar de trabajo como es el aislamiento no se haya tenido en cuenta en este apartado, cuando justamente se hace mención al mismo en la Cláusula siguiente referida a la organización del trabajo[51].

El carácter flexible en la organización del trabajo es otro de los aspectos mencionados en el AMET (Cláusula 9), si bien únicamente se incorpora como un principio inspirador para la regulación con-

---

[50] Entre los riesgos laborales específicos del teletrabajo se encuentran la exposición a ondas electromagnéticas, particularidades del lugar de trabajo —ventilación, iluminación o ruido—, trastornos músculo-esqueléticos, etc. Vid. PURCALLA BONILLA, Miguel Ángel: "El teletrabajo…", cit. pág. 80.

[51] Vid. MELLA MÉNDEZ, Lourdes: "Comentario general…", cit. pág. 42.

vencional o contractual a la hora de ordenar la jornada de trabajo[52]. En todo caso el Acuerdo, sobre la base del marco legislativo de aplicación, reconoce a la persona trabajadora libertad para gestionar su tiempo de trabajo. Ahora bien, parece razonable entender que esta regla no podrá ser de aplicación de igual forma en todos los casos, de manera que, por ejemplo, si el trabajo se desarrolla de forma interactiva y el control empresarial requiere el cumplimiento de unos horarios o estar localizable a fin de efectuar eventuales comunicaciones, la libertad organizativa de la persona teletrabajadora se verá ciertamente limitada[53].

En materia de carga de trabajo y resultados, y a fin de garantizar la igualdad de trato respecto al resto de personal que presta sus servicios en las instalaciones de la empresa, el Acuerdo vuelve a tomar como referencia al "trabajador comparable". A nuestro parecer con esta referencia comparativa se quiere poner de relieve, una vez más, que la ausencia física de la persona trabajadora no es motivo suficiente para justificar una nueva concepción de la relación salarial, ni existe ningún fundamento para considerar que la retribución pueda ser inferior a la de una persona trabajadora que realiza un trabajo similar o comparable en la empresa.

---

[52] Vid. SIERRA BENÍTEZ, Esperanza Macarena: *El contenido...*, cit. pág. 161.

[53] Tal y como apunta BELZUNEGUI ERASO, Ángel: "Teletrabajo en España, acuerdo marco y administración pública", *Revista Internacional de Organizaciones*, núm. 1, 2008, pág. 142, no existe una jornada laboral estándar en las prácticas del teletrabajo, variando enormemente la flexibilidad/rigidez de la misma en función de otros factores como, por ejemplo, el tipo de mano de obra, la carga de trabajo, etc. Y, de hecho, este autor afirma que en líneas generales, el teletrabajo no ha supuesto en la mayoría de los casos una relajación en la prestación de servicios, si se entiende la misma como más conciliadora con los ritmos de vida marcados por las obligaciones diarias. Bien al contrario, en la mayoría de estudios se pone de manifiesto la existencia de una mayor carga de trabajo trasladada hacia la persona teletrabajadora que acaba repercutiendo en el alargamiento de las jornadas laborales diarias. Vid., también, ESCUDERO RODRÍGUEZ, Ricardo: "Teletrabajo" en AAVV: *Descentralización productiva y nuevas formas organizativas del trabajo*, Ministerio de Trabajo y Asuntos Sociales, Madrid, 2000, pág. 825; MELLA MÉNDEZ, Lourdes: "Comentario general...", cit. pág. 45; SERRANO GARCÍA, Juana Mª.: "Tratamiento del teletrabajo...", cit. pág. 455; SELLAS BENVINGUT, Ramón: *El régimen jurídico...*, cit. pág. 111 y, THIBAULT ARANDA, Javier y JURADO SEGOVIA, Ángel: "Algunas consideraciones...", cit. pág.59.

Por último, la Cláusula 9 establece la obligación empresarial de adoptar todas las medidas necesarias para prevenir el aislamiento de las personas teletrabajadoras, haciendo expresa mención al reencuentro con el resto de compañeros y compañeras y el acceso a las informaciones de la empresa. Como ya hemos indicado anteriormente, no parece oportuno que la referencia al aislamiento sólo aparezca en el apartado de organización en el trabajo, sino que consideramos conveniente que también se hubiera hecho al menos mención al mismo como riesgo laboral propio del teletrabajo. En cuanto a la referencia prevista por la norma, de los propios términos de la misma se desprende que se trata de una propuesta de carácter ejemplificativo y, por lo tanto, ampliable a otro tipo de medidas que vayan en la misma línea. En relación a esta cuestión el AMET sigue, en términos generales, las pautas propuestas por la Comisión en la segunda fase de consultas llevadas a cabo previamente a la adopción del mismo, ya que se enumeran de forma ejemplificativa diferentes acciones que pueden adoptarse para evitar el aislamiento. No obstante, echamos en falta la referencia que se realiza por parte de la Comisión al deber de garantizar la comunicación entre las personas teletrabajadoras y sus representantes, aspecto que nos parece clave no sólo como medida preventiva frente al aislamiento, sino como medio para garantizar la igualdad de condiciones y oportunidades respecto al resto de la plantilla de la empresa.

Otro aspecto que el AMET es consciente que tiene una especial relevancia en el teletrabajo es el referido a la formación y promoción profesional y, por ello la Cláusula 10 se detiene a regular estos derechos no sólo para reconocer una vez más la igualdad de trato entre las personas empleadas en la misma empresa que sean comparables, sino para poner de relieve la necesidad de recibir la formación adecuada a los medios tecnológicos que utiliza la persona trabajadora, lo cual a su vez puede redundar en los derechos de promoción profesional de la misma.

Esta Cláusula pone de manifiesto, como no podía ser de otra manera, que la persona teletrabajadora se enfrenta, dado que los instrumentos necesarios para desarrollar su prestación de servicios están sujetos a continuas modificaciones, a más cambios que el resto de personal comparable de la empresa que desarrolla su trabajo de una forma tradicional. Por tanto, la garantía de acceso a la misma formación para toda la plantilla de la empresa no les sitúa en un plano de igualdad material sino formal, por lo que la única manera de asegurar esa igualdad real es facilitar una formación especial adaptada a sus necesidades[54].

En cuanto a la promoción profesional, es evidente que en este aspecto las personas teletrabajadoras deben ser tratadas en un plano de igualdad respecto al resto de personas trabajadoras comparables pertenecientes a la misma empresa. Por tanto, es exigible la misma información y formación que se facilite por la empresa o que se reciba, ya que no en pocas ocasiones de ello puede depender las posibilidades de promoción. Y, de igual forma, deben establecerse las mismas exigencias en relación al sometimiento a las mismas normas de evaluación, en especial en cuanto a criterios de exigencia y corrección[55].

Por último, la Cláusula 11 del AMET se refiere a los derechos colectivos de la persona teletrabajadora, haciéndose de ese modo eco de la preocupación mostrada en esta materia por parte de la doctrina[56], si bien el Acuerdo sólo hace mención a algunos aspectos referidos a la representación sindical, quedando otros muchos por concretar, por lo que en este ámbito la acción convencional se hace imprescindible para garantizar el ejercicio de los derechos colectivos a las personas teletrabajadoras.

A este respecto el AMET hace referencia únicamente a la necesidad de evitar todos los impedimentos que pueden surgir en la comunicación de la persona teletrabajadora con sus representantes, pero sin detenerse a concretar las medidas que pueden facilitar la consecución de este objetivo. Tampoco se prevé expresamente que en las elecciones sindicales la persona teletrabajadora pueda ostentar tanto la condición de electora como elegible, ni en este último supuesto se resuelve la forma en la que desempeñará su función de representante legal en caso de ser elegida. Asimismo parece posible que la lejanía de la persona teletrabajadora respecto al centro de trabajo dé lugar a una

---

54   Vid. SERRANO GARCÍA, Juana Mª.: "Tratamiento del teletrabajo...", cit. pág. 456.
55   Vid. MELLA MÉNDEZ, Lourdes: "Comentario general...", cit. pág. 48.
56   Vid., en este sentido, entre otros, ESCUDERO RODRÍGUEZ, Ricardo: "Teletrabajo...", cit. pág. 841 y ss.; GALLARDO MOYA, Rosario: *El viejo y el nuevo trabajo...*, cit. pág. 88 y MERCADER UGUINA, Jesús R.: "Derechos Fundamentales de los trabajadores y nuevas tecnologías", *Relaciones Laborales*, núm. 10, 2001.

pérdida importante del crédito de horas concedidas en los diferentes trayectos que de alguna forma deberá tenerse en cuenta[57]. A estas inconcreciones cabe añadir también las lagunas tan importantes que se detectan en la norma referidas a derechos tan relevantes como el ejercicio del derecho de huelga, de negociación colectiva o la adopción de medida de conflicto colectivo por parte de las personas teletrabajadoras y que, a nuestro parecer, requieren de una previsión normativa[58].

Una vez analizado el contenido del AMET, la valoración general que realizamos del mismo es positiva, en tanto que supone la primera y hasta la fecha única iniciativa adoptada desde la UE de dotar al teletrabajo de una regulación propia y donde se dota de un papel protagonista a la negociación colectiva, que es la destinataria de la norma. Ahora bien, ello no obsta para considerar que dicho Acuerdo trata algunas cuestiones de forma superficial, como es el caso de la protección de datos, la privacidad de la persona trabajadora, los derechos colectivos o la salud laboral y, deja de lado otros aspectos, que a nuestro parecer, requerirían de un tratamiento normativo, como es el caso del ejercicio de los poderes empresariales, la retribución, la jornada de trabajo, los derechos de conflicto colectivo y derechos sindicales, los derechos de seguridad social o el teletrabajo transfronterizo[59].

En todo caso, el AMET asigna a los agentes sociales el papel protagonista en la regulación del teletrabajo y ofrece, a nuestro parecer, pautas de actuación que, aunque no son completas, resultan válidas y adecuadas para llevarla a cabo. A este respecto, habrá que analizar si en la práctica dichas pautas se han tenido en cuenta a la hora de negociar los convenios colectivos y el grado de implantación que ha tenido cada una de ellas.

---

[57] Vid, BELZUNEGUEI ERASO, Ángel y PURCALLA BONILLA, Miguel Ángel: "Marcos jurídicos y experiencias prácticas de Teletrabajo", *Aranzadi Social*, núm. 18, 2003, pág. 45 y 46 y SERRANO GARCÍA, Juana Mª.: "Tratamiento del teletrabajo...", cit. pág. 457 y 458.

[58] Vid. MELLA MÉNDEZ, Lourdes: "Comentario general...", cit. pág. 48 y SALA FRANCO, Tomás: "La normativa internacional...", cit. pág. 59.

[59] Vid., en este sentido, MELLA MÉNDEZ, Lourdes: "Comentario general...", cit. pág. 52; SANTOS FERNÁNDEZ, Mª. Dolores: "El Acuerdo Marco Europeo...", cit. pág. 73 y 74 y, SERRANO GARCÍA, Juana Mª.: "Tratamiento del teletrabajo...", cit. pág. 461.

2.1.2. El papel reservado a la negociación colectiva por la legislación interna en materia de teletrabajo: del contrato de trabajo a domicilio al trabajo a distancia

En la presentación de este trabajo ya se ha indicado que, hasta fechas recientes, nuestro ordenamiento jurídico no ha mostrado un especial interés por la regulación del teletrabajo, lo cual no deja de tener su lógica, ya que se trata de una forma de trabajar que no empieza a tomar un cierto protagonismo hasta finales del siglo pasado, por lo que difícilmente se puede exigir a la norma estatutaria, al menos en su versión original de 1980, que previera una regulación sobre esta materia. A este respecto y, en su descargo, cabe recordar que el Estatuto de los Trabajadores de 1980, aunque no hace referencia al teletrabajo, sí que contiene una regulación del llamado contrato de trabajo a domicilio, una forma de trabajar a distancia de mayor arraigo en ese momento en nuestro tejido productivo, que orbitaba sobre una prestación de servicios de carácter artesanal, que por su sencillez y ante la innecesaria sofisticación de los equipos de trabajo se podían llevar a cabo en el propio ámbito doméstico de la persona trabajadora.

Efectivamente, el art. 13 ET en su redacción originaria, regulará el contrato de trabajo a domicilio a fin de garantizar el correcto despliegue de los efectos derivados de la formalización de un contrato de trabajo, los cuales no deben verse alterados o puestos en duda por el hecho de que la prestación de servicios se realice en un lugar escogido por la persona trabajadora y alejado de las instalaciones de la empresa. Ahora bien, cuestión diferente es si tal regulación resulta idónea para dar cumplimiento a la finalidad fijada por la norma y, más concretamente, por lo que hace referencia a la materia que es objeto de nuestro estudio, la función que se reserva en tal regulación a la negociación colectiva.

Pues bien, a nuestro parecer el art. 13 ET, en su versión original, está demasiado influenciada por los precedentes legislativos que regularon esta materia —Ley del Contrato de Trabajo de 1944 y Ley de Relaciones Laborales de 1976— y, sin negar que los aspectos a los que se hace referencia en el precepto estatutario nos parecen importantes —definición, requisitos de formalización, igualdad de trato en el salario respecto a las personas trabajadoras que prestan sus servicios en la empresa, medidas de prevención de riesgos, mecanismos de control de la actividad laboral y ejercicio de derechos de representación colectiva-, los consideramos insuficientes si tenemos en cuenta las peculiaridades que acompañan a este tipo de trabajo, haciéndose necesario abordar la regulación de otros aspectos y condiciones laborales para, de esa forma, garantizar el correcto desarrollo de la prestación laboral[60]. Por otra parte, en esta regulación se constata que las exigencias que podían resultar adecuadas y suficientes en el momento de la aprobación del Estatuto de los Trabajadores en 1980, con el paso de los años van a quedar obsoletas para su aplicación, especialmente a partir del creciente protagonismo que van a ir adquiriendo las NTICs.

En este sentido, por ejemplo, y tal y como indica la doctrina, las exigencias formales relativas al contrato de trabajo a domicilio previstas en el art. 13.4 ET ponen de manifiesto la obsolescencia de la previsión al tomar como referencia el desempeño de trabajos manuales, dejando al margen la posibilidad del desarrollo de actividades de carácter intelectual[61]. De igual forma sorprende que el precepto no haga ninguna referencia a la regulación de los tiempos de trabajo o que un aspecto tan sensible como son las medidas de salud laboral sólo haya merecido una breve referencia en el precepto dadas las especialidades que en este sentido se acompañan a su incorporación al tratarse, en muchos casos, de hacer compatibles dichas medidas en un espacio no profesional como es el domicilio de la persona trabajadora y, de igual forma sorprende la falta de cualquier alusión al respeto al derecho de intimidad y la inviolabilidad del domicilio.

También llama la atención la escasa regulación existente en materia retributiva, que nada indica, por ejemplo, respecto a la compensación de gastos que se puede derivar en este tipo de trabajo para la persona trabajadora[62] y, en cuanto a los derechos colectivos de la per-

---

[60] Para un estudio de este precepto, vid., entre otros, CRUZ VILLALÓN, Jesús: "El trabajo a domicilio", *Revista Española de Derecho del Trabajo*, núm. 100, vol. I, 2000; DE LA VILLA GIL, Luís Enrique y GARCÍA NINET, Ignacio: "Contrato de trabajo a domicilio" en BORRAJO DACRUZ, Efren (Dir.): *Comentarios a las leyes laborales*. Tomo III, EDERSA, Madrid, 1985 y GALLARDO MOYA, Rosario: *El viejo y el nuevo...*, cit.

[61] Vid. SUÁREZ CORUJO, Borja: "Art. 13. Contrato de trabajo a domicilio" en DE LA VILLA GIL, Luís Enrique (Dir.): *Comentarios al Estatuto de los Trabajadores*, Iustel, Madrid, 2011, pág. 332.

[62] Vid. CRUZ VILLALÓN, Jesús: "El trabajo...", cit. pág. 457.

sona trabajadora, la regulación contenida en el art. 13.5 ET resulta muy pobre, estableciéndose por la norma únicamente una referencia a la representación colectiva, dejando sin respuesta a dudas interpretativas tan importantes como cuál debe ser en estos casos la unidad electoral, cómo se desarrollan las funciones de representación (tablón de anuncios, crédito horario) o cómo se hace efectivo el ejercicio del derecho de huelga[63].

Finalmente, en cuanto al papel a desarrollar por la negociación colectiva en la regulación del contrato de trabajo a domicilio, el art. 13 ET no realiza ninguna referencia a la misma. A nuestro parecer el silencio legal existente en esta materia, relega a la norma convencional a un segundo plano frente al pacto individual de trabajo, lo cual seguramente no deja de ser un fiel reflejo de la forma en la que tradicionalmente se venían articulando el trabajo a domicilio y que se ve plasmada en la norma estatutaria. A este respecto, es sin duda sintomático, que el propio precepto estatutario se titule "contrato de trabajo a domicilio", lo cual ya nos da una pista clara de la forma en que se configura la regulación de esta forma de trabajar. Por otra parte, otro elemento que tampoco se debe olvidar y que tal vez también haya influido en la falta de referencia legal a la negociación colectiva es la fase embrionaria en la que se encuentran los procesos de negociación colectiva en el momento de la aprobación del Estatuto de los Trabajadores y donde todavía eran de aplicación algunas Reglamentación Laborales y Ordenanzas de Trabajo. Ahora bien, la ausencia de una referencia expresa a la negociación colectiva no debe interpretarse, en absoluto, como un impedimento para la regulación de esta materia por convenio colectivo, concretamente por medio del despliegue de sus funciones de supletoriedad y suplementariedad de las previsiones legales sobre trabajo a domicilio. Funciones que, con el paso del tiempo, se van a ver reforzadas por medio de las previsiones que se van a ir introduciendo en los diferentes instrumentos normativos que tanto a nivel internacional (OIT), como europeo (Unión Europea) se van a encargar de regular esta materia.

A este respecto entendemos que con el respeto de las cláusulas imperativas existente en el art. 13 ET, como son el carácter voluntario

---

[63] Vid. SUÁREZ CORUJO, Borja: "Artículo 13…", cit. pág. 332 y 333.

del trabajo a domicilio, el cumplimiento de las obligaciones formales prescritas en la norma, el respeto a la igualdad salarial, la obligación empresarial de elaborar un documento de control cuyo contenido deberá incluir los aspectos indicados en la norma y el respeto al libre ejercicio de los derechos de representación de las personas trabajadoras a domicilio, el convenio colectivo puede entrar a regular las condiciones de trabajo del trabajo a domicilio, atendiendo también al ámbito de actuación que reserva la norma para la regulación colectiva de dichas condiciones de trabajo. En otras palabras, nada impide que, por ejemplo, un convenio, dentro de los márgenes de actuación que reconoce el ET, a la hora de regular la jornada de trabajo de las personas trabajadoras, pueda establecer condiciones específicas para el trabajo a domicilio.

El contenido del art. 13 ET permanecerá inalterado durante más de tres décadas, siendo objeto de modificación con ocasión de la Reforma Laboral de 2012. Los motivos principales que llevan a adoptar el cambio de regulación encuentran fácil acomodo entre algunos de los objetivos que justifican dicha reforma legislativa, como son, el fomento de "otras formas de trabajo" y la adopción de medidas dirigidas a favorecer la "flexibilidad interna de las empresas"[64], los cuales se presentan como solución a la intensa destrucción de empleo que se vivía en ese momento en España.

Atendiendo, por tanto, a tales objetivos, el legislador presenta el trabajo a distancia y, en especial el teletrabajo, como una vía de acceso al empleo y como una fórmula alternativa a la destrucción de empleo. No obstante, junto a los motivos mencionados anteriormente, a nuestro parecer, existen otras razones que justifican la reforma del art. 13 ET, entre las que se pueden destacar, por un lado, la incorporación cada vez más frecuente de la TICs en la empresa, lo cual hacía necesario adaptar la regulación laboral existente a la nueva realidad productiva y, por otro lado, la acción normativa que en esta materia se estaba desarrollando a nivel internacional y europeo, desde hacía más de una década. A este respecto existía un acuerdo unánime entre

---

[64] Vid. Exposición de Motivos de la Ley 3/2012, de 6 de julio de medidas urgentes para la Reforma del Mercado Laboral.

la doctrina en reclamar una reforma del precepto estatutario que, a todas luces, se mostraba insuficiente y obsoleto[65].

Las modificaciones introducidas en el art. 13 ET, el cual pasa de regular el contrato de trabajo a domicilio a regular el trabajo a distancia, aunque, sin duda, dota de una mayor modernidad al precepto, sigue sin introducir ninguna llamada expresa a la regulación de la materia por medio de la negociación colectiva, por lo que, a nuestro parecer, la norma estatutaria, no varía las funciones que hasta ese momento asignaba a la negociación colectiva en esta materia. En este sentido y, sin duda, por influencia tanto de la regulación prevista en el Convenio 177 de la OIT, como del AMET, la regulación del trabajo a distancia va a incorporar una nueva definición de dicha forma de trabajar, aunque manteniendo los elementos distintivos de dicho trabajo, como son el elemento locativo y cuantitativo o temporal; se refuerza su carácter voluntario, se actualizan los requisitos formales del acuerdo laboral; se realiza un reconocimiento general al respeto a la igualdad y no discriminación entre personas que prestan sus servicios a distancia y de forma presencial, haciéndose especial hincapié en materia retributiva; también se incorpora una referencia expresa a los derechos de formación, salud laboral y promoción, aunque sin concretar nada y, finalmente, se intenta corregir algunos desajustes que en materia de derechos colectivos contenía la anterior redacción del art. 13 ET, intentando fortalecer los vínculos con la empresa y el ejercicio de los derechos de representación.

Pese a que, como ya hemos indicado, la norma no hace ninguna remisión o referencia a la negociación colectiva, entendemos que la poca concreción de la regulación estatutaria ofrece un amplio campo de actuación para la misma, en la línea apuntada también por la normativa supraestatal. En este sentido entendemos que el convenio colectivo resulta el marco idóneo para acotar el elemento cuantitati-

---

[65] Vid., en este sentido, por ejemplo, GALLARDO MOYA, Rosario: "El trabajo a distancia...", cit. pág. 159; LÓPEZ TERRADA, Eva: *Las modalidades...*, cit. pág. 51; MUÑOZ RUIZ, Ana Belén: "Trabajo...", cit. pág. 116 y SÁNCHEZ-URÁN AZAÑA, Yolanda: "Apoyo al empleo estable y modalidades de contratación" en MONTOYA MELGAR, Alfredo y GARCÍA MURCIA, Joaquín (Dirs.): *Comentario a la Reforma Laboral de 2012*, Civitas Thomson-Aranzadi, Madrid, 2012, pág. 85.

vo o temporal del teletrabajo, establecer el régimen de reversibilidad para las partes contratantes, fijar los criterios para el paso de un trabajo presencial al trabajo remoto, concretar el establecimiento de los conceptos retributivos específicos por teletrabajo, etcétera. Queda, no obstante, por comprobar, si la práctica negocial ha tomado en consideración la necesidad de regular esta forma de trabajar, lo cual será objeto de análisis en el siguiente apartado de este trabajo.

2.2. El teletrabajo en la negociación colectiva previa a la COVID-19

Los diversos estudios que a lo largo de los años y con anterioridad a la aprobación de LTD se han centrado en el análisis del impacto que la negociación colectiva ha tenido sobre la regulación del teletrabajo, son coincidentes a la hora de valorar como insuficiente o escaso el tratamiento específico que el teletrabajo tiene en la norma convencional[66].

Efectivamente, tanto a nivel sectorial, como a nivel de empresa, son pocos los convenios colectivos que se han detenido a regular el teletrabajo, lo cual no debe sorprendernos que haya sido así tradicionalmente ya que, como bien indica la doctrina, seguramente del lado de la representación legal de las personas trabajadoras (en adelante RLPT), no resultaba ser un tema al que se considerara que debía dedicarse excesivos esfuerzos, ya que su escasa penetración real llevaba a valorarlo como algo marginal y las personas destinatarias, además, eran una minoría que, probablemente, no se encontrasen entre la "clientela" normal de las organizaciones representativas[67].

---

[66] Vid., en este sentido, ARAGÓN GÓMEZ, Cristina: "El teletrabajo en la negociación colectiva" en ESCUDERO RODRÍGUEZ, Ricardo (Coord.): Observatorio de la Negociación Colectiva. Empleo Público, Igualdad, Nuevas Tecnologías y Globalización, Cinca, Madrid, 2010, pág. 341; GARCÍA ROMERO, Belén: El Teletrabajo..., cit. pág. 139; MELLA MÉNDEZ, Lourdes: "Las cláusulas convencionales en materia de trabajo a distancia: contenido general y propuestas de mejora", Revista de Derecho Social y Empresa, núm. 6, 2016, pág. 5; y, THIBAULT ARANDA, Javier: El Teletrabajo. Análisis jurídico-laboral, CES, Madrid, 2000, pág. 249.

[67] Vid. GOERLICH PESET, José María: "El trabajo a distancia...·, cit. pág. 27.

Ahora bien, dentro de la escasa regulación que contienen los convenios colectivos sobre teletrabajo, se ha podido constatar que, aunque lentamente, se produce un progresivo cambio en la tendencia del tratamiento de esta materia respecto al existente en los años ochenta y noventa, lo cual, a nuestro parecer, está directamente vinculado, por una parte, a la aprobación del AMET y, por otra parte también, tal y como indica la doctrina, a dos hechos legislativos relevantes. El primero de ellos es el impulso que, desde la Administración Pública, en especial autonómica, se realiza por la implantación de experiencias de teletrabajo y, el segundo es la ya comentada reforma del art. 13 ET llevada a cabo por medio de la Ley 3/2012[68].

Aun partiendo del reducido número de convenios colectivos en los que se incluyen cláusulas destinadas a la regulación del teletrabajo, es posible constatar como es el ámbito de empresa el que ha mostrado más interés en incorporar reglas destinadas a la ordenación de esta forma de trabajar. A este respecto, cabe indicar, que esta opción no resulta extraña ya que al tratarse de una materia novedosa que no cuenta con una regulación legal, los acuerdos se basan en la mayoría de las ocasiones en una previa experiencia piloto a la cual se le ha dado continuidad[69].

Así, sucede, por ejemplo, en el caso de Telefónica, España que, por medio del Acuerdo de Implantación del Teletrabajo de 14 de 2006, daba cumplimiento al compromiso estipulado en la Cláusula 12.1 del Convenio Colectivo (2003-2005) consistente en el desarrollo de una prueba piloto de teletrabajo, el cual dio lugar a un proceso de implantación paulatina del teletrabajo[70].

Por lo que se refiere al contenido regulador del teletrabajo en los convenios colectivos, cabe indicar que se trata de una regulación muy dispar, directamente relacionada con la fase de implantación en la que se encuentra el teletrabajo en el concreto ámbito negociador. De esta manera, es posible encontrar convenios que se limitan a recoger un compromiso para valorar la viabilidad de la implantación del teletra-

---

[68] Vid. MELLA MÉNDEZ, Lourdes: "Las cláusulas convencionales...", cit. pág. 4.
[69] Vid. ARAGÓN GÓMEZ, Cristina: "El teletrabajo...", cit. pág. 342.
[70] Vid. GARCÍA ROMERO, Belén: *El Teletrabajo...*, cit. págs. 98 y 99.

bajo[71], convenios que se encuentran desplegando su plan piloto y recogen los términos de dicho plan[72], o convenios que tras el despliegue del plan piloto abordan la implantación definitiva, lo que lleva a la introducción de una regulación más detallada basada en la experiencia previa adquirida[73].

En consonancia con el grado de compromiso existente en la implantación del teletrabajo, el modo en que abordan las cláusulas convencionales la regulación del teletrabajo también es muy diversa. De esta manera, por un lado, se puede distinguir un grupo de convenios en los que la regulación del teletrabajo se limita a realizar una copia literal del art. 13 ET, o de algunas de las cláusulas del AMET, cuando no una simple remisión, sin mayores concreciones a la regulación vigente sobre la materia[74], por otro lado, otro grupo importante de convenios que se limitan a regular el teletrabajo como mecanismo de flexibilización de la jornada de trabajo y, especialmente, como medida de conciliación de la vida familiar, personal y profesional[75] y, finalmente, encontramos un reducido grupo de convenios, en los que se realiza un esfuerzo por concretar en mayor o menor medida, algunos de los aspectos que, también siguiendo las pautas del art. 13 ET y del AMET, según el criterio de las partes negociadoras, deben conformar las condiciones laborales de las personas que prestan sus servicios en la modalidad de teletrabajo[76].

Centrándonos ya en el estudio de aquellos convenios colectivos que, tanto a nivel sectorial, como de empresa, se detienen con mayor o menor extensión en regular el teletrabajo, una primera consideración que podemos realizar al respecto es la referencia bastante generalizada que se encuentra en las cláusulas convencionales al carácter voluntario del teletrabajo.

---

71 Vid., por todos, CC de Petroquímica Española, S.A. (BOE de 28 de noviembre de 2008) y VI CC de Siemens S.A. (BOE de 11 de abril de 2008).
72 Vid., por ejemplo, CC del Banco de España. (BOE de 21 de enero de 2008).
73 Vid., por ejemplo, en este sentido, por ejemplo, V CC de Telefónica Móviles de España, S.A. (BOE de 31 de agosto de 209).
74 Vid., por todos, CC del sector de oficinas y despachos de la provincia de Valencia. (BOP de 7 de octubre de 2005).
75 Vid, por ejemplo, CC del Banco de España. (BOE de 28 de enero de 2008).
76 Vid., en este sentido, XXVI CC de Repsol Butano, S.A. (BOE de 22 de abril de 2016).

Efectivamente, siguiendo las pautas marcadas tanto por el AMET, el Convenio 177 de la OIT, como por el art. 13 ET, los convenios configuran el teletrabajo como una opción libre y voluntaria para las partes contratantes[77], aspecto que se ve reforzado en ciertas ocasiones, a través de dos elementos más, por un lado, con la exigencia de la adopción de un acuerdo individual que recoja las condiciones en las que desarrollará el teletrabajo[78] y, por otro lado, a través de la previsión del derecho de reversibilidad tanto para la persona trabajadora, como para la empresa[79].

El carácter voluntario que se predica del teletrabajo impide, por tanto, salvo que se trate de una condición inicial del contrato, la imposición de esta forma de trabajar por parte de la empresa, pero también implica que no se configura como un derecho de la persona trabajadora, por lo que si ésta se encuentra interesada, su petición quedará condicionada al consentimiento de la empresa[80].

A este respecto, una cuestión que, como bien indica la doctrina[81], resulta adecuada que se aborde por la negociación colectiva es el procedimiento formal por medio del cual la persona trabajadora ha de solicitar el paso al teletrabajo, así como la previsión de un sistema que permita objetivar la decisión empresarial, por medio de la incorporación de ciertos requisitos previos a cumplir para poder realizar dicha solicitud, o a tener en cuenta a la hora de valorar su concesión.

Pues bien, aunque de forma muy excepcional, en algún convenio se ha podido encontrar una regulación de este aspecto, como es el caso del Convenio Colectivo de la empresa Repsol YPF[82], que en su

---

77 Vid., en este sentido, art. 15 del CC estatal de perfumería y afines. (BOE de 24 de noviembre de 2017).

78 Vid., por ejemplo, art. 23.10 del CC de mayoristas e importadores de productos químicos industriales y de droguería, perfumería. (BOE de 21 de septiembre de 2018).

79 Vid., entre otros, art. 20 del CC estatal para el sector de entidades de seguros, reaseguros y mutuas de accidentes de trabajo. (BOE de 16 de julio de 2013).

80 Vid. ARAGÓN GÓMEZ, Cristina: "El teletrabajo…", cit. pág. 343.

81 Vid. ARAGÓN GÓMEZ, Cristina: "El teletrabajo…", cit. pág. 343 y TASCÓN LÓPEZ, Rodrigo: "El teletrabajo como forma de presente y futuro de prestación laboral de servicios. Experiencias en la negociación colectiva" en FERNÁNDEZ DOMÍNGUEZ, Juan José (Dir.): *Nuevos escenarios y nuevos contenidos de la negociación colectiva*, MITES, Madrid, 2020, pág. 587.

82 BOE 12 de agosto de 2009.

art. 28.1 prevé una serie de requisitos básicos de carácter profesional, organizativos y espacial al respecto. De esta manera se exige, por una parte, que la persona solicitante tenga formalizado un contrato a tiempo completo y acredite una antigüedad mínima de dos años en la empresa y un año en el concreto puesto de trabajo, además de conocimientos informáticos suficientes para desarrollar el trabajo a distancia y autogestionarse y, por otra parte, contar con un espacio que cumpla con las condiciones mínimas de seguridad y salud en el trabajo.

Por lo que respecta al derecho a la reversibilidad de la opción del teletrabajo, es decir, la posibilidad de poner fin a la experiencia de teletrabajo con anterioridad a la fecha pactada y recuperar el trabajo presencial en los términos inicialmente acordados en el contrato de trabajo, los diversos estudios que se han realizado sobre la materia nos indican la existencia de una formulación muy variada al respecto por parte de los convenios colectivos[83], de manera que tanto es posible encontrar cláusulas convencionales que se limitan a reproducir el tenor literal de la Cláusula 3 del AMET según el cual "si el teletrabajo no forma parte de la descripción inicial del puesto, la decisión de pasar al teletrabajo es reversible por acuerdo individual o colectivo"[84], como cláusulas, sobre todo en el ámbito de convenios de empresa, que se detienen algo más en fijar un régimen más concreto en el que se incluye, por ejemplo, la obligación de comunicar con una mínima antelación la voluntad de reversibilidad[85]; la obligación de comunicación por escrito a la otra parte de la voluntad de retornar al trabajo presencial[86]; o, la concurrencia de ciertas causas para poder ejercer el derecho de reversibilidad, si bien en éste último caso cuando se mencionan suelen exigirse únicamente a la empresa y se vinculan a causas económicas, técnicas u organizativas[87], seguramente con la finalidad de dotar de mayor seguridad jurídica a la decisión empre-

---

[83] Vid. ARAGÓN GÓMEZ, Cristina: "El teletrabajo…", cit. pág. 349; MELLA MÉNDEZ, Lourdes: "Las cláusulas convencionales…", cit. págs. 7 a 9 y TASCÓN LÓPEZ, Rodrigo: "El teletrabajo como forma…", cit. pág. 588.

[84] Vid., por ejemplo, art. 10 del XIX CC de la Industria Química. (BOE de 8 de agosto de 2018).

[85] Vid. art. 43 del XVIII CC de Alcatel-Lucent. (BOE de 17 de septiembre de 2008).

[86] Vid. art. 46.3.2 XII CC de Repsol Química, SA. (BOE de 21 de mayo de 2015).

[87] Vid. Anexo del V CC Telefónica Móviles SAU. (BOE de 21 de enero de 2016).

sarial y, garantizar que la decisión no sea injustificada, caprichosa o discriminatoria[88].

En cuanto a las condiciones laborales en las que se debe desarrollar el teletrabajo, no resulta excepcional que la norma convencional, siguiendo nuevamente las pautas marcadas tanto por el art. 13 ET, como por el AMET (claúsula 4, 9, 10 y 11) y el Convenio Núm. 177 (art. 4) aluda de forma genérica al principio de igualdad que debe presidir el trato entre aquellas personas trabajadoras que desarrollan su trabajo de forma presencial y no presencial, salvo las que se deriven de la propia naturaleza del trabajo realizado, incluyéndose, en algún caso, a la hora de determinar las condiciones aplicables al teletrabajo, el concepto de "trabajador comparable que preste sus servicios en los locales de la empresa"[89].

Esta referencia general al principio de igualdad cuenta con una mayor concreción al abordarse la regulación de algunas condiciones de trabajo, siguiendo, de este modo también, las pautas recogidas, tanto por la legislación interna, como en el AMET y el Convenio Núm. 177. De esta manera no es infrecuente que en materia retributiva se haga expresa mención al trato igualitario que se debe dispensar a las personas teletrabajadoras respecto de aquellas que prestan sus servicios profesionales de forma presencial bajo la condición de "trabajador comparable", lo cual no obsta para que se prevean, por un lado, conceptos retributivos específicos para la persona trabajadora, dirigidos principalmente a compensar los gastos derivados de la prestación de servicios fuera de las instalaciones empresariales tales como calefacción, luz, limpieza, conexión a internet, etcétera[90], que vienen a sustituir la pérdida de otras percepciones que pierden su razón de ser al pasarse a realizar el trabajo en remoto, tales como las indemnizaciones por traslado al centro de trabajo o por manutención[91]; por otro lado cuantías económicas dirigidas a compensar el desgaste de

---

[88] Vid. MELLA MÉNDEZ, Lourdes: "Las cláusulas convencionales…", cit. pág. 8.

[89] Vid. art. 10 bis del XIV CC General de la Industria Química. (BOE de 6 de agosto de 2004) y, más recientemente, art. 20 CC del sector de empresas de publicidad. (BOE de 10 de febrero de 2016).

[90] Vid. por todos art. 51 del CC de BP Oil España, SAU. (BOE de 22 de julio de 2010) y Anexo del CC Telefónica Móviles, SAU. (BOE de 21 de enero de 2016).

[91] Vid. por ejemplo, art. 52 bis y Disposición Final 3ª del CC PB Oil España SAU. (BOE de 10 de julio de 2006) y art. 60 del CC Grupo ONO. (BOE de 1 de julio de 2013).

los equipos de trabajo en aquellos supuestos en los que no sean aportados por la empresa[92]; y, de igual forma, otras partidas de carácter salarial destinadas a incentivar el paso al teletrabajo[93].

Asimismo es posible identificar cláusulas convencionales en materia de formación y promoción laboral de las personas teletrabajadoras en las que se establece expresamente el derecho a la igualdad de trato, si bien, de forma a nuestro parecer acertada y en consonancia con la Cláusula 10 del AMET, también se hace mención a la necesidad de prever una formación específica para las personas que vayan a realizar su trabajo a distancia, a efectos de facilitar su capacitación para el uso de las herramientas básicas del teletrabajo[94].

Los derechos colectivos también es otro de los ámbitos en los que, en caso de incluirse alguna referencia en los convenios, se recuerda también el derecho al ejercicio de los mismos en plano de igualdad respecto al resto de la plantilla de la empresa que desarrolla su trabajo de forma presencial. No obstante, esta referencia no tiene desarrollo, limitándose a recoger esta previsión en términos prácticamente literales a los previstos en el art. 13.5 ET[95], al que, en ocasiones, se añade un inciso en el que se recoge el compromiso de "arbitrar las medidas oportunas que permitan el ejercicio real" de dichos derechos[96]. Referencias, a todas luces, insuficientes, ya que, tal y como sugiere la doctrina, la negociación colectiva debería concretar los medios relativos a las tecnologías de las comunicaciones para una adecuada acción sindical en la empresa, que facilite y promueva la participación y representación de las personas teletrabajadoras[97].

---

[92]   Vid. art. 19 del CC estatal de la prensa diaria. (BOE de 28 de febrero de 2018).
[93]   Vid. art. 50 del CC British Petroleum Oil España. (BOE de 22 de agosto de 2014).
[94]   Vid. DE CASTRO MEJUTO, Luís Fernando: "La formación y promoción profesional en el teletrabajo" en MELLA MÉNDEZ, Lourdes (Ed.) y VILLALBA SÁNCHEZ, Alicia (Coord.): *Trabajo a distancia y teletrabajo*, Thomson Reuters Aranzadi, Cizur Menor (Navarra), 2015, pág. 95; MELLA MÉNDEZ, Lourdes: "Las cláusulas convencionales…", cit. pág. 63 y TASCÓN LÓPEZ, Rodrigo: "El teletrabajo como forma…", cit. pág. 592.
[95]   Vid. ARAGÓN GÓMEZ, Cristina: "El teletrabajo…", cit. pág. 350.
[96]   Vid. art. 61.6 del CC Grupo ONO. (BOE de 1 de julio de 2013).
[97]   Vid. CABEZA PEREIRO, Jaime: "Trabajo a distancia y relaciones colectivas" en MELLA MÉNDEZ, Lourdes (Dir.): *El teletrabajo en España: aspectos teórico-prácticos de interés*, Wolkers Kluwers, Madrid, 2017, pág. 181 y ss.

En cuanto a otras condiciones de trabajo y empleo del teletrabajo a las que se hace mención tanto en el art. 13 ET, como también en el AMET y, el Convenio Núm. 177 y en las que la negociación colectiva puede desarrollar un importante papel regulador se encuentran las medidas de seguridad y salud en el trabajo, en atención a las peculiaridades del lugar y el instrumento de trabajo[98]. Sin embargo, pese a que es una materia recurrente en los convenios, en opinión de un sector de la doctrina el modo en que se ha venido recogiendo resulta en la mayoría de casos decepcionante[99] ya que, en términos generales, los convenios se remiten justamente a lo previsto en el AMET o la referencia es sumamente confusa o imprecisa[100]. Aún con todo, algunos convenios recogen el compromiso expreso de la persona trabajadora para dar cumplimiento a las normas de salud laboral que resulten aplicables, sin que ello deba interpretarse como la asunción por parte de la persona trabajadora de la realización de una autoevaluación de riesgos, se hace mención a los riesgos físicos tradicionales relacionados con el trabajo a distancia, incluyéndose también en algunos casos riesgos psicosociales, incidiéndose especialmente en la desconexión digital y el aislamiento, así como también en los reconocimientos médicos periódicos[101].

A título de ejemplo, algunas de estas cuestiones son referidas en la Recomendación 3 del Anexo V del I Convenio colectivo de empresas vinculadas a Telefónica de España, SAU, Telefónica Móviles España, SAU y Telefónica Soluciones de Informática y Comunicaciones, SAU[102] y en el art. 15 del Convenio colectivo estatal de Perfumerías y Afines[103], en los que se establecen requisitos mínimos referidos al

---

[98] Vid. MELLA MÉNDEZ, Lourdes: "La seguridad y salud en el teletrabajo" en MELLA MÉNDEZ, Lourdes (Ed.) y VILLALBA SÁNCHEZ, Alicia (Coord.): *Trabajo a distancia...*, cit. pág. 173 y ss.

[99] En este sentido se manifiestan ARAGÓN GÓMEZ, Cristina: "El teletrabajo...", cit. pág. 348

[100] Por ejemplo, art. 10 bis del XV CC de la industria química. (BOE de 29 de agosto de 2007).

[101] Vid. MELLA MÉNDEZ, Lourdes: "Las cláusulas convencionales...", cit. pág. 26 y TASCÓN LÓPEZ, Rodrigo: "El teletrabajo como forma...", cit. págs. 594 a 596.

[102] BOE de 21 de enero de 2016.

[103] BOE de 24 de noviembre de 2017.

espacio de trabajo para poder desarrollar el teletrabajo, indicaciones para la colocación de los equipos, la obligación empresarial de adoptar las medidas necesarias para evitar el aislamiento de la persona teletrabajadora, el procedimiento para la realización de las visitas al domicilio para el control de las medidas de prevención de riesgos laborales y la realización de estudios y controles médicos y su traslación a la representación legal de las personas trabajadoras.

Otras materias de interés, no mencionadas en el art. 13 ET, pero sí previstas algunas de ellas en el AMET (Cláusula 5, 6, 7 y 9) y también en la Recomendación Núm. 184 de la OIT (Apartado III y VIII) son las referidas a la regulación de los tiempos de trabajo y descanso, control del trabajo por parte de la persona empresaria y su compatibilidad con los derechos de intimidad y protección de datos de la persona trabajadora y de los procesados por ella, así como la provisión y responsabilidad de los equipos de trabajo.

En relación a los tiempos de trabajo y descanso, son escasos los convenios que incluyen alguna previsión al respecto y cuando lo hacen se centran más en fijar los límites temporales para el desarrollo del teletrabajo, combinando tiempos de trabajo presenciales y a distancia[104], que en establecer mecanismos de flexibilización de la jornada o el establecimiento de tiempos de descanso y desconexión y cuando se realiza se suele vincular a los sistema de control empresarial que se establecen para el teletrabajo[105] o a prever cambios en los tiempos de trabajo motivados por causas productivas[106], quedando, en este sentido, la ordenación del tiempo de trabajo en manos del acuerdo individual de teletrabajo[107].

Una cuestión vinculada a la ordenación flexible de los tiempos de trabajo es la recurrente promoción del teletrabajo como medida de

[104] Vid., por ejemplo, art. 34 del II CC de Nutricia, SRL. (BOE de 16 de abril de 2008) y, más recientemente, art. 72 del CC Repsol Butano, SA. (BOE de 22 de diciembre de 2016).

[105] Vid. entre otros, art. 75 del XII CC de Hibu Connect. (BOE de 12 de junio de 2013).

[106] Vid., en este sentido el art. 28.1 del CC de Repsol YPF, SA. (BOE 12 de agosto de 2009), establece la obligación de la persona trabajadora de permitir, por motivos del servicio, que la empresa cambie el día o la tarde fijada para el desempeño del teletrabajo, por otro día u otra tarde de la misma semana.

[107] Vid. ARAGÓN GÓMEZ, Cristina: "El teletrabajo...", cit. pág. 347.

conciliación de la vida familiar, personal y profesional de la persona trabajadora, la cual se recoge de forma bastante habitual en los convenios colectivos tanto a nivel de empresa[108], como a nivel de sector[109]. Ahora bien, tal y como muy acertadamente ha indicado la doctrina, el recurso al teletrabajo no debe entenderse como una vía alternativa al ejercicio de los derechos de conciliación reconocidos legal o convencionalmente, a los cuales no puede renunciar la persona trabajadora, sino que la fórmula del teletrabajo debe configurarse como una continuación a los permisos de conciliación de los que disfruta la misma y, en todo caso, como una alternativa al ejercicio de derechos de conciliación que son más gravosos económica o profesionalmente para la persona trabajadora, como sería el caso de optar por una reducción de jornada de trabajo o una excedencia para el cuidado de hijo o hija u otros familiares[110].

La provisión de los equipos de trabajo es otra de las cuestiones que también se incluyen en algunos convenios colectivos, siguiendo a este respecto, las pautas marcadas por el AMET, de manera que se parte de la premisa de que ha de ser la empresa la que facilite los instrumentos de trabajo, aunque como indica la doctrina de forma crítica, es posible encontrar en alguna ocasión ciertas matizaciones cuando se trata de teletrabajo a tiempo parcial, en cuyo caso se prevé que sea la parte trabajadora la que aporte sus recursos particulares[111]. A ello, cabe añadir,

---

[108] Vid., por ejemplo, art. 28 del VIII CC de Telefónica Soluciones de Informática y Comunicaciones de España, SAU. (BOE de 19 de junio de 2013); art. 48 del IX CC de Siemens, SA. (BOE de 15 de agosto de 2014); y, art. 69 del CC Repsol Butano, SA. (BOE de 22 de diciembre de 2016).

[109] Vid, a título de ejemplo, art. 20 del CC general de ámbito estatal para el sector de entidades de seguros, reaseguros y mutuas de accidentes de trabajo. (BOE de 16 de julio de 2013) y art. 10 del XVII CC general de la industria química. (BOE e 9 de abril de 2013).

[110] Vid. ROMERO BURILLO, Ana Mª.: "El teletrabajo: ¿oportunidad o riesgo para la igualdad efectiva de mujeres y hombres en las relaciones laborales?", en ROMERO BURILLO, Ana Mª. y BARDINA MARTÍN, Yolanda (Coords.): *Mujer, Trabajo y Nuevas Tecnologías*, Thomson Reuters Aranzadi, Cizur Menor (Navarra), 2021, pág. 133; TASCÓN LÓPEZ, Rodrigo: "El teletrabajo como forma...", cit. pág. 603; y VILLALBA SÁNCHEZ, Alicia: "Teletrabajo y responsabilidad social empresarial" en en MELLA MÉNDEZ, Lourdes (Ed.) y VILLALBA SÁNCHEZ, Alicia (Coord.): *Trabajo a distancia...*, cit. pág. 73.

[111] Vid. MELLA MÉNDEZ, Lourdes: "Las cláusulas convencionales...", cit. pág. 19.

la regulación del sistema de compensación de los costes derivados del uso de instrumentos propios de la persona teletrabajadora para el desarrollo de su prestación laboral, a la cual ya hemos tenido oportunidad de referirnos al tratar las condiciones retributivas del teletrabajo.

Por lo que respecta a las referencias convencionales al respeto a la intimidad y la protección de datos personales, el tratamiento de dichos derechos está estrechamente vinculado con el ejercicio de las facultades y deberes empresariales de vigilancia y control y la proporcionalidad de los mecanismos que se utilicen para llevar a cabo dichas facultades y obligaciones. A este respecto, ya hemos tenido oportunidad de indicar con anterioridad que, en relación al deber de prevención de riesgos laborales, en algún convenio se introducen pautas para llevar a cabo las visitas al domicilio de las personas teletrabajadoras cuando es este el lugar de trabajo. Junto a estas previsiones, no resulta excepcional encontrar cláusulas que ponen el acento en la responsabilidad de la persona trabajadora en el tratamiento de los datos personales que se manejen en el trabajo y en el cumplimiento de la normativa sobre protección de datos de carácter personal e incluso en ocasiones se exige en el acuerdo de teletrabajo que la persona trabajadora declare conocer sus derechos y deberes en la materia[112]. Sin embargo, nada se indica en los convenios en relación al respeto de los datos de carácter personal de la persona teletrabajadora y a la obligación que sobre esta materia tiene la empresa[113].

3. LA REGULACIÓN CONVENCIONAL DEL TELETRABAJO TRAS SU REFORMA LEGAL POR LA LEY 10/2021

3.1. Consideraciones generales previas

El estudio que se aborda en este apartado toma como referencia temporal el período comprendido entre el 1 de octubre de 2020, que corresponde al mes siguiente a la aprobación del RD-ley 28/2020, posteriormente convalidado por medio de la aprobación de la Ley

---

[112] Vid. art. 78 XII CC de Hibu Connect. (BOE de 12 de junio de 2013).
[113] Vid. MELLA MÉNDEZ, Lourdes: "Las cláusulas convencionales…", cit. pág. 22.

10/2021, hasta el 30 de abril de 2022, fecha de cierre de este estudio. Tal y como indicábamos al inicio de este trabajo se toma como referencia el período previo en el que está vigente el RD-Ley 28/2020 y no la fecha de aprobación de la Ley 10/2021, a efectos de poder contar con una muestra más amplia de convenios colectivos, teniendo en cuenta que la nueva Ley no altera las previsiones que sobre negociación colectiva contenía el RD-ley.

En cuanto a la muestra que se analiza, se ha tomado como referencia los convenios recogidos en el Registro y Depósito de Convenios Colectivos, Acuerdos Colectivos de Trabajo y Planes de Igualdad (REGCON) y que son susceptibles de prever una regulación sobre el teletrabajo, tanto a nivel de empresa, como de ámbito sectorial, atendiendo al contenido de la LTD. Por tanto, cabe indicar que se han excluido de este análisis el teletrabajo del personal laboral al servicio de las Administraciones Públicas, que se regirá en esta materia por su normativa específica; el teletrabajo COVID y el teletrabajo que no alcance los umbrales temporales que identifican al trabajo a distancia según el art. 1 LTD.

Atendiendo a este criterio, el número total de convenios colectivos analizados ha sido de 1307, de los cuales 354 corresponden a convenios de sector y 953 a convenios colectivos de empresa. Por lo que se refiere a los convenios colectivos de sector de los 354, son 75 los convenios en los que vamos a encontrar alguna referencia al teletrabajo, mientras que los 279 restantes no hacen mención alguna a la materia. Ello significa que un 28% de los convenios de sector consultados contienen alguna regulación sobre teletrabajo frente al 72% que no prevén ninguna regulación. A nivel de empresa, del total de 953 convenios consultados, 814 no contienen ninguna cláusula relativa al teletrabajo y 139 sí, lo que porcentualmente se traduce en que el 14% de los convenios de empresa incluyen alguna referencia al teletrabajo, frente al 86% que no lo hace, lo cual implica que proporcionalmente, a nivel de empresa el interés por regular esta materia es menor que a nivel sectorial ya que sólo el 14% de los convenios consultados incluyen alguna cláusula sobre teletrabajo, frente al 28% de los convenios sectoriales.

Si comparamos estos números con los datos anteriores a la COVID-19, porcentualmente el tratamiento convencional sobre el teletrabajo se ha incrementado exponencialmente. Según los datos a los que hemos tenido acceso, sólo en 47 convenios colectivos, de los 1130 convenios que se firmaron hasta diciembre de 2019, se recogía alguna disposición en relación con el teletrabajo, lo cual suponía el 4,16% del total de convenios[114]. No obstante, a nuestro parecer, el número actual de convenios que incluyen alguna cláusula reguladora sobre teletrabajo sigue siendo baja si nos atenemos al número de convenios colectivos firmados hasta el momento. Ahora bien, en relación a esta cuestión, tenemos que tener en cuenta que, tal vez, este reducido número de convenios trae causa en las características de nuestro tejido productivo y el importante peso que tienen determinadas actividades en la economía española, tales como la agricultura, la hostelería, el comercio o la construcción, en las que resulta imposible o muy complicado su desarrollo a través del teletrabajo. Asimismo, también hay que tener en cuenta que no sólo es importante el número de convenios colectivos que regulan el teletrabajo, sino el ámbito personal que alcanza la norma convencional, es decir, el número de personas trabajadoras a las que les será de aplicación dicha norma, por lo que según el sector o empresa en las que nos encontremos la implementación del teletrabajo puede ser muy relevante.

Por otra parte, tan importante o más que el número de convenios colectivos que actualmente incluyen alguna regulación sobre el teletrabajo es el contenido de dicha regulación y, a este respecto, desde un punto de vista cualitativo, es posible desarrollar varias reflexiones generales, algunas de las cuales se mueven en la misma línea que hemos indicado a nivel cuantitativo.

Una primera valoración general a realizar viene referida a la denominación y ordenación sistemática de la materia dentro del clausulado convencional. En este sentido y por lo que se refiere a la denominación utilizada por los convenios colectivos para referirse a la regulación del teletrabajo, los términos con los que se identifica la regulación de esta materia, existiendo coincidencia entre los convenios de ámbito empresarial y sectorial, son diversos, de manera que bajo

---

[114] Vid. PINO BUSTOS, Gonzalo: "Mesa Redonda sobre Teletrabajo" en AAVV.: *Teletrabajo y Negociación Colectiva*, Ministerio de Trabajo y Economía Social, Madrid, 2022, pág. 152.

la denominación de "teletrabajo"[115], "teletrabajo y/o trabajo a distancia" y, de forma más excepcional "trabajo a distancia o/y trabajo en remoto"[116], encontramos la regulación referida al teletrabajo. A este respecto, además, cabe señalar que en ocasiones aunque la denominación utilizada por el convenio haga mención únicamente o también al trabajo a distancia, el contenido se dirige a regular básicamente la modalidad del teletrabajo[117]. A título casi anecdótico se puede indicar igualmente que algún convenio ha previsto de forma separada el tratamiento normativo del teletrabajo y del trabajo a distancia[118], seguramente, con la finalidad de distinguir la categoría general de esta forma de trabajar, que es el trabajo a distancia, respecto de la que es una modalidad de la misma, como es el teletrabajo.

En cuanto a la ordenación sistemática de la regulación del teletrabajo, la misma está directamente relacionada con el tratamiento que la norma convencional da a la materia. De esta manera, en términos generales, el criterio que se sigue en la negociación colectiva más reciente, sin que exista tampoco ninguna diferencia entre la negociación colectiva de ámbito sectorial y de empresa, consiste en regular el teletrabajo, si así se prevé en el convenio, a través de cláusulas

---

[115] Vid., por todos, art. 18 del CC de ámbito estatal para el sector de agencias de viajes, para el período 2019-2022. (BOE de 14 de enero de 2022) y art. 43 del CC de Nokia Spain, SA. (BOE de 15 de noviembre de 2021).

[116] Vid., en este sentido, art. 58 del CC de la empresa Industria de Turbo Propulsores, SAU. (BOP de Bizkaia de 18 de enero 2022) y art. 50 del CC del Sector del Doblaje y Sonorización (Rama Artística). (BOCM de 21 de agosto de 2021).

[117] Así, por ejemplo, el art. 57 del CC de Uniprex, SAU. (BOE de 24 de septiembre de 2021), aunque lleva por título "Trabajo a distancia" el contenido del mismo se refiere exclusivamente al teletrabajo. En otros casos, como sucede en la Disposición adicional séptima del CC estatal para las industrias de elaboración del arroz. (BOE de 15 de enero de 2022), en el art. 14 bis del CC de Primark Tiendas, SLU. (BOE de 4 de septiembre de 2021) o en el art. 40 del CC para la empresa AEG Power Solutions Ibérica, SA. (BOTHA de 20 de septiembre de 2021), aunque el convenio haya optado por referirse conjuntamente al "trabajo a distancia y teletrabajo", las referencias al trabajo a distancia son mínimas o nulas, centrándose la regulación en la modalidad de teletrabajo.

[118] Vid., en este sentido, el CC de preparados alimentarios y productos dietéticos de la Comunidad Autónoma de Cataluña (DOGC de 18 de febrero de 2022), en donde el Capítulo XVI que lleva por título "trabajo a distancia" se compone de dos artículos, el art. 81 que se titula "trabajo a distancia" y el art. 82 que se titula "teletrabajo".

autónomas[119], mientras que si el convenio se limita a referirse al teletrabajo o, de forma general al trabajo a distancia, como una medida o un mecanismo más a tener en cuenta dentro de una categoría más amplia, como puede ser el caso, por ejemplo, de las medidas de conciliación familiar, la flexibilización de la jornada de trabajo, el registro de jornada, los derechos de formación o de desconexión digital, entre otros, su ubicación se sitúa allí donde se introduce la cláusula referida a esa materia en concreto[120]. También es posible encontrar alguna referencia al teletrabajo/trabajo a distancia en el apartado de algunos convenios que incluye el compromiso de implantación de un plan de igualdad, apareciendo expresamente como una de las materias a tener en cuenta en el diagnóstico del plan y/o como medida del mismo[121].

Otro aspecto a destacar y en el cual tampoco existen diferencias según el ámbito negociador, es el referido al importante número de convenios colectivos que introduciendo un apartado específico sobre teletrabajo o, de forma más genérica, sobre el trabajo a distancia, su contenido se limita a realizar una remisión a la regulación general so-

---

[119] Vid., por todos, art. 48 del IV CC estatal de la industria de nuevas tecnologías y los servicios del metal. (BOE de 12 de enero de 2022) y Título Sexto, Capítulo Segundo del CC de la empresa Páginas Amarillas Soluciones Digitales, SAU. (BOCM de 1 de noviembre de 2021).

[120] En este sentido, por ejemplo, el art. 43 del V CC sectorial estatal de servicios externos auxiliares y atención al cliente en empresas de servicios ferroviarios. (BOE de 9 de marzo de 2022), incluye una referencia expresa al trabajo a distancia como medida para hacer efectivo el derecho a la conciliación de la vida familiar y laboral; el Anexo V, Disposición Sexta del CC de la empresa Coordinadora Integral Óptica de Servicios Agrupados, SL. (BOCM de 3 de diciembre de 2021), que regula la política de desconexión digital hace mención expresa al trabajo a distancia (teletrabajo) total o parcial; el art. 43 del CC del sector de la construcción y obras públicas de la provincia de Cádiz. (BOPC de 9 de noviembre de 2020), que regula el registro diario de la jornada de trabajo se refiere expresamente al teletrabajo y, el art. 24 a) del III CC de Intervención Social de Gipuzkoa para los años 2019-2022. (BOG de 15 de julio de 2021) y el art.61 del CC interprovincial para oficinas de farmacia de Cataluña para las provincias de Girona, Lleida y Tarragona. (DOGC de 21 de enero de 2022), incluyen, entre las medidas dirigidas a la protección de la víctima de violencia de género y del terrorismo, el derecho de la persona trabajadora a desarrollar su trabajo parcialmente a distancia si este es el sistema de trabajo implantado en la empresa y resulta compatible con las tareas y funciones que desarrolla la misma.

[121] Vid., por ejemplo, Anexo sobre el diagnóstico del Plan de Igualdad del CC estatal para las empresas del comercio de flores y plantas. (BOE de 3 de septiembre de 2021).

bre la materia, a saber, al RD-ley 28/2020 o a la Ley 10/2021, según la fecha de publicación del convenio[122], aunque no faltan tampoco las remisiones genéricas a la legislación vigente sin más, seguramente con la finalidad de evitar confusiones respecto a la norma aplicable en cada momento, al coincidir la negociación del convenio con el momento de tramitación de la Ley 10/2021[123].

Por otra parte, en ocasiones, esa remisión a la ley se acompaña de un redactado previo en el que se hace expresa mención al carácter innovador que supone el teletrabajo/trabajo a distancia y/o al compromiso de ofrecerlo al personal que ocupe un puesto de trabajo en el que sea susceptible su implantación y se cuente con las aptitudes necesarias sin que repercuta negativamente en la organización y productividad de la empresa[124].

De forma mucho más excepcional, encontramos algunos convenios de empresa, en los que la remisión que se realiza no es a la normativa general reguladora del teletrabajo, sino al Acuerdo Colectivo de Teletrabajo existente en dicho ámbito de negociación. Es el caso, por ejemplo, del Convenio colectivo de la Empresa Ibp Atcosa, SL, en cuyo art. 6 referido a la jornada laboral y para el personal que desempeña su trabajo en oficinas, se indica que ambas partes contratantes podrán acogerse al teletrabajo en las condiciones fijadas en el Acuerdo Colectivo de Teletrabajo existente en la empresa[125].

También es posible identificar un grupo de convenios en los que la regulación se limita a incluir de forma expresa el compromiso de ini-

---

[122] Vid., en este sentido, por todos, art. 19 del CC del sector Fabricantes y Preparados Alimenticios, Dietéticos, de Belleza Natural Ecológica. (BORM de 11 de marzo de 2022) y art. 59 del CC de la empresa Mann+Hummel Ibérica, SAU. (BOPZ de 25 de agosto de 2021).

[123] Un ejemplo extremo es el art. 8.4 del CC de la empresa PFERD Rüggeberg, SA. (BOTHA de 12 de marzo de 2021), que se limita a indicar que "será de aplicación la legislación". Una fórmula de remisión más adecuada nos parece la seguida, por ejemplo, en el art. 41 del CC de la empresa Ingredientes Naturales Seleccionados, SU. (BORM de 17 de marzo de 2021) que establece que "En materia de teletrabajo y trabajo a distancia se estará a lo establecido en la normativa vigente, en la actualidad Real Decreto Ley 28/2020, de 22 de septiembre, o normas que la modifiquen o sustituyan en el futuro".

[124] En este sentido, vid. art. 48 del CC del sector del Comercio de Alimentación de Madrid. (BOCM de 22 de octubre de 2021).

[125] BOP de Córdoba, de 8 de marzo de 2022.

ciar el procedimiento de estudio y elaboración de una regulación sobre teletrabajo[126], lo que se concreta, normalmente, en el establecimiento de una comisión negociadora "ad hoc"[127]. En algunas ocasiones, este compromiso negociador se acompaña también, o bien, de la fijación de la composición de dicha mesa, o bien, del establecimiento de una fecha de inicio de las negociaciones o de un plazo máximo para su desarrollo. Así, por ejemplo, en el art. 28 del Convenio colectivo del sector del Comercio en General del Principado de Asturias, bajo el título de "Teletrabajo/Negociación Colectiva" establece la creación de una comisión de negociación compuesta por 2 personas por la parte empresarial y 4 personas por la parte social, para el estudio y creación de un articulado sobre Teletrabajo o Trabajo a distancia[128]; y, en el Anexo II del Convenio colectivo de la empresa Galletas Gullón las partes negociadoras se comprometen a dar forma y desarrollar durante el año en curso, entre otras cuestiones, toda la materia referente al teletrabajo[129]. De una forma aún más detallada el III Convenio colectivo de Bofrost, SAU en su art. 54 titulado "Teletrabajo" establece que la comisión negociadora del convenio colectivo, a partir del mes de mayo de 2021, con periodicidad, al menos de una reunión cada cuatro semanas, se reunirá para intercambiar sus propuestas en materia de regulación del trabajo a distancia o teletrabajo (distinto del Covid), que serán negociadas con el objetivo de obtener un acuerdo antes de final de 2021 que se incorporaría al convenio colectivo[130].

Para finalizar este apartado, nos parece relevante indicar que, en algún caso, si bien, de forma muy minoritaria, sobre todo a nivel de empresa, es posible encontrar cláusulas convencionales que bajo el título de teletrabajo/trabajo a distancia, en lugar de contener una regu-

---

[126] Vid. por todos, art. 41 del CC de Family Cash, SL. (BOE de 16 de noviembre de 2021) y Preámbulo del CC estatal de las empresas de seguridad para el año 2021. (BOE de 26 de noviembre de 2020).

[127] Vid. por todos, art. 57 del CC de Uniprex, SAU. (BOE de 24 de septiembre de 2021); art. 105 bis del CC de la empresa malagueña de transportes, SAM. (BOPM de 31 de marzo de 2021) y cláusula adicional del CC estatal de artes gráficas, manipulados de papel, manipulados de cartón, editoriales e industrias auxiliares 2021-2022. (BOE de 9 de diciembre de 2021).

[128] BOPA de 24 de febrero de 2022.

[129] BOPP de 9 de marzo de 2022.

[130] BOE de 28 de diciembre de 2021.

lación sobre la materia, las cláusulas en cuestión se centran en realizar una exclusión expresa de la realización de una prestación no presencial por razón de la actividad que desarrolla la empresa[131]. Aunque en algún supuesto resulta llamativo, que esta exclusión inicial se acompañe de la posibilidad de poder acordar con la empresa fórmulas de trabajo a distancia que no superen el 30% de la jornada ordinaria de trabajo en cómputo trimestral, es decir, que no alcance el mínimo de no presencialidad que se exige para ser de aplicación la LTD. En estos términos se expresa, por ejemplo, el Convenio colectivo de la empresa Editorial Prensa Asturiana, SAU, en su Anexo III[132].

A este respecto, también resulta interesante destacar el art. 50 del Convenio colectivo del Sector del Doblaje y Sonorización (Rama Artística)[133], en tanto que si bien no se excluye la implantación del teletrabajo, se ponen de manifiesto las dificultades de su introducción por la especificidad y particularidades técnicas de las actividades que se desarrollan en este sector que, según se indica, "hace muy complicada y extremadamente compleja, tanto por cuestiones artísticas, técnicas, organizativas, productivas, así como económicas" la aplicación práctica de la modalidad del trabajo a distancia o en remoto, por lo que se hace imprescindible que se proceda a analizar la adaptación de esta modalidad de trabajo a la realidad del sector, lo que requiere un estudio de viabilidad de esta modalidad de trabajo, para su posible desarrollo futuro, en las mejores condiciones tanto para las personas trabajadoras como para las empresas.

Asimismo, cabe indicar que, en alguna ocasión, también es posible identificar convenios de empresa en los que haciendo referencia al término "teletrabajo o trabajo a distancia" e incluyendo una regulación al respecto, sin embargo, no será de aplicación la LTD, al no ajustarse a la noción legal de trabajo a distancia, conteniéndose, en este caso, en realidad, una regulación de trabajo a distancia o de teletrabajo no regular. Es el caso del Convenio colectivo de la Fundación Bancaria Caixa d'Estalvis i Pensions de Barcelona "La Caixa", en donde su disposición adicional novena indica que se acuerda la implantación de

---

131 Vid. art. 23 del CC de la empresa Germán López Moya. (BOPC de 30 de agosto de 2021).
132 BOPA de 21 de diciembre de 2021.
133 BOCM de 21 de agosto de 2021.

un modelo de trabajo para toda la plantilla de un día a la semana[134]; y, más explícitamente el Convenio colectivo de R. Cable y Telecable Telecomunicaciones, SAU, en su art. 9 establece que cada persona trabajadora de la empresa dispondrá cada mes de 5 días completos, no acumulables de un mes a otro, ni más de dos días a la semana, para realizar su trabajo en su domicilio habitual o en el lugar escogido por esta, previo acuerdo con la persona responsable, a lo cual se añade que no será de aplicación el RD-ley 28/2020, al pactarse una prestación inferior al 30% de la jornada para cada persona trabajadora[135].

En este punto y respecto a los casos que acabamos de mencionar cabe indicar que resulta un tanto sorprendente que justamente se utilice la norma convencional, que es llamada a jugar un papel fundamental en la regulación del trabajo a distancia y/o del teletrabajo, como mecanismo para excluir del ámbito de aplicación de la LTD la actividad no presencial de las personas trabajadoras en determinados sectores o empresas. En todo caso, sigue resultando conveniente, también en estos supuestos, que se apueste por la regulación a través de la vía convencional frente al acuerdo individual de trabajo.

Un caso totalmente diferente es el previsto en el art. 10.8 del Convenio colectivo de la Cámara oficial de Comercio, Industria y Navegación de Murcia, en donde como medida de conciliación para el cuidado de menor de 12 años o personas mayores con algún grado de dependencia acreditado, se prevé para toda la plantilla, el desempeño no presencial de sus funciones un día a la semana, previa autorización por la persona responsable, indicándose, expresamente que, en caso de autorización, serán de aplicación las disposiciones del RD-ley 28/2020[136]. Es decir, aunque en este caso legalmente la realización de la prestación de servicios no presenciales de la persona trabajadora no alcanza el mínimo legal para ser considerado trabajo a distancia y, por consiguiente, no ser de aplicación la LTD, por convenio se acuerda asumir como mínimas las previsiones marcadas legalmente.

Otro supuesto, también peculiar, es el del art. 36 del Convenio colectivo de la empresa Knorr Bremse Pamplona, SL[137], en donde se

---

[134] BOE de 6 de mayo de 2021.
[135] BOE de 19 de febrero de 2021.
[136] BORM de 6 de abril de 2021.
[137] BON de 8 de marzo de 2022.

prevé, por un lado, una remisión a la normativa legal vigente para los supuestos de teletrabajo y trabajo a distancia y, por otro lado, en la misma cláusula convencional, se introduce una regulación específica para el trabajo a distancia "no regular" consistente en la prestación de servicios desde el domicilio habitual de un día a la semana o dos, cuando se trate del período de verano (1 de julio al 31 de agosto)[138].

3.2. El tratamiento convencional del teletrabajo

3.2.1. La delimitación conceptual de teletrabajo y tipología

Según se indica en los arts. 1 y 2 de la LTD, a efectos legales se considerará teletrabajo aquel que se desarrolla a distancia mediante el uso exclusivo o prevalente de medios y sistemas informáticos, telemáticos y de telecomunicación en el domicilio de la persona trabajadora, o en un lugar escogido por esta, durante toda su jornada laboral o parte de ella, de forma regular, entendiendo por trabajo a distancia regular aquel que, en un período de referencia de tres meses, se presta a distancia un mínimo del treinta por ciento de la jornada, o el porcentaje equivalente en función de la duración del contrato de trabajo.

De acuerdo con esta noción legal de teletrabajo se constata que, al igual que en el art. 13 ET, la delimitación conceptual del mismo sigue girando en torno a dos elementos definidores: el elemento locativo y el elemento temporal. En relación al primero, la norma convencional no tiene mucho que aportar, ya que la ley con la única referencia de que el trabajo se puede desarrollar en el domicilio de la persona trabajadora, se deja en manos de la misma la elección del lugar de prestación de servicios. Como mucho, la incidencia que puede alcanzar la regulación convencional en este aspecto hace referencia a las condiciones que debe cumplir el lugar elegido por la persona trabajadora para desarrollar el teletrabajo, exigiéndose su adecuación a los requerimientos de la normativa sobre prevención de riesgos laborales o los términos y plazos temporales en que se podrá realizar el cambio de lugar de trabajo. En este sentido, por ejemplo, el Convenio colectivo de la empresa Sociedad

---

[138]   Vid. también, entre otros, Disposición adicional duodécima del CC para las cajas y entidades financieras de ahorro. (BOE de 3 de diciembre de 2020).

Informática del Gobierno Vasco, EJIE, SA[139], en su art. 14 indica que "la elección del lugar para la realización de la jornada de teletrabajo será por defecto el domicilio habitual que la persona trabajadora haya comunicado a la empresa en el momento de formalización del contrato, o en su caso, el domicilio posterior si aquel hubiera cambiado, previa aportación de certificado de padrón municipal. No obstante lo anterior, la persona trabajadora podrá solicitar la realización de la jornada en la modalidad de teletrabajo en un lugar distinto, previa identificación del mismo, el cual no podrá ser objeto de modificación durante todo el año para el que se haya solicitado la modalidad de teletrabajo" [140].

No sucede lo mismo, sin embargo, respecto al elemento temporal, ya que, atendiendo a los parámetros utilizados por la LTD, el trabajo a distancia, en general, y, el teletrabajo en particular, admite la diversificación de esta forma de trabajar al no exigir que la totalidad de la jornada se desarrolle en remoto, sino un porcentaje de tiempo mínimo, lo que supone una clara inclinación de la ley por modelos híbridos, en los que se alterna el trabajo presencial y a distancia[141].

Atendiendo a esta regulación legal y al parámetro temporal y, junto a las previsiones convencionales que ya hemos indicado en el apartado anterior referido a la fijación de porcentajes máximos de trabajo a distancia que llevan a la exclusión de la aplicación de la LTD, uno de los aspectos a los que presta atención la negociación colectiva, sobre todo, a nivel de empresa, es a la determinación de las fórmulas de teletrabajo que se implantan, ya sean exclusivamente fórmulas híbridas (combinación presencialidad y trabajo en remoto)[142], exclusivamente a distancia o la previsión de ambas fórmulas[143].

Cabe indicar que mayoritariamente los convenios optan por la adopción de fórmulas híbridas de teletrabajo, siguiendo, de este

---

[139] BOTHA de 25 de marzo de 2022.

[140] Vid. también, por ejemplo, art. 12 del CC de la empresa Comercial Farlabo España, SL. (BOCM de 21 de abril de 2021); art. 48.7 del IV CC estatal de la industria de las nuevas tecnologías y los servicios del sector del metal. (BOE de 12 de enero de 2022) y art. 93.6 del II CC de enseñanza privada reglada no concertada de Cataluña. (DOGC de 25 de enero de 2022).

[141] Vid. ROMERO BURILLO, Ana Mª: *El marco regulador...*, cit. pág. 100.

[142] Vid., por todos, art. 43 del XXIV CC de Nokia Spain, SA. (BOE de 15 de noviembre de 2021).

[143] Vid. art. 23 del CC de Heineken España SA. (BOE de 2 de diciembre de 2021).

modo, la tendencia marcada por la LTD y también recogida por la negociación colectiva anterior a la nueva regulación legal. Fórmulas que, tal y como indica la doctrina, resultan más saludables para las personas trabajadoras a efectos de evitar uno de los grandes riesgos que tiene el teletrabajo, como es el aislamiento de las personas que lo desarrollan[144].

De este modo, en ocasiones es posible encontrar cláusulas convencionales que incorporan como una recomendación el mantenimiento de un grado de presencialidad en la empresa a efectos de evitar el aislamiento de la persona trabajadora, como es el caso del art. 14 bis, apartado 4 del Convenio colectivo de Primark Tiendas, SLU[145] en donde se establece que es aconsejable que las personas que realicen teletrabajo mantengan un vínculo presencial con su unidad de trabajo y con la empresa con el fin de evitar el aislamiento, por lo que es conveniente que los acuerdos individuales de teletrabajo contemplen mecanismos que faciliten una cierta presencia de la persona trabajadora en el centro de trabajo[146]. En otras, el convenio opta por fijar directamente un límite máximo a la prestación a distancia, como sucede en el art. 58 del Convenio colectivo de la empresa Industria Turbo Propulsores, SAU[147], en donde se indica que el teletrabajo se desarrollará bajo la modalidad mixta, estableciendo un tiempo máximo de hasta el 40% de trabajo remoto en cómputo semanal. Asimismo y, seguramente para evitar justamente ese aislamiento de la persona trabajadora, incluso cuando en el convenio se prevé el teletrabajo en exclusiva o permanente, en ocasiones se fija la posibilidad de que la persona trabajadora solicite poder realizar alguna jornada de forma presencial[148].

---

[144] Vid. GOERLICH PESET, José María: "El trabajo a distancia...", cit. pág. 14.

[145] BOE de 4 de septiembre de 2021. También en los mismos términos, vid., por ejemplo, art. 65 del CC de la empresa Solucions Integrals per als Residus, SA (SIRESA). (BOPB de 26 de marzo de 2022).

[146] Vid., como ejemplo, a nivel sectorial, art. 14.4 del CC para las cajas y entidades financieras de ahorro. (BOE de 3 de diciembre de 2020).

[147] BOB de 18 de enero de 2022.

[148] Así se prevé en el art 23 a) del CC de Heineken España SA. (BOE de 2 de diciembre de 2021), al establecer que adicionalmente las personas que desarrollen un trabajo a distancia permanente podrán solicitar hasta cinco jornadas de trabajo al año, presenciales, con su manager o equipo.

Una regulación bastante completa de esta cuestión la encontramos en la disposición adicional decimoquinta del Convenio colectivo de Kutxabank, SA[149], en donde se indica, por un lado, que con carácter general el régimen de prestación en teletrabajo será de un mínimo del 30% y de un máximo del 80% de la jornada establecida para cada empleado o empleada, tomando como referencia un período de 3 meses. Por otro lado, que, en todo caso, deben prestarse servicios presenciales un mínimo de 1 día a la semana en el centro de trabajo que se pactará con el empleado o empleada en el momento de suscribir el acuerdo individual de teletrabajo. Y, finalmente, se indica que la entidad podrá valorar establecer modalidades de teletrabajo al 100% de la jornada para determinados puestos, si así se acuerda con el empleado o la empleada, previa información a la representación legal de trabajadores y trabajadoras, sin que esta modalidad pueda superar el 25% de los casos de teletrabajo que estén acordados por la entidad.

En cuanto a la forma de distribuir los tiempos de trabajo presencial y a distancia. En términos generales los convenios optan por remitir la concreción al acuerdo de teletrabajo/trabajo a distancia y, como mucho, en algún convenio se hace mención a la posibilidad de realizar teletrabajo parcial[150].

Por lo que respecta a las limitaciones del teletrabajo para menores y contratos formativos, resulta excepcional encontrar algún convenio que se refiera a esta cuestión y cuando lo hace se limita a reproducir lo indicado en el art. 4 LTD[151].

3.2.2. Condiciones de implantación del teletrabajo

Una cuestión que se aborda por la negociación colectiva, aunque de forma muy general es la referida al ámbito de aplicación del te-

---

[149] BOE de 27 de septiembre de 2021.
[150] Vid., por ejemplo, art. 28.4 del CC de la empresa Hermasa Canning Technology, SA. (BOPPO de 3 de marzo de 2022; art. 30 del CC de la Fundación Profesor Novoa Santos. (BOPAC de 4 de enero de 2022) y art. 15 del CC de la empresa Unión Agroganadera de Álava. (BOTHA de 3 de diciembre de 2021).
[151] Vid. art. 18.1 del CC laboral de ámbito estatal para el sector de las agencias de viaje, para el período 2019-2022. (BOE de 14 de enero de 2022) y art. 65.3 del CC de la empresa Páginas Amarilla Soluciones Digitales, SAU. (BOCM de 1 de noviembre de 2021).

letrabajo en un determinado sector o empresa. Al respecto, ya se ha apuntado anteriormente, que en alguna cláusula convencional se prevé expresamente la exclusión de esta forma de trabajar en el ámbito de aplicación del convenio en cuestión, al resultar incompatible la implantación del teletrabajo con la actividad productiva a desarrollar. Pues bien, junto con esta exclusión expresa, también es posible encontrar convenios donde se hace referencia a la admisión del uso del teletrabajo, si bien, no resulta excepcional que dicha implantación se condicione a una previa identificación de los puestos de trabajo y funciones que son susceptibles de ser realizados a través de teletrabajo. Por tanto, no siempre se abre la posibilidad del paso al teletrabajo de forma generalizada a todo el personal, sino que dicho cambio se condiciona a que la prestación de servicios que realiza la persona trabajadora se pueda seguir desarrollando sin perjuicio productivo u organizativo para la empresa[152]. Debe indicarse, no obstante, que pese a la importancia que a nuestro parecer tiene este estudio por puestos y funciones sobre la viabilidad de la implantación del teletrabajo, los convenios no van más allá de indicar la necesidad de abordar esta cuestión o se mueven siempre en términos muy genéricos[153], por lo que no se ha hecho efectiva, hasta la fecha, la posibilidad prevista en el Disposición adicional primera, apartado 1 LTD para que a través de convenios colectivos se lleve a cabo esa identificación de puestos y funciones susceptibles de ser realizados a través de teletrabajo.

---

[152] Vid., por ejemplo, art. 62 del CC de la empresa Autotransporte Turístico Español, SA. (BOE de 27 de septiembre de 2021).

[153] La máxima concreción que es posible encontrar en algunos convenios es como la prevista en el art. 22.2 del CC de la empresa provincial de Aguas de Córdoba, SA. (BOP de 4 de febrero de 2022) que se expresa en los siguientes términos: "Se considerarán puestos de trabajo susceptibles de ser desempeñados a distancia los que puedan ser ejercidos de forma autónoma y no presencial, atendiendo a las características específicas y los medios requeridos para su desarrollo. Por sus características, no son susceptibles de ser desempeñados mediante el trabajo a distancia los siguientes: a) puestos de trabajo cuyas funciones conlleven necesariamente la prestación de servicios presenciales. Se entiende por servicios presenciales aquellos cuya prestación efectiva solamente queda plenamente garantizada por la presencia física de la persona trabajadora; b) puestos que lleven aparejadas funciones de dirección, coordinación o supervisión; c) puestos en oficinas de registro y atención e información al abonado".

Un supuesto que se sale de esta regla general es el caso del Convenio colectivo de la empresa Páginas Amarillas Soluciones Digitales, SAU, que en su art. 66.1 establece que "La empresa atendiendo a las funciones que realiza, incluye como susceptibles de trabajo a distancia los puestos actuales de trabajo del Área de Estructura, bajo la modalidad de teletrabajo parcial (...). En el mismo sentido se incluyen como puestos susceptibles de trabajo a distancia en el Área de Ventas los roles o especialidades de trabajo en remoto (cartera en remoto y captación) mediante teletrabajo total (...)"[154].

En este punto, también debe indicarse que en ciertos convenios se hace mención a la participación de la RLPT en el proceso de implantación del teletrabajo, siendo diversas las fórmulas planteadas al respecto. De este modo, en algunos casos la participación se concreta en el establecimiento de un proceso negociador[155] y, en otros casos, en el establecimiento de mecanismos de información referidos a procedimientos, métodos, protocolos de uso de dispositivos y herramientas y soporte técnico, entre otros, que pudieran ponerse en marcha fruto de la implementación del teletrabajo[156].

Otra cuestión que es recomendable abordar desde la negociación colectiva es el procedimiento a seguir por las partes contratantes para realizar el paso del trabajo presencial al teletrabajo. A este respecto, por el momento, los convenios no se han mostrado muy receptivos a abordar este tema, si bien, es posible identificar ya algún supuesto en el que se aborda esta cuestión en términos más o menos genéricos, como es el caso del CC de la empresa EJIE, SA. (art. 14)[157] y del CC

---

[154] BOCM de 1 de noviembre de 2021. Vid. también, aunque en términos más genéricos, art. 14 del CC de la empresa EJIE, SA. (BOTHA de 25 de marzo de 2022).

[155] Vid., art. 18.1 del CC de ámbito estatal para el sector de las agencias de viajes, para el período 2019-2022. (BOE de 14 de enero) y art. 29 del CC de la empresa Llansà, SA. (BOPG de 26 de enero de 2021).

[156] Vid., en este sentido, art. 12 del CC de la empresa Comercial Farlabo España, SL. (BOCM de 21 de abril de 2021); art. 4 del CC de la industria, la tecnología y los servicios del sector del metal de la provincia de Teruel para los años 2020, 2021 y 2022. (BOP de 24 de noviembre de 2021); art. 35.8 del CC del sector de Logística, Paquetería y Actividades Anexas al Transporte de Mercancías. (BOCM de 17 de septiembre de 2021); art.14 bis, apartado 7 del CC de Primark Tiendas, SLU. (BOE de 4 de septiembre de 2021) y art. 7 bis del CC del sector de grandes almacenes. (BOE de 11 de junio de 2021).

[157] BOTHA de 25 de marzo de 2022.

de la empresa VC Chemical Logistics SLU, de la Bisbal del Penedés, para los años 2021-2026 (art. 12)[158].

De igual forma, otro ámbito en el que la negociación colectiva juega un papel importante es a la hora de fijar prioridades o preferencias que permitan seleccionar entre las personas trabajadoras interesadas o designadas para pasar de un trabajo presencial a distancia o viceversa, cuando el teletrabajo no es una opción abierta a toda la plantilla de la empresa. En este sentido los convenios cuentan con un amplio margen para fijar tales prioridades y preferencias, algunas de las cuales se mencionan a título ejemplificativo por la propia LTD, tales como circunstancias vinculadas a la formación, la promoción y estabilidad en el empleo de personas con diversidad funcional o riesgos específicos, circunstancias personales vinculadas a conciliación o circunstancias profesionales como la pluriactividad o el pluriempleo, además de las prioridades que fija la propia norma. Por el momento, sin embargo, los criterios de priorización y preferencia no han merecido una especial atención por parte de la negociación colectiva

En aquellos casos en los que se haga efectiva la implantación del teletrabajo, la voluntariedad que se predica del teletrabajo en la LTD (art. 5.1), también resulta ser una referencia recurrente en la negociación colectiva, de manera que no es excepcional que los convenios tanto de empresa, como de sector, al regular esta materia, hagan una mención expresa al carácter voluntario que tiene el teletrabajo tanto para la parte trabajadora, como empresarial[159].

Esta voluntariedad se materializa con la formalización del acuerdo individual de teletrabajo, al cual también se hace mención de forma habitual en la negociación colectiva. Sin embargo, más excepcional resulta encontrar algún convenio que se detenga en la concreción de

---

[158] BOPT de 8 de noviembre de 2021. En los mismos términos vid. también art. 12 el CC de la empresa TPC POLYMERS EUROPES, SLU de la Bisbal del Penedés para los años 2021-2026. (BOPT de 8 de noviembre de 2021).

[159] Vid., por todos, art. 48 del IV CC estatal de la industria de las nuevas tecnologías y los servicios del sector del metal. (BOE de 12 de enero de 2022) y Anexo V, art. 1.2 del CC de la empresa Televés, SAU. (BOP de 10 de 2021). En el caso del CC de la empresa Placas de Piezas y Componentes de Recambios, SAU. (BOE de 6 de octubre de 2021), el art. 11, se refiere al carácter voluntario que se exige por ambas partes contratantes como "principio de doble voluntariedad".

dicho acuerdo, más allá de la exigencia de la forma escrita[160]. En este punto, los convenios se remiten a lo que establece la norma legal, ya sea en una remisión genera a la ley[161], o bien, recogiendo literalmente lo previsto en el art. 7 LTD[162]. Excepcionalmente, algún convenio, como es el caso del VIII Convenio colectivo de GIAHSA incorpora en su Anexo X un modelo de acuerdo individual de teletrabajo en el que sí es posible encontrar una concreción de algunos aspectos y condiciones a las que se refiere el contenido mínimo del art. 7 LTD[163]. De esta manera, por ejemplo, se fijan un mínimo de instrumentos de trabajo que facilitará la empresa, pudiéndose incorporar otros adicionalmente en el acuerdo, así como la compensación de gastos derivados del teletrabajo (cláusula sexta), se concreta el sistema de control del uso de los dispositivos informáticos por parte de la empresa (cláusula séptima), o se incluyen instrucciones para la protección de datos y seguridad de la información tratada (cláusula décima). También en algún caso se establece la duración inicial de este acuerdo y su posible continuidad. Así sucede en el art. 65 del Convenio colectivo provincial de Oficinas y Despachos de Alicante[164], en donde se indica que transcurrido un año desde el inicio del teletrabajo, dicho acuerdo podrá ser objeto de prórroga debiendo ser renovado de manera expresa por voluntad de ambas partes con un mes de antelación.

3.2.3. El derecho de reversión y la modificación del acuerdo de teletrabajo

Otro aspecto importante del régimen del teletrabajo y vinculado también al carácter voluntario del mismo es el referido al derecho a la

---

[160] Vid., por todos, art. 40 del CC de la empresa AEG Power Solutions Ibérica, SA. (BOTHA de 20 de septiembre de 20221).

[161] Vid., por todos, art. 20 del CC general de trabajo de la industria textil y de la confección. (BOE de 16 de diciembre de 2021).

[162] Es el caso, por ejemplo, del art. 52 del CC del comercio del automóvil, caravanas, motocicletas, bicicletas y sus accesorios de la provincia de Sevilla. (BOP de 10 de septiembre de 2021); art. 23 del CC de Heineken España. SA. (BOE de diciembre de 2021); del art. 45 del CC de la empresa Tostaderos al Sol de Alba, SL. (BOP de 4 de enero de 2022) y del art. 43 del CC de la empresa Mercalicante, SA. (BOPA de 21 de marzo de 2022).

[163] BOTHA de 4 de febrero de 2022.

[164] BOPA de 22 de diciembre de 2021.

reversibilidad de la decisión de trabajar a distancia, lo cual se predica por igual tanto para la parte trabajadora como empresarial.

Este derecho viene previsto en el art. 5.3 LTD y, en base a los términos con los que se expresa el precepto cabe considerar que la reversibilidad a la que se refiere la norma es unidireccional y sólo de vuelta, ya que se prevé únicamente en aquellos supuestos en los que el teletrabajo no forma parte de la descripción inicial del puesto de trabajo y, por tanto, se llega al teletrabajo a partir del desarrollo inicial de la prestación de servicios de la persona trabajadora de forma presencial[165].

Teniendo en cuenta este condicionante, en cuanto a la forma de llevar a cabo la reversibilidad, el art. 7 LTD señala como instrumentos reguladores a la negociación colectiva y el acuerdo individual de teletrabajo. Por tanto, cuestiones tales como los motivos que justifican la reversibilidad, el procedimiento a seguir para su ejecución, el plazo de preaviso aplicable o la exigencia de un período mínimo de permanencia previo a la solicitud de reversibilidad, entre otros aspectos, deberán negociarse, ya sea por vía colectiva o individual, si bien la ley establece una clara preferencia por que todas estas cuestiones sean reguladas a través de la negociación colectiva y sólo acudir al acuerdo individual de teletrabajo en defecto de la misma.

En relación a la respuesta que hasta el momento ha dado la negociación colectiva a esta materia, cabe indicar que el derecho de reversibilidad es una de las cuestiones que con mayor frecuencia se incluyen en los convenios que incorporan una regulación sobre teletrabajo.

En cuanto a la forma en que se regula este derecho de reversión, las fórmulas utilizadas son diversas. En todo caso, una máxima que se repite en todos los convenios es la de acompañar a la declaración del carácter voluntario del teletrabajo el derecho de reversión que tienen las partes contratantes[166] y, a partir de ahí, la regulación se hace más o menos extensa según el convenio colectivo en cuestión. De esta

---

[165] Vid. ROMERO BURILLO, Ana Mª: *El marco regulador...,* cit. pág. 105.
[166] Vid., por todos, art. 10.2 del CC de la empresa Labs & Technological Services AGQ, SL. (BOPS de 8 de septiembre de 2021) y art. 18.3 del CC de ámbito estatal para el sector de las agencias de viajes, para el período 2019-2022. (BOE de 14 de enero de 2022).

manera es posible encontrar como fórmula más generalizada entre los convenios, aquella consistente en el reconocimiento del derecho de reversión para ambas partes contratantes y el establecimiento de un plazo de preaviso para comunicar por escrito la voluntad de retornar al trabajo presencial, el cual suele oscilar entre los 15 y los 30 días naturales[167], aunque también es posible identificar, de manera más excepcional, plazos más cortos de entre 2 días y 5 días, e incluso por motivos de fuerza mayor u otros motivos de urgencia, se prevé la reversión automática sin preaviso[168]. Igualmente, en algún caso se prevé que este plazo de preaviso se pueda ampliar por motivos justificados, como sucede, por ejemplo, en el art. 52 del Convenio colectivo del grupo de marroquinería, cueros repujados y similares de Madrid, Castilla-La Mancha, La Rioja, Cantabria, Burgos, Soria, Segovia, Ávila, Valladolid y Palencia[169].

De igual forma, también es posible encontrar convenios en los que la regulación del derecho de reversión es más detallada. Un ejemplo, en este sentido, es la previsión que se contiene en el art. 75 del Convenio colectivo de la empresa Páginas Amarillas Soluciones Digitales, SAU[170], en el que no sólo se hace mención al derecho de reversión de ambas partes contratantes y al plazo de preaviso (1 mes), sino que contiene otras condiciones de ejercicio de este derecho. De esta manera, se indica, primero, que una vez realizado el paso al teletrabajo, se establecerá un período de tiempo inmediatamente posterior (2 meses), durante el cual se podrá solicitar el retorno a la situación

---

167   Vid., en este sentido, a nivel empresarial, art. 14 bis, apartado 3 del CC de Primark Tiendas, SLU. (BOE de 4 de septiembre de 2021); art. 40 del CC de la empresa AEG Power Solutions Ibérica, SA. (BOTHA de 20 de septiembre de 2021) y art. 44 del CC de la empresa Mercalicante, SA. (BOPA de 21 de marzo de 2022). A nivel sectorial, art. 14.3 del CC para la cajas y entidades financieras de ahorro. (BOE de 3 de diciembre de 2020); art. 25.4 del CC general de ámbito estatal para el sector de entidades de seguros, reaseguros y mutuas colaboradoras con la Seguridad Social. (BOE de 27 de diciembre de 2021) y art. 71 del CC de marroquinería, cueros, repujados y similares de Cataluña. (DOGC de 9 de marzo de 2022).

168   Vid. art. 43 del XXIV Convenio colectivo de Nokia Spain, SA (BOE de 15 de noviembre de 2021) y art. 4 d) del CC de la empresa Hermana Canning Technology, SA, para el período 2021-2023 (POPP de 3 de marzo de 2022).

169   BOE de 25 de noviembre de 2021.

170   BOCM de 1 de noviembre de 2021.

previa de teletrabajo, volviendo al trabajo presencial originario, configurándose esta posibilidad como una especie de "período de prueba" dentro del acuerdo de teletrabajo[171]. Y, posteriormente, es decir, una vez transcurrido este plazo, la persona trabajadora queda sometida a la obligación de teletrabajo durante un período mínimo de tiempo (1 año o 6 meses en función del área donde presta servicios la persona trabajadora) desde la firma del acuerdo individual de teletrabajo. Una vez pasado el tiempo mínimo de permanencia marcado por el convenio para prestar los servicios bajo la forma de teletrabajo, se abre nuevamente la posibilidad de volver ejercer el derecho de reversión, teniendo para ello un plazo máximo de tiempo (1 mes).

Junto a los tiempos/plazos establecidos para el ejercicio del derecho de reversión, otro aspecto que resulta interesante que se regule por la negociación colectiva es el referido a los motivos o causas que cabe alegar para justificar dicha reversión. A este respecto, cabe indicar que no es una cuestión que se recoja de forma generalizada en la negociación colectiva y, además, cuando aparece regulada lo hace normalmente en relación a la parte empresarial, haciendo hincapié en el carácter objetivo que deben tener los motivos que justifiquen la reversión, siguiendo, de esta forma, las pautas contenidas sobre esta materia en la negociación colectiva anterior a la aprobación de la LTD. En este sentido, suele hacerse mención a razones organizativas, productivas o de fuerza mayor, cambio de posición o responsabilidades del trabajador o trabajadora o a la valoración de manera objetiva por parte del/de la responsable directo sobre el grado de asunción efectiva de la prestación a distancia por parte de la persona trabajadora[172]. No obstante, cabe también indicar que hemos podido identificar

---

[171] También en términos parecidos, pero haciéndose referencia a ambas partes contractuales, el art. 65 del CC provincial de Oficinas y Despachos de Alicante (BOPA de 22 de diciembre de 2021), se indica que la reversibilidad se aplicará con un período de prueba para la citada modalidad durante los tres primeros meses por cualquier de las partes. Transcurrido ese primer período, el trabajador o la trabajadora y la empresa asumirá la prestación de servicios en la modalidad de teletrabajo hasta transcurrido un año de la firma del acuerdo individual.

[172] Vid., por ejemplo, art. 25.3 del CC de la Fundación Parque Científico de Barcelona para los años 2021-2023 (BOPB de 7 de enero de 2021) y art. 40 del CC de la empresa AEG Power Solutions Ibérica, SA. (BOTHA de 20 de septiembre de 2021).

algún convenio en el que esta exigencia se predica para ambas partes contratantes[173].

En relación a esta cuestión nos parece oportuno y sumamente interesante destacar que en algún convenio dentro de las medidas de seguridad y salud previstas específicamente para el teletrabajo se establece como causa de reversión total o parcial la identificación de un problema de salud asociado al trabajo a distancia, de tipo ergonómico, psicosocial, etc. Es decir, cuando el servicio de prevención pueda acreditar que un determinado problema de salud de la persona trabajadora a distancia tiene su origen en dicha forma de trabajar podrá acordarse la reversión parcial o permanente de dicha situación[174].

Una cuestión diferente y, que, a nuestro parecer, suscita dudas de legalidad es la previsión en algún convenio que en el ejercicio de la reversibilidad se haga concurrir el acuerdo mutuo de las partes. Consideramos que previsiones de este tipo van en contra del principio de voluntariedad que informa el acuerdo de teletrabajo y desnaturaliza el propio derecho a la reversión al que tienen derecho las partes contratantes[175].

Tampoco nos parece adecuada la previsión que se contiene en alguna cláusula convencional en la que únicamente se hace mención expresa al derecho de la persona trabajadora a la reversión del teletrabajo, ya que dicha formulación puede dar lugar a interpretaciones erróneas consistentes en considerar que la parte empresarial no puede ejercer dicho derecho de reversión, derecho que legalmente se encuentra previsto en el art. 5.1 LTD[176].

Sobre esta misma cuestión, cabe indicar que también en algún convenio en el que el derecho de reversión se menciona únicamente en relación a la parte trabajadora, este derecho se configura "a la

---

[173] Vid., en este sentido, art. 44 del CC de la empresa Mercalicante, SA. (BOPA de 21 de marzo de 2022).

[174] Vid. art. 7 del Anexo V del CC de la empresa Televés, SAU. (BOPAC de 10 de septiembre de 2021).

[175] Vid., en este sentido, art. 37.5 del CC para el sector de mayoristas e importadores de productos químicos industriales y droguería, perfumería y anexos. (BOE de 27 de septiembre de 2021).

[176] Vid. art. 14.3.1 del CC de la Sociedad Andaluza para el Desarrollo de las Telecomunicaciones, SA. (SANDETEL) (BOP de 1 de octubre de 2021).

carta", ya que, además de que no se estipula ninguna relación de causas o motivos para justificar la vuelta al trabajo presencial, tampoco se contiene ningún procedimiento o plazos para llevar a cabo dicho ejercicio, de manera que se sobrentiende que en cualquier momento la persona trabajadora, si así lo decide, puede volver al trabajo presencial. En estos términos se expresa, por ejemplo, la Disposición adicional séptima del Convenio colectivo estatal para las industrias de elaboración del arroz[177], en la que se indica, en su apartado 3 que "El trabajador/a tiene el derecho a dar por finalizada el desarrollo de la actividad a través del teletrabajo, en cualquier momento de su vigencia, volviendo la persona trabajadora a su puesto de carácter presencial, en las mismas condiciones previas al teletrabajo".

Junto a estas fórmulas reguladoras, también se ha podido identificar otro grupo de convenios en los que el derecho de reversión a penas se concreta, haciendo simplemente mención a dicho derecho y remitiendo el procedimiento a seguir a un acuerdo posterior, sin que se indique si dicho acuerdo es de carácter colectivo o se refiere al acuerdo individual de teletrabajo[178].

Un aspecto de esta regulación que llama la atención es el hecho de que en algunos convenios se indica que las condiciones fijadas para el ejercicio del derecho de reversión sólo actuarán en defecto de aquello que haya sido pactado en el acuerdo individual de teletrabajo, realizando, por tanto, en este caso la norma convencional una función de supletoriedad respecto al acuerdo individual[179]. En este sentido, se constata como una previsión de estas características se aleja de las previsiones legales sobre la materia, en donde el art. 5.3 LTD claramente se remite como primera fuente reguladora a la negociación, actuando el acuerdo individual, sólo en defecto de previsión convencional.

---

[177] BOE de 15 de enero de 2022.

[178] Vid., por ejemplo, art. 51 del CC del comercio del automóvil, caravanas, motocicletas, bicicletas y sus accesorios de Sevilla. (BOPS de 10 de septiembre de 2021); art. 14.3.1 del CC de la Sociedad Andaluza para el Desarrollo de las Telecomunicaciones, SA. (SANDETEL). (BOP de 1 de octubre de 2021) y art. 57 del CC de la empresa Industria de Turbo Propulsores, SAU. (BOB de 18 de enero de 2022).

[179] Vid. art. 19 del CC del Colegio Oficial de Enfermeros y Enfermeras de Castellón. (BOP de 5 de febrero de 2022) y art. 33.3 del CC para los establecimientos financieros de crédito. (BOE de 15 de octubre de 2021).

Otro aspecto sobre esta materia que también se encuentra referido en ciertos convenios es la limitación del ejercicio de la reversibilidad. En este sentido, se ha podido identificar alguna cláusula convencional en la que se indica la inadmisibilidad de dicho ejercicio en los casos en los que el teletrabajo se plantea como fórmula alternativa a la movilidad geográfica o a la extinción del contrato de trabajo de la persona trabajadora[180]. También en este mismo ámbito y en atención a la regulación legal del derecho de reversibilidad, tampoco es inusual encontrar una mención expresa a que la reversibilidad no es aplicable cuando el teletrabajo forma parte de la descripción inicial del puesto de trabajo, no obstante, cabe indicar que en algún convenio pese a que la regulación legal no lo prevea, se establece igualmente un régimen de reversibilidad para los casos en los que el teletrabajo figura como forma de trabajo desde el inicio de la relación laboral, aunque con ciertas limitaciones, a nuestro parecer razonables, ya que la efectividad de la reversión se condiciona a la existencia de vacantes de trabajo presencial compatibles con el perfil profesional de la persona solicitante[181].

Por último indicar que también es posible identificar convenios que, seguramente con la finalidad de dotar de las máxima garantías posibles a la persona trabajadora que quiere ejercer el derecho de reversibilidad, se recuerda, en los mismos términos que lo hace la LTD, que el ejercicio de dicho derecho no es causa justificativa de extinción del contrato de trabajo[182].

Por lo que se refiere a la modificación de las condiciones pactadas en el acuerdo individual de teletrabajo, la fórmula convencional utilizada mayoritariamente consiste en establecer dicha posibilidad, en general, o referida a alguna condición de trabajo, siempre por acuerdo mutuo de las partes, en algunos incluyendo expresamente su realización por escrito, sin entrar a realizar más valoraciones al respecto[183].

---

[180] Vid., en este sentido, art. 76.4 del CC de la empresa Páginas Amarillas Soluciones Digitales, SAU. (BOCM de 1 de noviembre de 2021).

[181] Vid., en este sentido art. 18.4 del CC laboral de ámbito estatal para el sector de agencias de viaje, para el período 2019-2022. (BOE de 14 de enero de 2022).

[182] Vid. art. 45 de la empresa "Asamblea Provincial de la Cruz Roja". (DOE de 7 de febrero de 2022) y art. 68.3 del CC de la empresa Páginas Amarillas Soluciones Digitales, SAU. (BOCM de 1 de noviembre de 2021).

[183] Vid., por todos, art. 41 del CC de la empresa Faes Farma, SA. (BOB de 13 de octubre de 2021); art. 20 del CC Comunidad de riegos de levante margen dere-

Excepcionalmente, en algún convenio y referido a la ubicación del lugar de prestación de servicios encontramos el establecimiento de la obligación de que la persona teletrabajadora comunique ese cambio con una antelación previa[184].

3.2.4. La regulación de las condiciones de trabajo

A pesar de que las condiciones básicas del teletrabajo se presentan como un ámbito especialmente interesante para ser reguladas por los convenios colectivos, lo cierto es que hasta el momento no son muchas las cláusulas convencionales que se hayan detenido a regularlas. En este sentido, se ha podido comprobar en la muestra de convenios colectivos que se ha estudiado que la fórmula recurrente con la que se hace mención a las condiciones de trabajo de la persona trabajadora es la consistente en realizar un reconocimiento expreso del derecho que tienen las personas teletrabajadoras a contar con los mismos derechos que las personas trabajadoras que prestan sus servicios de forma presencial, salvo aquellos que sean inherentes a la realización de la prestación laboral de manera presencial[185], lo cual en algunas ocasiones se concreta en la traslación literal de las previsiones legales que se contienen en la LTD[186].

Junto a este grupo mayoritario de convenios y, por lo que respecta a las cláusulas convencionales que sí se detienen en regular esta materia, se constata que no siempre se muestra el mismo grado de interés por regular todas las condiciones de trabajo, ni tampoco con el mismo

---

cha. (BOPA de 7 de diciembre de 2021) y art.37.4 del CC estatal para el sector de mayoristas e importadores de productos químicos industriales y de droguería, perfumería y anexos. (BOE de 27 de septiembre de 2021) y art. 20 del CC general de trabajo de la industria textil y de la confección. (BOE de 16 de diciembre de 2021).

[184] Vid. Disposición adicional decimoquinta del III CC de Kutxabank, SA. (BOE de 27 de septiembre de 2021) y art. 41 del CC de la empresa Faes Farma, SA. (BOB de 13 de octubre de 2021).

[185] Vid., por todos, art. 25.6 del CC general de ámbito estatal para el sector de entidades de seguros, reaseguros y mutuas colaboradoras con la Seguridad Social. (BOE de 27 de diciembre de 2021).

[186] Vid., por todos, art. 12 del CC de la empresa Comercial Farlabo España, SL. (BOCM de 21 de abril de 2021).

detalle. De hecho, el análisis del contenido de las cláusulas convencionales permite concluir que, aunque se haga referencia en muchos casos a la mayoría de las condiciones de trabajo indicadas en la LTD, son pocas las que se regulan con un cierto detalle, lo cual nos lleva a concluir que existe una cierta predisposición por parte de la norma convencional porque sea el acuerdo individual de teletrabajo quien se encargue de regular dichas condiciones, de forma que ese acuerdo sea lo más personalizado posible, buscando con ello, tal vez, dotar de las máximas garantías la efectividad del teletrabajo.

A este respecto consideramos acertado que se deje un margen para la negociación de las condiciones de trabajo en el acuerdo individual de teletrabajo, justamente para garantizar la viabilidad y máxima efectividad del mismo, pero somos de la opinión de que tal negociación se realice sobre las bases generales fijadas por la negociación colectiva a efectos de dotar de la máxima seguridad jurídica a la prestación de trabajo y garantizar el principio de igualdad, ya no sólo en relación a las personas trabajadoras que prestan sus servicios de forma presencial, sino entre las propias personas teletrabajadoras.

Pasando ya al estudio de la regulación convencional que hasta el momento podemos encontrar de las condiciones de trabajo, se puede constatar que uno de los aspectos a los que los convenios prestan mayor atención es al desarrollo de los arts. 11 y 12 LTD referidos respectivamente a la dotación y mantenimiento de los equipos y herramientas de trabajo, así como al sistema de abono y compensación de gastos[187].

Por lo que se refiere a los equipos y herramientas de trabajo, los convenios que se ocupan de esta cuestión proceden habitualmente a realizar un listado, más o menos exhaustivo, de los medios que se consideran imprescindible para el desarrollo del teletrabajo[188] y que se concretan normalmente en los siguientes utensilios: ordenador,

---

[187] No obstante, no faltan ejemplos de convenios en los que no se hace mención a esta cuestión o su regulación se limitan a realizar una remisión a su concreción al acuerdo individual que se suscriba al respecto. Vid. por ejemplo, art. 19 del CC del Colegio Oficial de Enfermeros y Enfermeras de Castellón. (BOP de 5 de febrero de 2022).

[188] Debe indicarse, no obstante, que en algunos convenios esta concreción no se realiza dejando la misma a los acuerdos individuales o colectivos que puedan

Tablet, Smartphone, silla ergonómica, soporte elevador de portátil, teclado, auriculares, entre otros[189], aunque en ocasiones, alguno de ellos, se facilita sólo previa y expresa solicitud por la persona trabajadora[190]. De igual forma, en algunos casos, la relación de medios se realiza entre aquellos que se consideran mínimos y que se facilitan por la empresa y aquellos que adicionalmente pueden facilitarse, en cuyo caso se prevé una doble posibilidad: que tales instrumentos se faciliten también directamente por la empresa, o bien, compensar por una cuantía máxima a tanto alzado a la persona trabajadora por los instrumentos enumerados en el convenio o no, compensación que se llevará a cabo previa justificación por la persona trabajadora mediante facturas debidamente emitidas[191].

También es habitual que se imponga la aportación de dichos equipos de trabajo a la empresa[192], si bien en ocasiones se prevé la opción de que alternativamente pueda aportar algunos o todos los instrumentos de trabajo la persona teletrabajadora, otorgando, para su adquisición, una cuantía a la persona trabajadora o bien aportando los que son de su propiedad, en este último caso, evidentemente, siempre que la persona trabajadora acepte voluntariamente dicha aportación y con el establecimiento de la correspondiente compensación económica[193].

---

suscribirse al respecto en el ámbito de la empresa. Vid. en este sentido, art. 11.5 del XX CC general de la industria química. (BOE de 19 de julio de 2021).

[189] Vid., por ejemplo, art. 44.5 del CC de Financiera El Corte Inglés, EFC, SA. (BOE de 6 de mayo de 2021) y art. 30 del II CC Grupo Vodafone España. (BOE de 9 de febrero de 2021).

[190] Vid. art. 27.5 del XXIV CC del sector de la banca. (BOE de 30 de marzo de 2021).

[191] Vid., en este sentido, art. 27.5 del XXIV CC del sector de la banca. (BOE de 30 de marzo de 2021) y art. 30.5 del CC del sector de Oficinas y Despachos. (BOPM de 7 de agosto de 2021).

[192] Vid., por todos, art. 20 del CC general del trabajo de la industria textil y de la confección. (BOE de 16 de diciembre de 2021).

[193] En el caso, por ejemplo, de la Disposición adicional decimoquinta del III CC de Kutxabanc, SA. (BOE de 27 de septiembre de 2021), se indica que el empleado o la empleada podrá optar, con carácter alternativo, por utilizar sus propios medios, siempre que resulten suficientes a juicio de la Entidad. Si fuera el caso, la Entidad les abonaría, en concepto de cantidad a tanto alzado, por el uso y amortización de los mismos, la cantidad de 300 euros brutos por una sola vez con ocasión de la firma del acuerdo individual de trabajo.

Otro aspecto referido a la dotación de medios para el correcto desarrollo del teletrabajo que encontramos en algunos convenios es la referencia expresa a la reintegración de los medios e instrumentos facilitados por la empresa cuando la persona trabajadora vuelva al trabajo presencial completo o cuando se extinga su relación laboral[194].

Respecto a la compensación empresarial de los gastos en que incurra la persona teletrabajadora por la prestación de sus servicios, las fórmulas utilizadas son diversas, de manera que se pueden distinguir, por un lado, un grupo de convenios que optan por establecer una tarifa diaria o mensual, cuya cuantía es muy variable según el convenio. De este modo, por ejemplo, el art. 1.5 del Anexo V del Convenio colectivo de la empresa Televés, SA[195], se establece una cantidad máxima de 20 euros mensuales para la modalidad de teletrabajo del 80%, cuantía que se reducirá proporcionalmente en función del porcentaje de jornada acordada en teletrabajo, mientras que en el art. 27.5 del XXIV Convenio colectivo del sector de la Banca[196], la cantidad fijada es de 55 euros al mes.

Por otro lado, existe otro grupo de convenios que buscan evitar la existencia de compensación mediante suministros "en especie" a cargo de la empresa. Sería el caso, por ejemplo del art. 30, del II Convenio colectivo del Grupo Vodafone España[197] que ofrece línea de móvil con tarifa de voz y datos ilimitados y descuento exclusivo para las personas trabajadoras del 50% de conectividad fija. Este tipo de cláusulas, sin embargo, en opinión de la doctrina[198] generan ciertas dudas ya que mientras el establecimiento de cuantías fijas son fácilmente admisibles en tanto que se pueden justificar a partir de la realización de una valoración colectiva de la totalidad de los gastos derivados del teletrabajo, en las segundas, cabría sostener que únicamente se atiende al coste de conexión, lo que no daría cumplimiento a la prohibición del art. 12.1 LTD de asunción por parte de la persona

---

[194] Vid., por todos, art. 6 del CC de Primark Tiendas, SLU. (BOE de 4 de septiembre de 2021) y art. 31 del CC de Sinifo Instalaciones de Telecomunicaciones, SL. (BOE de 11 de abril de 2022).

[195] BOPAC de 10 de septiembre de 2021.

[196] BOE de30 de marzo de 2021.

[197] BOE de 9 de febrero de 2021.

[198] Vid. GOERLICH PESET, José María: "El trabajo a distancia…", cit. pág. 21 y 22.

trabajadora de gastos relacionados con los equipos, herramientas y medios vinculados al desarrollo de la actividad laboral.

Finalmente, cabe indicar también la existencia de un importante número de convenios en los que la única regulación sobre esta materia consiste en una simple mención a la obligación de prever la compensación de gastos remitiendo su concreción a la correspondiente negociación. Este es el caso, por ejemplo, del Convenio colectivo del Ilustre Colegio de Abogados de Bizkaia (art. 15)[199]. No obstante, no es excepcional fijar una cantidad predeterminada para el caso de que no se llegue a un pacto entre las partes[200].

Otra cuestión referida a la regulación de los gastos de compensación que abonará la empresa a la persona teletrabajadora y que resulta bastante recurrente en los convenios es la mención expresa al carácter extrasalarial de tales dotaciones económicas[201].

Debe indicarse, que en materia retributiva y, al margen de la regulación correspondiente al abono y compensación por gastos a la que acabamos de referirnos, los convenios, cuando se refieren a esta materia, se limitan a realizar una formulación genérica sobre la inalterabilidad salarial y su tratamiento igualitario, sin entrar en mayores concreciones. En estos términos se expresa, por ejemplo, el art. 64 g) del Convenio colectivo de Autotransporte Turístico Español, SA[202] al señalar que "El trabajo a distancia no conllevará cambios en las condiciones retributivas (…), así como tampoco supondrá ningún tipo de discriminación respecto a las personas que trabajen en las mismas instalaciones de la Empresa". A lo sumo, en algunos convenios, se

---

[199] BOB de 15 de abril de 2021. En un mismo sentido, también, por ejemplo, art. 7 bis.6 del CC del sector de grandes almacenes. (BOE de 11 de junio de 2021) y art. 59 del CC de la empresa Servimedia, SA. (BOE de 9 de agosto de 2021).

[200] Vid., por ejemplo, CC del Colegio Oficial de Enfermeros y Enfermeras de Castellón. (BOPC de 5 de febrero de 2022), donde se estipula una cantidad mínima de 19,35 euros brutos para el caso de que no se llegue a un acuerdo sobre la cuantía de la compensación.

[201] Vid., por todos, art. 11.6 del XX CC general de la industria química. (BOE de 19 de julio de 2021); art. 71.6 del CC de marroquinería, cueros, repujados y similares. (DOGC de 9 de marzo de 2022); art. 36 g) del CC de la Empresa Nutricia, SRL. (BOE de 10 de agosto de 2021) y art. 58 del CC de la empresa Industria de Turbo Propulsores, SAU. (BOB de 18 de enero de 2022).

[202] BOE de 27 de septiembre de 2021.

hace mención al reconocimiento, mantenimiento o pérdida de algún plus o complemento vinculado a la presencialidad o virtualidad del trabajo, siendo la referencia más habitual la pérdida de la percepción del plus de transporte o su reducción proporcional, en función de si la prestación de trabajo se desarrolla en su totalidad en modalidad de teletrabajo o se opta por una modalidad mixta[203].

Junto a estas cuestiones, que como hemos indicado son las que de forma más frecuente cuentan con alguna regulación convencional, existen otros aspectos y condiciones laborales que, aunque de forma más puntual, también se incorporan entre el clausulado de los convenios colectivos y a los que merece hacer referencia en este en apartado.

En este sentido, en primer lugar, cabe mencionar la inclusión de cláusulas referidas a los derechos relacionados con el uso de medios digitales y, más concretamente la protección de la intimidad de la persona trabajadora y su derecho a la desconexión digital, haciéndose eco, de esta forma, de las previsiones legales contenidas en los art. 17 y 18 LTD y donde nuevamente encontramos una llamada a la negociación colectiva para la regulación de algunos aspectos.

No cabe duda del papel central que cumple la negociación colectiva en estas materias, pues es la que más fácilmente puede modular y adaptar el contenido de estos derechos a las necesidades de cada sector productivo y empresarial. Tal y como ya ha tenido oportunidad de indicar la doctrina, la negociación colectiva no sólo debe definir las modalidades de ejercicio de estos derechos, sino también debe incluir la puesta en marcha por la empresa de instrumentos de regulación de la utilización de los dispositivos digitales"[204].

---

[203] Vid., por ejemplo, art. 58 del CC de la empresa Industria de Turbo Propulsores, SAU. (BOB de 18 de enero de 2022). En el art. 34 del CC de UTE Saneamiento Urbano de Castellón. (BOP de 29 de enero de 2022) se prevé un "plus de inspección" que remunera, entre otros aspectos, el teletrabajo realizado en las tardes que por turno le corresponda a la persona trabajadora.

[204] Vid. POQUE CATALÀ, Raquel: "Teletrabajo y desconexión digital" en RODRÍGUEZ-PIÑERO ROYO, Miguel y TODOLÍ SIGNES, Adrián (Dirs.): *Trabajo a distancia y teletrabajo: análisis del marco normativo vigente.* Thomson Reuters Aranzadi, Cizur Menor (Navarra), 2021, pág. 259 y TASCÓN LÓPEZ, Rodrigo: "Derecho a la desconexión digital del trabajador (potencialidades en el ordenamiento español)", *Trabajo y Derecho*, núm. 41, 2018, pág. 4.

Debe indicarse, no obstante, que no todos los derechos previstos en los arts. 17 y 18 de la LTD reciben el mismo tratamiento, siendo el aspecto más regulado el referido al derecho de desconexión, al cual en ocasiones se acompaña de alguna referencia a la protección de la intimidad de la persona trabajadora en relación al establecimiento de mecanismos de control de su prestación de trabajo y al uso extraprofesional de los dispositivos de trabajo.

Por lo que respecta a la regulación del derecho de desconexión digital, se observa que el tratamiento de este derecho se formula de tres formas diferentes. Una primera consiste en la regulación de este derecho de una forma genérica y extensible a todo el ámbito personal del convenio, incluyéndose, como mucho, en la redacción, una referencia expresa al teletrabajo o al trabajo a distancia. A título de ejemplo, se puede mencionar, entre otros, el IV Convenio colectivo de Supercor, SA[205], el cual en su Disposición adicional novena, que lleva por título "Desconexión Digital", tras referirse al art. 18 de la LTD, en concordancia con el art. 88 LOPDP y al derecho que tienen todas las personas trabajadoras a la desconexión digital y a que las modalidades de ejercicio de este derecho potenciarán la conciliación de la actividad la vida personal y familiar, se incluye el compromiso de elaborar un política interna sobre la materia, indicándose expresamente a tal efecto que "en particular, se preservará el derecho de desconexión digital en los supuestos de realización total o parcial del trabajo a distancia (...)"[206].

Una segunda fórmula reguladora de esta materia consiste en incorporar una regulación específica para el teletrabajo o el trabajo a distancia en general[207]. A este respecto, nos parece recomendable que los convenios contengan una previsión concreta para el teletrabajo ya que, si bien es cierto que el uso de dispositivos digitales se ha generalizado en las empresas y la utilización de estos instrumentos no es

---

[205] BOE de 11 de abril de 2022.

[206] Vid., en términos similares, art. 53 del VIII CC de Decathlon España, SA. (BOE de 1 de septiembre de 2021); art. 18 del CC de Tremfil-Izaguirre, SA. (BOG de 21 de octubre de 2021); art. 83 del CC de la empresa Páginas Amarillas Soluciones Digitales, SAU. (BOE de 1 de noviembre de 2021); art. 8.7.3 del CC de la empresa FibraWorld. (BOPA de 2 de febrero de 2022) y art. 15 del CC de la empresa EJIE, SA. (BOTHA de 25 de marzo de 2022).

[207] Vid., por ejemplo, art. 18.7 del CC de ámbito estatal para el sector de agencias de viajes, para el período 2019-2022. (BOE de 14 de enero de 2022).

exclusiva del teletrabajo, la intensidad de su uso en el trabajo a distancia es incuestionable y los riesgos que se acompañan no siempre son comparables con el uso que puede realizarse en el trabajo presencial.

Finalmente, también es posible encontrar convenios en los que se regula de forma general este derecho, sin incluir referencia alguna al teletrabajo o al trabajo distancia, si bien inmediatamente antes o después de esta regulación se procede a regular el teletrabajo o trabajo a distancia, dando la apariencia de englobarse todos los preceptos en una misma categoría de condiciones de trabajo o que entre los diversos preceptos existe una vinculación especial[208].

En cuanto al contenido de la regulación de este derecho, en la mayoría de los convenios, tanto si la regulación es genérica, como específica sobre teletrabajo, se reproduce en mayor o menor medida el contenido del art. 18 LTD. De esta manera se menciona el deber de limitar el uso de los medios digitales a fin de garantizar el efectivo ejercicio de los derechos de descanso, permisos, vacaciones, períodos de baja y conciliación familiar, así como el deber que tiene la empresa de elaborar previa audiencia a la RLPT una política interna sobre esta materia, incluyéndose en algunos supuestos algunas pautas que deberán tenerse en cuenta a la hora de llevar a cabo dicha política[209].

Junto a este grupo de convenios y, aunque de forma más puntual, es posible encontrar una regulación más concreta de este derecho, incorporando una serie de medidas de carácter mínimo que deberán respetarse por las partes contratantes, tales como el derecho a no atender dispositivos digitales fuera del horario de trabajo, ni en tiempos de descanso y las circunstancias excepcionales en las que tales comunicaciones podrán producirse, la programación de respuestas automáticas durante los períodos de ausencia, la fijación con antelación suficiente de la convocatoria de reuniones, el establecimiento de horarios de inicio y finalización de reuniones, etcétera[210].

---

[208] Vid., por ejemplo, art. 65 del CC de Autotransporte Turístico Español, SA. (BOE de 27 de septiembre de 2021).

[209] Vid. art. 39 del CC estatal para el sector de mayoristas e importadores de productos industriales y de droguería, perfumería y anexos. (BOE de 27 de septiembre de 2021) y art. 45 del CC de la empresa Mercalicante, SA. (BOPA de 21 de marzo de 2022).

[210] Vid., por ejemplo, art. 15 del CC para las cajas y entidades financieras de ahorro. (BOE de 3 de diciembre de 2021); Anexo V, art. 2 del CC de la empresa Televés,

El derecho a la intimidad y el uso de dispositivos digitales para el control y vigilancia empresarial es otro aspecto al que se hace mención también en algunos convenios, siendo posible identificar tanto formulaciones de este derecho de carácter genérico para toda persona trabajadora sin que se distinga un tratamiento específico en función de si se trata de un trabajo presencial o a distancia[211], como la inclusión de cláusulas convencionales específicas dirigidas al teletrabajo o al trabajo a distancia[212]. En todo caso, sea cual sea la fórmula convencional empleada, el contenido de dicha regulación resulta mayormente coincidente, consistiendo en la reproducción prácticamente literal de las previsiones legales contenidas en el art. 20.3 ET y arts. 17 y 22 LTD, respectivamente[213].

Este tratamiento general no parece que sea el más adecuado, puesto que a nuestro parecer resulta un aspecto especialmente sensible en el caso del trabajo a distancia en general y del teletrabajo en particular. Sin embargo, por el momento ésta es la opción tomada por los convenios colectivos, los cuales como mucho, en alguna ocasión y atendiendo a la regulación prevista en el art. 22 LTD, incluyen formulaciones en las que se indica la posibilidad del uso por parte de la empresa de medios telemáticos y mecanismos de geolocalización para comprobar el cumplimiento de las obligaciones, así como del uso de los mismos sobre los instrumentos, equipos y herramientas facilitadas por la empresa, no sin antes informar de manera expresa, clara e inequívoca de ello a las personas trabajadoras y teniendo en cuenta, en su caso, la capacidad real de las personas con discapacidad[214]. En este punto cabe indicar que, los términos en que se plantea tanto a

---

SAU. (BOPAC de 10 de septiembre de 2021) y art. 65 del CC de Autotransporte Turístico Español, SA. (BOE de 27 de septiembre de 2021).

[211] Vid., por ejemplo, art. 35.2 del CC para establecimientos financieros de crédito. (BOE de 15 de octubre de 2021).

[212] Vid., en este sentido, art. 12 del CC de la empresa TPC POLYMERS EUROPE, SL. (BOPT de 8 de noviembre de 2021).

[213] Vid., por todos, art. 18.3 G) del CC de ámbito estatal para el sector de las agencias de viajes, para el período 2019-2022. (BOE de 14 de enero de 2022).

[214] En estos términos se expresa el art.12 del CC de la empresa VC Chemicals Logistics SLU, de la Bisbal. (BOPT de 8 de noviembre de 2021) y también el art. 76 del CC de la empresa Páginas Amarillas Soluciones Digitales, SAU. (BOE de 1 de noviembre de 2021).

nivel legal como convencional el uso de los mecanismos digitales de control laboral es coherente con la jurisprudencia actual en esta materia, recogidos principalmente en la Sentencia del Tribunal Europeo de Derechos Humanos de 5 de septiembre de 2017 (Barbulescu II).

Otro aspecto susceptible de regulación por vía convencional, tal y como se indica en los arts. 13 y 14 LTD, si bien en algunos casos con el concurso del acuerdo individual de teletrabajo, es el referido al tiempo de trabajo y las adaptaciones del registro horario. No obstante, una vez más se ha podido constatar que esta materia es tratada con un cierto nivel de indefinición por la negociación colectiva, de manera que de entrada nos encontramos con alguna afirmación general del tipo "el horario será aquel que permita a la persona trabajadora desempeñar las funciones propias de su puesto de trabajo", o en la que se recuerda la flexibilidad horaria que permite el teletrabajo[215], o la obligación de registrar la jornada de trabajo[216]. Todo ello lleva a concluir que será nuevamente el acuerdo individual de teletrabajo el que paute el horario de trabajo y, en consecuencia, los tiempos de disponibilidad, descanso y desconexión digital de la persona trabajadora. Debe indicarse, no obstante que, junto a estas previsiones genéricas, excepcionalmente encontramos algún convenio que presta una mayor atención a estas cuestiones. Así, por ejemplo, en algún convenio se indica a efectos de realizar el registro de jornada y, en atención a las especiales características que tiene el trabajo a distancia/teletrabajo, el establecimiento de excepciones o particularidades en el modelo de organización y documentación de registro de jornada, siempre garantizando que tales sistemas acrediten fiabilidad, trazabilidad y accesibilidad del registro y la imposibilidad de manipulación[217]. Asimismo,

---

[215] Vid. por todos art. 30.2 del CC de la Fundación Biomédica Galicia Sur. (BOPP de 7 de diciembre de 2021).

[216] Vid. art. 11 del CC de la empresa VC Chemicals Logistics SLU, de la Bisbal. (BOPT de 8 de noviembre de 2021) y art. 20 del CC para las sociedades cooperativas de crédito. (BOE de 12 de enero de 2022).

[217] Vid., en este sentido, por ejemplo, art. 35 del CC de la empresa Sidenor Investigación y Desarrollo, SA. (BOTHA de 4 de marzo de 2022); art. 37 del CC de la empresa Sidenor Aceros Espaeciales, SLU. (BOB de 7 de abril de 2022) y art. 26.6 del CC general de ámbito estatal para el sector de entidades de seguros, reaseguros y mutuas colaboradoras con la Seguridad Social. (BOE de 27 de diciembre de 2021).

también es posible identificar algún convenio donde se indican las horas de presencia y disponibilidad obligatoria mientras se trabaja a distancia y el sistema de registro previsto para estos casos[218].

Otros ámbitos en los también la negociación colectiva puede tener un papel protagonista y que se presentan como muy relevantes para el teletrabajo son los relacionados con la protección de datos y seguridad de la información. Sin embargo, tampoco en estas materias los convenios se refieren con demasiada asiduidad. Optándose, cuando así lo hacen, por realizar una remisión a la normativa general de protección de datos de carácter personal[219].

También ocasionales y de carácter general son las referencias a los derechos de formación, en las que unas veces se establece la obligación empresarial, en términos de igualdad respecto al personal que desarrolla su trabajo presencialmente, de facilitar una formación adecuada o el diseño de un plan formativo para las personas teletrabajadoras[220], y, en otras, se establece la obligación de formación de las personas trabajadoras cuando solicitan el paso a teletrabajo. Ello no obsta para que en algún convenio se desarrolle algo más esta cuestión estableciendo la obligatoriedad de una formación previa al inicio del trabajo a cargo de la empresa, no sólo referida a las características propias del teletrabajo, sino también dirigida a la prevención de riesgos laborales propios de esta forma de trabajar, entre ellos al uso razonable de las herramientas tecnológicas a efectos de evitar la fatiga informática[221].

En materia de riesgos laborales y, pese a tratarse de una cuestión ciertamente importante por las peculiaridades que presenta el teletrabajo, el tratamiento convencional es también muy genérico. En este

---

[218] Vid., en este sentido, art. 36 d) y f) del CC para la empresa Nutricia, SRL. (BOCM de 10 de agosto de 2021).

[219] Vid. art. 43 del XXIV CC de Nokia Spain, SA. (BOE de 15 de noviembre de 2021).

[220] Vid. art. 11 del CC de Placas de Piezas y Componentes de Recambios, SAU. (BOE de 6 de octubre de 2021) y art. 14 del CC de la empresa informática EJIE, SA. (BOTHA de 25 de marzo de 2022).

[221] Vid. Disposición adicional séptima, apartado 6 del CC estatal para las industrias de elaboración del arroz. (BOE de 15 de enero de 2022). También en términos similares art. 97 del CC d'ensenyament privat no concertat de Catalunya. (DOGC de 25 de enero de 2022).

sentido, aunque se trate de una materia que se menciona de forma recurrente en los convenios, los términos de su regulación son en la mayoría de ocasiones muy poco concretos[222]. No obstante, como siempre, es posible identificar de forma excepcional algún convenio en el que se hace referencia a la formación específica para las personas teletrabajadoras[223] y su exigencia como requisito de acceso al teletrabajo[224], así como la previsión de algún procedimiento específico para la evaluación de riesgos y seguimiento empresarial, la restricción de los espacios susceptible de evaluación y el establecimiento del sistema a distancia como sistema preferente de evaluación de riesgos en estos casos[225]. A este respecto, dentro de la muestra de convenios estudiados, uno de los que de forma más amplia regula esta materia es el Convenio colectivo estatal para el sector de viajes, para el período 2019-2022 (art. 18.5 F)[226].

Por lo que se refiere a los derechos colectivos, aunque se encuentran referencias en los convenios, la concreción de los mismos es mínima. En este punto se tiende a realizar una reiteración del principio de igualdad[227] y una referencia a las garantías de participación en las ac-

---

[222] Vid., por todos, art. 17 e) del CC para el personal de la Oficina Provincial de la Cruz Roja Española en León. (BOP de 2 de septiembre de 2021).

[223] Vid. art. 15 del CC de la empresa Unión Agroganadera de Álava. (BOTHA de 3 de diciembre de 2021).

[224] Vid. art. 30 del II CC del Grupo Vodafone España. (BOE de 9 de febrero de 2021) y Anexo VII del CC de la empresa Bombardier European Holdings, SLU. (BOTHA de 23 de abril de 2021).

[225] Vid., por ejemplo, Anexo II. 3 del III CC de la Corporación de Radiotelevisión Española. (BOE de 22 de diciembre de 2020); art. 14.8 del CC de la empresa Asociación Española de Banca. (BOCM de 7 de agosto de 2021); Anexo VII del CC de la empresa Bombardier European Holdings, SLU. (BOCM de 12 de agosto de 2021); art. 80 del CC de la empresa Páginas Amarillas Soluciones Digitales, SAU. (BOE de 1 de noviembre de 2021); art. 53.7 del VI CC para la acuicultura marina nacional. (BOE de 15 de diciembre de 2021); art. 25.10 del CC de general de ámbito estatal para el sector de entidades de seguros, reaseguros y mutuas colaboradoras con la Seguridad Social. (BOE de 27 de diciembre de 2021); art. 23.7 del XXII CC para las sociedades cooperativas de crédito. (BOE de 12 de enero de 2022) y art. 31.7 del CC de Sinifo Instalaciones de Telecomunicaciones, SL. (BOE de 11 de abril de 2022).

[226] BOE de 14 de enero de 2022.

[227] Vid., por todos, art. 11 del CC de Placas de Piezas y Componentes de Recambio, SAU. (BOE de 6 de octubre de 2021).

tividades colectivas[228], lo cual se suele acompañar de una declaración de la necesaria adecuación que debe realizar la empresa de los medios de comunicación para garantizar la acción sindical entre las personas teletrabajadoras, con alguna mención al acceso a las direcciones electrónicas corporativas, el uso de tablones de anuncios virtuales, videoconferencias y similares[229].

A estas referencias, en algún caso, se añaden cuestiones referidas, principalmente, a las necesarias adaptaciones que deben realizarse en los procesos de elecciones sindicales, así, por ejemplo, en el XXII Convenio colectivo para las sociedades cooperativas de crédito[230], en su art. 23.8 se determina, a efectos electorales, el centro de adscripción de la persona teletrabajadora, indicándose que deberá ser adscrita al mismo centro de trabajo en el que desarrolle el trabajo presencial. Ahora bien, formulaciones de este tipo no resuelven en su totalidad la cuestión de las personas teletrabajadoras, ya que al vincularse al lugar de prestación de servicios presencial sólo se tiene en cuenta el supuesto de personas teletrabajadoras que han pasado de un trabajo presencial a uno en remoto o las que han acordado una prestación de servicios híbrida, quedando por concretar la adscripción de las personas teletrabajadoras de origen, que no tiene centro físico de trabajo de referencia. A este respecto una regulación que podría dar respuesta a todos los supuestos de teletrabajo es la formulación que se prevé en el art. 37.7 del Convenio colectivo estatal para el sector de mayoristas e importadores de productos químicos industriales, droguería, perfumería y anexos[231], en donde se indica que, salvo acuerdo expreso en contrario, las personas teletrabajadoras deberán ser adscritas al centro de trabajo de la empresa más cercano a su domicilio en el que

---

[228] Vid., por todos, art. 45 del CC de la empresa Tostaderos al Sol de Alba, SL. (BOPG de 4 de enero de 2022), art. 11 del I CC de Plataforma Comercial Retail, SAU. (BOE de 25 de septiembre de 2021); art. 12 del CC de la Empresa Comercial Farlabo España, SL. (BOCM de 21 de abril de 2021).

[229] Vid., por ejemplo, también art. 16.4 del CC de la industria, la tecnología y los servicios del metal de la provincia de Teruel para los años 2020, 2021 y 2022. (BOPTE de 29 de noviembre de 2021) y art. 53.8 del VI CC para la acuicultura marina nacional. (BOE de 15 de diciembre de 2021).

[230] BOE de 12 de enero de 2022.

[231] BOE de 27 de septiembre de 2021.

pudieran estar funcionalmente integradas o a las oficinas centrales de la empresa si ésta es la práctica existente.

Asimismo, y en la línea de garantizar el pleno ejercicio de los derechos sindicales, en algunos convenios colectivos se hace expresa mención a la garantía de participación y derecho al voto presencial de la plantilla en teletrabajo en las elecciones sindicales y otros ámbitos de representación de la empresa, estando obligada la empresa a informar de todos los medios disponibles y con antelación suficiente de todo relativo al proceso electoral[232].

Por último, también en materia de derechos colectivos y de representación, un aspecto al que se hace mención de modo recurrente es el correspondiente a los derechos de información de la RLPT vinculados al teletrabajo. En este sentido y en la línea prevista en la propia LTD, por ejemplo, el art. 31.6 del Convenio colectivo de Sinifo Instalaciones de Telecomunicaciones, SL[233] establece los siguientes deberes empresariales: a) facilitar la identificación a la RLPT dentro del censo de plantilla a las personas que teletrabajen; b) entregar, a petición de la RLPT, la relación de personas, identificadas por NIF, sexo puesto que hayan suscrito un acuerdo individual de teletrabajo, incluyendo en dichos listados el centro de trabajo en el que quedan inscritas; c) dar a conocer aquellos procedimientos, métodos, protocolos de uso de dispositivos y herramientas y soporte técnico que pudieran ponerse en marcha fruto de la implementación; y, d) trasladar a la RLTP la información relativa a las instrucciones sobre confidencialidad y protección de datos y, medidas de vigilancia y control sobre la actividad de las personas teletrabajdoras[234].

No podemos finalizar este apartado sin abordar el tratamiento que en ámbito del teletrabajo realiza la negociación colectiva sobre los derechos de conciliación y corresponsabilidad, en tanto que existe una

---

[232] Vid., entre otros, art. 28 del XXII CC para las sociedades cooperativas de crédito. (BOE de 12 de enero de 2022).

[233] BOE de 11 de abril de 2022.

[234] Vid., también, por ejemplo, art. 35.10 del CC del Sector de Logística, Paquetería y Actividades Anexas de Transporte de Mercancías. (BOCM de 17 de septiembre de 2021) y art. 52.2 del CC del grupo de marroquinería, cueros repujados y similares de Madrid, Castilla-La Mancha, La Rioja, Cantabria, Burgos, Soria, Segovia Ávila, Valladolid y Palencia. (BOE de 25 de noviembre de 2021).

opinión general coincidente a todos los niveles de que el teletrabajo es una modalidad de prestación de servicios que facilita y fomenta la conciliación.

Una muestra de esta visión favorable del teletrabajo como mecanismo de conciliación la encontramos, a nivel supraestatal, por ejemplo, en el AMET, al indicar que "los interlocutores sociales consideran el teletrabajo como un medio para que los trabajadores puedan reconciliar su vida profesional, su vida social y darles mayor autonomía en la realización de sus tareas…" y, más recientemente, en el informe de la OIT de 2019 "Trabajar para un futuro prometedor", donde se señala en términos generales la conveniencia de "aprovechar la tecnología para (…) conciliar la vida profesional con la vida personal". A nivel estatal, cabe señalar, entre otros ejemplos, el art. 34.8 ET, modificado por el RD-ley 6/2019, de 1 de marzo, de medidas urgentes para garantía de la igualdad de trato y de oportunidades entre mujeres y hombres en el empleo y la ocupación[235] (en adelante RD-ley 6/2019), donde se incluye expresamente al trabajo a distancia como una de las vías a través de la cual la persona trabajadora puede hacer efectivos sus derechos de conciliación de la vida laboral y familiar.

Ciertamente el teletrabajo permite desvanecer las variables clásicas sobre las que pivota la prestación de servicios como son el tiempo y el lugar de trabajo, dando lugar a fórmulas de trabajo más flexibles que permiten, por un lado, el ahorro de tiempo y la cercanía con las personas destinatarias de los cuidados que requieren —fruto del desempeño del trabajo en el hogar— y, por otro lado, una mayor autonomía propiciada por la nueva forma de trabajar —determinando la persona trabajadora el cómo y cuándo prestar los servicios encomendados—[236].

Ahora bien, en tanto que tradicionalmente es la mujer la que ha asumido las tareas de cuidados, el teletrabajo se puede convertir en un "arma de doble filo" para las trabajadoras con responsabilidades familiares, y en lugar de favorecer la conciliación y la corresponsa-

---

[235] BOE de 11 de febrero de 2019.
[236] Vid. FERNÁNDEZ POL, Francisca: "Relaciones de trabajo ante el proceso de digitalización de la economía. Análisis desde una óptica de género", *Revista de Derecho Social*, núm. 89, 2020, pág. 109 y 110.

bilidad familiar, puede llevar a ahondar en la discriminación laboral que sufre la mujer, comportando el retorno de la mujer al hogar, perpetuando su rol doméstico e incrementando su jornada de trabajo[237].

Esta afirmación no se plantea como una hipótesis, sino como una constatación ya que los estudios realizados durante la pandemia de la COVID-19, momento álgido del teletrabajo, nos han mostrado que si ya antes de la pandemia las mujeres eran las principales encargadas de las tareas domésticas y de cuidado en las familias biparentales con hijos/as, "durante el confinamiento las mujeres han tenido que soportar una doble carga: más teletrabajo, combinado con un aumento en el volumen de las tareas domésticas"[238]. De esta forma, muchas mujeres no sólo han tenido que ocuparse de hijos e hijas y de su seguimiento escolar durante este período y continuar teletrabajando, sino que, en ocasiones, han tenido que facilitar que sus parejas pudieran trabajar atendiendo a horarios más rígidos que ellas[239].

A este riesgo de retorno a un reparto sexista de las tareas domésticas y familiares, se suman también otros de importante calado ya que la vuelta de la mujer al hogar comporta la invisibilidad del trabajo femenino y la consiguiente pérdida de la presencia de la mujer en la empresa y en el mercado de trabajo, en general; la recuperación y/o el mantenimiento de las barreras de entrada en sectores típicamente masculinos; la pérdida de garantías del establecimiento de condiciones de trabajo en plano de igualdad con los hombres[240]; además de los riesgos propios que acompañan la realización de teletrabajo, como

---

237 Vid. GALA DURÁN, Carolina: "Relación entre el Teletrabajo y la conciliación de la vida laboral y familiar: el papel de la normativa y la negociación colectiva", *Anuario IET de Trabajo y Relaciones Laborales*, vol. 7, 2021, pág. 181.

238 Vid. FARRÉ, Lidia y GONZÁLEZ, Libertad: *Las tareas domésticas y el cuidado de hijos durante el confinamiento, una labor asumida principalmente por las mujeres*, Observatorio Social La Caixa, Barcelona, 2020, pág. 10.

239 Vid. LÓPEZ ÁLVAREZ, María José: "Trabajo a distancia, conciliación y corresponsabilidad" en LEÓN LORENTE, Consuelo (Ed.): *Teletrabajo y conciliación en el contexto de la COVID-19*, Thomson Reuters Aranzadi, Cizur Menor (Navarra), 2020, pág. 109.

240 Vid. ROMERO BURILLO, Ana Mª: "El teletrabajo: ¿Oportunidad o riesgo para la igualdad efectiva de mujeres y hombres en las relaciones laborales?" en BARDINA MARTÍN, Yolanda y ROMERO BURILLO, Ana Mª. (Coords.): *Mujer, Trabajo y Nuevas Tecnologías*, Thomson Reuters Aranzadi, Cizur Menor (Navarra), 2021, pág 129 y 130.

es el aislamiento por la falta de contacto con el resto de compañeros y compañeras de trabajo y los riesgos psicosociales vinculados a la dificultad de separar los tiempos de trabajo y descanso, los cuales se acentúan todavía más cuando dos lugares distintos asociados a conceptos y vivencias diferentes (trabajo, competitividad, esfuerzo frente a descanso, ocio, vida privada) se convierte en uno sólo[241].

Estos riesgos no son desconocidos por el legislador y así se ponen de relieve ya en la Exposición de Motivos de la LTD, donde se recuerda que uno de los principios informadores de la regulación del trabajo a distancia es la igualdad de trato y oportunidades y no discriminación y que la concreción del acuerdo individual de trabajo a distancia y, por extensión, de teletrabajo, debe evitar la perpetuación de roles de género y fomentar la corresponsabilidad entre hombres y mujeres, por lo que la regulación, entre otros, de los derechos de conciliación y corresponsabilidad que se realicen a nivel convencional debe estar presidida por dichos principios[242].

Pues bien, nos corresponde analizar cuál es el impacto que dicho mandato tiene hasta el momento en la negociación colectiva en los diferentes apartados de la LTD en que abordan los derechos de conciliación y corresponsabilidad.

A este respecto, una primera consideración a realizar es la referida a la existencia de una formulación bastante extendida entre los convenios colectivos consistente en mencionar el teletrabajo entre los mecanismos considerados como idóneos para el fomento de la conciliación y la corresponsabilidad de las personas trabajadoras. A título de ejemplo el art. 62 del Convenio colectivo de Autotranspor-

---

[241] Vid. AGRA VIFORCOS, Beatriz: "La perspectiva de género en la prevención de riesgos laborales" en RODRÍGUEZ SANZ DE GALDEANO, Beatriz (Dir.): *La discriminación de la mujer en el trabajo y las nuevas medidas legales para garantizar la igualdad de trato y empleo*, Thomson Reuters Aranzadi, Cirzur Menor (Navarra), 2020, pág. 296 y ss y ÁLVAREZ DE LA CUESTA, Henar: "Discriminación de la mujer en la industria 4.0: cerrando la brecha digital" en RODRÍGUEZ SANZ DE GALDEANO, Beatriz (Dir.): *La discriminación de la mujer en el trabajo y las nuevas medidas legales para garantizar la igualdad de trato y empleo*, Thomson Reuters Aranzadi, Cirzur Menor (Navarra), 2020, pág. 336 y ss.

[242] Vid. Exposición de Motivos de la Ley 10/2021, de 9 de julio, de trabajo a distancia. Apartado VI.

te Turístico Español, SA^{243}, en su último párrafo indica que "con el Teletrabajo se persigue conseguir el objetivo de un mayor equilibrio entre la vida personal y profesional. En este sentido se configura como una herramienta útil de conciliación en los términos que promueve la Ley Orgánica 3/2007, de 22 de marzo, para la igualdad efectiva de mujeres y hombres"^{244}.

A parte de esta referencia general a las bondades del teletrabajo como vía de conciliación de la vida personal y familiar, son pocos los aspectos que la negociación colectiva regula sobre esta materia. A tal efecto y, respecto a la muestra de convenios que ha sido objeto de estudio en este trabajo, la regulación contenida en los convenios se concreta, por un lado, en prever cláusulas que incorporan una referencia literal o casi literal del art. 34.8 ET. De esta manera se recuerda que con el objeto de hacer efectivo el derecho a la conciliación de la vida personal y profesional, entre otras medidas, se podrá solicitar el paso al teletrabajo^{245}. De igual forma, se recuerda que las personas teletrabajadoras cuentan con los mismos derechos de conciliación y corresponsabilidad que las personas que desarrollan el trabajo presencial, sin que el ejercicio del telerabajo pueda suponer una merma de dichos derechos^{246}.

---

243 BOE de 27 de septiembre de 2021.

244 En la misma línea, el CC de la empresa Sociedad Andaluza para el Desarrollo de las Telecomunicaciones, SA (SANDETEL). (BOPS de 1 de octubre de 2021), el teletrabajo se postula en el art. 14.3 como una de las mejores medidas de conciliación de la vida laboral y familiar. También se considera una modalidad idónea para promover la conciliación de la vida laboral, personal y familiar en el CC de Heineken España, SA, art. 23. (BOE de 2 de diciembre de 2021). Y, en términos parecidos, entre otros, se manifiestan el art. 15 del CC de la empresa Unión Agroganadarea de Álava. (BOTHA de 3 de diciembre de 2021) y el art. 58 del CC de la empresa Industria de Turbo Propulsores, SAU (BOB de 28 de enero de 2022).

245 Vid., por ejemplo, art. 22 del CC de Federación Farmacéutica, SCCL. (BOE de 22 de marzo de 2021); art. 13 del CC de la empresa Agrupación Hortofrutícola Lucas, OPJH, SL. (BOPM de 6 de abril de 2021); art. 6 del CC de la empresa Nordex Blandes Spain, SAU, de Lumbier. (BON de 6 de abril de 2021); art. 15.1 del CC de la empresa Haizea Wind, SL. (BOB de 6 de julio de 2021); y Apartado A) 8 del CC de la empresa Productos Solubles, SA. (BOP de 10 de enero de 2022).

246 Vid., por ejemplo, art. 43 del CC de Nokia Spain, SA. (BOE de 15 de noviembre de 2021) y art. 53 del CC provincial del comercio de automóvil, caravanas,

Por otro lado, en otros convenios se incluye el compromiso de promover el teletrabajo como medida de conciliación, haciéndose mención en algún caso a la puesta en marcha de un plan piloto de teletrabajo o su inclusión en la negociación del Plan de Igualdad de la empresa. Es el caso, por ejemplo, del Convenio colectivo de la empresa Wolkswagen Navarra, SA. Pamplona[247], que en su Disposición adicional sexta se indica que "se desarrollarán las siguientes medidas favorecedoras de la conciliación de la vida familiar y laboral de los trabajadores y otras relacionadas: b) Teletrabajo"[248].

Finalmente, es posible encontrar, aunque de forma más puntual convenios que incluyen alguna referencia más concreta en la regulación del teletrabajo como medida de conciliación. En este sentido, en algún caso entre los motivos que se mencionan expresamente para justificar la autorización por parte de la empresa del paso al trabajo a distancia se encuentra el facilitar la conciliación con la vida personal y familiar. Así sucede en el art. 22 del Convenio colectivo de la empresa provincial de Aguas de Córdoba, SA[249], si bien la conciliación, según se indica en el apartado 4, no será causa preferente para acceder al teletrabajo al indicarse que se deberá optar, en su caso, por la redistribución de jornada o el cambio del régimen de turnos.

En una línea similar se expresa el art. 36.4 del Convenio colectivo de la asesoría Cervantes, SL[250], en donde se plantea el paso al teletrabajo cuando se acredite la existencia de circunstancias de orden familiar o personal que dificulten de forma transitoria la prestación de trabajo en la modalidad presencial, aunque tampoco se reconoce como un derecho absoluto en tanto que se indica que se podrá denegar si el puesto a desarrollar no admite el trabajo en remoto o cuando

---

motocicletas, bicicletas y sus accesorios de Sevilla (BOPS de 10 de septiembre de 2021).

[247] BON de 6 de octubre de 2020.

[248] En términos similares vid., también, entre otros, art. 5 del CC de la empresa TRW Automotive España, SLU, para el centro de trabajo de Pamplona. (BON de 6 de octubre de 2020); art. 4.8 del Capítulo II del CC CEPSA Química. Fábrica de Fuente Mayorga 2018-2022. (BOPC de 27 de octubre de 2020) y Anexo XIV del CC Renault España, SA. (BOE de 15 de septiembre de 2021).

[249] BOPC de 4 de febrero de 2022.

[250] BOPAC de 12 de enero de 2021.

no se pueda asumir nuevas solicitudes al existir otras personas trabajadoras previamente en esta modalidad[251].

Un poco más concreta es la medida prevista en el Art. 32 CC de la empresa Helphone Servicios informáticos SL de Berrioplano[252], donde se indica que la empresa se compromete a favorecer el teletrabajo en supuestos de paternidad/maternida durante 3 y 6 meses y, en caso de embarazo a partir de la 32 semana de gestación, aunque siempre se condiciona a la viabilidad técnica y organizativa y a la autorización de clientes cuando son asignados personalmente.

También se puede hacer mención al art. 21 bis del Convenio colectivo de la empresa Siemens Rail Automation, SAU[253], donde se indica que, para favorecer la conciliación de la vida personal, familiar y laboral, la persona trabajadora podrá hacer uso de hasta 4 semanas de trabajo a distancia en su modalidad de teletrabajo, que se disfrutarán a la finalización del permiso por adopción o nacimiento de hijo para el otro progenitor distinto de la madre biológica, siempre y cuando la función y tareas sean compatibles con el trabajo en remoto.

Por su parte, el art. 45.1 del Convenio colectivo de BT Global ICT Business Spain, SLU[254], indica que a efectos de hacer efectiva la conciliación de la vida profesional y familiar las personas trabajadoras tendrán derecho a trabajar a distancia —teletrabajar— al menos un día a la semana—o el número equivalente de horas a lo largo de la semana—, salvo que resulte incompatible con el puesto y/o funciones que se desempeñen.

Por último, también indicar que en relación al ejercicio del derecho de reversibilidad y los plazos previstos para su ejercicio, en algún convenio se prevé una regulación especial atendiendo a los derechos de conciliación. Así sucede en el art. 52.2 del Convenio colectivo del grupo de marroquinería, cueros, repujados y similares de Madrid, Castilla-La Mancha, La Rioja, Cantabria, Burgos, Soria, Segovia, Ávi-

---

251 Vid., también, el art. 59 del CC de la empresa Servimedia, SA. (BOCM de 9 de agosto de 2021), que prevé la posibilidad de establecer el teletrabajo a jornada completa en períodos o momentos puntuales en los que por cuestiones personales o familiares convenga.

252 BON de 2 de marzo de 2021.

253 BOCM de 26 de marzo de 2021.

254 BOE de 6 de septiembre de 2021.

la, Valladolid y Palencia[255], en donde se establecen plazos especiales de preaviso para el ejercicio por parte de la empresa del derecho de reversibilidad en caso de que la persona trabajadora tenga a su cargo personas dependientes o hijos/as menores de 12 años, ampliando dicho preaviso como mínimo en 30 días naturales más (60 días).

---

[255] BOE de 25 de noviembre de 2021.

Capítulo VIII
El uso sindical de los sistemas de comunicación electrónica para transmitir información de interés laboral en la empresa[1]

Francisco Andrés Valle Muñoz[2]
Profesor Titular de Derecho del Trabajo y de la Seguridad Social.
Acreditado a Catedrático de Universidad.
Universidad Pompeu Fabra, Barcelona.

1. DELIMITACIÓN NORMATIVA DE LA MATERIA OBJETO DE ESTUDIO.

En la década de los sesenta del siglo pasado, el modelo de sociedad industrial empezó a ceder protagonismo a otro modelo distinto basado en el procesamiento y manejo de la información (principalmente a través de medios informáticos), acuñándose el concepto de "sociedad del conocimiento" o "sociedad de la información", en la que han jugado un papel decisivo las llamadas nuevas tecnologías de la información y de la comunicación. Las mismas, en términos generales, podrían definirse como aquél conjunto de instrumentos que se han ido desarrollando a lo largo de las últimas décadas para facilitar la comunicación y la transmisión de información (mediante ordenadores, telefonía móvil, correo electrónico, internet, etc.), y que han afectado de manera directa a aspectos claves de la vida diaria, pero también

---

[1] El presente estudio ha sido desarrollado en el marco del proyecto de investigación titulado: "Nuevas tecnologías, cambios organizativos y trabajo: una visión multidisciplinar" (2019-2021), a cargo del Ministerio de Ciencia, Innovación y Universidades, y con número de referencia: RTI2018-097947-B-I00.

[2] Miembro del grupo de investigación consolidado reconocido por la Generalitat de Catalunya: "Social and Business Research Laboratory" (SBRLab). Ref. 2021 SGR 00460.

de las relaciones laborales, al incidir en los procesos productivos de cualquier economía de mercado[3].

Pero las nuevas tecnologías de la información y de la comunicación también han tenido un impacto importantísimo en la transmisión de información en la empresa por los órganos de representación colectiva de los trabajadores. Naturalmente, para poder entender esta afectación, es necesario identificar con carácter previo, cuál es el marco normativo para, posteriormente, analizar el impacto que las nuevas tecnologías, han tenido sobre el mismo.

Nuestra Constitución Española (en adelante CE), reconoce dos derechos fundamentales de gran importancia en el seno de las relaciones laborales individuales, pero también colectivas: el derecho a la libertad de expresión, y el derecho a la libertad de información. De modo que el artículo 20.1.a) de la CE recoge el derecho a expresar y difundir libremente los pensamientos, ideas y opiniones mediante la palabra, el escrito "*o cualquier otro medio de reproducción*", y el artículo 20.1.d) recoge el derecho a comunicar o recibir libremente información veraz "*por cualquier medio de difusión*".

Si ello es así desde un punto de vista constitucional, a nivel legal el legislador ha querido reconocer manifestaciones específicas de estas libertades a determinados sujetos en razón de la especial función que desempeñan, y más concretamente a los representantes unitarios de los trabajadores, a los sindicatos, a las secciones sindicales, y a los delegados sindicales, aunque también a los trabajadores afiliados a un sindicato[4]. Por ello, en diversos preceptos del Estatuto de los Trabajadores (en adelante ET) y de la LOLS (en adelante LOLS), se concede a estos sujetos toda una serie de facilidades y garantías para expresar opiniones y transmitir información laboral y sindical en la empresa mediante distintos medios y herramientas, tales como un tablón de anuncios, o un local adecuado[5].

---

3   LLAMOSAS TRAPAGA, A., *Relaciones laborales y nuevas tecnologías de la información y de la comunicación: una relación fructífera no exenta de dificultades*, ed. Dykinson, Madrid, 2015, pág.18 y ss.

4   ROLDÁN MARTÍNEZ, A., HERREROS LÓPEZ, J.M., "El ejercicio de las libertades de expresión e información de los representantes de los trabajadores en la era de internet", *Actualidad Laboral* n° 12, 2009, pág. 1383 y ss.

5   BAYLOS GRAU, A., VALDÉS DE LA VEGA, B., "El efecto de las nuevas tecnologías en las relaciones colectivas de trabajo", en AA.VV. *Nuevas tecnologías*

Concretamente el artículo 64.7.e) del ET reconoce a los representantes unitarios de los trabajadores la competencia de informar a sus representados en todos los temas y cuestiones que directa o indirectamente tengan o puedan tener repercusión en las relaciones laborales. El artículo 68.d) del ET señala que es una garantía de los representantes unitarios la de expresar con libertad sus opiniones en las materias concernientes a la esfera de su representación, pudiendo publicar y distribuir, sin perturbar el normal desenvolvimiento del trabajo, las publicaciones de interés laboral o social, comunicándolo a la empresa. Por último, el artículo 81 del ET exige que las empresas, siempre que sus características lo permitan, pongan a disposición de los órganos de representación unitaria, un local adecuado en el que poder desarrollar sus actividades y comunicarse con los trabajadores, así como uno o varios tablones de anuncios. Pero a su vez los derechos de información también pueden ser abordados desde el punto de vista de los trabajadores, de modo que éstos también tienen derecho a ser informados por sus representantes unitarios (art. 4.1.g) del ET). Estaríamos ante un derecho básico de cualquier trabajador, que impone el correlativo deber a cargo de los representantes legales[6].

Si esto es así respecto a la regulación contenida ET, también la LOLS establece los derechos de información de los trabajadores afiliados a un sindicato. Concretamente el artículo 8.2 a) de la LOLS reconoce a las secciones sindicales de los sindicatos más representativos y de aquellos que tengan presencia en el comité de empresa, el derecho a un tablón de anuncios con la finalidad de facilitar la difusión de aquellos avisos que puedan interesar a los afiliados al sindicato y a los trabajadores en general. Y el artículo 8.2.c) les reconoce el derecho a un local adecuado en el que puedan desarrollar sus actividades. Por otra parte, el artículo 8.1.b) de la LOLS reconoce a los trabajadores afiliados a un sindicato el derecho a distribuir información sindical fuera de las horas de trabajo y sin perturbar la actividad normal de la empresa. Y, por último, el artículo 8.1.c) de la LOLS, reconoce a

de la información y de la comunicación y Derecho del Trabajo, ed. Bomarzo, Albacete, 2004, pág. 121 y ss.

6   GARRIDO PÉREZ, E., *La información en la empresa,* ed. CES, Madrid, 1995, pág. 75.

los trabajadores afiliados el derecho a recibir la información que les remita su sindicato.

En términos generales dichos preceptos reconocen a los órganos de representación unitaria, a las secciones sindicales, y a los trabajadores afiliados a los sindicatos, el derecho a distribuir y publicar información de interés para los trabajadores, pero también el derecho de los trabajadores, estén afiliados o no, a recibir dicha información.

Como puede comprobarse, detrás de este tema se encuentra un conflicto de intereses que se plasma mediante la colisión de varios derechos constitucionales: por un lado, el derecho de información (art. 20 de la CE) y el derecho de libertad sindical (art. 28 de la CE), y por otro lado el derecho de libertad de empresa (art. 38 de la CE). Derechos que, como puede comprobarse, no se encuentran en un mismo plano, dado que mientras que los dos primeros tienen la categoría de derechos fundamentales, el segundo no goza de tal consideración[7]. Ello significa, en términos generales, que el empresario viene obligado a respetar estos actos de información en el seno de la empresa, quedando prohibida cualquier injerencia que impida o dificulte la comunicación entre representantes, sindicatos y trabajadores[8].

Ahora bien, a la hora de regular esta materia, tanto el ET como la LOLS están pensando en un tipo de empresa que carece de las innovaciones proporcionadas por las nuevas tecnologías de la información y de la comunicación. Buena muestra de ello es que cuando dichas normas fueron promulgadas por primera vez, todavía no se había extendido la llamada sociedad de la información o del conocimiento. Por tanto, el legislador no pudo prever ni contemplar los múltiples problemas que la implantación de las tecnologías de la información y de la comunicación plantearía en el ámbito de las relaciones de los trabajadores con la empresa, con los sindicatos, o con los representantes unitarios, o incluso las consecuencias de una defectuosa utilización de las mismas por parte del trabajador[9].

---

[7] CORREA CARRASCO, M., "La proyección de las nuevas tecnologías en la dinámica (individual y colectiva) de las relaciones laborales en la empresa: su tratamiento en la negociación colectiva", *Revista de Derecho Social* nº 31, 2005, pág. 80.

[8] MONEREO PÉREZ, J.L., *Los derechos de información de los representantes de los trabajadores,* ed. Civitas, Madrid, 1992, pág. 242.

[9] STSJ de Extremadura de 19 de marzo de 2009 (Rec. nº 1/2009).

Precisamente, el uso de las nuevas tecnologías en la transmisión sindical de información ha provocado vez un debate doctrinal y jurisprudencial acerca de la posibilidad de realizar una interpretación de los preceptos existentes a la luz de la realidad social del tiempo en que vivimos "ex" artículo 3.1 del Código Civil, en el sentido de que las herramientas telemáticas de la empresa sirvan de mecanismo para el ejercicio de estos derechos[10].

No podemos negar que el uso de los medios informáticos para transmitir dicha información ha supuesto un cambio decisivo en el papel desempeñado por los órganos de representación unitaria y sindical. Y la generalización de las nuevas tecnologías de la información y de la comunicación, ha puesto en evidencia el carácter obsoleto de dichos preceptos[11]. El tablón de anuncios tradicional ha sido sustituido por el tablón digital o virtual ubicado en la intranet de la empresa; el correo postal ha dado paso al correo electrónico; y la información que tradicionalmente se facilitaba en el local sindical o en la asamblea, puede ser ahora transmitida de manera inmediata a través de internet o de los medios antes citados.

No cabe duda de que hoy en día, el acceso y la transmisión de la información difícilmente pueden entenderse sin el recurso a las tecnologías de la información. Desde esta perspectiva, las ventajas del uso las nuevas tecnologías, es indiscutible, ya que el trabajador no tiene por qué desplazarse físicamente al lugar en el que se encuentra el tablón de anuncios, o al local sindical, y ni siquiera tiene por qué asistir físicamente a una asamblea informativa, si la misma es retransmitida telemáticamente. El trabajador va a poder recibir toda la información de interés laboral accediendo al tablón virtual existente en la intranet de la empresa, o recibiendo la oportuna información mediante el correo electrónico. Y podrá estar puntualmente informado sobre temas

---

10   SEMPERE NAVARRO, A.V., SAN MARTÍN MAZZUCCONI, C., "El uso sindical del correo electrónico a la luz de la STC 281/2005, de 7 de noviembre", *Aranzadi Social* nº 17, 2005, pág. 2 y ss.

11   ROLDÁN MARTÍNEZ, A.F., HERREROS LÓPEZ, J.M., "El ejercicio de las libertades de expresión e información de los representantes de los trabajadores en la era de internet", ob. cit. pág. 1383 y ss.; NAVARRO NIETO, F., "El ejercicio de la actividad sindical a través de las tecnologías de la información y de las comunicaciones", *Temas Laborales. Revista Andaluza de Trabajo y Bienestar Social* nº 138, 2017, pág. 51 y ss.

de interés sindical acudiendo a la página "web" del propio sindicato. Además, gracias al uso de las nuevas tecnologías de la información y de la comunicación, la transmisión y el acceso a la información se va a producir de manera inmediata.

Naturalmente, ello no oculta la existencia de inconvenientes, y es que tanto las cuentas de correo electrónico facilitadas por la empresa, como el uso del tablón de anuncios virtual para la distribución de información sindical, son instrumentos o medios propiedad del empresario, cuyo uso (por parte del sindicato o de los representantes unitarios), puede producir interferencias en el normal funcionamiento del proceso productivo. Otro de los inconvenientes que se suele apuntar habitualmente es el coste económico que pueda suponer para el empresario el uso de tales tecnologías (pensemos por ejemplo en la adquisición de ordenadores o el pago de la conexión a internet). Y otro tipo de problemas, no menos importantes, derivan del control que el empresario pueda hacer sobre el uso abusivo de dichos medios tecnológicos tanto por parte del trabajador como del sindicato. Se trata por tanto de determinar si estos sujetos colectivos pueden o no, a la hora de ejercitar estos derechos de información, emplear los medios tecnológicos que el empresario pone a su disposición, pero con fines sindicales.

El intento de introducir un nuevo marco normativo que ordenase las nuevas realidades tecnológicas a efectos de la transmisión sindical de información en la empresa se plasmó en una moción del Senado adoptada por unanimidad en fecha 28 de noviembre de 2000, y en una proposición de Ley de modificación de los artículos 8.1 y 8.2 de la LOLS y del artículo 81 del ET presentada por el Grupo parlamentario Mixto del Senado en fecha 18 de mayo de 2001[12].

Sin embargo, la moción no recibió respuesta, y la proposición de ley fue rechazada por el Pleno del Senado básicamente por entender, entre otros motivos, que la incorporación de estos medios telemáticos podría prestarse a abusos como el colapso del servidor interno de la empresa en caso de una utilización masiva del correo electrónico en

---

12   GALA DURAN, C., PASTOR MARTÍNEZ, A., "La incidencia de las nuevas tecnologías de la información y comunicación en la negociación colectiva", en AA.VV. *Relaciones Laborales y nuevas tecnologías*, ed. La Ley, Madrid, 2005, pág. 312 y ss.

las horas de mayor actividad empresarial, pero también por la dificultad de incorporar medidas que garantizasen el secreto de las comunicaciones. Se concluía que los derechos que se pretendían proteger tenían acomodo en la vigente regulación legal y que, en cualquier caso, correspondía a las partes negociadoras, a través de los convenios colectivos de sector o de empresa, concretar la forma de ejercicio de estos derechos y la forma del uso de estos medios tecnológicos para salvaguardar así los posibles inconvenientes que pudieran ocasionar.

Esta respuesta también ha venido refrendada por un sector de la doctrina científica[13], que ha evidenciado que cualquier solución legislativa tiene sus limitaciones: la primera de ellas es el propio ritmo de elaboración de cualquier ley (que puede resultar inadecuado respecto a una materia tan cambiante como es ésta); y la segunda es la dificultad, desde la vocación de generalidad que tiene toda ley, de abarcar y ordenar una realidad tan compleja. Por ello, se ha venido a afirmar que cualquier regulación legal resultaría ineficaz e inadecuada para prever todas las situaciones que las nuevas tecnologías de la información y de la comunicación pueden generar en el seno de la empresa. La ausencia de una normativa estatal sobre el uso sindical de los dispositivos electrónicos para transmitir información, obedecería por tanto a razones tan diversas como son: la relativa novedad de las materias a regular, la dificultad de ofrecer un tratamiento homogéneo respecto a situaciones heterogéneas y cambiantes en los diversos sectores productivos, pero, sobre todo, la constante innovación tecnológica y sus efectos en el seno de la empresa, que provoca la falta de capacidad de los poderes públicos para entrar a regularla[14].

De todo ello se desprende que una de las características básicas del tratamiento normativo actual en esta materia es la inexistencia de una regulación legal específica[15]. O dicho de otro modo: en nuestro or-

---

[13] NIEVES NIETO, N., "El uso del correo electrónico e internet en la negociación colectiva", *Relaciones Laborales* n° 5-6, 2009, pág. 249 y ss.

[14] GALA DURAN, C., PASTOR MARTÍNEZ, A., "La incidencia de las nuevas tecnologías de la información y comunicación en la negociación colectiva", ob. cit. pág. 304 y ss.

[15] CUENCA ALARCÓN, M., "La recepción de información sindical a través de medios informáticos de la empresa", *Relaciones Laborales* n° 5-6, 2009, pág. 227 y ss.

denamiento jurídico no se reconocen específicamente derechos como los siguientes: el derecho de los representantes unitarios y sindicales a usar la intranet de la empresa para comunicarse con sus representados mediante la creación de un tablón virtual de anuncios; el derecho de los representantes unitarios y sindicales a usar el correo electrónico para transmitir información de interés para los trabajadores; el derecho de los trabajadores, afiliados o no, a acceder a la información que pueda colgarse en un tablón virtual en la intranet de la empresa o que pueda enviarse a través del correo electrónico, etc.[16]

Tan solo de manera excepcional, y pensando en el trabajo a distancia exclusivamente, el artículo 19.2 de la Ley 10/2021, de 9 de julio, de trabajo a distancia[17] ha previsto que la empresa deberá asegurarse que no existen obstáculos para la comunicación entre los trabajadores a distancia y sus representantes legales, así como con el resto de trabajadores. A tales efectos, la empresa deberá suministrar a la representación legal de los trabajadores los elementos precisos para el desarrollo de su actividad representativa, y entre ellos: *"el acceso a las comunicaciones y direcciones electrónicas de uso en la empresa y la implantación del tablón virtual, cuando sea compatible con la forma de prestación del trabajo a distancia"*.

Teniendo en cuenta que los intentos de regulación legal han resultado frustrados, y que la actitud normativa del Estado a la hora de fijar las reglas sobre el uso sindical de las nuevas tecnologías en el seno de la empresa ha resultado ser marcadamente abstencionista, el espacio de regulación de esta materia ha sido ocupado por la negociación colectiva. Se puede afirmar, por tanto, que la negociación colectiva está asumiendo actualmente el papel de fuente reguladora sobre los usos y efectos de la incorporación de las nuevas tecnologías de la información y de la comunicación en las empresas[18]. De hecho, el artículo 91 de la Ley Orgánica 3/2018, de 5 de diciembre, de Protección

---

[16] ROQUETA BUJ, R., "El uso sindical de los sistemas de comunicación electrónica de las empresas. A propósito de la STC de 7 de noviembre de 2005", *Actualidad Laboral* n° 3, 2006, pág. 265 y ss.

[17] BOE de 10 de julio de 2021.

[18] SOLÀ MONELLS, X., *El derecho de la representación unitaria y sindical a utilizar los instrumentos empresariales de comunicación digital*, ed. Bomarzo, Albacete, 2021, pág. 115 y ss.

de Datos Personales y garantía de los derechos digitales (LOPD), bajo el título *"Derechos digitales en la negociación colectiva"*, señala que los convenios colectivos podrán establecer garantías adicionales de los derechos y libertades relacionados con el tratamiento de los datos personales de los trabajadores y la salvaguarda de derechos digitales en el ámbito laboral.

Entre los factores positivos que ofrece la regulación convencional de las nuevas tecnologías de la información y de la comunicación frente a la norma legal destacarían los siguientes: su proximidad a la realidad que pretende regular; la legitimidad y la seguridad jurídica derivada del carácter paccionado de la normativa convencional (lo que constituye un importante factor de paz social); y el carácter dinámico del convenio colectivo, al ser una norma fácilmente adaptable a las circunstancias cambiantes que le permite acomodarse a las características propias de cada empresa, sector, o ámbito concreto, lo que la convierte en un instrumento apto para regular un fenómeno como las nuevas tecnologías, caracterizado por una constante evolución e innovación[19]. Por ello el convenio colectivo es el marco de regulación más adecuado para abordar las nuevas tecnologías en el seno de la empresa, y a la vez se convierte en un instrumento eficaz en un momento en el que los conflictos por la aplicación de las mismas resultan más frecuentes[20].

Pero el uso de las tecnologías de la información y de la comunicación en el seno de las relaciones laborales también ha sido abordado a través de los llamados "códigos de conducta", "manuales de actuación" o "códigos éticos" elaborados unilateralmente por las empresas sin la oportuna participación sindical, los cuales se han centrado principalmente en regular las restricciones que los trabajadores deben observar en la utilización de herramientas informáticas. A través de

---

[19]   GALA DURAN, C., PASTOR MARTÍNEZ, A., "La incidencia de las nuevas tecnologías de la información y comunicación en la negociación colectiva", ob. cit. pág. 319 y ss.; LLAMOSAS TRAPAGA, A., "El uso del correo electrónico de la empresa para fines sindicales", *Nueva Revista Española de Derecho del Trabajo* nº 174, 2015, pág. 73 y ss.; NIEVES NIETO, N., "El uso del correo electrónico e internet en la negociación colectiva", ob. cit. pág. 249 y ss.

[20]   NIETO ROJAS, P., "El correo electrónico como medio de transmisión de información sindical y el papel de la negociación colectiva en la fijación de su alcance", *Revista Española de Derecho del Trabajo* nº 172, 2015, pág. 3 y ss.

estos códigos de conducta, se suele fijar un catálogo de exigencias éticas que debe presidir el comportamiento de los empleados en materia de uso de nuevas tecnologías (especialmente internet y correo electrónico), ampliando los deberes de diligencia del trabajador, y reforzando con ello los poderes del empresario.

Al no ser acordados con los representantes unitarios, el valor que pueden tener estos códigos de conductas debiera constreñirse al de meras manifestaciones del poder de dirección ordinario de eficacia colectiva, y con la peculiaridad de que se refieren no tanto a la forma en que se debe prestar el trabajo, sino al uso no laboral de los instrumentos tecnológicos disponibles en la empresa[21]. De esta manera, el incumplimiento de tales códigos de conductas sería equiparable al incumplimiento de una orden legítima del empresario, y, como tal, susceptible de la oportuna sanción disciplinaria como consecuencia de una desobediencia ante una orden legítima, o, en cualquier caso, de una transgresión de la buena fe contractual.

En cualquier caso, y como veremos a continuación, toda esta materia ha dado pie paralelamente, a una incipiente litigiosidad resuelta a su vez por una doctrina jurisprudencial que ha ido asentado las reglas o principios básicos de actuación. Ello nos permite hablar también de un doble tratamiento convencional y jurisprudencial sobre el uso de los medios electrónicos para la transmisión de información sindical[22].

2. LA DOCTRINA CONSTITUCIONAL SOBRE EL USO SINDICAL DE LOS SISTEMAS DE COMUNICACIÓN ELECTRÓNICA

El Tribunal Constitucional ha tenido ocasión de pronunciarse sobre el uso sindical de los sistemas de comunicación electrónica en la empresa, y especialmente del correo electrónico, en su sentencia n°

---

[21]   VALDÉS DE LA VEGA, B., "La utilización de las tecnologías de la información: un derecho sindical y un límite a la libre disposición empresarial sobre los instrumentos de trabajo. Comentario a la STC 281/2005", *Revista de Derecho Social* n° 33, 2006, pág. 139 y ss.

[22]   NAVARRO NIETO, F., "El ejercicio de la actividad sindical a través de las tecnologías de la información y de las comunicaciones", ob. cit. pág. 55 y ss.

281/2005 de 7 de noviembre, la cual ha sido objeto de un detallado análisis por parte de la doctrina científica[23].

El caso enjuiciado por el alto Tribunal parte de los siguientes hechos: la empresa BBVA remitió varios mensajes electrónicos a sus trabajadores para que éstos incrementasen el uso del correo electrónico en sus comunicaciones internas y externas como medio para aumentar la eficacia y disminuir gastos en papel, fotocopias o teléfono. Siendo ello así, y durante un año, el sindicato COMFIA-CCOO, estuvo remitiendo correos electrónicos de contenido sindical a los trabajadores afiliados y al resto de trabajadores a través del servidor interno de la empresa sin que ésta se opusiera. Sin embargo, a partir de un determinado momento se produjo una avalancha de correos masivos de desmesurado tamaño, y procedentes del referido sindicato, provocando colas de espera. Ante tal situación la empresa decidió filtrar la entrada de correos procedentes de aquella dirección rechazando los mensajes, y dictó unas normas sobre el uso del correo electrónico, calificando como inapropiada cualquier utilización que no fuera la estrictamente profesional, e identificando como sancionable la conducta consistente en enviar correos masivos. Frente a dicha actuación, el sindicato presentó demanda judicial por infracción de lo dispuesto en los artículos 18, 20 y 28 de la CE y del artículo 8 de la LOLS.

---

[23] SOLÀ MONELLS, X., *El derecho de la representación unitaria y sindical a utilizar los instrumentos empresariales de comunicación digital*, ob. cit. pág. 17 y ss.; GARCÍA NINET, I., "Sobre el uso del correo electrónico por los sindicatos utilizando los medios de la empresa, o las nuevas tecnologías al servicio de la libertad sindical. El caso COMFIA-CCOO contra BBVA-Argentaria: del "ius usus inocui" de las nuevas tecnologías", *Tribuna Social* nº 181, 2006, pág. 5 y ss.; TAPIA HERMIDA, A., "Uso del correo electrónico para transmitir información de naturaleza laboral y sindical a los trabajadores por las organizaciones sindicales en los centros de trabajo y durante la jornada laboral, *Revista de trabajo y seguridad social CEF* nº 276, 2006, pág. 141 y ss.; TASCÓN LÓPEZ, R., "La utilización del correo electrónico corporativo de la empresa como cauce apropiado para distribuir información sindical", *Revista de Trabajo y Seguridad Social CEF* nº 276, 2006, pág. 171 y ss.; TORRENTS MARGALEF, J., "La disposición de las tecnologías de la información y comunicación al servicio de los representantes de los trabajadores", en AA. VV., *La negociación colectiva en España: una mirada crítica*, ed. Tirant lo Blanch, Valencia, 2006, pág. 327 y ss.; ALZAGA RUÍZ, I., "El uso por la representación sindical de los medios informáticos propiedad de la empresa", en AA.VV. *Jurisprudencia Constitucional sobre trabajo y Seguridad Social*", Tomo XXIII, ed. Civitas, Madrid, 2005, pág. 341 y ss.

A juicio del Tribunal Constitucional, el contenido esencial del derecho fundamental de libertad sindical incluye el derecho de los sindicatos a ejercer aquellas actividades dirigidas a la defensa, protección y promoción de los intereses de los trabajadores. En suma, a desplegar los medios de acción necesarios para que puedan cumplir las funciones que constitucionalmente les corresponden, y de hecho el artículo 2.2. d) de la LOLS así lo recoge. Por el contrario, el contenido adicional del derecho de libertad sindical viene delimitado por los derechos o facultades atribuidos por normas legales o convencionales, o por la decisión unilateral del empresario, y este tipo de prerrogativas pueden ser distintas de las que constan en el contenido esencial. En este sentido, las normas legales o pactadas, o los previos actos del empresario, pueden imponer obligaciones y cargas al empresario cuya finalidad es promocionar la eficacia del derecho de libertad sindical en la empresa.

En base a esta doble premisa, el Tribunal Constitucional concluye que el derecho a transmitir información sindical, en sí mismo considerado, más allá de que se concrete adicionalmente en unos u otros términos, es decir, en la imposición de unas u otras cargas para el empresario, forma parte del contenido esencial del derecho de libertad sindical y ello es así puesto que la transmisión de noticias de interés sindical, el flujo de información entre el sindicato y los trabajadores, es el fundamento de la participación, permite el ejercicio cabal de una acción sindical y propicia el desarrollo de la democracia y del pluralismo sindicales. En definitiva, se concluye que la información sindical forma parte del contenido esencial del derecho fundamental, que el sindicato puede hacerla efectiva a través de los cauces previstos en la ley y también por medio de otros que libremente adopte siempre que respete la normalidad productiva, y que el empresario tiene que asumir ciertas cargas tasadas en la ley y dirigidas a hacer efectivo el hecho sindical informativo.

Sentado lo anterior, el Tribunal Constitucional insiste en que no es posible realizar una interpretación extensiva del artículo 8.2 de la LOLS dirigida a afirmar que existe una obligación legal de permitir la comunicación entre el sindicato y los trabajadores mediante la utilización del sistema interno de correo electrónico a cargo del empresario. En este punto, el Tribunal Constitucional es taxativo al afirmar que las empresas no están obligadas a dotarse de una infraestructura informática para uso sindical. Una interpretación de este tipo supondría el reconocimiento de una carga para el empresario.

Ahora bien, la cuestión de fondo radica no tanto en el derecho del sindicato a exigir a la empresa el establecimiento de una infraestructura informática, sino en el potencial derecho del sindicato a utilizar el sistema preexistente en la empresa, y creado para un fin productivo. Como afirma el Tribunal Constitucional, no se trata de que la empresa tenga que asumir el gravamen de asegurar y disponer para uso sindical de ese medio de comunicación, sino de determinar si la falta de obligación empresarial en orden a facilitar tal infraestructura informática implica, a su vez, la facultad del empleador de impedir un uso sindical útil para la función representativa en la empresa una vez que el sistema está creado y en funcionamiento.

Y en este punto, el Tribunal concluye que, en caso de preexistir ese sistema informático de la empresa, creado con una finalidad productiva, aquélla debe permitir su utilización por el sindicato como medio de difusión de información sindical. De ahí que los actos meramente negativos tendentes a obstaculizar el contenido esencial (aquí informativo) de la libertad sindical son contrarios a ésta, salvo que encuentren una justificación ajena a la simple voluntad de entorpecer su efectividad.

Por ello sería incompatible con la efectividad del derecho fundamental, la negativa del empresario a poner a disposición de los sindicatos los instrumentos de transmisión de información existentes en la empresa que resulten aptos y cuyo empleo sindical pueda armonizarse con la finalidad para la que hayan sido creados, lo que sucederá cuando la negativa constituya una mera resistencia que no encuentre justificación en razones productivas o en la legítima oposición a asumir obligaciones específicas y gravosas no impuestas al empresario, pues en esa hipótesis de acción meramente negativa, el acto de resistencia únicamente daría como resultado la obstaculización del ejercicio fluido, eficiente y actualizado de las funciones representativas, sin ocasionar, en cambio, provecho alguno.

Una consideración diversa olvidaría el marco en el que tiene lugar la acción sindical en estos casos, marginaría la función de contraponer que tiene el sindicato en la defensa de los intereses de los trabajadores en ese espacio empresarial que la Constitución promueve, y, en definitiva, lejos de respetar el derecho fundamental, dificultaría su efectividad más allá de lo razonable, lesionando con ello su contenido esencial. Por tanto: el empresario tiene en todo caso la obligación de no obstaculizar injustificada o arbitrariamente el ejercicio de este derecho.

El Tribunal Constitucional también rechaza los argumentos que niegan el uso sindical del correo electrónico por considerar que los instrumentos informáticos son propiedad privada de la empresa, y ello porque a su juicio, la propiedad no resulta desatendida por la utilización sindical de ese tipo de instrumentos empresariales ya que su uso no la modifica, ni el empresario pierde la titularidad de la herramienta de producción a través de la cual el sindicato transmite su información a los trabajadores. Según la sentencia, la Constitución no recoge una concepción abstracta del derecho de propiedad como un ámbito subjetivo de libre disposición o señorío sobre el bien objeto del dominio reservado a su titular. Y ello hasta el extremo de que no sólo la utilidad individual, sino también la función social, definen inescindiblemente el contenido del derecho de propiedad sobre cada categoría o tipo de bienes. Con ello el Tribunal Constitucional viene a reconocer que el margen de libertad de que goza el empresario en el marco de una economía liberal se ha reducido por razón de intereses colectivos.

El Tribunal Constitucional concluye así que sobre el empresario pesa el deber de mantener al sindicato en el goce pacífico de los instrumentos aptos para su acción sindical siempre que tales medios existan, su utilización no perjudique la finalidad para la que fueron creados por la empresa y se respeten los límites y reglas de uso. Ahora bien, la cuestión se centra en establecer los límites sobre la utilización del correo electrónico, para lo cual el Tribunal Constitucional fija las siguientes condiciones, algunas de carácter subjetivo y otras de carácter material.

Con carácter previo parte de la base de que el derecho al uso del correo electrónico se reconoce a las organizaciones sindicales en el ejercicio de sus funciones representativas en la empresa, es decir, sólo lo es para transmitir información de naturaleza laboral y sindical, de modo que cualquier utilización del sistema informático de la empresa por parte del sindicato con otra finalidad, quedaría fuera del amparo constitucional. Una vez sentado ello, Tribunal Constitucional, fija los siguientes límites:

a) La comunicación no podrá perturbar la actividad normal de la empresa. En este sentido, no es posible estimar por defecto que la recepción de mensajes en la dirección informática del trabajador en horario de trabajo produzca dicha perturbación. Llegar a esa conclusión permitiría también, por ejemplo, excluir la recepción de correo ordinario del sindicato en el puesto de trabajo, y, llevado al extremo el planteamiento de hipótesis posibles, podría situar a la empresa en un espacio incomunicado. Por lo demás nada impide la lectura de los mensajes al finalizar la jornada o en las pausas existentes.

b) Tratándose del empleo de un medio de comunicación electrónico, creado como herramienta de producción, no podrá perjudicarse el uso específico empresarial pre ordenado para el mismo ni pretenderse que deba prevalecer el interés de uso sindical, debiendo emplearse el instrumento de comunicación, por el contrario, de manera que permita armonizar su manejo por el sindicato y la consecución del objetivo empresarial que dio lugar a su puesta en funcionamiento, prevaleciendo esta última función en caso de conflicto. A tal efecto resultaría constitucionalmente lícito que la empresa predeterminase las condiciones de utilización para fines sindicales de las comunicaciones electrónicas, siempre que no las excluyera en términos absolutos.

c) Finalmente, no teniendo fundamento legal la existencia de una carga empresarial expresamente prescrita en el ordenamiento, la utilización del instrumento empresarial no podrá ocasionar gravámenes adicionales para el empleador, significativamente la asunción de mayores costes. Se trata de aprovechar aquello que la empresa ya tiene, no de crear nuevos instrumentos (aumento de capacidades, cambios de programas informáticos, etc.) al servicio de las necesidades o conveniencias sindicales.

Respetados los límites, reglas y condiciones de uso fijados en la sentencia, el empleo de instrumentos preexistentes y eficientes para la comunicación sindical resulta amparado por el artículo 28.1 de la CE. En tales condiciones, no puede negarse la puesta a disposición, ni puede unilateralmente privarse a los sindicatos de su empleo, debiendo acudirse al auxilio judicial si con ocasión de su utilización el sindicato llega a incurrir en excesos u ocasionar perjuicios, a fin de que aquéllos sean atajados y éstos, en su caso, compensados.

Como puede comprobarse, el Tribunal Constitucional admite el uso sindical del correo electrónico corporativo para transmitir información de interés laboral a los trabajadores, pero siempre que tal uso sea mesurado, racional, y no constituya un abuso por excesivo[24].

Sin embargo, la citada sentencia tiene un voto particular que acusa a la construcción jurídica utilizada por el Tribunal Constitucional, de un "voluntarismo carente de base normativa", así como de "un constructivismo ordenancista impropio de la función jurisdiccional". Parte el voto particular de calificar como artificiosa, la distinción entre el derecho a disponer de correo electrónico para uso sindical, y el derecho a valerse del mismo si ya está funcionando, ya que entiende que esta diferenciación sirve sencillamente para poder integrar el segundo derecho en el contenido esencial de la libertad sindical, y así considerar lesivo de la misma todo acto que lo impida injustificadamente.

Siendo ello así, el voto particular niega que el uso sindical de una determinada herramienta tecnológica de comunicación propiedad de la empresa pueda insertarse nada menos que en el contenido esencial de la libertad sindical, y considera por tanto, que el potencial derecho al uso de una infraestructura informática por parte del sindicato, en realidad forma parte del contenido adicional del derecho de libertad sindical, afirmando que su única calificación posible sería la de contenido adicional de esa libertad, que exigiría a su vez de una determinada base normativa o convencional. Entender lo contrario supone un inaceptable recurso dialéctico al acudir al contenido esencial como fuente del pretendido derecho, para soslayar la carencia radical de otra fuente infra constitucional de aquél, y concluye que solo sobre la base de la existencia previa de ese derecho puede limitarse el derecho de propiedad de la empresa en su facultad de disposición.

El voto particular utiliza también el argumento del derecho de propiedad que ostenta la empresa sobre el correo electrónico para impedir su utilización por el sindicato. En opinión del Magistrado

---

24 SEMPERE NAVARRO, A.V., SAN MARTIN MAZZUCCONI, C., "El uso sindical del correo electrónico a la luz de la STC 281/2005 de 7 de noviembre", ob. cit. pág. 535 y ss.

discrepante, la preexistencia del sistema informático parece suponer, por sí sola, el derecho a su uso sindical, cuando en realidad una cosa es el derecho sindical de información y otra el uso para ello de un determinado medio tecnológico ajeno a su propiedad.

Este voto particular ha sido refrendado a su vez por un sector de la doctrina científica[25], para el que la sentencia vendría a afirmar que, si una empresa consiente la utilización de su propio sistema informático para fines sindicales, no estaría soportando carga alguna. Según este sector doctrinal[26], el derecho al uso sindical de los sistemas de comunicación electrónica de la empresa sólo puede tener fundamento en el contenido adicional de la libertad sindical, resultando muy cuestionable el que se pueda insertar en el contenido esencial. Sobre esta premisa, el uso sindical de cualquier sistema electrónico en la empresa variaría en función de las regulaciones convencionales y contractuales aplicables en cada sector productivo, y carecería de una proyección general.

Por el contrario, otro sector de la doctrina científica[27], al igual que la sentencia del Tribunal Constitucional, ha defendido una interpretación amplia y actualizada de los derechos de información en el marco de las relaciones colectivas. Según estos autores, el derecho a recibir información del sindicato reconocido a los trabajadores afiliados en el art. 8.1.c) de la LOLS obliga a la empresa no sólo a no perturbar la distribución de la información sindical sino incluso a aceptarla y distribuirla entre sus destinatarios. Se trataría, además, de un derecho con una doble dimensión, tanto negativa como positiva, que impone, en el caso de empresas dotadas de infraestructura informática, la obligación de aceptar en el servidor interno los correos que provengan del sindicato para reenviarlos a los empleados a los que van dirigidos.

---

[25] PÉREZ DE LOS COBOS ORIHUEL, F., "El uso sindical de los medios informáticos en la empresa", *Relaciones Laborales* nº 5-6, 2009, pág. 7 y ss.

[26] DESDENTADO DAROCA, E., "El uso sindical de los sistemas de comunicación de la empresa. Más allá de la doctrina constitucional", *Aranzadi Social* nº 1, 2010, pág. 1 y ss.; DESDENTADO BONETE, A., "Contrato de trabajo y nuevas tecnologías: una nota sobre algunas cuestiones de actualidad, prueba electrónica, garantías de la intimidad y uso sindical del correo electrónico", *Revista del Poder Judicial* nº 88, 2009, pág. 241 y ss.

[27] BAYLOS GRAU, A., VALDÉS DE LA VEGA, B., "El efecto de las nuevas tecnologías en las relaciones colectivas de trabajo", ob. cit. pág. 121 y ss.

Este debate doctrinal se ha hecho extensivo a los pronunciamientos jurisprudenciales que han recaído sobre la materia, de modo que a raíz de esta sentencia del Tribunal Constitucional, tanto la jurisprudencia ordinaria como la doctrina judicial, han abordado expresamente el uso sindical de los instrumentos electrónicos de comunicación en la empresa, diferenciándose dos grandes líneas interpretativas: a) la extensiva, que asume que el sindicato tiene derecho a transmitir, con mesura y normalidad, noticias de interés laboral a sus afiliados y a los trabajadores en general mediante medios informáticos, estando la empresa obligada a proporcionar al sindicato el equipamiento y los medios necesarios para la difusión de la información sindical; y b) la restrictiva, que pasa por negar la aptitud del uso de los medios informáticos con fines sindicales utilizando para ello ciertos límites señalados en la sentencia del Tribunal Constitucional nº 281/2005, pero también desarrollados por la negociación colectiva.

3. LA TITULARIDAD DEL DERECHO AL USO SINDICAL DE LOS SISTEMAS DE COMUNICACIÓN ELECTRÓNICA

Generalmente el derecho al uso sindical de los sistemas de comunicación electrónica está reconocido a todos los sindicatos con independencia de su representatividad, dado que se vincula directamente con el contenido esencial del derecho de libertad sindical[28]. Por extensión, no habría obstáculo para considerar aplicable la doctrina del Tribunal Constitucional a las secciones sindicales, máxime si tenemos presente que la sección sindical no deja de ser una prolongación del sindicato en la empresa.

Ahora bien, mayores problemas presentan la cuestión de si el uso de los sistemas de comunicación electrónica ha de reconocerse a todas las secciones sindicales, o tan sólo a aquellas que reúna los requisitos del artículo 8.2 de la LOLS, es decir, a aquellas secciones sindicales pertenecientes a sindicatos que tienen la consideración de más representativos

---

[28] VALDÉS DE LA VEGA, B., "La utilización de las tecnologías de la información: un derecho sindical y un límite a la libre disposición empresarial sobre los instrumentos de trabajo. Comentario a la STC 281/2005", ob. cit. pág. 139 y ss.

o a aquellas secciones de sindicatos con presencia en el comité de empresa. De hecho, mientras que algunos convenios colectivos han permitido el uso del correo electrónico por todas las secciones sindicales[29] otros convenios colectivos han restringido el uso del correo electrónico o del tablón digital, a las secciones sindicales de sindicatos más representativos o con presencia en el comité de empresa[30].

En esta materia la doctrina científica[31] ha apuntado abiertamente que este tipo de fórmulas convencionales no son recomendables porque propician diferencias de trato de difícil justificación objetiva y razonable, y pueden generar una potencial conflictividad y disfuncionalidades en el ejercicio de la actividad sindical. Se viene a argumentar, adicionalmente, que si el derecho al uso sindical del correo electrónico se inserta en el contenido esencial del derecho de libertad sindical (en su manifestación de transmisión de información), tal derecho debiera reconocerse a toda sección sindical, con independencia de que reúna o no los requisitos del artículo 8.2 de la LOLS, es decir, con independencia de que pertenezca a un sindicato más representativo o de su presencia en el comité de empresa[32].

---

[29] Artículo 102.2 del XXI convenio colectivo estatal para las industrias extractivas, industrias del vidrio, industrias cerámicas, y para las del comercio exclusivista de los mismos materiales (BOE de 23 de noviembre de 2018).

[30] Artículo 65 del convenio colectivo estatal de Banca (BOE de 30 de marzo de 2021); artículo 168 del II convenio colectivo de empresas vinculadas a Telefónica de España, SAU, Telefónica Móviles España, SAU y Telefónica Soluciones de Informática y comunicaciones, SAU (BOE de 13 de noviembre de 2019); artículo 74 bis del convenio colectivo estatal para las empresas de mediación de seguros privados (BOE de 7 de enero de 2020); artículo 62 del convenio colectivo estatal para las empresas de gestión y mediación inmobiliaria (BOE de 13 de enero de 2020); artículo 50 del convenio colectivo para la prensa diaria (BOE de 27 de agosto de 2019).

[31] NIETO ROJAS, P., "El correo electrónico como medio de transmisión de información sindical y el papel de la negociación colectiva en la fijación de su alcance", ob. cit. pág. 3 y ss.; CORREA CARRASCO, M., "La proyección de las nuevas tecnologías en la dinámica (individual y colectiva) de las relaciones laborales en la empresa: su tratamiento en la negociación colectiva", ob. cit. pág. 76.

[32] ROLDÁN MARTÍNEZ, A., HERREROS LÓPEZ, J.M., "El ejercicio de las libertades de expresión e información de los representantes de los trabajadores en la era de internet", ob. cit. pág. 1383 y ss.

La doctrina judicial[33] ha tenido ocasión de pronunciarse al respecto, afirmando que vulnera el derecho de libertad sindical la negativa de la empresa a que una sección sindical que no tiene la condición de más representativa ni tiene presencia en los órganos de representación unitaria de la empresa, pueda acceder a utilizar los medios telemáticos existentes para comunicarse con todos los trabajadores, máxime si tal prerrogativa venía reconocida por convenio colectivo, y si la empresa no había alegado ni probado que dicha utilización afectase negativamente a la actividad productiva, perjudicase su uso específico u ocasionara gravámenes adicionales, y sobre todo si se acredita que en las negociaciones informales para el uso de dichos sistemas con fines sindicales no se distinguió entre sindicatos o secciones sindicales, y que se reconocieron los mismos derechos a otro sindicato en las mismas condiciones.

Sin embargo no podemos desconocer que otros pronunciamientos[34] han entendido lo contrario: que no constituye lesión del derecho fundamental de libertad sindical, la revocación de una cuenta de correo electrónico a la sección sindical de un sindicato que no ostenta la consideración de más representativo ni tiene presencia en el comité de empresa, y ello porque el criterio de la mayor representatividad justificaría, de manera objetiva y razonable, el distinto tratamiento, llegándose a afirmar abiertamente que: "pese a los razonamientos del Tribunal Constitucional, el Tribunal Supremo viene declarando que el uso del correo electrónico debe encuadrarse en el contenido adicional, y no en el esencial, del derecho de libertad sindical"[35], lo que viene a significar que estas secciones sindicales a las que aludimos, tan solo podrían tener derecho al uso sindical del correo electrónico, si tal prerrogativa viniera dispuesta por convenio colectivo.

En este punto la jurisprudencia[36] (en un supuesto en el que el convenio colectivo atribuía la dotación con cargo a la empresa de medios para la utilización del correo electrónico exclusivamente a los sindicatos más representativos a nivel estatal, con implícita exclusión de los

---

[33] SAN de 30 de junio de 2017 (Proc. nº 154/2017); STSJ de Madrid de 3 de diciembre de 2010 (Rec. nº 5285/2010).
[34] STSJ de Madrid de 14 de febrero de 2014 (Rec. nº 2024/2013).
[35] STSJ de Madrid de 27 de mayo de 2013 (Rec. nº 1178/2013).
[36] STS de 25 de abril de 2005 (Rec. nº 85/2003).

sindicatos más representativos a nivel autonómico), concluyó afirmando que eran ilegales dichas cláusulas convencionales, pero no porque tratasen con desigualdad a los sindicatos más representativos según sus ámbitos estatal o autonómico, sino porque conferían derechos en el ámbito de la empresa a los sindicatos más representativos, que es una calificación de naturaleza supra empresarial. Sin embargo, y por lo que aquí interesa, el Tribunal concluye que: "el único trato legítimamente desigual en el ámbito sindical de la empresa es el que se hubiese conferido a cualesquiera sindicatos en explícita y única contemplación de su presencia en los órganos de representación unitaria".

Mayores problemas presentan la aplicación de la doctrina del Tribunal Constitucional sobre el uso sindical de los sistemas de comunicación electrónica a los representantes unitarios de los trabajadores (comités de empresa y delegados de personal)[37]. Ciertamente la sentencia del Tribunal Constitucional nº 95/1996, de 29 de mayo, determinó que la CE no establece una identidad absoluta entre los dos canales de representación (unitaria y sindical), y que la libertad sindical reconocida en el artículo 28 de la CE pertenece a los sindicatos y no a otros sujetos colectivos como los comités de empresa y delegados de personal que son creados por la ley.

Ahora bien, pese a que la actividad desarrollada por la representación unitaria no se lleva a cabo al amparo de este derecho fundamental, normalmente estos órganos de representación están fuertemente sindicalizados, y, en la medida en que exista una conexión sindical (bien sea por la condición de afiliados de los representantes unitarios, o por la pertenencia a una sección sindical en la empresa), cabría entender que también disponen del derecho a usar medios de comunicación electrónica en la empresa[38].

De hecho, la negociación colectiva[39] no ha hecho distinciones a la hora de reconocer el derecho a usar los sistemas de comunicación

---

[37] SOLÀ MONELLS, X., *El derecho de la representación unitaria y sindical a utilizar los instrumentos empresariales de comunicación digital*, ob. cit. pág. 36 y ss.

[38] MORARU, G.F., *Los derechos de comunicación de los representantes de los trabajadores: nuevas dimensiones a la luz de las TIC*, ed. Bomarzo, Albacete, 2020, pág. 155 y ss.

[39] Artículo 87.2 del XX convenio colectivo general de la Industria Química (BOE de 19 de julio de 2021).

electrónica tanto a representantes unitarios (comités de empresa y delegados de personal), como a secciones sindicales, e incluso a ambas simultáneamente. Y tanto la doctrina científica[40], como la judicial[41] han entendido que estos órganos también disponen de este derecho.

Una vez reconocido el derecho a utilizar el correo electrónico para transmitir información de interés laboral, se permite a su vez que el mismo se emplee entre representantes unitarios y trabajadores, o entre las distintas representaciones legales y sindicales, incluyendo a la comisión paritaria con sus representados[42]. De hecho, algún convenio colectivo[43] prevé que el correo electrónico también sea una vía de comunicación entre la empresa y los propios representantes de los trabajadores, de modo que las sanciones impuestas por el empresario a los trabajadores podrán ser notificadas a los representantes legales a través de correo electrónico. Sin embargo, en este punto otros convenios colectivos[44] han precisado que cuando la representación legal solicite a la empresa cualquier tipo de autorización mediante correo electrónico, nunca se entenderá concedida la misma por silencio, exigiéndose una respuesta afirmativa expresa, sin que en ningún caso los correos electrónicos existentes entre representantes legales y empresario pueden ser considerados como acuerdos en el seno de la empresa.

Ligado con lo anterior, cabría discutir si los trabajadores ordinarios (no integrados en una representación unitaria o sindical y no afiliados a ningún sindicato) tienen derecho a transmitir información sindical a través del correo electrónico de la empresa. La doctrina

---

[40] SEMPERE NAVARRO, A.V., SAN MARTÍN MAZZUCCONI, C., "El uso sindical del correo electrónico a la luz de la STC 281/2005 de 7 de noviembre", ob. cit. pág. 535 y ss.

[41] STSJ de Castilla y León de 23 de marzo de 2006 (Rec. nº 199/2006), reconociendo el derecho al comité de empresa; STSJ de Extremadura de 19 de marzo de 2009 (Rec. nº 1/2009), en una convocatoria de reunión efectuada por un sindicato a un comité de empresa mediante correo electrónico.

[42] Artículo 87.2 del XX convenio colectivo general de la Industria Química (BOE de 19 de julio de 2021); artículo 113 del XXI convenio colectivo estatal para las industrias extractivas, industrias del vidrio, industrias cerámicas, y para las del comercio exclusivista de los mismos materiales (BOE de 23 de noviembre de 2018).

[43] Artículo 39.5 del convenio colectivo estatal de recuperación, y reciclado de residuos y materias primas reciclables (BOE de 29 de marzo de 2019).

[44] Artículo 10.5 del convenio colectivo de la empresa Unidad Editorial, S.A. (BOE de 10 de mayo de 2002).

contenida en la sentencia del Tribunal Constitucional n° 281/2005, parece no tener en cuenta este supuesto, de modo que la cuestión radica en determinar si el contenido del mensaje de interés sindical enviado a través del correo electrónico, dota de la protección otorgada por la sentencia. Es decir, si el interés sindical de la información transmitida, otorga la titularidad del derecho de libertad sindical al trabajador en cuestión.

Algunos autores[45] han entendido que la doctrina del Tribunal Constitucional no se hace extensiva a los trabajadores ordinarios por esta sola circunstancia. Sin embargo, ello contrasta con ciertos pronunciamientos de la doctrina judicial[46] que han ampliado el colectivo de sujetos titulares del derecho al uso de medios telemáticos, al considerar el concepto "información sindical" de forma amplia, reconociendo a los trabajadores ordinarios la posibilidad de transmitir por correo electrónico información de interés sindical en base a su libertad de expresión.

4. EL USO SINDICAL DEL CORREO ELECTRÓNICO

Tradicionalmente, la información transmitida por el sindicato a los trabajadores afiliados se efectuaba mediante el correo postal. Siendo ello así, el empresario debía tolerar que tales envíos (remitidos por el sindicato), llegasen a la empresa y de allí a los trabajadores destinatarios de los mismos. Es decir, el empresario no podía rechazar la correspondencia enviada por el sindicato a sus trabajadores, exigiéndose de él una actitud activa de recibir la información y entregarla a su receptor ya que, en caso contrario, podría producirse una vulneración del derecho de libertad sindical[47]. Ahora bien, la cuestión reviste hoy en día mayor complejidad cuando el sindicato (pero también los representantes unitarios que han resultado elegidos en el marco de

---

45 ROLDÁN MARTÍNEZ, A., HERREROS LÓPEZ, J.M., "El ejercicio de las libertades de expresión e información de los representantes de los trabajadores en la era de internet", ob. cit. pág. 1383 y ss.

46 STSJ de Cataluña de 1 de febrero de 2006 (Rec. n° 7052/2005).

47 BAYLOS GRAU, A., VALDÉS DE LA VEGA, B., "El efecto de las nuevas tecnologías en las relaciones colectivas de trabajo", ob. cit. pág. 137 y ss.

unas elecciones sindicales en la empresa) deciden usar las nuevas tecnologías facilitadas por la empresa a sus trabajadores, para transmitir la información sindical.

Precisamente, uno de los instrumentos que las tecnologías de la información y de la comunicación han incorporado en la difusión de la información de interés laboral ha sido el correo electrónico. Mediante el mismo, el envío de la información es inmediato, y el trabajador puede acceder a ella, puede solicitar más, o incluso puede plantear dudas sobre la misma al propio remitente.

Siendo ello así, una de las cuestiones a resolver con carácter previo es si la empresa está obligada a facilitar a la representación unitaria y sindical, las direcciones de correo electrónico de los trabajadores al entrar en juego la protección de datos de carácter personal del trabajador[48]. Al respecto caben dos soluciones.

La primera de ellas sería la de entender que la empresa no estaría obligada a facilitar al sindicato las direcciones de correo electrónico de los trabajadores sin el previo consentimiento de los mismos, lo que no quita que el sindicato pueda enviar sus comunicados a través de las llamadas "listas de distribución", sin acceder por ello a la dirección de correo electrónico de cada uno de los trabajadores[49].

Sin embargo, parece más adecuada una segunda solución, según la cual, el acceso del sindicato o de los representantes unitarios a las direcciones de correo electrónico de los trabajadores que constan en los archivos empresariales, sería posible, siempre y cuando se respetasen ciertos límites[50]:

---

[48] Véase: SOLÀ MONELLS, X., *El derecho de la representación unitaria y sindical a utilizar los instrumentos empresariales de comunicación digital*, ob. cit. pág. 83 y ss.; MORARU, G.F., *Los derechos de comunicación de los representantes de los trabajadores: nuevas dimensiones a la luz de las TIC*, ob. cit. pág. 171 y ss.; RODRÍGUEZ ESCANCIANO, S., "Participación de los representantes de los trabajadores en el tratamiento de datos personales", *Jurisdicción Social. Revista de la Comisión Social de Juezas y Jueces para la democracia* nº 197, 2019, pág. 16 y ss.

[49] ROQUETA BUJ, R., "El uso sindical de los sistemas de comunicación electrónica de las empresas. A propósito de la STC de 7 de noviembre de 2005", ob. cit. pág. 265 y ss.

[50] TASCÓN LÓPEZ, R.: "El tratamiento por los representantes de los trabajadores y por las organizaciones sindicales de los datos personales de los trabajado-

En primer lugar, dicha cesión quedaría exceptuada de obtener el consentimiento del titular de los datos al venir autorizada por una ley (art. 8.1. de la LOPD), pero las organizaciones sindicales y los representantes unitarios sólo tendrían derecho a obtener aquellos datos que resulten necesarios para el correcto cumplimiento de aquellas funciones que tengan legalmente atribuidas, lo que significa que la comunicación de extremos adicionales por parte del empresario requerirá el consentimiento expreso de los trabajadores interesados, sin que el convenio colectivo pueda asignar a la representación sindical o unitaria un derecho mayor a conocer otros datos de los trabajadores. Además, las cuentas de correo electrónico que resulten objeto de cesión por parte del empresario, no podrán ser usadas por las representaciones sindicales o unitarias para finalidades distintas al cumplimiento de sus competencias como representantes y previstas en la legislación laboral.

En segundo lugar, las representaciones sindicales y unitarias, al haber obtenido los datos del empresario y no directamente de los trabajadores, deberán informar a éstos sobre el contenido, el tratamiento, la procedencia de los datos, la existencia de un fichero, así como la posibilidad de ejercer sus derechos de acceso, rectificación, cancelación u oposición a la identidad y dirección del archivo.

En tercer lugar, y ligado con lo anterior, siempre cabrá el derecho de oposición por parte del trabajador, al haber sido facilitados los datos de dirección del correo electrónico por el empresario sin el conocimiento y el consentimiento directo del empleado afectado. Ello cobra especial sentido en relación a la utilización de la cuenta de correo electrónico por el sindicato, a lo que podrá oponerse el trabajador que no desee recibir información del mismo.

Y, en cuarto lugar, los representantes unitarios y sindicales deberán observar un deber de secreto o confidencialidad respecto de los datos personales, tanto como intervinientes en el tratamiento de los mismos, como en su calidad de representantes de los trabajadores (arts. 8.3 de la LOLS y 65.2 del ET).

---

res: entre lo tácticamente posible, lo socialmente conveniente y lo jurídicamente aceptable", *Revista Española de Protección de Datos* n° 1, 2006, pág. 217 y ss.

Esta cuestión fue planteada a la Agencia Española de Protección de Datos, que en su informe 101/2008 insistió en que el artículo 28.1 de la CE habilita a que se comuniquen las direcciones de correo electrónico de los trabajadores a las secciones sindicales sin necesidad del consentimiento del trabajador afectado al existir una norma legal de cobertura (art. 8.1 de la LOPD). Ahora bien, si existen procedimientos automatizados que pueden permitir la satisfacción del derecho a la libertad sindical sin necesidad de realizar una cesión de datos (por ejemplo, las listas de distribución), sería necesario fomentar tales mecanismos. Y, en cualquier caso, de haberse cedido la dirección de correo electrónico de los trabajadores, el sindicato, en su condición de cesionario, está obligado a reconocer el derecho de éstos a mostrar su oposición a la recepción de mensajes con contenido sindical.

El Tribunal Supremo también ha tenido ocasión de pronunciarse al respecto[51], afirmando que se lesiona el derecho de libertad sindical cuando la empresa deniega a una sección sindical la posibilidad de utilizar una cuenta de correo electrónico con acceso a la lista de distribución de todos los trabajadores. Entiende el Tribunal que resulta incuestionable el legítimo interés de la sección sindical en disponer de acceso a la lista de correo electrónico de distribución conjunta de todos los empleados de la empresa para facilitar de esta manera el más ágil y eficaz flujo de la información sindical a través de este mecanismo. No se trataría de una petición injustificada, caprichosa y carente de sentido, sino directamente vinculada a la propia eficacia de la acción sindical, singularmente en los momentos más trascendentes en los que puedan estar negociándose convenios o acuerdos colectivos.

Siendo ello así, la empresa estaría obligada a conceder el uso de dicha cuenta, cuando consta probado que ello no le provoca ningún tipo de perjuicio o de gravamen, y más aún: si la empresa tiene instalado y en funcionamiento el sistema informático que permite disponer a cada empleado de una dirección de correo electrónico con su respectiva clave de acceso; si dispone de una lista conjunta de distribución de toda la plantilla que utiliza la dirección de recursos humanos y el comité de empresa; si no se alega la concurrencia de problemas

---

[51] STS de 14 de julio de 2016 (Rec. n° 199/2015).

organizativos o de gestión que imposibiliten o desaconsejen la utilización por las secciones sindicales de esa misma vía de comunicación electrónica; si no se interfiere en el proceso productivo; si no se invocan posibles sobrecostes económicos de adaptación o modificación del sistema informático; y si tampoco se hace valer como obstáculo la titularidad del nombre del dominio de correo electrónico.

El artículo 19.2 de la Ley 10/2021, de 9 de julio, de trabajo a distancia, parece haber zanjado esta cuestión al señalar que la empresa deberá suministrar a la representación legal de los trabajadores los elementos precisos para el desarrollo de su actividad representativa, y entre ellos: *"el acceso a las comunicaciones y direcciones electrónicas de uso en la empresa y la implantación del tablón virtual, cuando sea compatible con la forma de prestación del trabajo a distancia"*. Pese a limitar el ámbito de actuación a la dirección de correo electrónico de los trabajadores a distancia, no habría inconveniente, en una interpretación analógica, en extender esta previsión al resto de trabajadores.

Por lo que se refiere a las reglas sobre el uso sindical del correo electrónico, aunque la normativa laboral no recoge de manera expresa un derecho genérico de los representantes de los trabajadores o del sindicato al uso del correo electrónico para comunicarse con los trabajadores, lo cierto es que tampoco lo prohíbe. Y como vimos anteriormente, ha sido la negociación colectiva la que ha entrado a regular esta materia[52].

En este punto, algunos convenios colectivos[53] se limitan a recoger un compromiso de negociación entre representantes de los trabajadores y empresario respecto al establecimiento de medidas que permitan el uso del correo electrónico por parte de los primeros, siempre que ello no afecte al proceso normal de producción ni implique la asunción de mayores costes o gravámenes para la empresa.

---

[52] NIEVES NIETO, N., "El uso del correo electrónico e internet en la negociación colectiva", ob. cit. pág. 249 y ss.; NAVARRO NIETO, F., "El ejercicio de la actividad sindical a través de las tecnologías de la información y de las comunicaciones", ob. cit. pág. 79 y ss.

[53] Artículo 101 del convenio colectivo para las cajas y entidades financieras de ahorro (BOE de 23 de diciembre de 2020).

Otros convenios colectivos[54] exigen la autorización empresarial para el uso del correo electrónico con fines distintos a los profesionales, o, en cualquier caso, el acuerdo con la empresa sobre los términos y condiciones de su uso[55], previéndose en algunos casos que el envío de correos electrónicos se efectúe fuera de las horas de trabajo[56].

Un tercer grupo de convenios colectivos[57] impone que los correos electrónicos deban tener un contenido estrictamente laboral y, en consecuencia, relacionado con las funciones de representación colectiva, prohibiendo la utilización del correo electrónico por los representantes de los trabajadores para usos ajenos a la actividad sindical.

Un cuarto grupo de convenios colectivos[58] prohíbe la propagación intencionada de correo basura, el envío de mensajes que superen un determinado tamaño y pueda bloquear el servidor o colapsar el sistema, o el envío de archivos que contengan virus o la reproducción de cualquier comunicación protegida por la propiedad intelectual o industrial.

Y finalmente, algunos convenios colectivos[59] se limitan a asumir la jurisprudencia constitucional respecto a los limites en la utilización

---

[54] Artículo 50 del convenio colectivo para la prensa diaria (BOE de 27 de agosto de 2019).

[55] Artículo 62 del convenio colectivo estatal para las empresas de gestión y mediación inmobiliaria (BOE de 13 de enero de 2020).

[56] Artículo 56 del convenio colectivo de la empresa Multiprensa y más S.L. (BOE de 5 de marzo de 2004).

[57] Artículo 102.2 del XXI convenio colectivo estatal para las industrias extractivas, industrias del vidrio, industrias cerámicas, y para las del comercio exclusivista de los mismos materiales (BOE de 23 de noviembre de 2018); artículo 62 del convenio colectivo estatal para las empresas de gestión y mediación inmobiliaria (BOE de 13 de enero de 2020); artículo 65.3 del convenio colectivo estatal de Banca (BOE de 30 de marzo de 2021).

[58] Artículo 217 del II convenio colectivo de empresas vinculadas a Telefónica de España, SAU, Telefónica Móviles España, SAU y Telefónica Soluciones de Informática y comunicaciones, SAU (BOE de 13 de noviembre de 2019); artículo 102.2 del XXI convenio colectivo estatal para las industrias extractivas, industrias del vidrio, industrias cerámicas, y para las del comercio exclusivista de los mismos materiales (BOE de 23 de noviembre de 2018); artículo 73 del XVI del convenio colectivo de la empresa ONCE y su personal (BOE de 18 de enero de 2018).

[59] Artículo 74 bis del convenio colectivo estatal para las empresas de mediación de seguros privados (BOE de 7 de enero de 2020); artículo 89 del convenio colectivo estatal de centros y servicios veterinarios (BOE de 14 de agosto de 2020).

sindical del correo electrónico, recordando que su uso no podrá perturbar la actividad normal de la empresa; no podrá perjudicar el uso específico empresarial para el que fue creado, pudiendo a estos efectos la empresa determinar las condiciones de utilización para fines sindicales; y no podrá ocasionar gastos adicionales a la empresa.

Más allá del tratamiento efectuado por la negociación colectiva, también los tribunales de justicia se han encargado de ofrecer una solución a las cuestiones litigiosas derivadas del uso sindical del correo electrónico, hablándose abiertamente de una "regulación jurisprudencial"[60] de esta materia. Precisamente, de la aplicación que los tribunales ordinarios han efectuado de la sentencia del Tribunal Constitucional nº 281/2005, de 15 de noviembre se extraen las siguientes conclusiones:

La primera conclusión es que el uso sindical del correo electrónico y otros sistemas de comunicación electrónica, puede quedar condicionado en los términos y límites que se hayan pactado por convenio colectivo o que se hayan fijado unilateralmente por el empresario en el protocolo interno de la empresa[61]. Además, el hecho de que la empresa haya venido tolerando el uso del correo electrónico por los representantes de los trabajadores, no supone la consolidación de un derecho adquirido a su favor[62].

En esta línea, el Tribunal Supremo[63], ha señalado que no se vulnera el derecho del sindicato a transmitir información a los trabajadores cuando la empresa, ante el colapso del sistema informático, y, por tanto, ante la existencia de problemas en el funcionamiento de éste, no prohíbe el uso sindical del correo electrónico, sino que establece una limitación que no fue desproporcionada.

Y según el Tribunal Supremo[64] no atenta contra el derecho fundamental de libertad sindical ni contra el secreto de las comunicaciones,

---

[60] PÉREZ DE LOS COBOS ORIHUEL, F., "El uso sindical de los medios informáticos en la empresa", ob. cit. pág. 201 y ss.

[61] GARCÍA ORTEGA, J., "Tutela de la libertad sindical: preordenación del uso del correo electrónico de la empresa: limitación de las fotocopias y material de oficina", *Aranzadi Social* nº 14, 2008, pág. 25 y ss.

[62] SAN de 29 de abril de 2004 (Proc. nº 17/2004); STSJ de Madrid de 4 de junio de 2008 (Rec. nº 1267/2008).

[63] STS de 3 de mayo de 2011(Rec. nº 114/2010).

[64] STS de 16 de febrero de 2010 (Rec. nº 57/2009).

la obligación de designación de una persona que asuma la administración de la cuenta de correo electrónico para fines sindicales, responsabilizándose de la custodia y distribución de los correos, máxime si el sistema informático de la empresa exige la designación de dicha persona, encargada de administrar la lista y mantenerla actualizada. Según dicha sentencia, el ejercicio del derecho "on line" de información sindical no puede llevarse a cabo sin cumplir las exigencias razonables que se impongan por la empresa o vengan determinadas por su sistema informático, entre las que puede encontrarse la obligación de identificar una persona responsable de la administración de la cuenta de correo electrónico, siempre que tal responsabilidad se halle limitada a la custodia y distribución de los mensajes, sin alcanzar al contenido de aquéllos. Y ese condicionamiento empresarial de nombrar un administrador individual de la cuenta de correo no puede entenderse que obstruya el derecho de libertad sindical ni que suponga, en palabras de la sentencia del Tribunal Constitucional nº 281/2005, el "establecimiento de dificultades a su ejercicio más allá de lo razonable".

Según la doctrina judicial[65], tampoco vulnera el derecho de libertad sindical, la previsión convencional de que el envío de comunicaciones masivas de correo electrónico deba efectuarse en horarios determinados, por tratarse de una medida tendente a armonizar el derecho de las secciones sindicales a comunicarse e informar a sus afiliados o a la totalidad de la plantilla en general, con el correcto funcionamiento de la red corporativa de correo como herramienta de gestión empresarial. Ni constituye un límite que vulnere el derecho de libertad sindical el que la empresa, a través de un protocolo interno, restrinja el uso del correo electrónico para la realización de actividades que estén directamente relacionadas con las funciones del puesto de trabajo[66], y no para fines sindicales.

Además, el hecho de que la empresa remita mediante correo electrónico, una nota informativa en contestación a la publicación en la prensa local de una información facilitada por una central sindical, tampoco lesionaría el derecho de libertad sindical, al estar ante manifestaciones amparadas por la libertad de expresión e información

---

65   SAN de 5 de junio de 2017 (Proc. nº 178/2017).
66   STSJ de Galicia de 26 de marzo de 2015 (Rec. nº 7/2015).

cuando éstas se ejercitan en conexión con asuntos de interés general, tanto por la materia como por las personas intervinientes, contribuyendo a la formación de opinión pública, en este caso de los trabajadores que prestan servicios en la empresa[67].

Tampoco supone lesión del derecho a la libertad sindical, la transmisión de información y documentación por la empresa a las secciones sindicales, a través de una cuenta nueva específicamente habilitada para ello en el correo corporativo (que permite el flujo de información con mayores garantías de seguridad), y no a través de la cuenta ajena al correo electrónico corporativo designada por la sección sindical[68].

Ni tampoco vulnera el derecho de libertad sindical, el ofrecimiento de la empresa de un sistema telemático alternativo e igualmente eficaz para la difusión de información sindical mediante la creación de carpetas públicas en las que puede colgarse la información sindical, a la vez que sigue permitiendo que los representantes de los trabajadores puedan usar el correo electrónico para fines sindicales, con evitación tan solo del envío "masivo" de mensajes[69].

Por otro lado, las empresas no tienen por qué permitir siempre y en todo caso el uso sindical de sus sistemas de comunicación electrónica, y pueden negarse a ello cuando existan razones organizativas o productivas o cuando dicha utilización ocasione la asunción de mayores costes económicos. Así lo ha entendido el Tribunal Supremo[70], al señalar que no existe vulneración del derecho fundamental de libertad sindical, en la negativa de la empresa al uso del correo electrónico por parte de las representaciones sindicales para el ejercicio del derecho de información sindical, si implicaba la implantación de un sistema de comunicación inexistente con unos costes adicionales significativos. Es decir, según la jurisprudencia[71] no se tiene derecho a transmitir información sindical y laboral a través del correo electrónico cuando la utilización del medio para el ejercicio del derecho de información conlleva costes adicionales significativos para la empresa y es perjudicial para el fin por el que fue instalado. En tales casos no cabe enten-

---

[67] STSJ de Andalucía de 15 de abril de 2008 (Rec. n° 400/2008).
[68] STSJ de Madrid de 1 de febrero de 2013 (Rec. n° 6674/2012).
[69] STSJ de Madrid de 4 de junio de 2008 (Rec. n° 1267/2008).
[70] STS de 17 de mayo de 2012 (Rec. n° 202/2011).
[71] STS de 22 de junio de 2011 (Rec. n° 153/2010).

der que la conducta de la empresa sea una conducta de obstrucción o de resistencia pasiva, si explica de manera racional las dificultades existentes en la implantación.

También lo ha entendido así la doctrina judicial[72], al afirmar que la denegación empresarial del derecho a utilizar el correo electrónico para que el sindicato pueda transmitir información sindical a sus afilados no vulnera la libertad sindical si el sistema de correo electrónico es de uso exclusivo de la empresa, se instaló para uso profesional de los trabajadores, no resulta apto para el envío masivo de correos, no hay previsión convencional alguna al respecto, y se demuestra que otro uso resultaría costoso económicamente para la empresa y perjudicial para el fin para el que fue instalado.

Ahora bien, otros límites al uso sindical del correo electrónico sí que han sido rechazados expresamente por la jurisprudencia, y así, el Tribunal Supremo[73] considera que se lesiona el derecho de libertad sindical, así como el secreto de las comunicaciones, cuando la empresa supedita el uso sindical de las listas de distribución corporativa a su previa autorización y al conocimiento del contenido del correo, siendo por tanto nula la cláusula del convenio colectivo que así lo establecía.

Y también se lesiona el derecho de libertad sindical si la empresa impide el uso del correo electrónico sin probar esos mayores costes económicos o gravámenes que supone la implantación de un sistema informático para uso sindical, o si simplemente niega de manera injustificada su implantación o su uso preexistente. Así lo ha entendido también la jurisprudencia[74], al afirmar que se produce vulneración del derecho de libertad sindical en la conducta de una empresa que prohíbe a una sección sindical el uso del correo electrónico en igualdad de condiciones que el resto de secciones sindicales, sin que justifique dicha actuación sobre la base de probar el perjuicio económico que hubiera podido suponerle ello.

---

[72] SAN de 12 de julio de 2010 (Proc. nº 80/2010); SAN de 20 de mayo de 2011 (Proc. nº 53/2011); STSJ de Madrid de 21 de febrero de 2018 (Rec. nº 823/2017).

[73] STS de 24 de julio de 2017 (Rec. nº 245/2016) anulando así la SAN de 13 de julio de 2016 (Proc. nº 138/2016).

[74] STS de 23 de julio de 2008 (Rec. nº 97/2007).

En el mismo sentido, la doctrina judicial[75] también ha interpretado que vulnera el derecho de libertad sindical toda negativa empresarial al uso sindical del correo electrónico que tenga como única intención, dificultar la comunicación del sindicato con sus representados.

5. EL USO SINDICAL DE LA INTRANET EMPRESARIAL: EL TABLÓN DE ANUNCIOS VIRTUAL

Con la finalidad de facilitar la difusión de aquellos avisos que puedan interesar a los afiliados al sindicato y a los trabajadores en general, el artículo 8.2.a) de la LOLS reconoce a las secciones sindicales de los sindicatos más representativos y de los que tengan representación en los comités de empresa, el derecho a un tablón de anuncios que deberá situarse en el centro de trabajo y en lugar donde se garantice un adecuado acceso al mismo de los trabajadores. Y el artículo 81 del ET señala que, en las empresas o centros de trabajo, siempre que sus características lo permitan, se pondrá a disposición de los delegados de personal o del comité de empresa uno o varios tablones de anuncios.

En ambos casos, el legislador está pensando en un tablón de anuncios físico con el que distribuir la información, de ahí que insista en la necesidad de que se sitúe en un lugar de adecuado acceso[76]. Pero en cambio no tiene en cuenta el llamado tablón virtual o digital, como aquél espacio existente en la intranet o red interna de la empresa donde los representantes de los trabajadores pueden "colgar" la información de interés laboral, y a la que podrán acceder internamente y de forma inmediata todos los trabajadores, exigiéndose tan solo la introducción de una clave de acceso[77].

---

[75] STSJ de Castilla y León de 23 de marzo de 2006 (Rec. nº 199/2006); STSJ de Castilla y León de 30 de julio de 2007 (Rec. nº 505/2007); STSJ de Cataluña de 2 de diciembre de 2005 (Rec. nº 6386/2005); STSJ Aragón de 25 de octubre de 2006 (Rec. nº 801/2006); STSJ de Madrid de 4 de diciembre de 2009 (Rec. nº 5297/2009); SAN de 26 de marzo de 2007 (Proc. nº 22/2007).

[76] BAYLOS GRAU, A., VALDÉS DE LA VEGA, B., "El efecto de las nuevas tecnologías en las relaciones colectivas de trabajo", ob. cit. pág. 137 y ss.

[77] LLAMOSAS TRAPAGA, A., "El uso del correo electrónico de la empresa para fines sindicales", ob. cit. pág. 73 y ss.

Estaríamos, por tanto, ante un soporte virtual que permite insertar información de interés sindical para facilitar su difusión entre los trabajadores. Y la función a desempeñar por el tablón virtual sería exactamente la misma que la que había venido desempeñando tradicionalmente el tablón físico, pero de manera más eficaz, dando cumplida garantía a los requisitos de difusión y acceso. Siendo ello así, y al igual que sucedía con el correo electrónico, la cuestión a dilucidar es si la empresa está obligada o no a suministrar un tablón de anuncios virtual, y en este punto, la doctrina científica se ha mostrado dividida:

Un sector doctrinal[78] ha interpretado que las empresas estarían obligadas a suministrar un tablón de anuncios virtual, máxime cuando el uso de las nuevas tecnologías estuviera plenamente implementado en ellas, de modo que en una interpretación analógica y en aplicación de los dispuesto en el artículo 3.1 del Código Civil, por "tablón de anuncios" debiera entenderse no solamente el soporte físico o material (tradicionalmente de corcho o de madera) que permite colocar la información de interés sindical, sino también el tablón virtual o digital. Si la finalidad de la norma es la de facilitar la transmisión de la información a los trabajadores, la realidad tecnológica ha cambiado el instrumento mediante el cual se desarrolla la misma, a través de los llamados "tablones virtuales", o "tablones digitales".

Por el contrario, otro sector de la doctrina científica[79] ha interpretado de manera restrictiva estos preceptos afirmando que la empresa no estaría obligada a dar acceso a un portal corporativo, dado que tanto la instalación del sitio web como su mantenimiento podría conllevar costes innegables, y más aún cuando el sindicato puede utilizar su página web para proporcionar dicha información. Con ello se daría cumplimiento a lo dispuesto en el artículo nº 2 del Convenio nº 135 de la OIT, según el cual, los representantes de los trabajadores deberán disponer en la empresa de las facilidades apropiadas para permitirles el desempeño rápido y eficaz de sus funciones, si bien la

---

[78]   ROQUETA BUJ, R., "El uso sindical de los sistemas de comunicación electrónica de las empresas. A propósito de la STC de 7 de noviembre de 2005", ob. cit. pág. 265 y ss.; BAYLOS GRAU, A., VALDÉS DE LA VEGA, B., "El efecto de las nuevas tecnologías en las relaciones colectivas de trabajo", ob. cit. pág. 137 y ss.

[79]   DESDENTADO DAROCA, E., "El uso sindical de los sistemas de comunicación de la empresa. Más allá de la doctrina constitucional", ob. cit. pág. 1 y ss.

concesión de dichas facilidades no deberá perjudicar el funcionamiento eficaz de la empresa interesada. Además, habida cuenta que la ley alude a un tablón de anuncios sin dar más detalles acerca del mismo, podría interpretarse que no existe obligación legal alguna para que el empresario deba dotar a las representaciones unitarias o sindicales de un medio tecnológico como es un tablón digital o virtual en la intranet de la empresa.

En este punto resulta decisiva la doctrina elaborada por la sentencia del Tribunal Constitucional n° 281/2005 en materia de correo electrónico, y que es perfectamente aplicable al tablón digital o virtual. Y es que, pese a que dicha sentencia se limita a enjuiciar el uso sindical del correo electrónico, se entiende que el derecho al uso de instrumentos informáticos y telemáticos por parte de los sindicatos no se limita al correo electrónico sino, utilizando la expresión empleada por el Tribunal Constitucional: "a cualquier otro instrumento que sea eficiente para la comunicación sindical", como por ejemplo: el tablón de anuncios virtual, o el acceso a las páginas web sindicales en internet.[80]

Según esta doctrina el derecho del sindicato a transmitir información de carácter sindical y laboral a los trabajadores (en este caso a través del tablón virtual), formaría parte del contenido esencial del derecho de libertad sindical. De modo que, si no existe un sistema informático en la empresa, no es posible exigir al empresario su establecimiento para poder utilizarlo con una finalidad sindical. Ahora bien, en caso de preexistir este sistema informático, el empresario debiera permitir el tablón virtual para fines sindicales dentro de unos determinados límites y en concreto, siempre que: a) no perturbe la actividad normal de la empresa, sin que constituya perturbación la recepción de mensajes en horario de trabajo puesto que pueden leerse en las pausas o al finalizar la jornada; b) no perjudique el uso específico empresarial, pudiendo la empresa predeterminar las condiciones de su uso y siempre que no lo excluya en términos absolutos; c) no genere gravámenes adicionales (especialmente económicos), para el empresario.

---

[80] VALDÉS DE LA VEGA, B., "La utilización de las tecnologías de la información: un derecho sindical y un límite a la libre disposición empresarial sobre los instrumentos de trabajo. Comentario a la STC 281/2005", ob. cit. pág. 129 y ss.

Por lo que se refiere a la regulación convencional del tablón virtual, los convenios colectivos[81] reconocen a los represes unitarios y sindicales el uso de la intranet facilitada por la empresa para que puedan crear dentro de ella, un portal sindical, o un sitio web donde colgar la información de interés para los trabajadores. Desde dicha página web, el comité de empresa tendría derecho a colgar la información que considerase adecuada, siempre que estuviera relacionada con temas de interés laboral o sindical. Se trata por tanto de convenios colectivos[82] que reconocen a los representantes legales la posibilidad de gestionar un tablón de anuncios electrónico o virtual, o que permiten la creación de una carpeta pública de correo electrónico donde los representantes puedan insertar las comunicaciones de interés laboral.

La doctrina jurisprudencial también ha sentado importantes reglas interpretativas sobre el uso del tablón virtual y de la intranet corporativa. En este sentido, podemos afirmar que los pronunciamientos judiciales han sido dispares en aplicación de la jurisprudencia del Tribunal Constitucional, pudiendo distinguirse entre una interpretación extensiva sobre el uso de la intranet corporativa para fines sindicales, y una interpretación restrictiva.

En este punto el Tribunal Supremo[83], ha señalado que la negativa de la empresa a publicar en la intranet corporativa comunicados sindicales (basándose en el contenido de los mismos), constituye una inaceptable censura contraria a la libertad de expresión y de transmisión de informaciones sindicales, resultando incompatible con el

---

[81] Artículo 217 del II convenio colectivo de empresas vinculadas a Telefónica de España, SAU, Telefónica Móviles España, SAU y Telefónica Soluciones de Informática y comunicaciones, SAU (BOE de 13 de noviembre de 2019); artículo 87.2 del XX convenio colectivo general de la Industria Química (BOE de 19 de julio de 2021); artículo 50 del convenio colectivo para la prensa diaria (BOE de 27 de agosto de 2019).

[82] Artículo 62 del convenio colectivo estatal para las empresas de gestión y mediación inmobiliaria (BOE de 13 de enero de 2020); artículo 74 bis del convenio colectivo estatal para las empresas de mediación de seguros privados (BOE de 7 de enero de 2020); artículo 89 del convenio colectivo estatal de centros y servicios veterinarios (BOE de 14 de agosto de 2020); artículo 69.2 del convenio colectivo del sector de oficinas y despachos de Cataluña para los años 2019-2021 (DOGC de 14 de febrero de 2020).

[83] STS de 26 de abril de 2016 (Rec. n° 113/2015).

ejercicio de tales derechos. Y la doctrina judicial[84] ha señalado que si la intranet de la empresa es una herramienta de gestión a través de la cual se establecen comunicaciones entre empresa y trabajadores, cualquier restricción injustificada a la intranet podría suponer una auténtica limitación al ejercicio de la actividad sindical.

Otros pronunciamientos de la doctrina judicial[85] reconocen el derecho del sindicato a informar a sus afiliados y a los trabajadores de la empresa en general a través de la intranet corporativa con ciertos límites, y en concreto, siempre que no se perjudique la finalidad productiva de la mencionada intranet, no se afecte negativamente la actividad normal de la empresa, no se afecte negativamente el funcionamiento de dicho instrumento electrónico, y su uso no comporte gastos económicos para la empresa.

En sentido opuesto, otros pronunciamientos judiciales[86] asumen un criterio más restrictivo al desestimar el acceso del sindicato a la intranet corporativa de la empresa con la finalidad de obtener una información que consideraba necesaria para la defensa de los intereses de los trabajadores, y ello en la medida en que este acceso era reservado por contener información igualmente reservada y por exigir (el acceso sindical), la modificación del sistema instaurado, lo que supondría imponer un gravamen al empresario, que la doctrina sentada por la sentencia del Tribunal Constitucional n° 281/2005 no autoriza.

En cualquier caso, cabe reproducir aquí la reflexión efectuada respecto a la titularidad del derecho al uso de los sistemas de comunicación electrónica, y concretamente si el derecho al uso del tablón digital o virtual cabe atribuirlo exclusivamente a las secciones sindicales de los sindicatos más representativos o con presencia en el comité de empresa (como prevé el artículo 8.2.a) del ET), o si por el contrario cabe extenderlo a todo tipo de secciones sindicales, o incluso a la representación unitaria. Nuevamente la negociación colectiva jugará un papel decisivo en este punto, sin que sea aconsejable establecer distinciones carentes de una justificación objetiva y razonable.

---

[84] STSJ de Andalucía de 25 de octubre de 2007 (Rec. n° 249/2007); STSJ de Navarra de 14 de abril de 2008 (Rec. n° 83/2008).

[85] STSJ de Cataluña de 2 de diciembre de 2005 (Rec. n° 6386/2005).

[86] STSJ del País Vasco de 16 de enero de 2008 (Rec. n° 2816/2008); STSJ del País Vasco de 3 de junio de 2008 (Rec. n° 1128/2008).

6. LA DOTACIÓN TECNOLÓGICA DEL LOCAL SINDICAL: EL USO DE INTERNET CON FINES SINDICALES.

El artículo 8.2.c) de la LOLS establece que, sin perjuicio de lo que se establezca mediante convenio colectivo, las secciones sindicales de los sindicatos más representativos y de los que tengan representación en los comités de empresa y en los órganos de representación que se establezcan en las Administraciones Públicas o cuenten con delegados de personal, tendrán derecho a la utilización de un local adecuado en el que puedan desarrollar sus actividades en aquellas empresas o centros de trabajo con más de 250 trabajadores. Por otra parte, según el artículo 81 del ET, en las empresas o centros de trabajo, siempre que sus características lo permitan, se pondrá a disposición de los delegados de personal o del comité de empresa un local adecuado en el que puedan desarrollar sus actividades y comunicarse con los trabajadores.

Como puede comprobarse, el derecho a un local adecuado es un derecho de prestación, al cargar sobre el empresario la obligación de facilitar el espacio necesario y en las condiciones que exige la norma[87]. Además, tanto el artículo 81 del ET, como el artículo 8.2.c) de la LOLS, exigen que el local sea "adecuado", y, en cierto modo, la integración de este calificativo "adecuado" dependerá de la convicción con que el órgano jurisdiccional competente valore ese concepto jurídico indeterminado[88]. Esa falta de concreción de la expresión "adecuado", exigirá tener en cuenta las necesidades de las representaciones de los trabajadores, pero también las condiciones de la empresa, circunstancias éstas que obligan a un estudio particular caso por caso[89].

En torno al adjetivo "adecuado" (por referencia al local), son varias las cuestiones que se han suscitado, pero la que aquí interesa es

---

[87] DESDENTADO DAROCA, E., "El uso sindical de los sistemas de comunicación de la empresa. Más allá de la doctrina constitucional", ob. cit. pág. 1 y ss.

[88] ARGÜELLES BLANCO, A. R., "Derechos para la libre expresión y comunicación de los representantes unitarios: local y tablón de anuncios", *Actualidad Laboral* nº 2, 2000, pág. 367 y ss.

[89] STSJ de la Comunidad Valenciana de 14 de septiembre de 2004 (Rec. nº 1549/2004).

la relativa a la dotación de los medios informáticos necesarios para que dichas representaciones de los trabajadores puedan desempeñar sus funciones, y más específicamente, la dotación de ordenadores con conexión a internet cuando ninguna norma reconoce el derecho de los trabajadores de la empresa (afiliados o no) ni de sus representantes unitarios o sindicales a acceder a la página web de un sindicato, y a usar internet para poder acceder a la información sindical[90].

En este punto la adecuación tecnológica del local va a depender de las circunstancias de cada empresa, de manera que será más factible en aquellas en que el uso de las tecnologías de la información se ha generalizado o es el instrumento normal y habitual de transmitir la información[91], que en aquellas otras en que la implantación de las nuevas tecnologías es nula o incipiente. En la doctrina científica se perfilan dos posiciones claramente enfrentadas:

Un sector doctrinal[92] ha entendido que el empresario debe de suministrar todos aquellos elementos materiales complementarios precisos que permitan garantizar el desarrollo de la actividad representativa, y, por tanto, se considera que el local debe ser apropiado, pero además debe resultar debidamente acondicionado y equipado con ordenador y un servicio de internet para facilitar el ejercicio de la actividad sindical. Ello supone una interpretación actualizada de los preceptos antes mencionados, de modo que cuando la empresa cuente con conexión a internet, parecería razonable exigir que el local de las secciones sindicales o de los representantes unitarios, pudiera disponer de ella. Se trataría además de una medida que no tendría coste para la empresa y que permitiría a los representantes unitarios y sindicales contar con un medio de acceso a la información que es de extrema importancia actualmente. Se insiste en que los derechos de información exigen conductas positivas a cargo del empresario para

---

[90] MORENO CÁLIZ, S., "Derecho al uso de local adecuado por sección sindical: Comentario a la STSJ de Cataluña de 18 de mayo de 2006 (AS 2007, 196)", *Aranzadi Social* nº 1, 2007, pág. 1 y ss.

[91] BAYLOS GRAU, A., VALDÉS DE LA VEGA, B., "El efecto de las nuevas tecnologías en las relaciones colectivas de trabajo", ob. cit. pág. 122 y ss.

[92] VALDÉS DE LA VEGA, B., "Nuevas tecnologías, representantes de los trabajadores y negociación colectiva", ob. cit. pág. 79 y ss.; SOLÀ MONELLS, X., *El derecho de la representación unitaria y sindical a utilizar los instrumentos empresariales de comunicación digital*, ob. cit. pág. 56 y ss.

hacerlos efectivos, aunque se tengan que instrumentalizar a través de medios tecnológicos. Y si la empresa se negase a facilitar un local con ordenador y conexión a internet, estaría dificultando con su actitud el libre ejercicio de las actividades representativas.

Por el contrario, otro sector de la doctrina científica[93] ha entendido que el uso del local adecuado ha de limitarse al mero espacio físico cerrado, propio del sentido gramatical del término. Se rechazaría así que el empresario estuviera obligado a dotar al local de los medios informáticos y telemáticos necesarios, haciéndose una interpretación literal de la norma, de modo que sólo se podría hacer uso de los mismos, previo pacto con el empresario o autorización expresa de éste.

En esta materia, nuevamente resulta decisiva la doctrina elaborada por la sentencia del Tribunal Constitucional nº 281/2005, perfectamente aplicable a la dotación tecnológica del local sindical. Recordemos que, según esta doctrina, el derecho del sindicato a transmitir información de carácter sindical y laboral a los trabajadores, forma parte del contenido esencial del derecho de libertad sindical. De modo que, si en la empresa no se ha implantado un sistema informático, no será posible exigir al empresario la dotación tecnológica del local sindical con acceso a internet para fines sindicales, al no ser exigible con los parámetros previstos en la ley.

Ahora bien, en caso de preexistir este sistema informático, el empresario debe permitir la dotación tecnológica del local y el acceso a internet dentro de unos determinados límites y en concreto siempre que: a) no perturbe la actividad normal de la empresa; b) no perjudique el uso específico empresarial por el que fue creado el sistema informático, prevaleciendo éste en caso de conflicto y pudiendo la empresa predeterminar las condiciones de su uso siempre que no lo excluya en términos absolutos; c) no genere gravámenes adicionales (especialmente económicos), para el empresario[94].

---

[93] GARCÍA VIÑA, J., "Relaciones laborales e internet", *Revista de Trabajo y Seguridad Social CEF* nº 223, 2001, pág. 50 y ss.

[94] COLÁS NEILA, E., "El derecho del sindicato al uso de las infraestructuras tecnológicas preexistentes en la empresa para transmitir información sindical. Comentario a la STC de 7 de noviembre de 2005", *Aranzadi Social* nº 17, 2005, pág. 5.

Siendo ello así, en materia de dotación tecnológica del local sindical, la negociación colectiva juega un papel decisivo a la hora de determinar los mecanismos tecnológicos de que puede disponer el local, y si el mismo ha de incluir un ordenador con acceso a internet (facilitando con ello el contacto vía telemática con los trabajadores sobre la entrevista personal), o no.

Algunos convenios colectivos[95], prevén que el local sindical disponga de material informático, como es el caso de ordenadores con acceso a la intranet, internet y correo electrónico; impresoras; teléfono, etc. Y otros convenios colectivos[96] reconocen el uso de internet a los representantes de los trabajadores siempre que sea para efectuar tareas de representación sindical y sin interferir en la prestación de servicios. En términos generales, se permite al representante unitario o sindical navegar por internet, pero solamente con fines profesionales o relacionados con la actividad representativa, excluyendo la navegación con carácter privado, particular o con fines no laborales.

Por lo que se refiere al tratamiento jurisprudencial, algunos pronunciamientos de la doctrina judicial[97] han entendido que, si el edificio en el que está situado el local de las secciones sindicales dispone de un tendido de cables para la conexión a la red corporativa que permite a su vez la salida a internet, la empresa estaría obligada a instalar la navegación por internet, al no suponer coste adicional alguno, y facilitando con ello la comunicación entre sindicato y sus afiliados. Ello significa que se debe proporcionar a la sección sindical la conexión a internet cuando la empresa contaba ya con ordenadores (a través de los cuales permitía de forma restringida a determinados trabajadores el acceso a internet)[98], y se vulnera la libertad sindical cuando la em-

---

[95] Anexo nº 1 del convenio colectivo estatal para las empresas del sector de harinas panificables y sémolas (BOE de 17 de junio de 2020); anexo 4º del XVI convenio colectivo de la empresa ONCE y su personal (BOE de 18 de enero de 2018); artículo 58 del convenio colectivo estatal para las industrias de elaboración del arroz (BOE de 25 de octubre de 2017).

[96] Artículo 70 del VIII convenio colectivo estatal del sector del corcho (BOE de 14 de mayo de 2020).

[97] STSJ de Cantabria de 16 de octubre de 2009 (Rec. nº 722/2009).

[98] STSJ de Castilla y León de 30 de julio de 2007 (Rec. nº 505/2007).

presa, disponiendo de tales medios, se niega a dotar al sindicato de un ordenador, impresora, acceso a internet y correo electrónico[99].

Se trata de pronunciamientos que, en términos generales, reconocen a la sección sindical el derecho a una cuenta de correo electrónico de la empresa, el acceso a la intranet corporativa, la conexión a internet, e incluso a la dotación de ordenadores[100], al ser dichos medios materiales y técnicos, en los tiempos actuales, totalmente indispensables.

Sin embargo, otros pronunciamientos[101] se han mostrado reacios a obligar a la empresa a dotar tecnológicamente al local sindical con instrumentos y equipos informáticos, así como con acceso a internet, sobre todo si el sistema no estaba creado y en funcionamiento, y la capacidad de enlace de la línea existente estaba ya desbordada por el uso normal de trabajo. De modo que, en aplicación de la sentencia del Tribunal Constitucional nº 281/2005, el reconocimiento del derecho al uso de medios informáticos no supone la imposición de una carga, no pudiéndosele exigir a la empresa gastos adicionales.

En este punto el Tribunal Supremo[102] ha tenido ocasión de pronunciarse si una empresa está obligada a dotar al local sindical de los medios tecnológicos adecuados para su funcionamiento (y más concretamente de un equipo informático con impresora y scanner, incluyendo conexión a internet y correo electrónico), en un supuesto en que el convenio colectivo tan solo recogía la necesidad de que el local sindical estuviera equipado con una mesa, sillas en número suficiente, teléfono, armario y archivo, máquina de escribir y material de escritorio.

El sindicato recurrente insiste en que tras la sentencia del Tribunal Constitucional nº 281/2005 de 7 de noviembre, los citados medios tecnológicos suponen una ventaja para la actividad de representación de los intereses de los trabajadores en relación con los medios de co-

---

[99] STSJ de Andalucía de 12 de junio de 2008 (Rec. nº 990/2008); STSJ de Castilla y León de 23 de marzo de 2006 (Rec. nº 199/2006).

[100] STSJ de Aragón de 8 de mayo de 2006 (Rec. nº 353/2006); STSJ de Aragón de 25 de octubre de 2006 (Rec. nº 801/2006); SAN de 26 de marzo de 2007 (Proc. nº 22/2007).

[101] STSJ de la Comunidad Valenciana de 15 de febrero de 2007 (Rec. nº 4660/2006).

[102] STS de 17 de junio de 2010 (Rec. nº 68/2009).

municación tradicionales, siendo evidente que la redacción del artículo 8.2 de la LOLS ha quedado obsoleta tras los avances tecnológicos y de los sistemas de comunicación en los últimos años. Y que en cualquier caso dicha dotación tecnológica vendría motivada por la aplicación de la cláusula "rebus sic stantibus", al variar las condiciones originales en las que se negoció el convenio colectivo tras el avance de la ciencia y la tecnología.

Sin embargo, a juicio del Tribunal Supremo, la jurisprudencia contenida en la sentencia del Tribunal Constitucional nº 281/2005 es clara al afirmar que las empresas no están obligadas a dotarse de una infraestructura informática para uso sindical, no existiendo por tanto un derecho incondicional de las organizaciones sindicales a la creación de la herramienta de comunicación informática a cargo de la empresa para una finalidad sindical.

Excluida la vulneración del derecho de libertad sindical, el Tribunal Supremo tampoco entiende vulnerada la cláusula "rebus sic stantibus", dado que el citado principio únicamente es viable cuando se trata de obligaciones derivadas del contrato de trabajo, pero nunca cuando las obligaciones hubieran sido pactadas en convenio colectivo (como es el caso), al no poder predicarse de normas jurídicas como es un convenio colectivo, que tiene eficacia normativa "ex" artículo 37 de la CE. Además, argumenta el Tribunal Supremo que la citada cláusula "rebus sic stantibus", exige ciertos presupuestos habilitantes (como son una alteración extraordinaria de las circunstancias iniciales pactadas; la existencia de un desequilibrio exorbitante entre las prestaciones de las partes contratantes; y la aparición de circunstancias radicalmente imprevisibles cuando se celebró el pacto), y en el caso concreto tampoco concurriría ninguna de tales exigencias, pues cuando se acordó la dotación material del local ya existían los medios técnicos e informáticos que ahora se reclaman, y sin que quepa entender que exista tampoco una desproporción exorbitante en las respectivas prestaciones que dieron lugar al citado convenio.

Por último, concluye el Tribunal Supremo que admitir la pretensión del sindicato sería tanto como modificar la redacción vigente del convenio colectivo aplicable a través de una sentencia judicial, y siendo ello así, en sentido estricto, estaríamos ante un conflicto de intereses y no ante un conflicto jurídico (o de interpretación), siendo los tribunales incompetentes para conocerlos.

Siguiendo esta doctrina, también la doctrina judicial[103] ha entendido que no se vulnera el derecho de libertad sindical, cuando la norma convencional impide el acceso a internet (y, por tanto, a las páginas web de las organizaciones sindicales, pero también a la información sindical que pueda transmitirse por tal vía) por motivos estrictamente de seguridad y con el objeto de evitar distracciones que puedan ocasionar accidentes de trabajo.

7. LA TRANSMISIÓN SINDICAL DE INFORMACIÓN EN LAS NUEVAS FORMAS DE TRABAJO TECNOLÓGICO

Las nuevas tecnologías de la información y de la comunicación han propiciado la externalización o deslocalización de la mano de obra, y con ello el surgimiento de nuevas formas de trabajo tecnológico como son el teletrabajo y el trabajo mediante plataformas digitales, las cuales no sólo se prestan a escapar del ámbito protector del Derecho individual del Trabajo, sino también del Derecho colectivo.

Pese a que las nuevas tecnologías han abierto nuevos campos a la acción sindical y la han beneficiado directamente (mediante el recurso a internet, al correo electrónico o al tablón virtual), también han provocado efectos negativos en los derechos colectivos de estas nuevas formas de trabajo, al perjudicar el propio sustrato físico de la actividad sindical (que es la coincidencia de los trabajadores en un mismo centro de trabajo), y al dificultar enormemente la penetración del sindicalismo en este nuevo tipo de trabajadores aislados de sus compañeros y comunicados con la empresa casi exclusivamente de manera virtual[104]. Interesa abordar la transmisión sindical de información en estas nuevas formas de trabajo, analizando en primer

---

[103] SAN de 17 de abril de 2017 (Proc. nº 56/2017).
[104] ALARCÓN CARACUEL, M.R., "Aspectos generales de la influencia de las nuevas tecnologías sobre las relaciones laborales", en AA.VV. *Cuestiones actuales de Derecho y Tecnologías de la Información y de la Comunicación TICS*, ed. Aranzadi, Cizur Menor, 2006, pág. 329.

lugar el teletrabajo y posteriormente el trabajo mediante plataformas digitales.

Por lo que se refiere al teletrabajo, el mismo ha sido objeto de regulación por el Acuerdo Marco Europeo sobre teletrabajo de 16 de julio de 2002, y a nivel estatal por la Ley 10/2021, de 9 de julio, de trabajo a distancia.

Respecto a los derechos de información de índole colectiva, el apartado undécimo del Acuerdo Marco Europeo sobre teletrabajo contiene dos previsiones. La primera de ellas recuerda que los representantes de los trabajadores serán informados y consultados sobre la introducción del teletrabajo conforme a las legislaciones europeas y nacionales, así como los convenios colectivos y prácticas nacionales. Y en este punto, el artículo 64.5 del ET, insiste en que el comité de empresa tendrá derecho a ser informado y consultado sobre todas las decisiones de la empresa sobre decisiones que pudiera provocar cambios relevantes en cuanto a la organización del trabajo.

La segunda previsión contenida en el Acuerdo Marco Europeo es que la condición de teletrabajador no podrá ser un obstáculo para la comunicación con los representantes de los trabajadores. Pero no precisa si dicha comunicación puede realizarse (como sería lo lógico y deseable), utilizando los instrumentos informáticos puestos a disposición del teletrabajador por la empresa, y de ser así, con qué límites[105].

Como hemos visto, en nuestro ordenamiento jurídico, la comunicación de los representantes unitarios y sindicales con los trabajadores está prevista en el ET y en la LOLS mediante unos instrumentos muy específicos y tradicionales como son el local sindical, el tablón de anuncios, o el reparto de publicidad. Se trata de medios de información que han quedado obsoletos y que en cualquier caso presumen la presencia física del trabajador en la empresa, y precisamente por tal motivo tales medios resultan ineficaces en el teletrabajo[106].

---

[105] THIBAULT ARANDA, J., JURADO SEGOVIA, A., "Algunas consideraciones en torno al Acuerdo Marco Europeo sobre teletrabajo", *Temas Laborales. Revista Andaluza de Trabajo y Bienestar Social* nº 72, 2003, pág. 64.

[106] SOLÀ MONELLS, X., *El derecho de la representación unitaria y sindical a utilizar los instrumentos empresariales de comunicación digital*, ob. cit. pág. 99 y ss.

En este punto, el artículo 19.2 de la Ley 10/2021, de trabajo a distancia, ha dado un paso importante, al señalar que la empresa deberá asegurarse que no existen obstáculos para la comunicación entre los trabajadores a distancia y sus representantes legales, así como con el resto de trabajadores. Y a tales efectos, deberá suministrar a la representación legal de los trabajadores los elementos precisos para el desarrollo de su actividad representativa, y entre ellos: el acceso a las comunicaciones y direcciones electrónicas de uso en la empresa y la implantación del tablón virtual, cuando sea compatible con la forma de prestación del trabajo a distancia.

Como ha evidenciado la doctrina científica[107], en una modalidad de prestación de servicios como es el teletrabajo, el uso sindical de los medios de comunicación electrónica se convierte en un instrumento clave no sólo para satisfacer el derecho del teletrabajador a recibir información del sindicato o de sus representantes unitarios, sino también para el ejercicio eficaz de sus derechos colectivos.

Además, el tablón de anuncios presencial, o el local físico (como espacio de reunión entre representantes y trabajadores) pierden su sentido cuando todos los trabajadores de la empresa son teletrabajadores, resultando perfectamente razonable una interpretación evolutiva del derecho al local sindical y al tablón de anuncios, en el sentido de sustituirlos por el derecho a acceder a una página web del sindicato, a un tablón virtual, o a la mensajería electrónica[108].

Por tanto, los derechos de información sindical resultarán de difícil ejercicio para el teletrabajador si la empresa no facilita el uso de herramientas informáticas[109], o si no se efectúa una adaptación de la

---

[107] LAFONT NICUESA, L., "El teletrabajo desde la perspectiva de la protección de los derechos constitucionales del teletrabajador", *Revista de Información Laboral* nº 9, 2004, pág. 19.

[108] THIBAULT ARANDA, J., *El teletrabajo. Análisis jurídico-laboral*, ed. CES, Madrid, 2000, pág. 241 y ss.; CABEZA PEREIRO, J., "Trabajo a distancia y relaciones colectivas", en AA.VV. *El teletrabajo en España: aspectos teórico-prácticos de interés*, ed. Wolters Kluwer, Madrid, 2017, pág. 193.

[109] DE LAS HERAS GARCÍA, A., "Relaciones colectivas y teletrabajo", *Revista Internacional y Comparada de Relaciones Laborales y Derecho del Empleo* Vol. 5 nº 2, 2017, pág. 8; PUNTRIANO ROSAS, C., "El teletrabajo, nociones básicas y breve aproximación al ejercicio de los derechos colectivos de los teletrabajadores", *Ius et veritas* nº 29, 2004, pág. 168 y ss.

normativa existente a las peculiaridades y particularidades de esta forma de prestación de servicios[110].

Por lo que respecta a la prestación de servicios a través de plataformas digitales, ésta constituye una de las grandes transformaciones experimentadas en el tejido productivo en los últimos años, y está suscitando una gran polémica a nivel doctrinal por sus repercusiones en el Derecho del Trabajo[111]. Esta nueva forma de trabajo posibilita que las personas presten servicios de manera flexible, habiéndose discutido acerca de la naturaleza jurídica de estos servicios, y concretamente si deben calificarse como un trabajo asalariado por cuenta ajena, como un trabajo autónomo, o como un trabajo autónomo económicamente dependiente.

El Tribunal Supremo tuvo ocasión de pronunciarse en su sentencia de 25 de septiembre de 2020, declarando que la prestación de servicios de los repartidores de la plataforma digital Glovo reuniría los requisitos de laboralidad exigidos en el artículo 1.1 del ET. Y la Ley 12/2021, de 28 de septiembre, por la que se modifica el Estatuto de los Trabajadores para garantizar los derechos laborales de las personas dedicadas al reparto en el ámbito de plataformas digitales, ha introducido en el ET una nueva Disposición Adicional Vigesimotercera, que establece una presunción de laboralidad de las personas que presten servicios retribuidos consistentes en el reparto o distribución de cualquier producto de consumo o mercancía, por parte de empleadoras que ejercen las facultades empresariales de organización, dirección y control de forma directa, indirecta o implícita, mediante la gestión algorítmica del servicio o de las condiciones de trabajo, a través de una plataforma digital. Se trata ésta de una presunción de laboralidad limitada a las plataformas digitales de reparto de productos de consumo o mercancías a terceros, condicionada al cumplimiento

---

110   BAYLOS GRAU, A., VALDÉS DE LA VEGA, B., "El efecto de las nuevas tecnologías en las relaciones colectivas de trabajo", ob. cit. pág. 140 y ss.

111   FERRADANS CARAMES, C., "Los derechos colectivos de los trabajadores al servicio de plataformas colaborativas", en AA.VV. *El trabajo autónomo en España tras la crisis: Perspectivas y propuestas*, ed. Bomarzo, Albacete, 2019, pág. 323 y ss.; FERNÁNDEZ VILLAZÓN, L.A., "Canales de representación del personal en los nuevos modelos de gestión empresarial", en AA.VV. *Finding solutions to societal problems, ed. URV, Tarragona 2018, pág. 122 y ss.*

de ciertos requisitos y no aplicable al trabajo prestado mediante otras plataformas digitales.

Siendo ello así, el uso de las nuevas tecnologías para transmitir información sindical también resulta decisivo en esta nueva forma de trabajo tecnológico. Al respecto, también dos son sus manifestaciones más importantes:

La primera de ellas viene referida al derecho que tienen los representantes legales de los trabajadores a recibir información de la empresa respecto a la implantación de sistemas algorítmicos. En este punto la Ley 12/2021, y con el objetivo de garantizar los derechos laborales de las personas dedicadas al reparto en el ámbito de plataformas digitales, ha modificado el artículo 64 del ET, relativo a los derechos de información y consulta de la representación legal de los trabajadores añadiendo un nuevo párrafo d) a su apartado cuarto. De modo que según el actual artículo 64.4 d) del ET, el comité de empresa, con la periodicidad que proceda en cada caso, tendrá derecho a ser informado por la empresa de los parámetros, reglas e instrucciones en los que se basan los algoritmos o sistemas de inteligencia artificial que afectan a la toma de decisiones que pueden incidir en las condiciones de trabajo, el acceso y mantenimiento del empleo, incluida la elaboración de perfiles.

La segunda manifestación está relacionada con el derecho del prestador de servicios mediante plataformas digitales a recibir información por parte de sus representantes unitarios y sindicales. Ello entronca nuevamente con uno de los temas de mayor impacto como es el uso sindical de las nuevas tecnologías para transmitir información de interés laboral en este tipo de actividades, ya que tanto el ET como la LOLS está pensando en trabajadores que prestan sus servicios físicamente en un centro de trabajo, y que, por tanto, se pueden reunir en él y distribuir de manera presencial la información de interés laboral, lo que no sucede en el trabajo prestado mediante plataformas digitales.

Si el uso de las nuevas tecnologías es clave en la prestación de servicios en el seno de las plataformas digitales, también debiera serlo el derecho de información sindical[112] y todo ello al amparo de

---

[112]   Véase: GARRIDO PÉREZ, E., "La representación de los trabajadores al servicio de plataformas colaborativas", *Revista de Derecho Social* nº 80, 2017,

la jurisprudencia sentada por el Tribunal Constitucional en su sentencia nº 281/2005 de 7 de noviembre, a propósito de la utilización sindical de los medios electrónicos de la empresa para la distribución de información de interés laboral y sindical a los trabajadores y sus límites.

Siendo ello así, y al igual que sucedía con el teletrabajo, cabe afirmar que el uso sindical de las nuevas tecnologías (y especialmente internet, las redes sociales, o incluso ciertas aplicaciones informáticas), será imprescindible para transmitir la información al resto de trabajadores. Como se ha señalado acertadamente[113]: el ejercicio de los derechos de información, debe adaptarse en las plataformas digitales mediante la sustitución de los mecanismos documentales físicos por los mecanismos digitales, pudiendo utilizarse la propia aplicación informática en la que se sustenta la plataforma o mediante la creación de aplicaciones "ad hoc".

Igual solución adaptativa podría operarse en relación con el tablón de anuncios y el local adecuado, entendido ese último como espacio digital en el que puedan interactuar los representantes y sus representados. En las organizaciones empresariales de plataforma, basadas en la ausencia de espacios físicos, la comunicación virtual a través de la aplicación informática, no presenta alternativa posible, lo que debe llevarnos a reflexionar sobre la pervivencia de las limitaciones que en su momento fijó la sentencia del Tribunal Constitucional nº 281/2005 de 7 de noviembre y su aplicación en el ámbito de las plataformas

---

pág. 230 y ss.; ESTEBAN LEGARRETA, R., Cuestiones sobre la articulación de la representación del personal al servicio de las plataformas colaborativas", en AA.VV. *Descentralización productiva: nuevas formas de trabajo y organización empresarial*, ed. Cinca, Madrid, 2018, pág. 377 y ss.; PASTOR MARTÍNEZ, A., "Una aproximación a la problemática de la representación colectiva de los trabajadores de las plataformas colaborativas y en entornos virtuales", *Iuslabor* nº 2, 2018, pág. 230 y ss.; GUERRERO VIZUETE, E., "La digitalización del trabajo y su incidencia en los derechos colectivos de los trabajadores", en AA.VV. *Finding solutions to societal problems*, ed. URV, Tarragona 2018, pág. 47 y ss.

[113] GIL PLANA, J., "Nuevas Tecnologías y relaciones colectivas de trabajo: las plataformas digitales", en AA.VV. *Derecho del trabajo y nuevas tecnologías. Estudios en homenaje al profesor Francisco Pérez de los Cobos Orihuel*, ed. Tirant lo Blanch, Valencia, 2020, pág. 880 y ss.

digitales, o, si se desea, sobre la necesidad de efectuar una relectura de las mismas más garantista para los trabajadores.

Se considera necesario, por tanto, la puesta en marcha de herramientas tecnológicas que permitan recuperar un espacio común para los trabajadores y sus organizaciones representativas[114]. Por ello resultaría oportuna la existencia, dentro de la propia plataforma digital, de un espacio específico que hiciera las funciones de los tradicionales tablones de anuncios y al que tengan acceso tanto sindicato como trabajadores. Y todo ello sin desmerecer la importancia de las redes sociales como instrumento que permita fomentar la participación de estos trabajadores en las campañas sindicales, ayudando a fortalecer el sentido de identidad colectiva[115].

Ahora bien, tampoco puede negarse que la tecnología permite incrementar los efectos que sobre los trabajadores puede tener el conocimiento por las empresas de sus opciones sindicales. Ello posibilita la recopilación a gran escala y tratamiento automatizado de informaciones individuales que pueden ser luego utilizadas por las empresas para poner en marcha discriminaciones difícilmente controlables y, en definitiva, puede restar eficacia al propio suministro de información por temor a posibles represalias[116].

---

[114]   GOERLICH PESET, J.M., "Economía digital y acción sindical", en AA.VV. *Trabajo en plataformas digitales: innovación, derecho y mercado*, ed. Thomson Reuters Aranzadi, Cizur Menor, 2018, pág. 606 y ss.; *JALIL NAJI, M., "Innovación sindical: las redes sociales como instrumento de organización y defensa colectiva", en AA.VV. El futuro del trabajo: 100 años de la OIT*, ed. MTMSS, Madrid, 2019, pág. 1433 y ss.

[115]   GIL PLANA, J., "Nuevas Tecnologías y relaciones colectivas de trabajo: las plataformas digitales", ob. cit. pág. 875 y ss.

[116]   GOERLICH PESET, J.M., "Innovación, digitalización y relaciones colectivas de trabajo", *Revista de Treball, Economía i Societat*, nº 92, 2019, pág. 12 y ss.; NIETO ROJAS, P., "Acción colectiva en las plataformas digitales. ¿Sindicatos tradicionales y movimientos de base para representar idénticos intereses?", en AA.VV. *El futuro del trabajo: 100 años de la OIT*, ed. MTMSS, Madrid, 2019, pág. 1536 y ss.

8. EL CONTROL EMPRESARIAL DEL USO SINDICAL DE LOS SISTEMAS DE COMUNICACIÓN ELECTRÓNICA

El ordenamiento jurídico concede al empresario toda una serie de facultades de control de la prestación debida por el trabajador como manifestación de su poder de dirección, de modo que, en aplicación de lo dispuesto en el artículo 20.3 del ET, el empresario podrá adoptar las medidas que estime más oportunas de vigilancia y de control para verificar el cumplimiento por el trabajador de sus obligaciones y deberes laborales, guardando en su adopción y aplicación la consideración debida a su dignidad.

Sin embargo, el control empresarial de la prestación de trabajo "ex" artículo 20.3 del ET, puede afectar a ciertos derechos fundamentales de trabajador como son el derecho a la intimidad o el derecho a la protección de datos de carácter personal[117]. En esta materia vuelven a entrar en conflicto los derechos fundamentales del trabajador frente a la libertad de empresa[118], conflicto que debe ceder en favor de los primeros[119].

El control empresarial sobre el uso de los sistemas de comunicación electrónica de los trabajadores también ha dado pie a una

[117] THIBAULT ARANDA, J.: "La vigilancia del uso de internet en la empresa y la protección de datos personales", *Relaciones Laborales* nº 5-6, 2009, pág. 69; AGUT GARCIA, C.: "Las facultades empresariales de vigilancia y control sobre útiles y herramientas de trabajo y otros efectos de la empresa", *Tribuna Social* nº 163, 2004, pág. 26; MIÑARRO YANINI, M.: "Las facultades empresariales de vigilancia y control en las relaciones de trabajo: especial referencia a las condiciones de su ejercicio y a sus límites", *Tribuna Social* nº 158, 2004, pág. 13.

[118] CORREA CARRASCO, M., "La proyección de las nuevas tecnologías en la dinámica (individual y colectiva) de las relaciones laborales en la empresa: su tratamiento en la negociación colectiva", ob. cit. pág. 80.

[119] GOÑI SEIN, J.L., "Vulneración de derechos fundamentales en el trabajo mediante instrumentos informáticos, de comunicación y archivo de datos", en AA. VV. *Nuevas tecnologías de la información y la comunicación y Derecho del Trabajo*, ed. Bomarzo, Albacete, 2004, pág. 73 y ss.; FERRANDO GARCÍA, F.M., "Vigilancia y control de los trabajadores y derecho a la intimidad en el contexto de las nuevas tecnologías", *Revista de trabajo y seguridad social CEF*, nº 399, 2016, pág. 37 y ss.

importante jurisprudencia emanada del Tribunal Supremo[120], del Tribunal Constitucional[121] y del Tribunal Europeo de Derechos Humanos[122].

Y desde un punto de vista legal, en esta materia ha incidido de manera decisiva la LOPD cuya Disposición Final 13ª ha introducido en el ET un nuevo artículo (el 20.bis) que con el título: *"Derechos de los trabajadores a la intimidad en relación con el entorno digital y a la desconexión"*, señala expresamente que los trabajadores tienen derecho a la intimidad en el uso de los dispositivos digitales puestos a su disposición por el empleador, en los términos establecidos en la legislación vigente en materia de protección de datos personales y garantía de los derechos digitales. En aras a garantizar esta protección, dicha Ley Orgánica ha establecido una regulación específica en sus artículos 87 a 90, que a su vez puede ser objeto de desarrollo por la negociación colectiva tal y como prevé el artículo 91.

Precisamente, el artículo 87 de esta Ley, con el título: *"Derecho a la intimidad y uso de dispositivos digitales en el ámbito laboral"*, insiste en que los trabajadores tendrán derecho a la protección de su intimidad en el uso de los dispositivos digitales puestos a su disposición por el empresario, y que éste podrá acceder a los contenidos derivados de su uso a los solos efectos de controlar el cumplimiento de las obligaciones laborales y de garantizar la integridad de dichos dispositivos. Además, el empresario deberá establecer los criterios de utilización de estos dispositivos (en cuya elaboración participarán los representantes de los trabajadores y que pueden incluir tanto el posible uso para fines privados como su duración), respetando en todo caso los estándares mínimos de protección de la intimidad de los trabajadores de acuerdo con los usos sociales y los derechos reconocidos constitucional y legalmente. En cualquier caso, para que

---

[120] Entre otras: STS de 26 de septiembre de 2007 (Rec. nº 966/2006); STS de 8 de marzo de 2011 (Rec. nº 1826/2010); STS de 6 de octubre de 2011 (Rec. nº 4053/2010); y STS de 8 de febrero de 2018 (Rec. nº 1121/2015).

[121] STC nº 170/2013, de 7 de octubre y STC nº 241/2012, de 17 de diciembre.

[122] STEDH de 3 de abril de 2007 (caso Copland contra Reino Unido); STEDH de 12 de enero de 2016 (caso Barbulescu contra Rumanía); STEDH de 5 de septiembre de 2017 (caso Barbulescu II); STEDH de 22 de febrero de 2018 (caso Libert contra Francia).

el empresario pueda acceder al contenido de los dispositivos digitales respecto de los que haya admitido su uso con fines privados, será necesario que se hayan especificado previamente y de modo preciso los usos autorizados, que se establezcan garantías para preservar la intimidad de los trabajadores, y que éstos sean informados sobre dichos criterios de utilización

Respecto al control empresarial del uso de las nuevas tecnologías en la transmisión sindical de información, y más específicamente la fiscalización del contenido de los correos electrónicos o archivos remitidos por el sindicato para ser publicados, se trata éste de un tema no contemplado en el artículo 87 de la LOPD y sobre el que la Sentencia del Tribunal Constitucional n° 281/2005 tampoco se pronunció[123].

En términos generales, se puede afirmar que el empresario carece "a priori" de una potestad censora sobre la información distribuida por el sindicato a los afiliados o a los trabajadores en general, sin que tampoco pueda controlar el contenido de dicha información[124]. Así lo ha entendido el Tribunal Supremo[125] al afirmar que el "control previo" por la empresa del contenido de la información sindical es "incompatible", con carácter general, con el derecho a informar que forma parte de la libertad sindical.

Si la empresa voluntariamente entorpece u obstruye las comunicaciones sindicales, ello puede vulnerar no solo el derecho de libertad sindical, sino también el derecho al secreto de las comunicaciones (especialmente cuando se trata de mensajes particulares enviados desde el sindicato al trabajador), estando legitimado el sindicato en tales

---

[123] FALGUERA BARÓ, M., "Comunicación sindical a través de medios electrónicos. La STC 281/2005, de 7 de noviembre: un hito esencial en la modernidad de nuestro sistema de relaciones laborales", *Iuslabor* n° 1, 2006, pág. 2.

[124] SEMPERE NAVARRO, A.V., SAN MARTÍN MAZZUCCONI, C., "El uso sindical del correo electrónico a la luz de la STC 281/2005 de 7 de noviembre", ob. cit. pág. 535 y ss.; NAVARRO NIETO, F., "El ejercicio de la actividad sindical a través de las tecnologías de la información y de las comunicaciones", ob. cit. pág. 69 y ss.; SOLÀ MONELLS, X., *El derecho de la representación unitaria y sindical a utilizar los instrumentos empresariales de comunicación digital*, ob. cit. pág. 74 y ss.; MORARU, G.F., *Los derechos de comunicación de los representantes de los trabajadores: nuevas dimensiones a la luz de las TIC*, ob. cit. pág. 159.

[125] STS de 27 de mayo de 2021 (Rec. n° 151/2019).

casos a interponer una demanda a través del proceso de tutela de derechos fundamentales y libertades públicas[126].

Cualquier control empresarial debiera de venir limitado por el llamado principio de proporcionalidad, que impone la aplicación del conocido test de idoneidad, necesidad y ponderación de la medida a adoptar. De modo que para comprobar si una medida restrictiva de un derecho fundamental supera el juicio de proporcionalidad, será necesario constatar si cumple los tres siguientes requisitos o condiciones y en concreto: si tal medida es susceptible de conseguir el objetivo propuesto (juicio de idoneidad); si, además, es necesaria, en el sentido de que no exista otra medida más moderada para la consecución de tal propósito con igual eficacia (juicio de necesidad); y, finalmente, si la misma es ponderada o equilibrada, por derivarse de ella más beneficios o ventajas para el interés general que perjuicios sobre otros bienes o valores en conflicto (juicio de proporcionalidad en sentido estricto)[127].

Ello significa que el control empresarial de las comunicaciones destinadas a distribuir información de naturaleza sindical solo será posible en aquellos casos en que exista fundadas sospechas de un uso desviado de los cauces de información concertados y dispuestos por el empresario[128], y se justificaría tan sólo para evitar ciertos riesgos derivados de un uso abusivo o desviado del mismo (como podría ser, por ejemplo, la difusión de un virus informático). Por ello deberán

---

[126] ROQUETA BUJ, R., "El uso sindical de los sistemas de comunicación electrónica de las empresas. A propósito de la STC de 7 de noviembre de 2005", ob. cit. pág. 265 y ss.; ROLDÁN MARTÍNEZ, A., HERREROS LÓPEZ, J.M., "El ejercicio de las libertades de expresión e información de los representantes de los trabajadores en la era de internet", ob. cit. pág. 1383 y ss.; MORATO GARCÍA, R.M., "El control de internet y correo electrónico en la negociación colectiva", *Relaciones Laborales* nº 24, 2005 pág. 1373 y ss.; PÉREZ DE LOS COBOS ORIHUEL, F., "El uso sindical de los medios informáticos en la empresa", ob. cit. pág. 7 y ss.; MORARU, G.F., *Los derechos de comunicación de los representantes de los trabajadores: nuevas dimensiones a la luz de las TIC*, ob. cit. pág. 91 y ss.

[127] STC nº 96/2012, de 7 de mayo; STC nº 14/2003, de 28 de enero; STC nº 89/2006, de 27 de marzo; y STC nº 170/2013, de 7 de octubre.

[128] MORARU, G.F., *Los derechos de comunicación de los representantes de los trabajadores: nuevas dimensiones a la luz de las TIC*, ob. cit. pág. 165 y ss.

valorase las circunstancias de cada caso concreto, y si existe o no una normativa convencional que discipline la materia.

Por lo que se refiere al control empresarial de los correos electrónicos enviados entre los representantes legales y los trabajadores, los mismos se considerarán confidenciales, no pudiendo la empresa proceder a su revisión, excepto por causas excepcionales que así lo justificasen[129].

De hecho, los convenios colectivos[130] suelen condicionar el control empresarial del uso de internet o del correo electrónico tan sólo a aquellos casos en que existan indicios razonables de que su utilización está perturbando el normal funcionamiento de la empresa; cuando existan indicios razonables de abuso o utilización indebida de la dirección de correo electrónico o de internet; cuando pueda razonablemente presumirse la existencia de acto ilícito o abusivo, incluido el acoso a compañeros, clientes, proveedores, asesores, o personas vinculadas a la empresa; cuando se envíen mensajes o imágenes de material ofensivo, inapropiado o con contenidos discriminatorios por razón de género, edad, discapacidad, etc.

Apreciados tales indicios, los mecanismos de control pueden variar, y pueden consistir en la realización de las oportunas comprobaciones sobre el número de correos electrónicos enviados y recibidos, así como sobre las direcciones a las que se han remitido los mismos. E incluso, si fuera preciso, dichas inspecciones pueden consistir en la realización de una auditoria en el ordenador del empleado o en los sistemas del servicio que permita constatar la naturaleza de los mensajes enviados o recibidos por el trabajador[131].

Algunos convenios colectivos[132], también permiten a las empresas introducir "software" de control automatizado para verificar el mate-

---

[129] NIEVES NIETO, N., "El uso del correo electrónico e internet en la negociación colectiva", ob. cit. pág. 249 y ss.

[130] Artículo 168 del II convenio colectivo de empresas vinculadas a Telefónica de España, SAU, Telefónica Móviles España, SAU y Telefónica Soluciones de Informática y comunicaciones, SAU (BOE de 13 de noviembre de 2019).

[131] Artículo 168 del II convenio colectivo de empresas vinculadas a Telefónica de España, SAU, Telefónica Móviles España, SAU y Telefónica Soluciones de Informática y comunicaciones, SAU (BOE de 13 de noviembre de 2019).

[132] Artículo 93.6 del convenio colectivo estatal de centros y servicios veterinarios (BOE de 14 de agosto de 2020); artículo 72.1 del VI convenio colectivo estatal del ciclo del agua (BOE de 3 de octubre de 2019); artículo 68 del VII convenio

rial creado, almacenado, recibido o enviado en la red, pudiendo revisar historiales de correos electrónicos enviados y recibidos. Se trata de programas de gestión de la utilización del correo electrónico instalados en los terminales y que también permiten establecer filtros de seguridad en los servidores y el bloqueo de determinadas direcciones de internet o palabras relacionadas con aspectos confidenciales de la empresa.

Como garantías para el trabajador, éste o sus representantes legales, debieran de estar informados previamente del uso de estos filtros[133]. Además, la negociación colectiva[134] suele exigir que los registros, auditorias o inspecciones de los correos electrónicos se efectúen en el puesto de trabajo y durante la jornada laboral, procurando respetar tanto la intimidad y la dignidad del trabajador como el secreto en sus comunicaciones. Y cualquier revisión que pudiera hacerse debiera ser comunicada al trabajador afectado antes de su realización, informándole de su derecho a estar presente en las mismas, pero también un representante legal de los trabajadores[135].

La jurisprudencia ordinaria también ha tenido ocasión de pronunciarse sobre esta materia sentando, como no podría ser de otro modo, una doctrina dispar, y así, mientras algunos pronunciamientos aceptan el control empresarial del uso sindical de los sistemas de comunicación electrónica en determinados supuestos, otros lo rechazan abiertamente.

En base a la primera de estas líneas jurisprudenciales el Tribunal Supremo[136], ha entendido que si el convenio colectivo legitima el de-

---

colectivo estatal de fabricantes de yesos, escayolas, cales y sus prefabricados (BOE de 13 de febrero de 2019); artículo 76 del convenio colectivo del sector de oficinas y despachos de Cataluña para los años 2019-2021 (DOGC de 14 de febrero de 2020).

[133] MORATO GARCÍA, R.M., "El control de internet y correo electrónico en la negociación colectiva", ob. cit. pág. 1373 y ss.

[134] Artículo 87.2 del XX convenio colectivo general de la Industria Química (BOE de 19 de julio de 2021); artículo 69 del VII convenio colectivo estatal de fabricantes de yesos, escayolas, cales y sus prefabricados (BOE de 13 de febrero de 2019).

[135] Artículo 168 del II convenio colectivo de empresas vinculadas a Telefónica de España, SAU, Telefónica Móviles España, SAU y Telefónica Soluciones de Informática y comunicaciones, SAU (BOE de 13 de noviembre de 2019); artículo 68 del VII convenio colectivo estatal de fabricantes de yesos, escayolas, cales y sus prefabricados (BOE de 13 de febrero de 2019).

[136] STS de 28 de marzo de 2003 (Rec. nº 81/2002).

recho de la empresa a "controlar el uso adecuado" de los sistemas electrónicos de comunicación sindical fijando los criterios y prioridades necesarios para garantizar el normal funcionamiento de la red corporativa, no constituye una vulneración del derecho fundamental a la libertad sindical el que la empresa pueda llevar a cabo un control mínimo de las materias transmitidas si con ello se persigue conseguir el normal funcionamiento del sistema informático y evitar de este modo una acumulación exagerada de información. Por tal motivo, resulta razonable que la empresa pueda constatar de qué envíos se trata, sin que quepa entender que con ello se quebrante el secreto de las comunicaciones.

En otros pronunciamientos, el Tribunal Supremo[137] ha señalado que el establecimiento por parte del empresario de sistemas de control aleatorio de las páginas de internet visitadas y de los correos electrónicos enviados por el sindicato a los trabajadores, no vulnera el derecho a la intimidad personal ni el secreto de las comunicaciones, o el derecho a la libertad sindical, cuando dicho control viene fijado para prevenir fines ilícitos.

Y también ha afirmado[138] que no supone una lesión del derecho fundamental a la libertad sindical, la existencia de un filtro o control previo por parte de la empresa que impida o limite el envío de e-mails masivos desde los servicios de correo de los sindicatos a los buzones de correo corporativo, ya que en tales casos no estaríamos ante limitaciones desproporcionadas ni ante un impedimento del uso del correo electrónico. Así lo habría entendido también la doctrina judicial[139] aceptando ciertos filtros en el uso del correo electrónico siempre que sean razonables, y con el objetivo de evitar los correos masivos, como por ejemplo exigir al emisor del correo que facilite un mecanismo que permita a cada destinatario rechazar (si lo desea), el mensaje recibido.

Ahora bien, en sentido opuesto, la jurisprudencia de lo social[140] también ha entendido que vulnera el derecho de libertad sindical

---

[137] STS de 13 de septiembre de 2016 (Rec. nº 206/2015).
[138] STS de 24 de marzo de 2015 (Rec. nº 118/2014).
[139] SAN de 13 de noviembre de 2013 (Proc. nº 343/2013).
[140] STS de 21 de febrero de 2019 (Rec. nº 214/2017).

la negativa injustificada de la empresa de permitir el uso del correo electrónico existente a un determinado sindicato, cuando no concurren circunstancias que pudieran justificar esa negativa; cuando ya había reconocido ese mismo derecho a otros sindicatos; y cuando no consta que su utilización supusiera un gravamen o incremento de costes para la empresa, ni que perjudicase el normal desarrollo de la actividad productiva. O la decisión de la empresa que impide al colectivo clasificado con perfil informático básico acceder a las páginas web de contenido sindical en igualdad de condiciones que los trabajadores con perfil medio o avanzado, sin que la empresa justifique de forma objetiva y suficiente el trato desigual y discriminatorio otorgado[141].

Desde esta perspectiva algunos pronunciamientos judiciales[142] han interpretado que se vulnera el derecho de libertad sindical cuando la empresa establece un filtro que impide la remisión de mensajes desde la cuenta de correo electrónico del sindicato a los trabajadores, sin que quede probado o demostrado que dicho filtro sea preciso por razones de coste o de limitación de la capacidad de la red empresarial.

Y la jurisprudencia ordinaria[143], pero también la doctrina judicial[144], han entendido que vulnera el derecho de libertad sindical el incumplimiento por parte de la empresa del compromiso que había adquirido por conciliación judicial en un procedimiento de conflicto colectivo, de publicar en la intranet corporativa los comunicados emitidos por las secciones sindicales existentes sin ejercer el veto o control sobre la legalidad de los mismos y su veracidad, o sobre si los mismos excedían o no los límites informativos. O cuando la empresa bloquea y retrasa las notas y comunicados colgados por el sindicato en la intranet corporativa impidiendo que éstas lleguen a la plantilla, incumpliendo con ello el acuerdo colectivo vigente en materia sindical[145].

---

[141]   STS de STS de 22 de marzo de 2021 (Rec. nº 89/2019).
[142]   SAN de 10 de octubre de 2014 (Proc. nº 207/2014).
[143]   STS de 2 de noviembre de 2016 (Rec. nº 262/2015).
[144]   SAN de 27 de mayo de 2015 (Proc. nº 83/2014); SAN de 15 de junio de 2015 (Proc. nº 117/2015).
[145]   STS de 15 de enero de 2019 (Rec. nº 220/2017); STS de 27 de mayo de 2021 (Rec. nº 151/2019).

9. CONCLUSIONES

I. Diversos preceptos del ET (arts. 64.7.e), 68.d) y 81), y de la LOLS (arts. 8.1.b), 8.1.c), 8.2.a) y 8.2.c)) reconocen a los órganos de representación unitaria, a las secciones sindicales, y a los trabajadores afiliados a un sindicato, el derecho a distribuir y publicar información de interés para los trabajadores, pero también el derecho de los trabajadores, estén afiliados o no, a recibir dicha información en la empresa mediante distintos medios y herramientas, tales como un tablón de anuncios, o un local adecuado. El problema es que, a la hora de regular esta materia, tanto el ET como la LOLS están pensando en un tipo de empresa que carece de las innovaciones proporcionadas por las nuevas tecnologías de la información y de la comunicación. Por tal motivo, el espacio de regulación de esta materia ha sido ocupado por la negociación colectiva y por una doctrina jurisprudencial que ha ido asentado las reglas o principios básicos de actuación. Ello nos permite hablar también de un doble tratamiento convencional y jurisprudencial sobre el uso de los medios electrónicos para la transmisión de información sindical como son el correo electrónico, al tablón virtual o digital, y el uso de internet.

II. El Tribunal Constitucional tuvo ocasión de pronunciarse al respecto en su sentencia nº 281/2005 de 7 de noviembre. Según el Tribunal Constitucional el derecho del sindicato a transmitir información de interés laboral y sindical a los trabajadores a través de instrumentos informáticos forma parte del contenido esencial del derecho de libertad sindical, y la empresa no puede prohibir al sindicato el uso de los mismos argumentando que son de su propiedad. Ahora bien, sentado lo anterior, el Tribunal Constitucional es taxativo a la hora de afirmar que las empresas no están obligadas a dotarse de una infraestructura informática para uso sindical, dado que una interpretación de este tipo supondría una carga para el empresario. Pero en caso de preexistir este sistema informático con una finalidad productiva, el empresario debe permitir su uso para fines sindicales, dentro de unos determinados límites y concretamente los siguientes: en primer lugar, la comunicación no podrá perturbar la actividad normal de la empresa; en segundo lugar, tratándose de un medio de comunicación electrónico creado con fines productivos, no podrá perjudicarse su uso específico ni pretenderse que prevalezca el uso sindical, pudiendo la empresa predeterminar las condiciones de su utilización para fines sindicales siempre que no los excluya en términos absolutos; y en tercer lugar, la utilización de los medios electrónicos no podrá ocasionar mayores gravámenes ni costes económicos adicionales para el empresario.

III. En aplicación de esta doctrina del Tribunal Constitucional, es necesaria una interpretación extensiva sobre quiénes son los titulares del derecho al uso de los sistemas de comunicación electrónica en la empresa, de manera que no solo las secciones sindicales de los sindicatos más representativos o de aquellos con presencia en el comité de empresa, sino también toda sección sindical como prolongación del sindicato en la empresa, e incluso los órganos de representación unitaria serían titulares de este derecho. Esta interpretación ha sido acogida por algunos convenios colectivos y ha sido asumida por los tribunales de justicia, evitando así tratamientos discriminatorios.

IV. Por lo que se refiere al correo electrónico, en términos generales, los convenios colectivos han fijado los límites a su utilización con fines sindicales, previendo la exigencia de una autorización empresarial, o en cualquier caso, el acuerdo con la empresa sobre los términos y condiciones de su uso; imponiendo que los correos electrónicos deban tener un contenido estrictamente laboral y en consecuencia, relacionado con las funciones de representación colectiva; o exigiendo un uso prudente de los mismos, con el fin de evitar la propagación intencionada de correo basura, el envío de mensajes que superen un determinado tamaño y que pueda bloquear el servidor o colapsar el sistema, o el envío de archivos que contengan virus. Por su parte, los tribunales de justicia, aplicando la doctrina sentada por la sentencia del Tribunal Constitucional nº 281/2005, de 7 de noviembre, han señalado que el uso sindical del correo electrónico puede quedar condicionado en los términos y límites que se hayan pactado por convenio colectivo y que las empresas pueden negarse al uso sindical del correo electrónico cuando existan razones organizativas o productivas o cuando dicha utilización ocasione la asunción de mayores costes económicos.

V. Por lo que respecta al uso del tablón de anuncios virtual o digital, nuevamente la regulación convencional y el tratamiento jurisprudencial de esta materia han fijado las reglas de actuación. Por lo que se refiere a la regulación convencional del tablón virtual, cada vez son más numerosos los convenios colectivos que reconocen tanto a los represents unitarios como a los sindicales, el uso de la intranet de la empresa para que puedan crear dentro de ella, un portal sindical, o un sitio web donde colgar la información de interés para los trabajadores. Y la jurisprudencia también ha sentado importantes reglas interpretativas sobre el uso del tablón virtual señalando que la negativa de la empresa a publicar en la intranet corporativa comunicados sindicales constituye una inaceptable censura contraria a la libertad de expresión y de transmisión de informaciones sindicales, resultando incompatible con el ejercicio de tales derechos.

VI. Por lo que respecta a la dotación tecnológica del local sindical, y a la navegación por internet efectuada por representantes unitarios y sindicales, nuevamente la regulación convencional y el tratamiento jurisprudencial de esta materia han ayudado a fijar las reglas de actuación. En términos generales la negociación colectiva ha previsto que el local sindical pueda disponer de ordenadores con conexión a internet. Y respecto a la navegación en la red por los representantes legales, también se ha aceptado siempre y cuando se lleve a cabo con fines relacionados con la actividad representativa, excluyendo aquella navegación que no esté relacionada con fines de interés laboral o sindical. También la jurisprudencia ha insistido en que la empresa debe proporcionar al sindicato un local sindical con conexión a internet cuando ya se contaba con esta infraestructura informática, vulnerándose el derecho de libertad sindical en caso contrario, lo que no impide que la empresa pueda negarse a dotar tecnológicamente al local sindical con instrumentos y equipos informáticos, así como con acceso a internet, si el sistema no estaba creado y en funcionamiento, y la capacidad de enlace de la línea existente estaba ya desbordada por el uso normal de trabajo.

VII. Las nuevas tecnologías de la información y de la comunicación han propiciado el surgimiento de nuevas formas de trabajo tecnológico como son el teletrabajo y el trabajo mediante plataformas digitales, en las que la transmisión sindical de información en la empresa a través de las nuevas tecnologías, se impone como necesaria ante la falta de presencia física de estos trabajadores en un centro de trabajo.

En ambas formas de trabajo se exige una relectura en clave garantista de la doctrina sentada por la sentencia del Tribunal Constitucional nº 281/2005, de 7 de noviembre. En este punto, el artículo 19.2 de la Ley 10/2021, de trabajo a distancia, ha introducido una regulación novedosa, al señalar que la empresa deberá asegurarse que no existen obstáculos para la comunicación entre los trabajadores a distancia y sus representantes legales, así como con el resto de trabajadores. A tales efectos, la empresa deberá suministrar a la representación legal de los trabajadores los elementos precisos para el desarrollo de su actividad representativa, y entre ellos, el acceso a las comunicaciones y direcciones electrónicas de uso en la empresa y la implantación del tablón virtual, cuando sea compatible con la forma de prestación del trabajo a distancia.

VIII. Respecto al control que el empresario pueda hacer sobre el uso sindical de los sistemas de comunicación electrónica, y ante la falta de previsión del artículo 87 de la LOPD, se puede afirmar que el empresario carece "a priori" de una potestad censora sobre la información distribuida por el sindicato a los afiliados o a los trabajadores en general, sin que tampoco pueda controlar el contenido de dicha información. El control empresarial de las comunicaciones destinadas a distribuir información de naturaleza sindical solo será posible en aquellos casos en que existan indicios razonables o fundadas sospechas de un uso desviado de los mecanismos de información. Apreciados tales indicios, la negociación colectiva ha entendido que los mecanismos de control pueden variar, y pueden consistir en la realización de las oportunas comprobaciones sobre el número de correos electrónicos enviados y recibidos, o la puesta en práctica de auditorías en el ordenador del trabajador. Pero en tales casos se deberá respetar el principio de proporcionalidad y garantizar que el trabajador o sus representantes legales, estén informados previamente y que cualquier registro o auditoría se efectúe en el puesto de trabajo y durante la jornada laboral, con respeto al derecho a la intimidad del trabajador. La jurisprudencia ordinaria también ha tenido ocasión de pronunciarse sobre esta materia, y así, algunos pronunciamientos han entendido que no constituye una vulneración del derecho fundamental a la libertad sindical el que la empresa pueda llevar a cabo un control mínimo de la información transmitida por el sindicato a los trabajadores si con ello se persigue conseguir el normal funcionamiento del sistema informático. En sentido contrario, sí se vulnerará el derecho de libertad sindical cuando la empresa establezca un filtro que impida la remisión de mensajes desde la cuenta de correo del sindicato a los trabajadores sin que quede demostrado que dicho filtro obedezca a una razón objetiva y razonable o sea preciso por razones de coste o de limitación de la capacidad de la red empresarial.

Capítulo IX
Estado del arte sobre el teletrabajo: futuras líneas de investigación para un constructo multidimensional

Giuseppina Maria Cardella
Personal Docente e Investigador Universidad de Salamanca

Brizeida Hernández-Sánchez
Profesora Universidad de Valladolid
Miembro del SNI SENACYT

José Carlos Sánchez-García
Catedrático Universidad de Salamanca

1. INTRODUCCIÓN

A lo largo de las décadas, el uso creciente de las tecnologías y la digitalización del trabajo han favorecido la aparición de nuevos paradigmas organizacionales y un nuevo concepto de trabajo caracterizado por una mayor autonomía y flexibilidad, un mejor equilibrio con la vida privada y una mayor atención a la sostenibilidad ambiental, sin comprometer la productividad (Kingma, 2019).

Aunque no existe una definición reconocida internacionalmente, el término teletrabajo se refiere a una forma flexible de trabajo, que "includes all work-related substitutions of telecommunications and related information technologies for travel" (Collins, 2005, p. 115).

El teletrabajo es una subcategoría de la construcción más amplia del trabajo a distancia, caracterizada por el uso de tecnologías de la información y la comunicación (TIC) que se utiliza como sustituto de los desplazamientos físicos (International Labour Organization, 2020). De hecho, los acuerdos de teletrabajo se hicieron prácticamente viables por primera vez a principios de la década de 1980, gracias al progreso tecnológico, y desde entonces se han ido extendiendo lentamente (Messenger, 2019).

Según el Informe realizado por Eurofound & Internationa Labour Organization (2017), en 2015 el 17% de los trabajadores europeos realizaba algún tipo de teletrabajo. Sin embargo, a raíz de la pandemia de COVID-19 que afectó al mundo en 2019, este tipo de trabajo se implementó rápida y ampliamente como una medida efectiva y necesaria para controlar la pandemia, tomando la forma de "un shock exógeno" (Aguiléra et al., 2016).

Las estimaciones de Eurofound (2020) sugieren que cerca del 40% de las personas que trabajan actualmente en la UE comenzaron a teletrabajar a tiempo completo como resultado de la pandemia. En comparación, en 2019, la proporción de empleados que trabajaban desde casa al menos parte del tiempo estaba por debajo del 10% en la mitad de los Estados miembros de la UE y por encima del 30% solo en Suecia, Finlandia y los Países Bajos. Dadas las diferencias en la experiencia previa con el teletrabajo, la transición repentina al trabajo a domicilio durante la pandemia puede haber sido más desafiante para algunos trabajadores, empleadores y países de la UE que para otros.

Aunque aún no está claro cuál será la situación después de la pandemia, es probable que el teletrabajo siga siendo una parte fundamental de la vida de muchos trabajadores. Según Eurofound (2020), aproximadamente el 25% del empleo en la UE en su conjunto se encuentra en "sectores en los que se puede teletrabajar", lo que significa que un porcentaje significativo de trabajadores de la UE podría seguir teletrabajando incluso después de que se levanten por completo las restricciones por la pandemia.

A pesar de la indudable utilidad del teletrabajo, especialmente durante la crisis de la pandemia, los resultados no son únicos y suelen llevar a conclusiones contradictorias (Gálvez et al., 2020; Nguyen y Armoogum, 2021).

Específicamente, el teletrabajo es un concepto multidimensional que ha sido analizado en la literatura desde tres perspectivas diferentes, cada una de las cuales tiene ventajas y desventajas relacionadas: el aspecto individual, el aspecto organizacional y, finalmente, el aspecto social (Harpaz, 2002). Desde un punto de vista individual, las principales ventajas del teletrabajo se refieren a la posibilidad de conciliar la vida profesional y personal (Dima et al., 2019; Zhang et al., 2020), mejorar la calidad de vida y el bienestar (Restrepo y Zeballos, 2020), y facilitar el reempleo de personas vulnerables, como por ejemplo, madres postpartum (Chung y van der Horst, 2020), ancianos (Sharit et al., 2004) y personas con discapacidad (McNaughton et al., 2014; Jesús et al., 2020) obteniendo así la igualdad social. Sin embargo, otros autores revelan el impacto negativo del teletrabajo, retratando a los teletrabajadores como sobrecargados de trabajo (Vega et al., 2015; Sorensen, 2017). Desde el punto de vista organizacional, las principales ventajas se relacionan con la creación de una imagen organizacional positiva (Ward y Shabha, 2001). Sin embargo, otra investigación ha demostrado que los teletrabajadores, en comparación con los oficinistas, tienen menos posibilidades de obtener apoyo laboral de sus supervisores y compañeros (Lapierre et al., 2015; Wilson y Greenhill, 2004) con repercusiones en la productividad (Cooper y Kurkland, 2002). De hecho, los teletrabajadores pueden sentir un estado de soledad (Bailey y Kurkland, 2002), falta de apoyo, cooperación, comunicación con los compañeros e insuficiente interacción social, con consecuencias negativas para su identificación organizacional (Ammons y Markham, 2004). Por tanto, la confianza es una condición necesaria para la cooperación interpersonal y puede verse reducida cuando los empleados interactúan con menor frecuencia (McAllister, 1995). Finalmente, desde un punto de vista social, las principales ventajas del teletrabajo se refieren a la reducción del daño ambiental, la reducción de la congestión del tráfico (Elldér, 2020; Stiles y Smart, 2021), la provisión de soluciones para poblaciones con necesidades especiales y la disminución el consumo de energía, mientras que las principales desventajas son problemas legales poco claros y la creación de una empresa como separada (Harpaz, 2002).

Con base en lo anterior, el objetivo de este estudio es examinar investigaciones sobre el tema del teletrabajo utilizando una metodología de revisión de mapeo científico, para contribuir a la sistematización de este campo de investigación extremadamente controvertido. Específicamente, nos hicimos las siguientes preguntas de investigación:

1: ¿Cuál es la principal trayectoria de crecimiento y distribución geográfica de la investigación sobre teletrabajo?

2: ¿Qué revistas científicas, autores y artículos de la literatura tienen mayor impacto?

3: ¿Qué temas de la literatura existente sobre teletrabajo han sido más analizados y cuáles están llamando la atención de la comunidad científica en la actualidad?

Esta revisión sistemática aplica técnicas de mapeo científico (Zupic y Čater, 2015; van Eck y Waltman, 2017) para evaluar la base de conocimiento (Hallinger y Suriyankietkaew, 2018) del teletrabajo identificado, en este caso, utilizando las publicaciones indexadas por Scopus y Web of Science. Según Zupic y Čater (2015), el mapeo científico se define como "the examined scientific domain's research traditions, their disciplinary composition, influential research topics, and the pattern of their interrelationships" (p. 435).

Hallinger y Suriyankietkaew (2018) definieron cuatro dimensiones para analizar una base de conocimiento: el tamaño que se refiere al volumen de conocimiento acumulado; el tiempo que se refiere a las trayectorias de publicación dentro de una disciplina o línea de investigación; el espacio que se refiere a la "distribución geográfica" de los documentos dentro de una base de conocimiento, y la cuarta dimensión se refiere a la composición, es decir, la "estructura intelectual" de la base de conocimiento. En esta revisión, se evaluó la composición con respecto a las publicaciones de revistas, los autores de referencia, el impacto de los artículos y los temas en la base de conocimientos de teletrabajo.

Este capítulo contribuye al cuerpo de conocimiento actual al proporcionar una visión general de la comprensión del concepto de teletrabajo y representa el primer esfuerzo para "mapear la ciencia" de toda la literatura en este campo de conocimiento. Por estas razones, a diferencia de las recientes e importantes revisiones de la literatura sobre teletrabajo (Athanasiadou y Theriou, 2021; Nowell et al., 2021; Santos et al., 2021; Arunprasad et al., 2022; Lunde et al., 2022), preferimos analizar la multidimensionalidad del concepto, haciendo referencia específica al constructo en general y no relacionado con una subcategoría específica, útil para conocer y comprender toda la base de conocimiento sobre el teletrabajo.

2. MATERIALES Y MÉTODO

El método de revisión sistemática permite a los investigadores realizar minería de datos, mapeo científico y análisis textual de una base de conocimiento (Zupic y Čater 2015; van Eck y Waltman 2017; Hallinger y Suriyankietkaew 2018). Esta revisión utilizó indicadores bibliométricos y técnicas de mapeo científico para analizar investigaciones basadas en el conocimiento del teletrabajo.

Nuestro primer paso fue aclarar los criterios de búsqueda (factores de inclusión y exclusión) y la identificación de la fuente. Además, para limitar los posibles errores de atribución y el componente subjetivo de los autores, el método PRISMA (Preferred Reporting Items for Systematic Reviews or Meta-analysis) desarrollado por Moher et al. (2009).

Se utilizaron las bases de datos Scopus y Web of Science para identificar artículos en la literatura, utilizando palabras clave y el conector booleano: TITLE-ABS-KEY ("Teletrabajo *") O TITLE-ABS-KEY ("Remote Work*") O TITLE-ABS-KEY ("Smartwork*") O TITLE-ABS-KEY ("Work from home") O TITLE-ABS-KEY ("Work Flexib*") e incluyendo "todos los campos" como campo de búsqueda, sin márgenes de tiempo. La búsqueda bibliográfica finalizó en febrero de 2022 y produjo 841 artículos científicos (Tabla 1).

Tabla 1. Características del Estudio Bibliométrico

Términos de búsqueda	"Telework*" OR "Remote Work*" OR "Smartwork*" OR "Work from home" OR "Work flexib*"	
Mencionado al menos una vez en	Resumen, título o palabra clave (Scopus) Tema o Título (Web of Science)	
Periodo de tiempo	1982-2022	
Idioma	Inglés o español	
Tipo de Documento	Artículos revisados por pares	
Base de datos primaria		Documentos
	Scopus	1496
Base de datos secundaria (controles de calidad)	Web of Science	1303
Artículos totales		2799

Registros después de leer todos los resúmenes para garantizar que todos los artículos estén relacionados con el objeto de búsqueda	1485
Registros finales analizados	841
Herramientas de análisis	Análisis Cuantitativo (Indicadores Bibliométricos); Análisis de citas y análisis de co-ocurrencia de palabras clave (VOSviewer)

Nota. Elaborado por los autores

Posteriormente, se procedió a extraer los datos de las bases de datos, utilizando criterios de inclusión y exclusión: i) Excluir todo tipo de fuentes que no sean revistas científicas revisadas por pares; ii) excluir todo tipo de documentos que no sean artículos o revisiones científicas, ya que estos dos se consideran fuentes válidas de conocimiento (Podsakoff et al., 2005); iii) Incluir únicamente artículos escritos en inglés o español; iv) Incluir solo artículos en los que el teletrabajo fue el tema principal (por ejemplo, excluimos todos los artículos que se centraron en la ciberseguridad).

Aunque esto puede representar una limitación, ya que parte de las contribuciones científicas quedan excluidas de la revisión, creemos que es una forma eficaz de garantizar la calidad del trabajo y limitar al máximo los sesgos, gracias a su fiabilidad en el mundo académico y los rigurosos procesos de revisión que habitualmente se llevan a cabo (Nicholas et al., 2015).

Tras la lectura y análisis de los resúmenes o del documento completo, y aplicando los criterios de inclusión/exclusión, obtuvimos una muestra final de 841 artículos (fig. 1).

Una vez identificados los artículos, los metadatos bibliográficos asociados a ellos se exportaron a un archivo .csv. Estos datos incluían nombres de autores, títulos, sus afiliaciones, palabras clave, resúmenes y números de citas. Luego, el archivo se cargó en el software VOSviewer versión 1.6.10 para la siguiente fase del análisis bibliométrico. Se guardó otra copia del archivo en Excel para su uso en el análisis de datos descriptivos.

Se realizaron análisis descriptivos para documentar las características básicas de la base de conocimiento del teletrabajo, como el tamaño, el crecimiento y la distribución geográfica.

La revisión sistemática utiliza tanto el análisis de citas como el análisis temático (análisis de co-ocurrencia de palabras clave) para identificar los autores, publicaciones, revistas y temas de investigación más influyentes dentro de un dominio de conocimiento. El análisis de citas calcula el número de veces que un documento que reside en la base de datos de revisión fue citado por otro artículo en el índice del que proviene (Scopus y Web of Science).

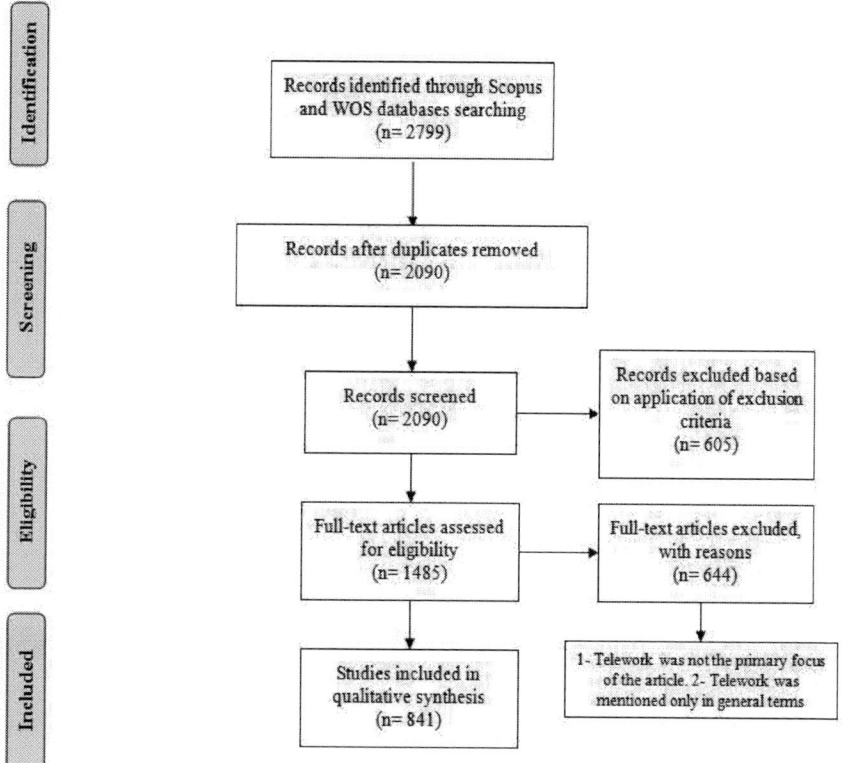

Fig. 1 Diagrama de Flujo PRISMA (2009)

Las métricas relacionadas con las citas (por ejemplo, citas totales, citas por documento) se interpretan como medidas de influencia académica.

El objetivo principal del análisis de co-ocurrencia de palabras clave es determinar la frecuencia de las palabras clave que "recurren" en los artículos extraídos de las bases de datos. El análisis de co-ocurrencia de palabras clave se utilizó para identificar el "frente de investigación" (Price, 1965; Sedighi, 2016) o temas importantes en un campo, o para analizar los temas más extendidos y emergentes dentro del conocimiento del Teletrabajo (van Eck y Waltman, 2017). Específicamente, utilizamos la visualización de red para analizar los temas de investigación, relacionados con el teletrabajo, investigados con mayor frecuencia por los investigadores.

3. RESULTADOS

3.1. Indicadores bibliométricos

Se identificaron un total de 841 artículos sobre teletrabajo entre 1982 y 2022. La Figura 2 muestra una trayectoria de crecimiento muy lento hasta 2018, para un total de 436 artículos publicados.

El período de 2019 a 2022 indica un creciente interés en este tema, por parte de los académicos, con un total de 405 artículos que representan el 48,1% de todos los artículos científicos, alcanzando un pico en 2021 (228/27,1%). Estos resultados demuestran el gran impacto del teletrabajo en los últimos años tras las restricciones gubernamentales por la pandemia del Covid-19.

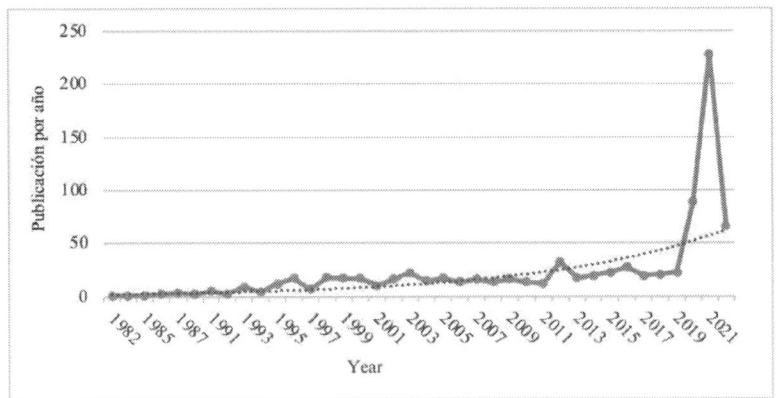

Fig. 2 Trayectoria de crecimiento de la literatura sobre Teletrabajo (1982-2022). Elaborado por los autores.

Aunque las contribuciones sobre la literatura sobre teletrabajo provienen de investigadores provenientes de 113 países diferentes, existe un desequilibrio geográfico significativo en su base de conocimiento. El análisis de la distribución geográfica (Fig. 3) revela que los autores de Estados Unidos son los que más artículos producen (170/20,1%), seguidos del Reino Unido (107/8,9%). Esto no sorprende dado el predominio de los estudios angloamericanos en las revistas internacionales.

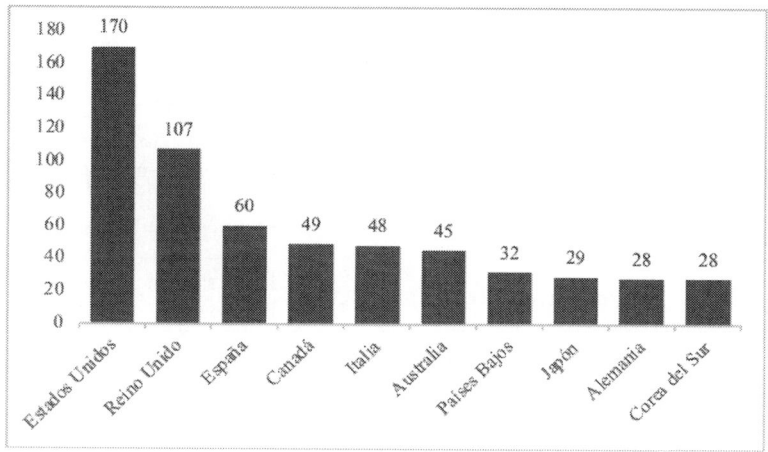

Fig. 3 Distribución geográfica de la literatura sobre teletrabajo.
Elaborado por los autores.

Países europeos como España (60), Italia (48/6,5%), Países Bajos (32/5,1%) y Alemania (28/4,3%) han contribuido activamente al desarrollo de la investigación.

Un análisis más profundo reveló que de un total de 481 artículos, casi el 84% procedían de países desarrollados y alrededor del 16% de países en desarrollo. Esta es una carencia que no debe ser ignorada, especialmente por el potencial impacto positivo que la investigación puede tener en estos contextos donde es más probable que los problemas se resuelvan mediante iniciativas impulsadas por los ciudadanos (Belzunegui-Eraso y Erro-Garcés, 2020), en lugar de políticas nacionales.

3.2. Análisis de citas

Nuestra muestra cubre artículos publicados en 496 revistas científicas, predominantemente en Ciencias Sociales (53%), Empresa y

Administración (48%) y Ciencias de la Computación (35%). Las 10 revistas más citadas (con un mínimo de 5 artículos) publicaron un total de 151 artículos de 481 artículos totales, lo que representa el 17,9% del total de la base de datos (Tabla 2). Además, la distribución de artículos en estas 10 revistas científicas altamente citadas proporciona más información sobre el alcance, la calidad y el impacto académico en este campo.

Tabla 2. Revistas científicas más influyentes

R	Cit.	Revistas	Art.	Cuartil	Área de investigación
1	2.276	New Technol. Work Employ.	39	Q1	Ergonomía; Administración
2	731	J. Organ. Behav.	5	Q1	Empresa y Administración; Psicología
3	461	Sustainability	27	Q2	Ciencias Sostenibles y Tecnología
4	275	Personnel Review	8	Q2	Rel. Industr.; Psicología; Administración
5	187	Eur. J. Work Organ. Psy.	5	Q2	Psicología; Administración
6	166	Work	15	Q4	Salud Ambiental y Ocupacional
7	94	Facilities	8	Q3	Empresa y Administración
8	89	Int. J. Environ. Res. Public Health	22	Q1	Salud ambiental y Ocupacional
9	68	Frontiers in Psychology	11	Q2	Psicología; Multidisciplinario
10	20	Amfiteatru Economic	11	Q2	Empresa y Administración; Economía

Nota. Mínimo de 5 publicaciones y 20 citas.
Elaborado por los autores.

El análisis de cuartiles Journal Impact Factor (JIF) también proporciona una evaluación de la calidad de la literatura sobre teletrabajo. Más de la mitad de las 10 revistas más citadas se clasificaron en el primer y segundo cuartil (8 artículos), mientras que dos artículos en el

Q3 y Q4. Este análisis revela que las publicaciones sobre teletrabajo se publican en revistas científicas de alta calidad, lo que puede utilizarse como indicador de la calidad de la investigación.

El análisis de las citas de los autores se muestra en la Tabla 3. Cabe señalar que un total de 2030 autores fueron considerados autores/coautores en nuestra base de datos de revisión, para un promedio de 2,4 autores por artículo, destacando una modesta colaboración entre académicos. Sin embargo, solo 10 autores superan el umbral mínimo de 5 publicaciones y 70 citas.

Los datos presentados en la Tabla 3 indican que los académicos más influyentes en la literatura sobre teletrabajo fueron Golden (645), De Luis Carnicer (260) y Johnson (243). Notamos que el impacto de la cita de los autores en la Tabla 3 es relativamente alto, este resultado es indicativo de la atención que los autores han dado a este tema de investigación, especialmente después de la pandemia de Covid-19. También se debe tener en cuenta que debido a que usamos un umbral de cinco artículos por autor, el análisis podría omitir muchos otros autores citados que pueden haber creado un artículo único pero influyente. Sin embargo, estos autores se destacan a continuación en la Tabla 4, que presenta los artículos más influyentes en la literatura sobre teletrabajo.

Tabla 3. Autores más influyentes

R	Cit.	Autores	Art.	Cit. por Art.	Afiliación
1	645	Golden T.D.	9	71.6	Lally School of Management, Estados Unidos
2	260	De Luis Carnicer M.P.	11	23.6	Universidad de Zaragoza, España
3	243	Johnson L.C.	5	48.6	University of Waterloo, Canadá
4	202	Sánchez A.M.	8	25.2	Universidad de Zaragoza, España
5	200	Pérez M.P.	7	28.5	Universidad de Zaragoza, España
6	143	Peters P.	7	20.4	Nyenrode Business University, Países Bajos

R	Cit.	Autores	Art.	Cit. por Art.	Afiliación
7	125	Caillier J.G.	5	25.0	The University of Alabama, Estados Unidos
8	105	Molino M.	6	17.5	Universitá di Torino, Italia
9	71	Toscano F.	5	14.2	Universitá di Bologna, Italia
10	71	Zappalá S.	5	14.2	Universitá di Bologna, Italia

Nota. Número mínimo de 5 artículos y 70 citas por autor.
Elaborado por los autores.

La Tabla 4 proporciona información sobre los artículos más citados en la literatura sobre teletrabajo. Aunque la lista ha estado dominada por estudios que han analizado las consecuencias del teletrabajo en la salud de los empleados, los documentos más citados también incluyen análisis sobre la conciliación de la vida laboral y familiar, especialmente para las mujeres. Esta variedad de temas respalda la idea subyacente de cómo la literatura sobre teletrabajo es de naturaleza transversal.

La composición de una base de conocimientos también puede analizarse desde el punto de vista de los métodos de investigación utilizados. Los artículos más citados que se muestran en la Tabla 4 indican un equilibrio entre los estudios empíricos cualitativos y cuantitativos. Por otro lado, solo uno de los documentos más influyentes fue clasificado como revisión de la literatura y existen un total de 11 revisiones sistemáticas en toda la base de datos (Haddon, 1994; Bailey y Kurland, 2002; Alizadeh, 2009; Charalampous et al., 2019; De Macêdo et al., 2020; Hook et al., 2020; Athanasiadou y Theriou, 2021; Nowell et al., 2021; Santos et al., 2021; Arunprasad et al., 2022; Lunde et al., 2022), publicados, sobre todo, en los últimos años (se publicaron 8 revisiones sistemáticas entre los años 2019 y 2022). Esto puede deberse a que, si bien es un tema de investigación que se desarrolló en la década de 1980, el interés de los estudiosos se ha incrementado en los últimos años, probablemente como consecuencia de la pandemia.

Tabla 4. 10 artículos de alto impacto

R	Autores	Cit.	Método de investigación	Muestra	Resultados principales
1	Bailey & Kurland (2002)	588	Revisión sistemática	82 estudios académicos publicados	Existe poca evidencia clara de que el teletrabajo aumente la satisfacción laboral y la productividad, como a menudo se afirma que lo hace. Tres pasos para futuras investigaciones: considerar los impactos a nivel grupal y organizacional para comprender a quién afecta el teletrabajo, reconsiderar por qué las personas teletrabajan y enfatizar la construcción de teorías y los vínculos con las teorías organizacionales existentes.
2	Staples et al. (1999)	234	Estudio Cuantitativo	634 personas que trabajaban en 18 organizaciones de América del Norte, que (1) empleaban a personas que trabajaban de forma remota de sus gerentes, y (2) estaban interesadas en participar en un estudio de gestión remota.	Las evaluaciones de autoeficacia de los empleados remotos juegan un papel fundamental para influir en la eficacia del trabajo remoto, la productividad percibida, la satisfacción laboral y la capacidad de hacer frente. Además, se observaron fuertes relaciones entre los juicios de autoeficacia del trabajo remoto de los empleados y varios antecedentes, incluida la experiencia y capacitación en el trabajo remoto, el modelado de mejores prácticas por parte de la gerencia, la ansiedad por la computadora y las capacidades de TI.

R	Autores	Cit.	Método de investigación	Muestra	Resultados principales
3	Golden et al. (2008)	220	Estudio Cuatitativo	261 teletrabajadores de nivel profesional y sus responsables.	El aislamiento profesional impacta negativamente en el desempeño laboral y, contrariamente a lo esperado, reduce las intenciones de rotación. Además, el impacto del aislamiento profesional en estos resultados laborales aumenta con la cantidad de tiempo dedicado al teletrabajo, mientras que más interacciones cara a cara y el acceso a tecnología que mejora la comunicación tienden a disminuir su impacto.
4	Baruch (2000)	215	Estudio Cuantitativo	62 teletrabajadores de cinco organizaciones del Reino Unido	El trabajo a distancia tiene un impacto en las actitudes de las personas hacia el trabajo, el rendimiento, el estrés y la interfaz entre el hogar y el trabajo.
5	Sullivan & Lewis (2001)	192	Estudio Cualitativo	14 teletrabajadores a domicilio y 14 sus corresidentes.	Con una referencia explícita a los procesos de género, el teletrabajo puede mejorar simultáneamente el equilibrio entre el trabajo y la vida privada, al tiempo que perpetúa los roles tradicionales del trabajo y la familia.
6	Belzunegui-Eraso & Erro-Garcés (2020)	183	Estudio Cualitativo	27 empresas	La crisis del Covid-19 demuestra cómo las empresas han utilizado el teletrabajo para garantizar la seguridad de sus empleados y dar continuidad a la actividad económica. En consecuencia, los factores de seguridad son relevantes en el estudio del teletrabajo y deben ser considerados en futuras investigaciones.

R	Autores	Cit.	Método de investigación	Muestra	Resultados principales
7	Mann & Holdsworth (2003)	170	Estudio Mixto	Estudio 1: 12 periodistas de tiempo completo. Estudio 2: 32 periodistas de oficina y 30 periodistas de teletrabajo	Los resultados sugieren un impacto emocional negativo del teletrabajo, particularmente en términos de emociones como la soledad, la irritabilidad, la preocupación y la culpa, y que los teletrabajadores experimentan significativamente más síntomas de estrés de salud mental que los trabajadores de oficina y un poco más de síntomas de salud física.
8	Felstead & Henseke (2017)	157	Estudio Cuantitativo	Dos fuentes de datos: Labor Force Survey series (casi 40.000 familias y unos 45.000 trabajadores de 16 y más años), and Skills and Employment Survey series (versión 2001: 4.470, versión 2006: 7.787 y versión 20121: 3.200 trabajadores).	Solo un tercio del aumento del trabajo remoto puede explicarse por factores de composición como el movimiento hacia la economía del conocimiento, el crecimiento del empleo flexible y las respuestas organizacionales a la composición demográfica cambiante de la fuerza laboral empleada. Esto sugiere que la separación del trabajo del lugar es una tendencia creciente. Este artículo también muestra que, si bien el trabajo remoto se asocia con un mayor compromiso organizacional, satisfacción laboral y bienestar relacionado con el trabajo, estos beneficios se obtienen a costa de la intensificación del trabajo y una mayor incapacidad para desconectarse.

R	Autores	Cit.	Método de investigación	Muestra	Resultados principales
9	Hilbre-cht et al. (2008)	147	Estudio Cuantitativo	18 madres teletrabajadoras de una corporación financiera canadiense	Un factor clave fue la omnipresencia del cuidado, que podría dar lugar a tensiones y contradicciones constantes entre la ética del cuidado y sus responsabilidades laborales. Las mujeres experimentaron una división de género tradicional del trabajo doméstico y vieron el teletrabajo como una herramienta útil para combinar sus roles duales. La flexibilidad horaria mejoró su sentido de equilibrar el trabajo y la vida y su calidad de vida percibida. Al mismo tiempo, no cuestionaron si tener la responsabilidad principal del cuidado mientras se realizaba un trabajo remunerado en el hogar era justo o si se trataba de una forma de explotación.
10	Fonner (2010)	128	Estudio Cuantitativo	89 teletrabajadores y 103 empleados de oficina	Los resultados revelan que los teletrabajadores de alta intensidad están más satisfechos que los empleados de oficina y logran beneficios significativos de su arreglo laboral, siendo el conflicto entre el trabajo y la vida más influyente en la satisfacción laboral.

Nota. Elaborado por los autores.

3.3. Análisis temático

Para responder a nuestra tercera pregunta de investigación, que es explorar la tendencia actual en la investigación del teletrabajo, utilizamos un análisis de co-ocurrencia de palabras clave. Esta técnica, como subrayan Zupic y Čater (2015), se basa en la frecuencia de palabras en los documentos. Los documentos que frecuentemente comparten las mismas palabras están estrechamente relacionados. En este sentido, el resultado del análisis de coocurrencia de palabras es una red de conceptos, y las relaciones representan el espacio semántico de un campo.

El análisis de co-ocurrencia de palabras clave también es útil para detectar el "frente de investigación" de un dominio específico (Boyack y Klavans, 2010).

Según Price (1965), el "frente de investigación" representa el núcleo de un tema específico. Cabe señalar que el frente de investigación es flexible y en constante evolución a medida que se adapta a los hallazgos de los investigadores. Las nuevas publicaciones, de hecho, cambian las tendencias de un campo de investigación específico.

Para los propósitos de este capítulo, hemos acotado el campo, realizando un análisis de co-ocurrencia con un mínimo de tres ocurrencias por palabra clave, para un total de 20 palabras clave de los autores. El mapeo y la agrupación brindan una revisión general de la investigación en el contexto de la literatura sobre teletrabajo y en la Figura 6 se muestran los tres grupos más relevantes. Cada grupo está representado por un color diferente que resalta la relación entre ellos, mientras que la distancia entre los grupos proporciona información sobre la intensidad de la relación (van Eck y Waltman, 2017).

- **Clúster 1: Covid-19 y bienestar (10 ítems)**

La co-ocurrencia del 58,8% de las palabras clave está asociada al clúster rojo formado por las palabras clave: Covid-19, salud mental, rendimiento, productividad, trabajo remoto, trabajo inteligente, estrés, bienestar, compromiso laboral y trabajar desde casa.

Estudios en esta área han analizado el impacto del teletrabajo en el bienestar de los trabajadores (Azarbouyeh y Naini, 2014; Miron et al., 2021) y en la productividad (Ward y Shabha, 2001; Chatterjee et al., 2022), tanto organizacional como individuo (Pyöria, 2011; De Menezes y Kelliher, 2011), durante la crisis pandémica (Yang et al., 2022).

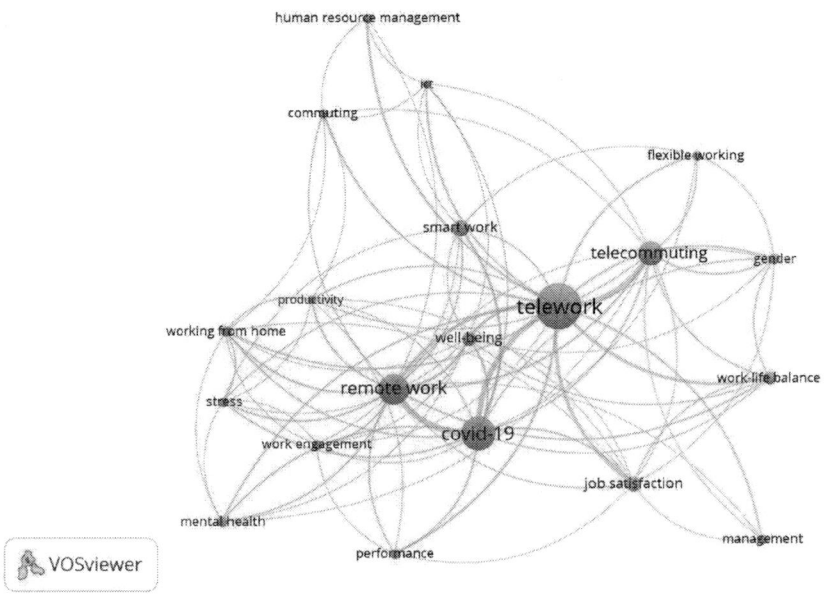

Fig. 4 Análisis de co-ocurrencia de palabras clave de la literatura sobre teletrabajo (umbral 3 de co-ocurrencia)

Se reconoce comúnmente que las características del trabajo y el lugar de trabajo en sí mismo pueden afectar la salud de un individuo. En este sentido, un cambio al teletrabajo podría, por ejemplo, tener un impacto negativo en el sentimiento de conexión social y apoyo de los líderes y colegas, con importantes repercusiones para la salud física y mental.

Sin embargo, el impacto del teletrabajo en la salud es muy complejo y depende de factores ambientales, organizativos, físicos y psicosociales (Grant et al., 2013; Anderson et al., 2015; Bentley et al., 2016), lo que a menudo conduce a resultados opuestos. Por ejemplo, de nuestra base de datos surgieron dos tendencias diferentes: por un lado, los estudios previos a la pandemia demostraron aspectos positivos relacionados con el teletrabajo (Charalampous et al., 2019). Por ejemplo, Bousa et al. (2013) demostraron que el teletrabajo promueve el bienestar de los empleados, lo que a su vez ayuda a mejorar la satisfacción laboral, la moral y la productividad empresarial.

Según Tavares (2017), el teletrabajo trae beneficios para la salud, principalmente porque genera menos estrés, en la misma línea se encuentran los resultados de Delanoeije y Verbruggen (2020), que reportan una disminución en los niveles de estrés general, en comparación con el trabajo presencial. Según otros estudios, la flexibilidad del teletrabajo puede aumentar emociones positivas como la felicidad o la alegría, dependiendo de las diferencias individuales (Anderson et al., 2015).

Por otro lado, los estudios realizados durante la crisis de la pandemia han subrayado mayoritariamente los aspectos negativos y los problemas de salud derivados del trabajo a distancia. Gradisar et al. (2013), Rosen et al. (2016), Mendonça et al. (2022), han sugerido que el teletrabajo podría tener implicaciones en el bienestar y la salud mental, generando ansiedad o depresión, problemas de sueño y nocturnos. La velocidad de procesamiento de la información requiere velocidad de respuesta, lo que podría tener un fuerte impacto en la salud mental, además, la incapacidad para desconectarse mental y psicológicamente del trabajo, puede conducir a un aumento en la cantidad de estrés y, a largo plazo, afectan negativamente el bienestar (Palm et al., 2020; Prasad et al., 2020).

Prasad et al. (2020) explicaron que el intercambio social es fundamental para evitar la sensación de aislamiento y la falta de apoyo percibido, en consecuencia, el bienestar psicológico de los trabajadores remotos podría verse comprometido ya que el aspecto social y la interacción humana son elementos faltantes en el teletrabajo (Pradhan y Hati, 2019).

Por ejemplo, Bentley et al., (2016) examinaron la relación entre el apoyo percibido y el bienestar. El apoyo social percibido por los teletrabajadores se asoció estrechamente con una mayor satisfacción laboral y una menor tensión psicológica. Además, el aislamiento social medió negativamente en la relación entre apoyo y bienestar. Estos resultados son consistentes con el estudio de Vander Elst et al., (2017) que demostró cómo algunas características (por ejemplo, el apoyo social de los colegas, la participación en la toma de decisiones) pueden ser predictores fundamentales del bienestar laboral.

Una posible explicación de estos hallazgos aparentemente contradictorios podría provenir del hecho de que, dado que muchos empleados se vieron obligados a teletrabajar debido a las políticas de distanciamiento social durante la pandemia de COVID-19, sus experiencias pueden diferir de las de los empleados en estudios anteriores de la pandemia, que voluntariamente trabajaba desde casa por una variedad de razones (Waizenegger et al., 2020).

De hecho, el confinamiento domiciliario forzado durante los bloqueos para controlar el COVID-19 parecería afectar negativamente el bienestar de las personas, debido a una situación que se percibe como estresante y carente de estímulos positivos (Gupta et al., 2020; Rohail, 2020; Sundarasen et al., 2020).

- **Clúster 2: Conciliación de la vida laboral y personal y cuestión de género (7 ítems)**

El clúster verde consta de las siguientes palabras clave: trabajo flexible, género, satisfacción laboral, gestión, telecomunicación, teletrabajo y conciliación de la vida laboral y personal, que constituyen el 34,1% de las co-ocurrencias de palabras clave.

Se trata de artículos que han analizado la relación entre el teletrabajo y la conciliación de la vida laboral y social, desde una perspectiva de género. En general, el teletrabajo se ha asociado con altos niveles de equilibrio entre la vida laboral y personal y una disminución de la discriminación social (Kossek et al., 2006; Hibrecht et al., 2008; Lautsch et al., 2009; Chung y van der Horst, 2020). Por el contrario, Whittle y Mueller (2009, p. 140) no están de acuerdo con lo que denominan una "one-sided view of teleworking realities" al cuestionar la idea de que comprar una conexión a internet o una computadora portátil puede implicar automáticamente ventajas.

Los resultados de esta revisión sistemática de la literatura muestran que el teletrabajo puede conducir a resultados ambivalentes dependiendo de algunas características culturales e individuales como el género.

Algunos estudios empíricos han destacado la importancia del teletrabajo para facilitar el acceso al trabajo de los colectivos más desfavorecidos, como las mujeres o los jóvenes (Sener y Bhat, 2011; Singh et al., 2013; Asgari et al., 2014; Paleti, 2016), otros han puesto de manifiesto las consecuencias potencialmente negativas del teletrabajo, que, al generar límites poco claros entre el trabajo y la vida personal, repercute en el bienestar individual y la satisfacción laboral (Felstead y Henseke, 2017; Curzi et al., 2020), exacerbando desigualdades de género (Golden et al., 2006; Allen et al., 2013; Lott y Chung, 2016).

Por ejemplo, Maruyama et al. (2009) encontraron que, sin diferencias estadísticamente significativas entre hombres y mujeres, el equilibrio entre la vida laboral y personal mejoró con el teletrabajo. Wheatley (2012) informó que los teletrabajadores reportan niveles más altos de satisfacción que otros trabajadores, con beneficios significativos especialmente para las madres trabajadoras.

En cambio, el estudio realizado por Zhang et al., (2020) con una muestra de 188.081 trabajadores alemanes, mostró que el teletrabajo no solo aumenta el conflicto entre trabajo y familia, sino que también desencadena la repartición de las tareas domésticas dentro de la pareja y agudiza el género. diferencias, especialmente para las mujeres con niños. Más recientemente, el estudio Çoban (2022), destinado a analizar cómo afectó el cambio al teletrabajo a la vida familiar y laboral de 18 mujeres turcas casadas, reveló que las regulaciones del teletrabajo que se implementaron debido a la pandemia corren el riesgo de desvincular a las mujeres del trabajo profesional y consolidar su rol como amas de casa tradicionales.

Por lo tanto, los estudios sobre la asociación entre prácticas laborales flexibles, satisfacción laboral y conciliación de la vida laboral y familiar son aún escasos y poco concluyentes (De Menezes y Kelliher, 2011). Según Kurowska (2020), una posible explicación podría remontarse al sustrato cultural. Comparando trabajadores masculinos y femeninos de Suecia y Polonia, el autor concluyó que en una sociedad relativamente equitativa en cuanto al género (Suecia), el impacto negativo de trabajar desde casa en la capacidad de combinar trabajo y no trabajo afecta a ambos géneros. Por el contrario, en una sociedad más tradicional (Polonia), los hombres, a diferencia de las mujeres, pueden "escapar" de la trampa del trabajo doblemente remunerado y no remunerado cuando trabajan desde casa.

- Clúster 3: Importancia de las TIC en la Gestión de Recursos Humanos (3 ítems)

Además de las dos líneas de investigación comentadas anteriormente, los resultados de este estudio revelaron la importancia de la tecnología en el desarrollo del teletrabajo y, sobre todo, en la gestión de los recursos humanos (HRM), a menudo denominados gestión electrónica de recursos humanos (e-HRM) o sistemas de información de recursos humanos (HRIS) (Marler & Fisher, 2013). Esta es una línea de investigación extremadamente pequeña, alrededor del 9,3 % de las palabras clave, que consta de las siguientes palabras: TIC, gestión de recursos humanos y desplazamiento.

En este sentido, Bhattacharyya et al. (2020) subrayaron la importancia de las Tecnologías de la Información y la Comunicación (TIC) para apoyar diversas actividades de recursos humanos como catalizador de la eficiencia operativa. Según Abbasi et al. (2016) los recursos humanos son el componente más importante de una empresa que agregan valor a la organización y aumentan el estatus de los empleados considerados como recursos y no como costos para la organización.

En concreto, Mathur (2009) realizó un estudio destinado a cuantificar la eficiencia de las TIC en 52 países. El estudio encontró que el crecimiento de la productividad en el sector de las TIC aún está en desarrollo y en los países recientemente industrializados es ligeramente inferior al crecimiento en los países desarrollados, lo que sugiere una recuperación para los países en desarrollo y los países recientemente industrializados.

Zwick (2003) estudió el impacto de las inversiones en TIC sobre la productividad en las industrias alemanas. Los establecimientos sin capital TIC también se incluyeron en el estudio para comparar los resultados con aquellos con capital TIC. El análisis de regresión transversal indicó que las inversiones en TIC aumentan sustancialmente la productividad promedio de las fábricas alemanas. Usando el mismo enfoque, Saleem et al. (2011) intentaron medir el impacto de las TIC en la productividad organizacional en términos de eficiencia y eficacia. El estudio encontró informes significativos de las TIC sobre la eficacia, sin embargo, se encontró que la adopción de las TIC era irrelevante en términos de eficiencia.

Algunos autores también han intentado identificar diferencias en el papel de las TIC entre industrias de servicios y orientadas a procesos y se han encontrado diferencias significativas (Kowalkowski et al., 2013).

A pesar de la indudable importancia de las TIC en la gestión de los recursos humanos en términos de productividad, algunas pruebas empíricas de los países en desarrollo han sugerido que una mayor inversión en TIC no conduce necesariamente a un mayor rendimiento de los recursos humanos (Dewan y Kraemer, 2000; Chowdhury, 2006). Además, muchas empresas aún utilizan métodos tradicionales y estas empresas solo pueden cambiar a las TIC si los beneficios resultantes superan los costos de inversión y mantenimiento (Omran y Anan, 2018).

Por lo tanto, sigue siendo evidente que, si la tecnología ha de fomentar la gestión eficaz del desempeño de los recursos humanos en las organizaciones, debe ser capaz de soportar no solo el acceso al conocimiento documentado sino, sobre todo, el conocimiento que poseen las personas, que son los principales recursos de la organización. Estos resultados sugieren que, además de mejorar la visibilidad y la trazabilidad de ese conocimiento, la tecnología debe apuntar a catalizar la colaboración y la transferencia de conocimiento entre sus titulares, tanto dentro como entre organizaciones.

4. CONCLUSIONES Y FUTURAS LÍNEAS DE INVESTIGACIÓN

Esta revisión sistemática es un intento de presentar los principales puntos de interés dentro de la literatura sobre teletrabajo. Se examinaron un total de 841 artículos sobre teletrabajo. Los datos extraídos se analizaron en base a diferentes indicadores bibliométricos y análisis de citas y co-ocurrencias de las palabras clave.

Una contribución importante de esta revisión radica en el análisis de la estructura intelectual de la literatura sobre el teletrabajo. La identificación de las líneas de investigación que componen la literatura se considera el primer intento de sistematizar la base de conocimiento de la investigación del teletrabajo. Más específicamente, el análisis de la co-ocurrencia de palabras clave reveló tres líneas de investigación.

La primera (la más desarrollada) analizó el impacto del teletrabajo en el bienestar de los trabajadores durante la crisis de la pandemia, la segunda subrayó la importancia del teletrabajo para los grupos más desfavorecidos (especialmente en las mujeres en la compleja relación vida familiar-trabajo), mientras que la tercera línea (que es la que menos interés ha recibido por parte de los académicos) subrayó la importancia de las tecnologías en los recursos humanos.

Cada una de estas líneas de investigación presentó resultados contradictorios que para mayor claridad hemos representado en la tabla 5.

Tabla 5. Fortalezas y debilidades de la literatura sobre teletrabajo

Ventajas	Desventajas
Bienestar: Permite una mayor flexibilidad de horarios y reduce el estrés, mejorando la calidad de vida del trabajador.	Un estilo de vida más sedentario conduce a un aumento de los problemas físicos. La identificación de los empleados con la empresa puede reducirse aumentando el aislamiento.
Productividad: aumento de la productividad al reducir las interacciones innecesarias entre los empleados.	La supervisión del rendimiento se vuelve más compleja de forma remota.
Facilita la conciliación de la vida familiar y profesional del trabajador.	Aumenta el riesgo de no desconectar y trabajar más horas de lo habitual (especialmente para las mujeres).
La importancia de las tecnologías de la información para apoyar diversas actividades de recursos humanos como catalizador para la eficiencia operativa.	Aumento de las diferencias sociales ya que existe una brecha en el acceso a las TIC (países en desarrollo).

Nota. Elaborado por los autores.

Partiendo de las fortalezas y debilidades de cada clúster, planteamos algunas reflexiones que esperamos sean aceptadas por la comunidad científica para mejorar nuestra comprensión de los procesos que subyacen al teletrabajo. En primer lugar, con respecto a las cuestiones sociales relacionadas con el teletrabajo, la investigación se ha centrado en la falta de interacciones sociales y su impacto en la vida del trabajador. Sin embargo, además de la cantidad de interacciones, la calidad también juega un papel importante, positivo o negativo, en términos de compromiso laboral, satisfacción laboral, bienestar emocional y físico, este es un aspecto que la investigación debe investigar. Otro problema se refiere a la coexistencia de al menos dos teletrabajadores en el mismo hogar y los problemas derivados relacionados con la disponibilidad de espacio y equipo, así como los problemas relacionados con el cuidado de los niños. De la literatura han surgido resultados diferentes: por un lado, la flexibilidad del teletrabajo permite una mayor conciliación entre la vida profesional y la vida privada, sin embargo, estos resultados son diferentes cuando se refieren a grupos sociales específicos (por ejemplo, mujeres, especialmente si están casadas y con hijos) y áreas menos desarrolladas. Futuras investigaciones deberían profundizar en la investigación del teletrabajo en diferentes contextos (diferente grupo profesional y muestra, entorno rural, entorno económico diferente).

Además, otras dimensiones del teletrabajo podrían influir en la forma en que se ve y practica el teletrabajo. La intensidad del teletrabajo y los diferentes moderadores potenciales, como la variedad de tareas realizadas a través del teletrabajo y el cambio de la implementación del teletrabajo de un modo opcional a uno obligatorio, son algunos ejemplos. Se considera necesaria la investigación futura sobre estos temas.

Finalmente, otra pregunta para futuras investigaciones sobre el teletrabajo recomienda el examen de posibles factores habilitantes y/o limitantes. Por ejemplo, las prácticas de gestión de recursos humanos se consideran un factor crítico que determina la adopción e implementación de modalidades de trabajo flexibles, como el teletrabajo, por lo que parece importante estudiar cómo las prácticas de gestión de recursos humanos pueden contribuir a que la gestión sea más eficaz que el teletrabajo. Además, en un entorno de teletrabajo, se podría investigar el desarrollo de sistemas e-HRM, que apoyan el papel positivo de la función de recursos humanos como agente organizacional en la relación entre la organización y sus empleados.

El teletrabajo se ha relacionado ampliamente con las tecnologías de la información y la comunicación (TIC), sin embargo, la relación entre el desarrollo de las TIC y las prácticas de trabajo flexibles no ha provocado una necesidad explícita de más investigación. Curiosamente, la mayoría de los académicos consideran que las TIC son un habilitador o facilitador del teletrabajo, sin embargo, otros investigadores sugieren que también hay una desventaja en el uso de la tecnología en el trabajo, así como en la relación entre las TIC y el teletrabajo. Dado que el teletrabajo se está convirtiendo cada vez más en una necesidad en la era covid y post-covid, una mayor investigación sobre cuestiones relacionadas con la tecnología podría arrojar luz sobre aspectos más sutiles del teletrabajo.

Algunas limitaciones pueden ser destacadas por nuestro estudio. El primer límite se refiere al tipo de enfoque utilizado, el de cartografía científica que, prestando mayor atención a los metadatos que forman parte de una base de conocimiento específica, no sustituye a los métodos tradicionales de revisión que analizan los resultados sustanciales extraídos de los documentos científicos. La revisión actual solo sienta las bases para análisis posteriores que examinan los resultados de los estudios de teletrabajo.

Una segunda limitación surge de las definiciones conceptuales de "teletrabajo" en la literatura. Dada la actualidad de este tema de investigación, aún no se ha desarrollado un consenso inequívoco sobre los límites conceptuales de este constructo. El límite que se deriva de esta característica de la literatura radica en la ambigüedad de los límites del constructo (que es en gran parte atribuible a la ambigüedad de la definición más general de trabajo a distancia) y, por tanto, en los criterios operativos con los que estamos acostumbrados a seleccionar los documentos. científico para su revisión.

Dada la importante evolución de este tema de investigación, especialmente en la última década, hemos abordado esta limitación de dos maneras diferentes. En primer lugar, durante la fase de investigación, adoptamos una perspectiva general sobre el teletrabajo al incluir todos los artículos científicos presentes en la literatura. En segundo lugar, durante la fase de selección, nos basamos en las palabras clave utilizadas por los propios autores y en la lectura de los resúmenes (los resúmenes fueron leídos por los tres autores que escribieron esta revisión) para identificar qué documentos incluir. Este enfoque es útil para evitar errores de atribución debido al componente subjetivo de un solo autor.

Otra limitación proviene del tipo de base de datos que utilizamos. Aunque Scopus y Web of Science se consideran las bases de datos más importantes en la literatura científica (Burnham, 2006), no incluyen todos los documentos existentes dentro de una literatura determinada. En este sentido, sería recomendable ampliar estos resultados utilizando otras bases de datos.

Además, aunque el análisis bibliométrico se considera un método cuantitativo riguroso, la interpretación de la representación gráfica de los mapas no siempre es sencilla. Por ello, según Zupic y Čater (2015), para dar una interpretación clara de los resultados, el estudioso que realiza el estudio bibliométrico debe tener un conocimiento previo de literatura relativamente sólida.

Finalmente, otra posible limitación de esta revisión podría provenir de elegir incluir solo artículos en inglés o español. Si bien esta elección puede parecer una limitación, en realidad es útil para preservar la calidad de los documentos a analizar. En nuestro caso, el efecto de esta limitación es limitado, ya que solo se excluyeron de la revisión 6 artículos escritos en un idioma diferente.

Más allá de las implicaciones metodológicas, creemos que el presente estudio hace una contribución significativa a la literatura de dos maneras diferentes. En primer lugar, considerando el teletrabajo como un concepto multidimensional. Esto nos impulsó a identificar las relaciones entre los diferentes subtemas y ampliar su cuerpo de conocimiento. Desde esta perspectiva, fue posible observar cómo los clústeres están fuertemente correlacionados entre sí (Figura 4), evidencia significativa de que académicos que investigan el teletrabajo dialogan con autores interesados en otras formas de "trabajo remoto", con el objetivo de construir un común de investigación y contribuir al desarrollo de este campo de estudio. Además, a través de este estudio, identificamos un marco conceptual que resume las consecuencias positivas y negativas del teletrabajo.

Conocer las tendencias actuales, las fortalezas y debilidades de la investigación es importante para informar a los investigadores que se están adentrando en este campo de estudio allanando el camino para el desarrollo de este tema de investigación.

5. REFERENCIAS BIBLIOGRÁFICAS

Abbasi, M., Nilipour Tabatabaei, S.A. y Labbaf, H. (2016). Identify future changes of ICT in Human Resources Management: A delphi study. *International Academic Journal of Organizational Behavior and Human Resource Management*, 3(1), 36-44. https://www.iaiest.com/

Aguiléra, A., Lethiais, V., Rallet, A. y Proulhac, L. (2016). Home-based telework in France: Characteristics, barriers and perspectives. *Transportation Research Part A: Policy and Practice*, 92, 1-11. https://doi.org/10.1016/j.tra.2016.06.021

Alizadeh, T. (2009). Urban design in the digital age: A literature review of telework and wired communities. *Journal of Urbanism International Research on Placemaking and Urban Sustainability*, 2(3), 195-213. https://doi.org/10.1080/17549170903056789

Allen, T.D., Johnson, R.C., Kiburz, K.M. y Shockley, K.M. (2013). Work-family conflict and flexible work arrangements: Deconstructing flexibility. *Personnel Psychology*, 66(2), 345-376. https://doi.org/10.1111/peps.12012

Ammons, S.K. y Markham, W.T. (2004). Working at home: Experiences of skilled white collar workers. *Sociological Spectrum*, 24, 191-238. https://doi.org/10.1080/02732170490271744

Anderson, A.J., Kaplan, S.A. y Vega, R.P. (2015). The impact of telework on emotional experience: when, and for whom, does telework improve daily affective well-being? *European Journal of Work and Organizational Psychology*, 24(6), 882-897. https://doi.org/ 10.1080/1359432X.2014.966086

Arunprasad, P., Dey, C., Jebli, F., Manimuthu, A. y El Hathat, Z. (2022). Exploring the remote work challenges in the era of COVID-19 pandemic: review and application model. *Benchmarking: An International Journal*, 29, 1-23. https://doi.org/10.1108/BIJ-07-2021-0421

Asgari, H., Jin, X. y Mohseni, A. (2014). Choice, frequency, and engagement: Framework for telecommuting behavior analysis and modeling. *Transportation Research Record*, 2413(1), 101-109. https://doi.org/10.3141/2413-11

Athanasiadou, C. y Theriou, G. (2021). Telework: systematic literature review and future research agenda. *Heliyon*, 7(10), e08165. https://doi.org/10.1016/j.heliyon.2021.e08165

Azarbouyeh, A. y Naini, S.G.J. (2014). A study on the effect of teleworking on quality of work life. *International Journal of Industrial Engineering Computations*, 4(6), 1063-1068. https://doi.org/10.5267/j.msl.2014.5.027

Bailey, D.E. y Kurkland, N.B. (2002). A review of telework research: Findings, new directions, and lessons for the study of modern work. *Journal of Organizational Behavior*, 23(4), 383-400. https://doi.org/10.1002/job.144

Belzunegui-Eraso, A. y Erro-Garcés, A. (2020). Teleworking in the context of the Covid-19 crisis. *Sustainability, 12*, 3662. https://doi.org/10.3390/su12093662

Bentley, T., Teo, S., McLeod, L., Tan, F., Bosua, R. y Gloet, M. (2016). The role of organisational support in teleworker wellbeing: A socio-technical systems approach. *Applied Ergonomics, 52*, 207-215. https://doi.org/10.1016/j.apergo.2015.07.019

Bhattacharyya, D.S., Shafique, S., Akhter, S., Rahman, A., Islam, Z., Rahman, N. y Anwar, I. (2020). Challenges and facilitators of implementation of an information communication and technology (ICT)-based human resources management tool in the government health sector in Bangladesh: protocol for an exploratory qualitative research study. *BMJ Open, 10*, e043939. https://doi.org/10.1136/bmjopen-2020-043939

Bousa, R., Gloet, M., Kurnia, S., Mendoza, A. e Yong, J. (2013). Telework, productivity and wellbeing: An Australian perspective. *Telecommunications Journal of Australia, 63*(1), 11.1-11.12. http://tja.org.au.

Boyack, K.W. y Klavans, R. (2010). Co-citation analysis, bibliographic coupling, and direct citation: Which citation approach represents the research front most accurately? *Journal of the American Society for Information Science and Technology, 61*(12), 2389-2404. https://doi.org/10.1002/asi.21419

Burnham, J.F. (2006). Scopus database: a review. *Biomedical digital libraries, 3*, 1-8. https://doi.org/10.1186/1742-5581-3-1

Charalampous, M., Grant, C.A., Tramontano, C. y Michailidis, E. (2019). Systematically reviewing remote e-workers' well-being at work: A multidimensional approach. *European Journal of Work and Organizational Psychology, 28*(1), 51-73 https://doi.org/10.1080/1359432X.2018.1541886

Chatterjee, S., Chaudhuri, R. y Vrontis, D. (2022). Does remote work flexibility enhance organization performance? Moderating role of organization policy and top management support. *Journal of Business Research, 139*, 1501-1512. https://doi.org/10.1016/j.jbusres.2021.10.069

Chowdhury, S.K. (2006). Investments in ICT-capital and economic performance of small and medium scale enterprises in East Africa. *Journal of International Development, 18*(4), 533-552. https://doi.org/10.1002/jid.1250

Chung, H. y van der Horst, M. (2020). Flexible working and unpaid overtime in the UK: The role of gender, parental and occupational status. *Social Indicators Research, 151*(2), 1-26. https://doi.org/10.1007/s11205-018-2028-7

Çoban, S. (2022). Gender and telework: Work and family experiences of teleworking professional, middle-class, married women with children during the Covid-19 pandemic in Turkey. *Gender, Work and Organization*, 29(1), 241-255. https://doi.org/10.1111/gwao.12684

Collins, M. (2005). The (not so simple) case for teleworking: a study at Lloyd's of London. *New Technology, Work and Employment*, 20(2), 115-132. https://doi.org/10.1111/j.1468-005X.2005.00148.x

Cooper, C.D. y Kurkland, N.B. (2002). Telecommuting, professional isolation, and employee development in public and private organizations. *Journal of Organizational Behavior*, 23(4), 511-532. https://doi.org/10.1002/job.145

Curzi, Y., Fabbri, T. y Pistoresi, B. (2020). The stressful implications of remote e-working: Evidence from Europe. *International Journal of Business and Management*, 15(7), 108-119. https://doi.org/10.5539/ijbm.v15n7p108

Delanoeije, J. y Verbruggen, M. (2020). Between-person and within-person effects of telework: A quasi-field experiment. *European Journal of Work and Organizational Psychology*, 29, 795-808. https://doi.org/10.1080/1359432X.2020.1774557

De Macêdo, T.A.M., Cabral, E.L.D.S., Silva Castro, W.R., de Souza Junior, C.C., da Costa Junior, J.F., Pedrosa, F.M., da Silva, A.B., de Medeiros, V.R.F., de Souza, R.P., Cabral, M.A.L. y Másculo, F.S. (2020). Ergonomics and telework: A systematic review. *Work*, 66(4), 777-788. https://doi.org/10.3233/WOR-203224.

De Menezes, L.M. y Kelliher, C. (2011). Flexible working and performance: A systematic review of the evidence for a business case. *International Journal of Management Review*, 13(4), 452-474. https://doi.org/10.1111/j.1468-2370.2011.00301.x

Dewan, S. y Kraemer, K.L. (2000). Information technology and productivity: Evidence from country-level data. *Management Science*, 46(4), 548-562. https://doi.org/10.1287/mnsc.46.4.548.12057

Dima, A., Tuclea, C. y Vrânceanu, T.G. (2019). Sustainable social and individual implications of telework: a new insight into the Romanian labor market. *Sustainability*, 11(13), 3506. https://doi.org/10.3390/su11133506

Elldér, E. (2020). Telework and daily travel: New evidence from Sweden. *Journal of Transport Geography*, 86, 102777. https://doi.org/10.1016/j.jtrangeo.2020.102777

Eurofound. (2020). *Living, working and COVID-19*. https://www.eurofound.europa.eu/data/covid-19

Eurofound & the International Labour Office. (2017). *Working anytime, anywhere: The effects on the world of work*. https://www.eurofound.europa.eu/publications/report/2017/working-anytime-anywhere-the-effects-on-the-world-of-work

Felstead, A. y Henseke, G. (2017). Assessing the growth of remote working and its consequences for effort, well-being and work-life balance. *New Technology, Work and Employment*, 32(3), 195-212. https://doi.org/10.1111/ntwe.12097

Gálvez, A., Martinez-Argüelles, M.J. y Pérez, C. (2020). Telework and Work-Life Balance: Some dimensions for organisational change. *Journal of Workplace Rights*, 16(3), 273-297. https://doi.org/10.2190/WR.16.3-4.b

Golden, T.D., Veiga, J.F. y Simsek, Z. (2006). Telecommuting's differential impact on work-family conflict: Is there no place like home? *Journal of Applied Psychology*, 91(6), 1340-1350. https://doi.org/10.1037/0021-9010.91.6.1340

Gradisar, M., Wolfson, A.R., Harvey, A.G., Hale, L., Rosenberg, R. y Czeisler, C.A. (2013). The sleep and technology use of Americans: findings from the National Sleep Foundation's 2011 Sleep in America poll. *Journal of Clinical Sleep Medicine*, 9(12), 1291-1299. https://doi.org/10.5664/jcsm.3272.

Grant, C.A., Wallace, L.M. y Spurgeon, P.C. (2013). An exploration of the psychological factors affecting remote e-worker's job effectiveness, well-being and work-life balance. *Employee Relations*, 35(5), 527-546. https://doi.org/10.1108/ER-08-2012-0059

Gupta, R., Grover, S., Basu, A., Krishnan, V., Tripathi, A., Subramanyam, A. et al. (2020). Changes in sleep pattern and sleep quality during COVID-19 lockdown. *Indian Journal of Psychiatry*, 62(4), 370-378. https://doi.org/10.4103/psychiatry.IndianJPsychiatry_523_20.

Haddon, L. (1994). The experience of teleworking: An annotated review. *The International Journal of Human Resource Management*, 5(1), 193-223. https://doi.org/10.1080/09585199400000010

Hallinger, P. y Suriyankietkaew, S. (2018). Science mapping of the knowledge base on sustainable leadership, 1990-2018. *Sustainability*, 10(12), 4846. https://doi.org/10.3390/su10124846

Harpaz, I. (2002). Advantages and disadvantages of telecommuting for the individual, organization and society. *Work Study*, 51(2), 74-80. https://doi.org/10.1108/00438020210418791

Hibrecht, M., Shaw, S.M., Johnson, L.C. y Andrey, J. (2008). 'I'm home for the kids': Contradictory implications for work-life balance of teleworking mothers. *Gender, Work & Organization*, 15(5), 454-476. https://doi.org/10.1111/j.1468-0432.2008.00413.x

Hook, A., Court, V., Sovacool, B.K. y Sorrell, S. (2020). A systematic review of the energy and climate impacts of teleworking. *Environmental Research Letters, 15*(9), 093003. https://doi.org/10.1088/1748-9326/ab8a84

International Labour Organization. (30/04/2020). *COVID-19: Guidance for labour statistics data collection.* https://www.ilo.org

Jesús, T.S., Landry, M.D. y Jacobs, K. (2020). A 'new normal' following COVID-19 and the economic crisis: Using systems thinking to identify challenges and opportunities in disability, telework, and rehabilitation. *Work, 67*(1), 37-46. https://doi.org/10.3233/WOR-203250

Kingma S. (2019). New ways of working (NWW): Work space and cultural change in virtualizing organizations. *Culture & Organization, 25*(5), 383-406. https://doi.org/10.1080/14759551.2018.1427747

Kossek, E.E., Lautsch, B.A. y Eaton, S.C. (2006). Telecommuting, control, and boundary management: Correlates of policy use and practice, job control, and work-family effectiveness. *Journal of Vocational Behavior, 68*(2), 347-367. https://doi.org/10.1016/j.jvb.2005.07.002

Kowalkowski, C., Kindström, D. y Gebauer, H. (2013). ICT as a catalyst for service business orientation. *Journal of Business & Industrial Marketing, 28*(6), 1-27. https://doi.org/10.1108/JBIM-04-2013-0096

Kurowska, A. (2020). Gendered Effects of Home-Based Work on Parents' Capability to Balance Work with Non-work: Two Countries with Different Models of Division of Labour Compared. *Social Indicators Research, 151*(2), 405-425. https://doi.org/10.1007/s11205-018-2034-9

Lapierre, L.M., van Steenbergen, E., Peeters, M.C.W. y Kluwer, E.S. (2015). Juggling work and family responsibilities when involuntarily working more from home: A multiwave study of financial sales professionals. *Journal of Organizational Behavior, 37*(6), 804-822. https://doi.org/10.1002/job.2075

Lautsch, B.A., Kossek, E.E. y Eaton, S.C. (2009). Supervisory approaches and paradoxes in managing telecommuting implementation. *Human Relations, 62*(6), 795-827. https://doi.org/10.1177/0018726709104543

Lott, Y. y Chung, H. (2016). Gender discrepancies in the outcomes of schedule control on overtime hours and income in Germany. *European Sociological Review, 32*(6), 752-765. https://doi.org/10.1093/esr/jcw032

Lunde, L.-K., Fløvik, L., Christensen, J.O., Johannessen, H.A., Finne, L.B., Jørgensen, I.L., Mohr, B. y Vleeshouwers, J. (2022). The relationship between telework from home and employee health: A systematic review. *BMC Public Health, 22*(47), 1-14. https://doi.org/10.1186/s12889-021-12481-2

Maruyama, T., Hopkinson, P.G. y James, P.W. (2009). A multivariate analysis of work–life balance outcomes from a large-scale telework programme. *New Technology, Work and Employment, 24*(1), 76-88. https://doi.org/10.1111/j.1468-005X.2008.00219.x

Mathur, S.K. (2009). Financial analysis of the ICT Industry: A regulatory perspective. *Journal of Infrastructure Development, 1*(1), 17-43. https://doi.org/10.1177/097493060900100103

McAllister, D.J. (1995). Affect and cognition-based trust formations for interpersonal cooperation in organizations. *The Academy of Management Journal, 38*(1), 24-59. https://doi.org/10.2307/256727

McNaughton, D., Rackensperger, T., Dorn, D. y Wilson, N. (2014). "Home is at work and work is at home": Telework and individuals who use augmentative and alternative communication. *Work, 48*(1), 117-126. https://doi.org/10.3233/WOR-141860

Mendonça, I., Coelho, F., Ferrajão, P. y Abreu, A.M. (2022). Telework and mental health during COVID-19. *International Journal of Environmental Research and Public Health, 19*(5), 2602. https://doi.org/10.3390/ijerph19052602

Messenger, J.C. (2019). *Telework in the 21st century: an evolutionary perspective*. Edward Elgar Publishing.

Miron, D., Petcu, M.A., David-Sobolevschi, M.I. y Cojocariu, R.C. (2021). A Muldimensional approach of the relationship between teleworking and employees well-being Romania during the pandemic generated by the Sars-Cov-2 virus. *The Amfiteatru Economic Journal, 23*, 586-600. https://doi.org/10.24818/EA/2021/58/586

Moher, D., Liberati, A., Tetzlaff, J., Altman, D.G. y PRISMA Group. (2009). Preferred reporting items for systematic reviews and meta-analyses: the PRISMA statement. *PLoS Medicine, 21*(7), e1000097. https://doi.org/10.1371/journal.pmed.1000097.

Nguyen, M.H. y Armoogum, J. (2021). Perception and preference for home-based telework in the COVID-19 era: a gender-based analysis in Hanoi Vietnam. *Sustainability, 13*, 3179. https://doi.org/10.3390/su13063179

Nicholas, D., Watkinson, A., Jamali, H.R., Herman, E., Tenopir, C., Volentine, R. et al. (2015). Peer review: still king in the digital age. *Learned Publishing, 28*, 15-21. https://doi.org/10.1087/20150104

Nowell, L., Lorenzetti, D., Jacobsen, M., Lorenzetti, L. y Paolucci, E.O. (2021). Translating caring competencies to remote working environments: A systematic review protocol. *BMJ Open, 11*(5), e048459. https://doi.org/10.1136/bmjopen-2020-048459.

Omran, K. y Anan, N. (2018). Studying the impact of using E-HRM on the effectiveness of HRM practices: An exploratory study for the internet service providers (ISP) in Egypt. *International Journal of Academic Research in Business and Social Sciences*, 8(4), 454-486. https://doi.org/10.6007/IJARBSS/v8-i4/4026

Paleti, R. (2016). Generalized extreme value models for count data: Application to worker telecommuting frequency choices. *Transportation Research Part B*, 83, 104-120. https://doi.org/10.1016/j.trb.2015.11.008

Palm, K., Bergman, A. y Rosengren C. (2020). Towards more proactive sustainable human resource management practices? A study on stress due to the ICT-Mediated Integration of work and private life. *Sustainability*, 12(20), 8303. https://doi.org/10.3390/su12208303

Podsakoff, P.M., MacKenzie, S.B., Bachrach, D.G. y Podsakoff, N.P. (2005). The influence of management journals in the 1980s and 1990s. *Strategic Management Journal*, 26(5), 473-488. https://doi.org/10.1002/smj.454

Pradhan, R.K. y Hati, L. (2019). The measurement of employee well-being: Development and validation of a scale. *Global Business Review*, 23(2), 385-407. https://doi.org/10.1177/0972150919859101

Prasad, K., Mruthyanjaya Rao, M., Vaidya, R. y Muralidhar, B. (2020). Remote working: Organizational climate, opportunities, challenges and psychological well-being of the employees during covid-19 pandemic: A general linear model approach with reference to IT industry in hyderabad. *International journal of Advanced Research in Engineering & Technology*, 11(4), 372-389. https://papers.ssrn.com/sol3/papers.cfm?abstract_id=3599799

Price, D.J.S. (1965). Networks of scientific papers: The pattern of bibliographic references indicates the nature of the research front. *Science*, 149, 510-515. https://doi.org/10.1126/science.149.3683.510

Pyöria,P.(2011).Managingtelework:Risks,fearsandrules.*ManagementResearch Review*, 34(4), 386-399. https://doi.org/10.1108/01409171111117843

Restrepo, B. y Zeballos, E. (2020). The effect of working from home on major time allocations with a focus on food-related activities. *Review of Economics of the Household*, 18(4), 1165-1187. https://doi.org/10.1007/s11150-020-09497-9

Rohail I. (2020). Impact of Lockdown due to COVID-19 Pandemic on General Public in Pakistan. *Foundation University Journal of Psychology*, 4(2), 5-10. https://doi.org/10.33897/fujp.v4i2.186

Rosen L., Carrier L.M., Miller A., Rokkum J. y Ruiz A. (2016). Sleeping with technology: Cognitive, affective, and technology usage predictors of sleep problems among college students. *Sleep Health*, 2(1), 49-56. https://doi.org/10.1016/j.sleh.2015.11.003.

Saleem, I., Masood, T., Saba Mustafa, Q., Anwar F. y Hijazi, T. (2011). Role of information and communicational technologies in perceived organizational performance: An empirical evidence from higher education sector of Pakistan. *Business Review*, 6(1), 81-93. https://ir.iba.edu.pk/business-review/vol6/iss1/6

Santos, I.N.D., Pernambuco, M.L., Silva, A.M.B.D., Ruela, G.D.A. y Oliveira, A.S.D. (2021). Association between musculoskeletal pain and telework in the context of the covid-19 pandemic: An integrative review. *Revista Brasileira de Medicina do Trabalho*, 19(3), 342-350. https://doi.org/10.47626/1679-4435-2021-812

Sener, I.N. y Bhat, C. (2011). A copula-based sample selection model of telecommuting choice and frequency. *Environment and Planning A: Economy and Space*, 43(1), 126-145. https://doi.org/10.1068/a43133

Sharit, J., Hernández, M.A., Czaja, S.J. y Pirolli, P. (2004). Investigating the roles of knowledge and cognitive abilities in older adult information seeking on the web. *ACM Transactions on Computer-Human Interaction*, 15(1), 1-29. https://doi.org/10.1145/1352782.1352785

Singh, P., Paleti, R., Jenkins, S. y Bhat, C.R. (2013). On modeling telecommuting behavior: Option, choice, and frequency. *Transportation*, 40(2), 373-396. https://doi.org/10.1007/s11116-012-9429-2

Sorensen, S. (2017). The performativity of choice: postfeminist perspective on work-life balance. *Gender, Work and Organization*, 24(3), 297-313. https://doi.org/10.1111/gwao.12163

Stiles, J. y Smart, M.J. (2021). Working at home and elsewhere: daily work location, telework, and travel among United States knowledge workers. *Transportation*, 48, 2461-2491. https://doi.org/10.1007/s11116-020-10136-6

Sundarasen, S., Chinna, K., Kamaludin, K., Nurunnabi, M., Baloch, G.M., Khoshaim, H.B., Abid Hossain, S.F. y Sukayt, A. (2020). Psychological impact of COVID-19 and lockdown among university students in Malaysia: Implications and policy recommendations. *Intrnational Journal of Environmental Research and Public Health*, 17(17), 6206. https://doi.org/10.3390/ijerph17176206

Tavares, A.I. (2017). Telework and health effects review. *International Journal of Healthcare*, 3(2), 30-36. https://doi.org/10.5430/ijh.v3n2p30

Vander Elst, T., Verhoogen, R., Sercu, M., Van den Broeck, A., Baillien, E. y Godderis, L. (2017). Not extent of telecommuting, but job characteristics as proximal predictors of work-related well-being. *Journal of Occupational and Environmental Medicine*, 59(10), e180-e186. https://doi.org/10.1097/JOM.0000000000001132

van Eck, N.J. y Waltman, L. (2017). Citation-based clustering of publications using CitNetExplorer and VOSviewer. *Scientometrics, 111,* 1053-1070. https://doi.org/10.1007/s11192-017-2300-7

Vega, R., Anderson, A. y Kaplan, S. (2015). A within-person examination of the effects of telework. *Journal of Business and Psychology, 30*(2), 313-323. https://doi.org/10.1007/s10869-014-9359-4

Waizenegger, L., McKenna, B., Cai, W. y Bendz, T. (2020). An affordance perspective of team collaboration and enforced working from home during COVID-19. *European Journal of Information Systems, 29*(4), 429-442. https://doi.org/10.1080/0960085X.2020.1800417

Ward, N. y Shabha, G. (2001). Teleworking: An assessment of socio-psychological factors. *Facilities, 19*(1-2), 61-71. https://doi.org/10.1108/02632770110362811

Wheatley, D. (2012). Good to be home? Time-use and satisfaction levels among home-based teleworkers. *New Technology, Work and Employment, 27*(3), 224-241, https://doi.org/10.1111/j.1468-005X.2012.00289.x

Whittle, A. y Mueller, F. (2009). 'I could be dead for two weeks and my boss would never know': Telework and the politics of representation. *New Technology Work and Employment, 24*(2), 131-143. https://doi.org/10.1111/j.1468-005X.2009.00224.x

Wilson, M. y Greenhill, A. (2004). Gender and teleworking identities in the risk society: A research agenda. *New Technology Work and Employment, 19*(3), 207-221. https://doi.org/10.1111/j.1468-005X.2004.00138.x

Yang, L., Holtz, D., Jaffe, S. et al. (2022). The effects of remote work on collaboration among information workers. *Nature Human Behaviour, 6,* 43-54. https://doi.org/10.1038/s41562-021-01196-4

Zhang, S., Moeckel, R., Moreno, A.T., Shuai, B. y Gao, J. (2020). A work-life conflict perspective on telework. *Transportation Research Part A, 141,* 51-68. https://doi.org/10.1016/j.tra.2020.09.007

Zupic, I. y Čater, T. (2015). Bibliometric Methods in Management and Organization. *Organizational Research Methods, 18*(3), 429-472. https://doi.org/10.1177/1094428114562629

Zwick, T. (2003). The Impact of ICT Investment on Establishment Productivity. *National Institute Economic Review, 184*(1), 70-81. https://doi.org/10.1177/0027950103184001009